millennium

DAVID LAGERCRANTZ

DET SOM INTE DÖDAR OSS

NORSTEDTS

ISBN 978-91-1-307330-9
© David Lagercrantz och Moggliden AB 2015
Norstedts, Stockholm
Pocketutgåva 2016
Andra tryckningen
Omslag: Valentin&Byhr/Jörgen Einéus
Tryckt hos ScandBook UAB, Litauen 2016
www.norstedts.se
*
*Norstedts ingår i
Norstedts Förlagsgrupp AB,
grundad 1823*

PROLOG
ETT ÅR TIDIGARE I GRYNINGEN

DEN HÄR BERÄTTELSEN börjar med en dröm, ingen märkvärdig dröm heller för den delen. Det är bara en hand som rytmiskt och ihållande slår mot en madrass i det gamla rummet på Lundagatan.

Ändå får den Lisbeth Salander att resa sig från sin säng i den tidiga gryningen. Därefter sätter hon sig vid sin dator och börjar jakten.

DEL 1
DET VAKANDE ÖGAT

1–21 NOVEMBER

NSA, National Security Agency, är en federal myndighet
i USA som lyder under försvarsdepartementet. Huvudkontoret
ligger i Fort Meade i Maryland, längs motorvägen Patuxent.

Sedan grundandet 1952 arbetar NSA med signalspaning – i dag
främst av internet och telefontrafik. Myndigheten har gång på
gång fått utökade befogenheter, och avlyssnar numera över
tjugo miljarder samtal och korrespondenser varje dag.

KAPITEL 1
TIDIGT I NOVEMBER

FRANS BALDER HADE alltid betraktat sig som en usel far.

Trots att August redan var åtta år hade han knappt ens försökt att axla rollen som pappa tidigare, och ingen kunde påstå att han kände sig bekväm med uppgiften nu heller. Men det var hans plikt, han såg det så. Pojken for illa hos hans exfru och hennes förbannade man, Lasse Westman.

Frans Balder hade därför sagt upp sig från sitt arbete i Silicon Valley och flugit hem, och nu stod han närmast chockad på Arlanda och väntade på en taxi. Det var ett väder från helvetet. Regnet och stormen piskade honom i ansiktet och för hundrade gången undrade han om han verkligen gjorde rätt.

Han av alla självupptagna dårar skulle bli pappa på heltid, och hur vrickat var inte det? Han kunde lika gärna ha börjat arbeta på Zoo. Han visste inget om barn och knappt något om livet överhuvudtaget, och det märkligaste av allt: ingen hade bett honom om det. Ingen mor eller mormor hade ringt och bönat och sagt att han skulle ta sitt ansvar.

Han hade beslutat det själv, och nu tänkte han, i trots mot ett gammalt vårdnadsbeslut och helt utan förvarning, bara kliva in hos exfrun och hämta hem sin pojke. Det skulle säkert bli kalabalik. Han skulle säkert få duktigt med spö av förbannade Lasse Westman. Men nu var det som det var, och han hoppade in i en taxi med en kvinnlig chaufför som maniskt tuggade tuggummi och försökte konversera honom. Hon hade inte lyckats ens en av hans bättre dagar. Frans Balder var inte mycket för småprat.

Han bara satt där i baksätet och tänkte på sonen och allt som hänt den senaste tiden. August var inte den enda, eller ens den främsta orsaken till att han slutade på Solifon. Hela hans liv befann sig i ett brytningsskede, och ett ögonblick undrade han om han verkligen skulle orka. På väg in mot Vasastan var det som om blodet lämnade honom, och han tryckte undan en impuls att ge tusan i alltihop. Men han fick inte backa nu.

Han betalade taxin på Torsgatan och bar ut sin packning och lät den stå strax innanför porten, och det enda han tog med sig uppför trapporna var den tomma resväskan med den färgsprakande världskartan han köpt på San Francisco International. Därefter stod han flåsande utanför dörren och slöt ögonen, och föreställde sig alla tänkbara scener av bråk och vansinne, och egentligen, tänkte han, vem skulle kunna klandra dem? Ingen dyker bara upp och rycker ett barn från dess hemmiljö, allra minst en far som tidigare bara engagerat sig genom insättningar på ett bankkonto. Men det var en nödsituation, han uppfattade det så, och därför bröstade han upp sig och ringde på, hur mycket han än ville fly från alltihop.

Ingen svarade, inte först. Sedan flög dörren upp och Lasse Westman stod där med sina intensiva blå ögon och sin massiva bröstkorg och sina väldiga labbar som tycktes skapade för att göra folk illa, och som gjorde att han så ofta fick spela bad guy på filmduken, även om ingen av rollerna – det var Frans Balder övertygad om – var lika bad som den han spelade till vardags.

"Å, jösses", sa Lasse Westman. "Det var inte illa. Geniet självt kommer på besök."

"Jag är här för att hämta August", sa han.

"Va?"

"Jag tänker ta med mig honom, Lars."

"Du måste skämta."

"Jag har aldrig skämtat så lite", försökte han, och då dök ex-frun Hanna upp från ett rum snett till vänster, och visserligen var hon inte lika vacker som förr i tiden. Det hade varit för många olyckor för det, och förmodligen för många cigaretter och glas också. Ändå sög det till i honom av en oväntad ömhet, särskilt när han upptäckte ett blåmärke på hennes hals, och hon tycktes vilja säga något välkomnande, trots allt. Men hon hann aldrig öppna munnen.

"Varför skulle du bry dig plötsligt?" sa Lasse Westman.

"För att det är nog nu. August behöver ett tryggt hem."

"Och det skulle du kunna ge honom, Uppfinnarjocke? När har du någonsin gjort annat än att stirra in i en dator?"

"Jag har förändrats", sa han och kände sig patetisk, inte bara för att han tvivlade på att han förändrats ett enda dugg.

Han darrade också till när Lasse Westman kom emot honom med sin väldiga kroppshydda och inkapslade ilska. Så förkrossande tydligt blev det att han inget skulle ha att sätta emot om den där galningen for ut mot honom, och att hela idén från början till slut var vrickad. Men det egendomliga var att det inte kom något utbrott, ingen scen, bara ett bistert leende och så orden:

"Ja, men det är väl toppen!"

"Vad menar du?"

"Att det är på tiden helt enkelt, eller hur Hanna? Äntligen lite ansvarskänsla från herr Upptagen. Bravo, bravo!" fortsatte Lasse Westman och klappade teatraliskt sina händer, och ef-teråt var det egentligen det som skrämde Frans Balder mest – hur lätt de släppte iväg pojken.

Utan att protestera, annat då än högst symboliskt, lät de honom ta med sig grabben. Kanske såg de August enbart som en börda. Det var inte lätt att veta. Hanna gav Frans en del svårtolkade blickar och hennes händer darrade och käkarna var spända. Men hon ställde för få frågor. Hon borde ju fara ut i korsförhör, komma med tusen krav och förmaningar och oroa sig för att pojkens rutiner bröts. Hon sa bara:

"Är du säker på det här? Klarar du av det?"

"Jag är säker", sa han, och så gick de in i Augusts rum, och då såg Frans honom för första gången på över ett år, och skämdes.

Hur kunde han ha övergett en sådan pojke? Han var så vacker och förunderlig med sitt lockiga, yviga hår och sin spensliga kropp, och med de allvarliga blå ögonen, djupt försjunkna i ett jättelikt pussel av ett segelskepp. Hela hans gestalt tycktes skrika ut "stör mig inte", och Frans gick bara långsamt fram, som om han närmade sig ett främmande och oberäkneligt väsen.

Ändå lyckades han distrahera pojken, och få honom att ta tag i hans hand och följa med ut i korridoren. Han skulle aldrig glömma det. Vad tänkte August? Vad trodde han? Han tittade varken upp på honom eller på sin mor, och givetvis ignorerade han alla vinkningar och avskedsord. Han bara försvann med honom in i hissen. Det var inte svårare än så.

AUGUST VAR AUTISTISK. Troligen var han också svårt utvecklingsstörd, även om de inte fått helt entydiga besked på den punkten och det gick att misstänka motsatsen när man såg honom på håll. Med sitt utsökta, koncentrerade ansikte utstrålade han en konungslig upphöjdhet, eller åtminstone en aura av att han inte fann det värt att bry sig om omvärlden. Men vid en närmare anblick syntes en hinna i hans blick, och han hade ännu inte uttalat sitt första ord.

Han hade därmed svikit alla de prognoser han fick i tvåårsåldern. På den tiden sa läkarna att August sannolikt hörde till den minoritet autistiska barn som inte var begåvningsnedsatta, och om han bara fick intensiv beteendeterapi var förutsättningarna ganska bra, trots allt. Men inget hade blivit som de hoppats, och ärligt talat visste inte Frans Balder vad som hade hänt med alla de där stöd- och hjälpinsatserna, eller ens med pojkens skolundervisning. Frans hade levt i sin egen värld, och flytt iväg till USA och hamnat i konflikt med alla och envar.

Han hade varit en idiot. Men nu skulle han betala tillbaka sin skuld och ta hand om sonen, och han gick också ut hårt. Han beställde fram journaler och ringde specialister och pedagoger, och så mycket stod direkt klart att de pengar han skickat inte kommit August till godo utan sipprat ut till annat, säkert till Lasse Westmans utsvävningar och spelskulder. Pojken verkade mest ha lämnats vind för våg och fått stelna i sina tvångsmässiga vanor, och förmodligen råkat ut för värre saker än så – det var också därför Frans kommit hem.

En psykolog hade ringt och oroat sig för mystiska blåmärken på pojkens kropp, och de märkena hade också Frans sett. De hade funnits överallt på Augusts armar och ben och bröstkorg och axlar. Enligt Hanna kom de från pojkens egna anfall, då han kastade sig fram och tillbaka, och visserligen fick Frans Balder redan andra dagen se ett av de där utbrotten, och det skrämde honom från vettet. Men det stämde ändå inte med blåmärkena, tyckte han.

Han misstänkte våld, och han tog hjälp av en allmänläkare och en före detta polis som han kände privat, och även om de inte med säkerhet kunde bekräfta hans misstankar blev han mer och mer upprörd, och han författade en rad skrivelser och anmälningar. Det var nästan så att han glömde pojken. Han märkte att det var lätt att glömma honom. August satt mest på golvet i det rum som Frans inrättat åt honom i villan i Saltsjöbaden, med fönster mot sjön därute, och lade sina pussel, sina hopplöst svåra pussel med hundratals bitar som han virtuost satte ihop bara för att genast sprida ut dem igen och börja om.

I början hade Frans fascinerat tittat på honom. Det var som

att se en stor artist i arbete, och ibland greps han av illusionen att pojken när som helst skulle titta upp och säga något alldeles vuxet till honom. Men August yppade aldrig ett ord, och höjde han huvudet från pusslet blickade han snett förbi honom mot fönstret och solljuset därute som reflekterades i vattnet, och till slut lämnade Frans honom i fred. August fick sitta där i sin ensamhet, och uppriktigt sagt tog Frans sällan ut honom heller, knappt ens till trädgården.

Rent formellt fick han ju inte ha hand om pojken, och han ville inte äventyra något innan han fått ordning på det juridiska, och därför lät han hushållerskan Lottie Rask sköta alla inköp – och all matlagning och städning. Frans Balder var inget bra på den delen av livet. Han kunde sina datorer och sina algoritmer, men knappt något annat, och ju längre tiden gick, desto mer satt han med dem och med sin korrespondens med advokaterna, och på nätterna sov han lika uselt som i USA.

Det väntade stämningar och stormar runt hörnet, och varje kväll drack han en flaska rödvin, vanligtvis Amarone, och det hjälpte väl inte precis, annat än kortsiktigt. Han började må allt sämre, och han fantiserade om att gå upp i rök eller försvinna till någon ogästvänlig plats, bortom all ära och redlighet. Men så en lördag i november hände något. Det var en blåsig, kall kväll, och han och August gick längs Ringvägen på Söder och frös.

De hade varit på middag hos Farah Sharif på Zinkens väg, och August borde ha sovit för länge sedan. Men middagen hade dragit ut på tiden och Frans Balder hade pratat alldeles för mycket bredvid mun. Farah Sharif hade den egenskapen. Hon fick folk att lätta sitt hjärta. Hon och Frans hade känt varandra sedan de läste datavetenskap på Imperial College i London, och i dag var Farah en av få på hans nivå i landet, eller åtminstone en av få som hyggligt hängde med i hans tankegångar, och det var en oerhörd befrielse för honom att träffa någon som förstod.

Men hon attraherade honom också, och trots flera försök hade han aldrig lyckats förföra henne. Frans Balder var inget bra på att förföra kvinnor. Men den här gången hade han fått en avskedskram som sånär blivit till en kyss, och det såg han som en stor framgång, och på det tänkte han när han och August passerade Zinkensdamms idrottsplats.

Frans bestämde sig för att ordna barnvakt nästa gång, och då kanske… Vem vet? En bit bort skällde en hund. En kvinno-röst skrek bakom honom, upprört eller glatt, svårt att avgöra vilket, och han såg bort mot Hornsgatan och korsningen där han tänkte hugga en taxi, eller ta tunnelbanan mot Slussen. Det kändes som regn i luften och framme vid övergångsstället slog det om till rött, och på andra sidan gatan stod en sliten man i fyrtioårsåldern som tycktes vagt bekant, och precis då grep han om Augusts hand.

Han ville vara säker på att sonen stannade på trottoaren, och då kände han: handen var spänd som om pojken reagera-de starkt på något. Dessutom var ögonen intensiva och klara, som om den där slöjan över blicken dragits undan som i ett trollslag, och August i stället för att stirra inåt mot sina egna vindlingar förstod något djupare och större än alla vi andra om övergångsstället och korsningen, och därför struntade Frans i att det slog om till grönt.

Han lät bara sonen stå kvar och betrakta scenariot, och utan att han fattade varför greps han av en stor sinnesrörelse, och det fann han egendomligt. Det var ju bara en blick, inget an-nat, och den blicken var inte ens särskilt ljus eller glad. Ändå påminde den Frans om något avlägset och glömt som legat och slumrat i hans minne, och för första gången på länge kän-des hans tankar riktigt hoppfulla.

KAPITEL 2

DEN 20 NOVEMBER

MIKAEL BLOMKVIST hade bara sovit ett par timmar, inte av någon annan anledning än att han legat vaken och läst en deckare av Elizabeth George. Det var inte särskilt förnuftigt förstås. Nu på förmiddagen skulle tidningsgurun Ove Levin från Serner Media hålla en programförklaring för *Millennium*, och Mikael borde vara utvilad och beredd på strid.

Men han hade ingen lust att vara förståndig. Han kände sig allmänt på tvärs, och gick bara motvilligt upp och gjorde en ovanligt stark cappuccino på sin Jura Impressa X7, en maskin som en gång kommit hemlevererad till honom med de medföljande orden "Jag kan ju ändå inte använda den, säger du", men som nu stod där i köket som ett monument över en bättre tid. I dag hade han ingen kontakt med den som skickat den, och upplevde inte heller att hans arbete var särskilt stimulerande.

Under den gångna helgen hade han till och med funderat på om han inte skulle söka sig vidare till något annat, och det var en ganska drastisk idé för en man som Mikael Blomkvist. *Millennium* hade varit hans liv och hans passion, och mycket av det bästa och mest dramatiska som hänt honom hade skett i anslutning till tidningen. Men inget varar för evigt, kanske inte ens kärleken till *Millennium*, och för övrigt var det ingen gynnsam tid att äga tidningar som ägnar sig åt undersökande journalistik.

Alla publikationer som ville något stort och ambitiöst förblödde, och han kunde inte låta bli att snudda vid tanken att hans egen vision för *Millennium* kanske var vacker och sann i något slags högre perspektiv, men inte nödvändigtvis skulle hjälpa tidningen att överleva. Han gick in i vardagsrummet och smuttade på sitt kaffe och blickade ut över Riddarfjärden. Det var mer eller mindre full storm därute.

Från en brittsommar som lyst över staden en bra bit in i oktober, och hållit uteserveringarna öppna långt senare än vanligt, hade det slagit om till ett rent djävulskt klimat, fullt av ständiga kastvindar och skyfall, och för det mesta skyndade folk dubbelvikta genom staden. Mikael hade inte varit ute på hela helgen, inte bara på grund av vädret i och för sig. Han hade haft rätt storstilade planer på revansch, men allt hade runnit ut i sanden, och det var inte likt honom, vare sig det ena eller det andra.

Han var ingen underdog som alltid behövde ge igen, och till skillnad från så många andra elefanter i Mediesverige led han inte av en uppblåst självbild som ständigt måste gödas och bekräftas. Å andra sidan hade det varit några motiga år, och för bara knappt en månad sedan hade ekonomireportern William Borg haft en krönika i Sernertidningen *Business Life* med rubriken: "Mikael Blomkvists tid är förbi".

Att artikeln överhuvudtaget skrevs och att den slogs upp så stort var förstås bara det ett tecken på att Blomkvists ställning ännu var stark, och ingen påstod heller att krönikan var vare sig särskilt välformulerad eller originell. Den borde lätt ha kunnat avfärdas som ännu ett angrepp från en avundsjuk kollega. Men av något skäl, som efteråt inte helt gick att förstå, växte det hela till något större, och möjligtvis gick det till en början att tolka det som en diskussion om reporteryrket – huruvida man som "Blomkvist hela tiden skulle söka fel hos näringslivet och hålla fast vid en förlegad sjuttiotalsjournalistik", eller om man som William Borg själv "skulle slänga all missunnsamhet överbord och se storheten hos de framstående entreprenörer som fått fart på Sverige".

Men steg för steg spårade debatten ur, och det hävdades ilsket att det inte var någon slump att Blomkvist hamnat i bakvattnet de senaste åren "eftersom han tycks utgå från att alla storföretag är skurkar", och att han därför driver "sina storys för hårt och blint". Sådant straffar sig i längden, sades det. Till och med den gamle ärkebanditen Hans-Erik Wennerström, som Blomkvist påstods ha drivit i döden, fick lite sympati på kuppen, och även om de seriösa medierna höll sig utanför spottades invektiv ut i parti och minut i sociala medier, och då kom angreppen inte bara från ekonomijournalister och representanter för näringslivet som alla hade skäl att ge sig på sin fiende när han nu tycktes svag för ett ögonblick.

En rad yngre skribenter tog också chansen att profilera sig, och påpekade att Mikael Blomkvist inte heller tänkte modernt och varken twittrade eller facebookade och närmast borde ses som en relikt från en svunnen tid då det fanns pengar att gräva ner sig i vilka konstiga gamla luntor som helst. Eller också tog folk bara chansen att hänga på och skapa lustiga hashtags som #sompåblomkviststid och sådant. Det var på det hela taget en soppa av dumheter, och ingen kunde bry sig mindre om sådant trams än han själv, åtminstone intalade han sig det.

Å andra sidan hjälpte det inte precis att han inte haft en bra story sedan Zalachenkoaffären och att *Millennium* verkligen befann sig i kris. Upplagan var fortfarande okej, tjugoentusen prenumeranter. Men annonsintäkterna vek dramatiskt och inga extrainkomster kom längre från några boksuccéer, och eftersom delägaren Harriet Vanger inte kunde skjuta till mer kapital, hade styrelsen mot Mikaels vilja låtit det norska tidningsimperiet Serner köpa trettio procent av aktierna. Det var inte lika underligt som det verkade, eller åtminstone inte som det verkade först. Serner gav ut både vecko- och kvällspress och ägde en stor dejtingsajt och två betaltevekanaler och ett fotbollslag i norska högsta divisionen, och borde inte ha något att göra med en tidning som *Millennium*.

Men Serners representanter – framför allt den publicistiska chefen Ove Levin – hade försäkrat att koncernen behövde en prestigeprodukt i sin utgivning och att "alla" i ledningsgruppen beundrade *Millennium* och inget hellre ville än att tidningen fortsatte som förut. "Vi är inte här för att tjäna pengar!" som Levin sa. "Vi vill göra något viktigt", och genast såg han också till att tidningen fick ett ansenligt tillskott till kassan.

Till en början lade sig Serner inte heller i det redaktionella arbetet. Det var business as usual, fast med lite bättre budget, och en ny känsla av hopp spred sig på redaktionen, ibland till och med hos Mikael Blomkvist som kände att han för en gångs skull fick tid att ägna sig åt journalistiken i stället för att oroa sig för ekonomin. Men ungefär när drevet mot honom började gå – han skulle aldrig släppa misstankarna om att koncernen utnyttjade läget – ändrades tongångarna och de första påtryckningarna kom.

Självklart, sa Levin, skulle tidningen fortsätta med sitt borrande på djupet, sitt litterära berättande, sitt sociala patos, allt det där. Men alla artiklar behövde ju inte handla om ekonomiska oegentligheter, orättvisor och politiska skandaler. Om det glamorösa livet – om kändisar och premiärer – gick också att göra lysande journalistik, sa han och talade passionerat om *Vanity Fair* och *Esquire* i USA, och om Gay Talese och hans klassiska porträtt av Sinatra, "Frank Sinatra has a Cold", och om Norman Mailer och Truman Capote och Tom Wolfe och gud vet vad.

Mikael Blomkvist hade egentligen inget att invända i sak, inte då. Han hade själv för bara ett halvår sedan skrivit ett långt reportage om paparazziindustrin, och om han bara hittade en bra och seriös vinkel skulle han kunna porträttera vilken lättviktare som helst. Det är inte ämnet som avgör om det är god journalistik eller inte, brukade han också säga. Det är förhållningssättet. Nej, det han vände sig emot var det han anade mellan raderna: att det var början till ett större angrepp, och att *Millennium* höll på att bli som vilken annan tidning som helst för koncernen, det vill säga en publikation som man kunde förändra hur tusan man ville tills den var lönsam – och urvattnad.

När han därför fick höra att Ove Levin anlitat en konsult och låtit göra en hel rad marknadsundersökningar som han skulle redovisa på måndag, hade Mikael helt frankt stuckit hem i fredags eftermiddag, och länge hade han suttit vid sitt skrivbord eller legat i sin säng och formulerat olika brandtal om varför *Millennium* måste hålla fast vid sin vision: Det pågår kravaller i förorterna. Ett öppet främlingsfientligt parti sitter i riksdagen. Intoleransen ökar. Fascismen har flyttat fram sina positioner, och överallt finns det hemlösa och tiggare. Sverige har på många sätt blivit en skammens nation. En massa fina och upphöjda ord formulerade han, och upplevde en hel rad fantastiska triumfer i sina dagdrömmar där han sa så många träffande och övertygande sanningar att hela redaktionen och även hela Sernerkoncernen vaknade upp ur sina vanföreställningar och samfällt beslöt att följa honom.

Men när han blev vid lite sundare vätskor insåg han hur lätt sådana ord väger om ingen tror på dem rent ekonomiskt. Money talks, bullshit walks, och allt det där! Först och främst måste tidningen bära sig. Sedan kunde de förändra världen. Det var så det fungerade, och i stället för att planera en rad arga tal undrade han om det inte gick att skaka fram en bra story. Hoppet om ett tungt avslöjande kunde kanske väcka självförtroende i redaktionen och få dem alla att ge fan i Levins undersökningar och prognoser om *Millenniums* mossighet eller vad nu Ove tänkte häva ur sig.

Ända sedan Blomkvists stora scoop var han ett slags nyhets-central. Varje dag fick han tips om oegentligheter och skum-raskaffärer. Det mesta, det var sant, var ren skit. Rättshaveris-ter, konspirationsteoretiker, lögnhalsar och viktigpettrar kom med de mest sanslösa historier som aldrig höll ens för den minsta granskning, eller som åtminstone inte var tillräckligt intressanta för att resultera i en artikel. Ibland å andra sidan gömde sig en enastående story bakom något helt banalt el-ler vardagligt. I ett enkelt försäkringsärende eller i en trivial anmälan om en människas försvinnande kunde det rymmas en stor, allmänmänsklig berättelse. Det gick aldrig säkert att veta. Det gällde att vara metodisk och gå igenom alltihop med ett öppet sinne, och på lördagsmorgonen satte han sig därför med sin laptop och sina anteckningsböcker och betade ige-nom det han hade.

Han höll på till klockan fem på eftermiddagen, och visser-ligen upptäckte han ett och annat som för tio år sedan nog skulle fått igång honom men som nu inte väckte någon vidare entusiasm, och det var ett klassiskt problem, det visste han om någon. Efter några decennier i yrket känns det mesta bekant, och även om du rent intellektuellt förstår att något är en bra story tänder du inte ändå, och när ännu ett piskande iskallt ösregn föll över hustaken avbröt han arbetet och övergick till Elizabeth George.

Det var inte bara eskapism, intalade han sig. Ibland infinner sig de bästa idéerna under vila – det var hans erfarenhet. När du håller på med något helt annat kan pusselbitarna plötsligt falla på plats. Men någon annan konstruktiv tanke än att han lite oftare just borde ligga så här och läsa goda romaner slog honom inte, och när måndagsmorgonen anlände med ett nytt ruskväder hade han plöjt en och en halv Georgedeckare plus tre gamla nummer av *New Yorker* som legat och skräpat på natt-duksbordet.

NU SATT HAN alltså i vardagsrumssoffan med sin cappuccino och såg ut mot ovädret utanför fönstret. Han kände sig trött och nollställd ända tills han med ett hastigt ryck – som om han plötsligt beslutat sig för att bli dådkraftig igen – reste sig upp och drog på sig sina kängor och sin vinterrock och gick ut. Det var parodiskt obehagligt.

Isande, regntunga kastbyar bet sig in i märgen, och han skyndade ner mot Hornsgatan som låg osedvanligt grå framför honom. Hela Söder tycktes ha berövats sina färger. Inte ens ett litet gnistrande höstlöv for runt i luften, och med huvudet nedböjt och armarna korslagda över bröstet fortsatte han förbi Maria Magdalena kyrka ner mot Slussen ända tills han tog höger in på Götgatsbacken, och som vanligt vek in mellan klädbutiken Monki och puben Indigo. Därefter gick han upp till tidningen som låg på fjärde våningen, precis ovanför Greenpeaces lokaler, och redan i trapphallen hörde han sorlet.

Det var ovanligt mycket folk därinne. Det var hela redaktionen, plus de viktigaste frilansarna, och så tre personer från Serner, två konsulter och Ove Levin, Ove som dagen till ära hade klätt ner sig en aning. Han såg inte längre ut som en direktör, och uppenbarligen hade han lagt sig till med några nya uttryck, bland annat ett folkligt "tjena".

"Tjena Micke, hur är läget?"

"Det beror på dig", svarade Mikael, inte illa menat egentligen.

Men han märkte att det uppfattades som en krigsförklaring, och han nickade stramt och gick vidare in och satte sig på en av stolarna som ställts fram som ett litet auditorium på redaktionen.

OVE LEVIN HARKLADE sig och tittade nervöst mot Mikael Blomkvist. Stjärnreportern som verkat så stridslysten i dörröppningen såg nu artigt intresserad ut och visade inga tecken på att vilja bråka eller argumentera. Men det lugnade inte

Ove det minsta. Han och Blomkvist hade en gång varit reportervikarier ihop på *Expressen*. På den tiden skrev de mest snabba nyhetsgrejer och en hel del trams. Men efteråt på krogen hade de drömt om de stora reportagen och avslöjandena och i timmar talat om hur de aldrig skulle nöja sig med det konventionella eller utslätade utan alltid borra på djupet. De var unga och ambitiösa och ville allt på en gång. Ove saknade den tiden ibland, inte lönen förstås eller arbetstiderna eller ens det fria livet på barerna och alla brudarna, men drömmarna – han kunde sakna kraften i dem. Han kunde längta efter den där bultande viljan att förändra samhället och journalistiken och skriva så att världen stod stilla och makten hukade, och självklart, det var oundvikligt, till och med för en hot shot som han själv, ibland undrade han: Vad hände med allt det där? Vart tog drömmarna vägen?

Micke Blomkvist infriade ju varenda en av dem – inte bara för att han stått för några av den moderna tidens stora avslöjanden. Han skrev också verkligen med den där kraften och patoset de fantiserat om, och aldrig någonsin böjde han sig för överhetens påtryckningar eller kompromissade med sina ideal medan Ove själv, medan han... Ja, egentligen var det ju han som gjort den fina karriären, eller hur? I dag tjänade han säkert tio gånger så mycket som Blomkvist, och det gladde honom alldeles oerhört. Vad hade Micke för nytta av sina scoop när han inte ens kunde köpa ett häftigare lantställe än sitt lilla skjul på Sandhamn? Herregud, vad var den kojan i jämförelse med Oves eget nya hus i Cannes? Ingenting! Nej, det var han och ingen annan som valt den rätta vägen.

I stället för att traggla runt i dagspressen hade Ove tagit anställning som medieanalytiker på Serner och fått en personlig relation till Haakon Serner själv, och det hade förändrat hans liv och gjort honom rik. I dag var han den högsta publicistiska ansvarige för en hel rad tidningshus och kanaler och han älskade det. Han älskade makten, pengarna och allt som följde med det, men ändå... han var storsint nog att erkänna att han även drömde om det där andra ibland, i begränsade doser visserligen, men ändå. Han ville också betraktas som en fin publicist, precis som Blomkvist, och säkert var det därför han drivit frågan så hårt om att koncernen skulle köpa in sig i *Millennium*. Tack vare en liten fågel som viskat i hans öra hade han fått veta att tidningen befann sig i ekonomisk kris, och att chefredaktören Erika Berger, som han alltid i hemlighet varit tänd på, ville kunna behålla sina två senaste rekryteringar, Sofie Melker och Emil Grandén, och det skulle hon knappast kunna göra om tidningen inte fick nytt kapital.

Ove hade kort sagt sett en oväntad öppning att köpa in sig i en av de stora prestigeprodukterna i Mediesverige. Men ingen kan påstå att ledningen i Serner var särskilt entusiastisk. Tvärtom muttrades det om att *Millennium* var gammaldags och vänstervriden och hade en tendens att hamna i bråk med viktiga annonsörer och samarbetspartner, och om inte Ove argumenterat så lidelsefullt skulle saken säkert ha runnit ut i sanden. Ändå hade han envisats. En investering i *Millennium* var en struntsumma i sammanhanget, sa han, en obetydlig insats som kanske inte skulle ge några överdrivna vinster, men som däremot kunde skapa något betydligt större, nämligen kredd, och säga vad man ville om Serner i det här skedet: efter alla nedskärningar och blodbad var inte kredibilitet företagets största tillgång precis, och därför vore en satsning på *Millennium* ett tecken på att koncernen trots allt brydde sig om journalistiken och yttrandefriheten. Serners styrelse var visserligen inte överdrivet förtjust i vare sig yttrandefrihet eller granskande journalistik à la *Millennium*. Men lite mer kredd skulle å andra sidan inte skada. Det förstod de alla, trots allt, så Ove fick igenom sitt köp och länge såg det ut som ett lyckokast för alla parter.

Serner fick god publicitet och *Millennium* kunde behålla sin personal och satsa på det tidningen var bra på: djuplodande, välskrivna reportage, och Ove själv sken som en sol och deltog till och med i en debatt på Publicistklubben och sa med all sin anspråkslöshet:

"Jag tror på det goda företaget. Jag har alltid kämpat för den undersökande journalistiken."

Men sedan… han ville inte tänka på det. Drevet mot Blomkvist drog igång och egentligen beklagade han det inte speciellt, inte först. Ända sedan Mikael seglat upp som den stora stjärnan på reporterhimlen hade han inte kunnat låta bli att glädjas i hemlighet när Blomkvist hånades i medierna. Men den här gången varade inte tillfredsställelsen särskilt länge. Serners unge son Thorvald fick syn på uppståndelsen på sociala medier, och gjorde stor sak av det, inte för att han brydde sig förstås. Thorvald var ingen kille som intresserade sig för journalisters åsikter. Men han gillade makt.

Han älskade att intrigera och här såg han en chans att vinna några poäng, eller bara allmänt tvåla till den äldre generationen i styrelsen, och på kort tid lyckades han få vd:n Stig Schmidt – som alldeles nyss inte haft tid med sådana småsaker – att deklarera att *Millennium* inte kunde få ha någon gräddfil utan måste anpassa sig efter den nya tiden, precis som koncernens alla andra produkter.

Ove som precis dyrt och heligt lovat Erika Berger att han inte skulle blanda sig i redaktionens arbete, annat då än som "vän och rådgivare", kände sig i ett slag bakbunden och tvingades spela ett intrikat spel i kulisserna. På alla sätt han kunde försökte han få med Erika, Malin och Christer på tidningen i den nya målsättningen, som i och för sig aldrig var riktigt klart formulerad – något som hastigt blossar upp i panik blir ju sällan det – men som på något sätt gick ut på att föryngra och kommersialisera *Millennium*.

Självklart påpekade Ove gång på gång att det inte var tal om att kompromissa med tidningens själ och uppkäftiga attityd, fast egentligen var han inte riktigt säker på vad han menade med det. Han visste bara att han behövde få in mer glamour i tidningen för att göra styrelsen glad, och att de långa granskningarna av näringslivet måste bli färre eftersom de kunde reta annonsörerna och skaffa fiender till styrelsen – fast det sa han förstås inte till Erika.

Några onödiga konflikter ville han inte ha, och när han nu stod framför redaktionen var han för säkerhets skull ledigare klädd än vanligt. Han ville inte provocera med några blanka kostymer och kravatter som ju blivit ett sådant mode på huvudkontoret. I stället bar han jeans och en enkel vit skjorta och en mörkblå V-ringad tröja som inte ens var av kashmir och det långa lockiga håret – som alltid varit hans rebelliska lilla gimmick – var uppsatt i hästsvans, precis som de tuffaste journalisterna på teve. Men framför allt inledde han med all den ödmjukhet han lärt sig på sina managementkurser:

"Hallå allihop", sa han. "Ett sådant hopplöst väder! Jag har sagt det flera gånger redan, men jag upprepar det gärna: Vi på Serner är otroligt stolta att få vara med på den här resan, och för mig personligen är det mer än så. Det är engagemanget i tidningar som *Millennium* som gör mitt arbete betydelsefullt – som får mig att minnas varför jag en gång sökte mig till det här yrket. Kommer du ihåg, Micke, hur vi satt på Operabaren och drömde om allt vi skulle göra ihop? Inte blev vi nyktrare precis, he, he!"

Mikael Blomkvist såg inte ut att minnas någonting. Men Ove Levin lät sig inte nedslås.

"Nej, nej, jag tänker inte bli nostalgisk", fortsatte han, "och egentligen finns det ingen anledning till det. På den tiden fanns det hur mycket pengar som helst i branschen. Om det så bara var ett litet skitmord i Kråkemåla, så hyrde vi en helikopter och bokade ett helt våningsplan på det flottaste hotellet, och beställde champagne till efterfesten. Ni vet, när jag skulle iväg på min första utlandsresa frågade jag världsreportern Ulf Nilson hur D-marken stod. Det har jag ingen aning om, sa han, valutakurserna sätter jag själv. He, he! Så vi saltade reseräkningarna på den tiden, minns du Micke? Kanske var det då vi var som mest kreativa. I övrigt behövde vi bara riva av våra knäck, och ändå sålde vi hur många tidningar som helst. Men sedan dess har mycket förändrats – det vet vi alla. Konkurrensen har blivit mördande och numera är det inte lätt att tjäna pengar på journalistik, inte ens om man har Sveriges bästa redaktion som ni, och jag tänkte att vi i dag skulle prata lite om framtidens utmaningar. Inte så att jag för ett ögonblick inbillar mig att jag kan lära er något. Jag ska bara ge er ett litet underlag för diskussion. Vi på Serner har låtit ta fram en del undersökningar om er läsekrets och om hur allmänheten ser på *Millennium*. En del av det kanske får er att hoppa till lite skrämt. Men i stället för att bli nedstämda ska ni se det som en utmaning, och tänk på att det pågår en helt galen förändringsprocess därute."

Ove gjorde en liten paus och funderade på om uttrycket "helt galen" var ett misstag, ett överdrivet försök att verka avspänd och ungdomlig, och om han överhuvudtaget inlett för hejigt och skämtsamt. "Man kan aldrig nog underskatta humorlösheten hos underbetalda moralister", som Haakon Serner brukade säga. Men nej, avgjorde han, det här fixar jag.

Jag ska få över dem på min sida!

MIKAEL BLOMKVIST HADE slutat lyssna ungefär när Ove förklarade att de alla måste fundera över sin "digitala mognad", och därför hörde han inte heller på när det redogjordes för hur den unga generationen varken kände till *Millennium* eller Mikael Blomkvist. Men något oturligt var det just i den stunden han fick nog och gick ut i fikarummet, och därför hade han heller ingen aning om att den norske konsulten Aron Ullman helt öppet sa:

"Patetiskt. Är han så rädd för att bli bortglömd?"

Men faktum var att ingenting kunde bekymra Mikael mindre i den stunden. Han var förbannad över att Ove Levin verkade tro att det var opinionsundersökningar som skulle frälsa dem. Det var inga jävla marknadsanalyser som skapat tidningen. Det var patos och glöd. *Millennium* hade nått sin position för att de alla satsat på det som känts rätt och viktigt utan att sätta fingret i luften, och länge stod han bara där i fikarummet och undrade hur länge det skulle dröja innan Erika kom ut.

Svaret var ungefär två minuter. På ljudet från hennes klackar försökte han avgöra hur arg hon var. Men när hon stod framför honom log hon bara uppgivet mot honom.

"Hur är det med dig?" sa hon.

"Orkade inte lyssna bara."

"Du fattar att folk blir förbaskat obekväma när du beter dig så där."

"Jag fattar det."

"Och jag antar att du också begriper att Serner inte kan göra ett dugg utan vår tillåtelse. Vi har fortfarande kontrollen."

"Vi har inte kontrollen ett skit. Vi är deras gisslan, Ricky! Förstår du inte det? Om vi inte gör som de säger drar de bort sitt stöd och då sitter vi där på pottkanten", sa han lite väl högt och argt, och när Erika hyssjade honom och skakade på huvudet lade han till något försiktigare:

"Jag är ledsen. Jag är en barnunge. Men nu sticker jag hem igen. Jag behöver tänka."

"Du har börjat ta väldigt korta arbetsdagar."

"Jag gissar att jag har en del gammal övertid att plocka ut."

"Du har väl det. Vill du ha besök i kväll?"

"Jag vet inte. Jag vet faktiskt inte, Erika", sa han, och sedan lämnade han tidningen och gick ut på Götgatsbacken.

STORMEN OCH REGNET piskade emot honom, och han frös och svor och övervägde ett ögonblick att störta in på Pocketshop och köpa ännu en engelsk deckare att fly bort i. Men i stället försvann han in på S:t Paulsgatan, och precis intill sushirestaurangen på höger sida ringde hans mobil. Han var övertygad om att det var Erika. Det var Pernilla, hans dotter, som förmodligen valde absolut fel tillfälle att höra av sig till en pappa som redan från början hade dåligt samvete för att han gjorde för lite för henne.

"Hej, min skatt", svarade han.

"Vad är det som låter?"

"Det är stormen, antar jag."

"Okej, okej, jag ska fatta mig kort. Jag har kommit in på skrivarlinjen på Biskops Arnö."

"Så det är skriva du vill nu", sa han alldeles för hårt och på gränsen till sarkastiskt, och det var förstås orättvist på alla sätt och vis.

Han borde enbart ha gratulerat och önskat henne lycka till. Men Pernilla hade haft så många struliga år då hon hoppat runt mellan konstiga kristna sekter och pluggat både det ena och det andra utan att någonsin fullfölja något att han mest blev trött då hon nu deklarerade ännu en ny inriktning.

"Det var inget hurrarop precis."

"Sorry Pernilla. Jag är inte mig själv i dag."

"När är du det då?"

"Jag vill bara att du ska hitta något som verkligen fungerar för dig. Jag vet inte om skrivande är en så särskilt bra idé med tanke på hur branschen ser ut."

"Jag ska inte skriva någon tråkig journalistik som du."

"Vad ska du göra då?"

"Skriva på riktigt."

"Okej", sa han utan att fråga vad hon menade med det. "Har du tillräckligt med pengar?"

"Jag jobbar extra på Wayne's Coffee."

"Vill du komma på middag i kväll så kan vi prata om det?"

"Hinner inte farsan. Jag ville bara berätta", sa hon och lade på, och även om han försökte se det positiva i hennes entusiasm blev han bara på ännu sämre humör, och hastigt genade han över Mariatorget och Hornsgatan upp mot sin vindslägenhet på Bellmansgatan.

Det kändes som om han alldeles nyss kommit därifrån, och han fick en egendomlig känsla av att inte längre ha något jobb och att han var på väg in i en ny tillvaro då han i stället för att slita livet av sig hade oceaner av tid, och en kort stund undrade han om han skulle röja upp lite grann. Det låg tidningar och böcker och kläder överallt. Men i stället tog han två Pilsner Urquell från kylskåpet och satte sig i soffan i vardagsrummet och tänkte igenom alltihop mer nyktert, eller åtminstone så nyktert man ser på livet med lite öl i kroppen. Vad skulle han göra?

Han hade ingen aning, och det kanske mest oroande av allt: han kände ingen vidare stridslust. Tvärtom var han egendomligt resignerad, som om Millennium höll på glida bort från hans intressesfär, och återigen undrade han: Är det inte dags att göra något nytt? Det skulle förstås vara ett oerhört svek mot Erika och de andra. Men var han verkligen rätt man att driva en tidning som levde på annonser och prenumerationer? Kanske passade han bättre någon annanstans, var nu det skulle vara?

Även de stora morgontidningsdrakarna förblödde numera och det enda stället där det egentligen fanns resurser och pengar för undersökande reportage var inom public service, antingen i Ekots grävgrupp, eller på Sveriges Television... ja varför inte? Han tänkte på Kajsa Åkerstam, en rätt förtjusande människa på det hela taget som han med jämna mellanrum tog ett par glas med. Kajsa var chef för SVT:s Uppdrag granskning, och hade år efter år försökt rekrytera honom. Det hade aldrig varit aktuellt.

Det spelade ingen roll vad hon erbjudit, och hur heligt hon lovat honom uppbackning och total integritet. Millennium hade varit hans hem och hjärta. Men nu... kanske skulle han hoppa på, om nu erbjudandet fortfarande fanns kvar efter all skit som stått om honom. Mycket hade han ju gjort i det här yrket men aldrig teve, annat då än att medverka i hund-ratals debattprogram och morgonsoffor. Ett jobb på Uppdrag granskning kanske skulle gjuta lite ny glöd i honom.

Mobilen ringde och ett ögonblick blev han glad. Oavsett om det var Erika eller Pernilla skulle han vara vänlig och verkligen lyssna på dem. Men nej, det var ett hemligt nummer och han svarade avvaktande.

"Är det Mikael Blomkvist?" sa en röst som lät ung.

"Ja", sa han.

"Har du tid att prata?"

"Om du presenterar dig, så ja, kanske."

"Mitt namn är Linus Brandell."

"Okej, Linus, vad vill du?"

"Jag har en story till dig."

"Låt höra!"

"Jag drar den om du pallrar dig ner till Bishops Arms snett över gatan och möter mig där."

Mikael blev irriterad. Det var inte bara den kommenderande tonen. Det var den opåkallade närvaron i hans egna kvarter.

"Tycker att telefonen duger gott."

"Det här är inget som bör diskuteras på en öppen linje."

"Varför blir jag så trött när jag talar med dig, Linus?"

"Du kanske har haft en dålig dag."

"Jag har haft en dålig dag, så du får en poäng där."

"Du ser. Spring ner till Bishops nu, så ska jag bjuda på en öl och berätta något riktigt häftigt."

Mikael ville egentligen bara fräsa: Sluta säga åt mig vad jag ska göra! Ändå sa han, utan att helt begripa det själv, eller möjligen för att han verkligen inte hade något vettigare att göra än att sitta där och grubbla över sin framtid:

"Jag betalar mina egna öl. Men okej, jag kommer."

"Klokt av dig."

"Men du, Linus."

"Ja?"

"Om du blir långrandig och drar en massa vilda konspirationsteorier om att Elvis lever och att du vet vem som sköt Olof Palme och inte kommer till saken tänker jag gå hem direkt."

"Fair enough", sa Linus Brandell.

KAPITEL 3

DEN 20 NOVEMBER

HANNA BALDER STOD i köket på Torsgatan och rökte Camel utan filter. Hon var klädd i blå morgonrock och slitna grå tofflor, och även om håret var tjockt och vackert och hon fortfarande var en skönhet såg hon härjad ut. Läppen var svullen och den kraftiga makeupen runt ögonen hade inte bara ett estetiskt syfte. Hanna Balder hade fått spö igen.

Hanna Balder fick ofta spö. Det vore förstås en lögn att säga att hon var van vid det. Ingen vänjer sig vid den sortens misshandel. Men det hörde till vardagen, och hon mindes knappt längre vilken glad människa hon en gång varit. Rädslan var nu en självklar del av hennes personlighet, och sedan en tid rökte hon sextio cigaretter om dagen och åt lugnande tabletter.

Längre in i vardagsrummet svor Lasse Westman för sig själv, och det förvånade henne inte precis. Hon visste sedan länge att han ångrat sin generösa gest mot Frans. Egentligen hade det varit gåtfullt från första stund. Lasse hade varit beroende av de pengar Frans skickat dem för Augusts räkning. Under långa tider levde Lasse i stort sett på dem, och många gånger hade Hanna fått ljuga ihop ett och annat mejl om oförutsedda utgifter för någon pedagog eller specialträning som de givetvis aldrig sett röken av, och därför var det ju också så märkligt:

Varför hade han avstått från allt det där och låtit Frans ta med sig pojken?

Någonstans visste Hanna svaret, trots allt. Det var alkoholens övermod. Det var löften om en roll i en ny polisserie i TV4 som blåst upp honom lite ytterligare. Men framför allt var det August. Lasse tyckte att pojken var creepy och skum, och det var det mest obegripliga av alltihop. Hur kunde någon avsky August?

Han satt ju bara på golvet med sina pussel och störde ingen. Ändå tycktes Lasse hata honom, och förmodligen hade det med blicken att göra, den där märkliga blicken som såg inåt snarare än utåt och som brukade få andra människor att le och säga att pojken måste ha ett rikt inre liv, men som på något sätt kröp under huden på Lasse.

"Fan, Hanna! Han ser rakt igenom mig", kunde han utbrista.

"Han är ju en idiot, säger du ju."

"Han är en idiot, men det är något skumt med honom i alla fall. Det känns som om han vill mig illa."

Det var nonsens, ingenting annat. August tittade inte ens åt Lasse eller åt någon annan heller för den delen, och han ville ingen illa. Världen därute störde honom bara, och lyckligast var han innesluten i sin egen bubbla. Men Lasse hade i sitt fylledille trott att pojken planerat någon form av hämnd, och det var säkert därför han låtit August och pengarna försvinna ur deras liv. Det hade varit så patetiskt. Så hade åtminstone Hanna tolkat det. Men nu när hon stod vid diskhon, och rökte sin cigarett så hårt och nervöst att hon fick tobak på tungan, undrade hon om det inte låg något i det, trots allt. Kanske hatade August Lasse tillbaka. Kanske ville han verkligen straffa honom för alla de slag han fått, och kanske... Hanna slöt ögonen och bet sig i läppen... tyckte pojken illa om henne också.

Hon hade börjat tänka i sådana självföraktande banor sedan hon om kvällarna gripits av en närmast outhärdlig saknad, och hon hade kommit att fråga sig om inte hon och Lasse varit rent skadliga för August. Jag har varit en dålig människa, muttrade hon, och nu skrek Lasse något åt henne dessutom. Hon hörde inte.

"Va?" sa hon.

"Var i helvete är vårdnadsdomen?"

"Vad ska du med den till?"

"Jag ska visa att han inte har någon rätt att ha honom."

"Nyss var du ju så glad att slippa honom."

"Då var jag full och dum."

"Och nu är du plötsligt nykter och klok?"

"Jävligt klok", fräste han och kom emot henne, arg och beslutsam på en gång, och då slöt hon ögonen igen och undrade för tusende gången varför allt gått så fel.

FRANS BALDER SÅG inte längre ut som den propra tjänsteman som dykt upp hos exfrun. Nu stod håret på ända, och överläppen blänkte av svett, och det var åtminstone tre dagar sedan han rakade sig eller tog en dusch. Trots alla föresatser att bli pappa på heltid, och trots det intensiva ögonblicket av hopp och sinnesrörelse på Hornsgatan, satt han återigen försjunken i den djupa koncentration som kunde misstas för ilska.

Hans tänder gnisslade till och med, och sedan timmar hade världen och stormen därute upphört att existera för honom, och han märkte därför inte heller vad som pågick vid hans fötter. Det var små, tafatta rörelser, som om en katt eller ett djur smitit sig in mellan hans ben, och först efter ett litet tag insåg han att det var August som kröp under hans skrivbord. Frans tittade yrvaket på honom som om strömmen av programmeringskoder ännu låg som en hinna över hans ögon.

"Vad vill du?"

August såg upp med vädjande, klara ögon.

"Vad?" fortsatte Frans. "Vad?" och då hände något.

Pojken tog ett papper på golvet, fyllt av kvantalgoritmer, och

förde handen febrigt fram och tillbaka över det, och ett ögon-
blick trodde Frans att pojken skulle få ett nytt utbrott. Men
nej, August låtsades snarare skriva något med hetsiga rörelser,
och då spändes Frans kropp, och återigen påmindes han om
något viktigt och avlägset, precis som i korsningen på Horns-
gatan. Men skillnaden var att han nu förstod vad det var.

Han påmindes om sin egen barndom när siffrorna och ek-
vationerna var viktigare än livet självt, och därför lyste han
upp och utbrast:

"Du vill räkna, eller hur? Visst vill du räkna?" och i nästa
stund rusade han iväg och hämtade pennor och linjerade A4-
papper som han lade framför August på golvet.

Därefter skrev han ner den enklaste talserie han kunde
komma på, Fibonaccis talföljd där varje siffra är summan av
de två föregående, 1, 1, 2, 3, 5, 8, 13, 21, och så lämnade han
plats för den påföljande summan som är 34. Men så tänkte
han att det rimligtvis var för enkelt, och därför skrev han ock-
så ner en geometrisk serie: 2, 6, 18, 54 ... där varje siffra är
multiplicerad med tre, och det utelämnade talet således är
162, och för ett sådant problem behöver ett begåvat barn, an-
såg han, inga överdrivna förkunskaper. Frans uppfattning om
det matematiskt enkla var med andra ord ganska speciell, och
han började genast dagdrömma om att pojken inte alls var ef-
terbliven utan snarare en sorts förstärkt kopia av honom själv,
som ju också var sen med språket och den sociala interaktivite-
ten, men som förstod matematiska samband långt innan han
uttalade sitt första ord.

Länge satt han intill pojken och bara väntade. Men givetvis
hände inget. August bara fixerade siffrorna med sin glasar-
tade blick, som om han hoppades att svaren på egen hand
skulle stiga upp från papperet, och till slut lämnade Frans ho-
nom ensam och gick en trappa upp och drack bubbelvatten,
och fortsatte att arbeta vid köksbordet med penna och pap-
per. Men nu var koncentrationen som bortblåst, och till sist

bläddrade han lite förstrött i ett nytt nummer av *New Scientist*, och troligen förflöt en halvtimme eller så.

Därefter reste han sig och gick ner till August igen, och först såg det ut som om inget hade hänt. August satt på huk i samma orörliga ställning som han lämnat honom. Sedan upptäckte Frans något, och till en början var han bara lite nyfiken.

I nästa ögonblick tyckte han sig stå inför något absolut oförklarligt.

DET VAR INTE särskilt många gäster på Bishops Arms. Det var ju knappt eftermiddag, och vädret lockade inte precis till några utflykter, inte ens den till den lokala puben. Ändå möttes Mikael av rop och skratt, och en hes röst som gastade:

"Kalle Blomkvist!"

Det var en rödmosig man med stort burrigt hår och en liten snirklig mustasch som Mikael sett många gånger i kvarteret och som han trodde hette Arne och som lika säkert som en minutvisare brukade anlända till krogen klockan två varje eftermiddag, men som i dag rimligtvis dykt upp tidigare än så, och slagit sig ner vid ett bord till vänster om baren med tre dryckesbröder.

"Mikael", rättade Mikael med ett leende.

Arne, eller vad han nu hette, och hans vänner skrattade, som om Mikaels rätta namn i stort sett var det roligaste de hört.

"Har du något scoop på gång?" fortsatte Arne.

"Funderar på att avslöja hela skumrasket på Bishops Arms."

"Tror du Sverige är moget för en sådan story?"

"Nej, förmodligen inte."

Egentligen gillade Mikael det här gänget, inte för att han någonsin pratade med dem mer än så här i lite slängiga fraser och hejarop. Men gubbarna var ändå en del av den vardag som gjorde att han trivdes så bra i kvarteret och han tog inte det minsta illa upp när en av dem slängde ur sig:

"Har hört att du skulle vara slut?"

Tvärtom tycktes orden föra ner hela drevet till den låga, nästan komiska nivå där det hörde hemma.

"Slut med mig sen femton år, hejsan bror butelj, allt skönt förgår", svarade han och citerade Fröding och spanade runt på puben efter någon som såg tillräckligt dryg ut för att kommendera ut trötta journalister på krogen. Men bortsett från Arne och hans gäng såg han ingen alls, och därför gick han i stället fram till Amir i baren.

Amir var stor och tjock och fryntlig, en hårt arbetande fyrabarnsfar som drev krogen sedan några år tillbaka. Han och Mikael hade blivit rätt goda vänner. Inte precis för att Mikael var någon vidare stamkund, utan för att de hjälpt varandra i helt andra ärenden; Amir hade ett par gånger när Blomkvist inte hunnit till systembolaget och väntat dambesök försett honom med några flaskor rödvin, och Mikael hade i sin tur hjälpt en papperslös vän till Amir med att skriva inlagor till myndigheterna.

"Vad förskaffar oss den äran?" sa Amir.

"Jag ska träffa en person."

"Någon spännande?"

"Det tror jag inte. Hur är det med Sara?"

Sara var Amirs fru som precis genomgått en höftoperation.

"Gnäller och äter värktabletter."

"Låter jobbigt. Du får hälsa henne."

"Det ska jag göra", sa Amir, och så pratade de på om ditt och datt.

Men ingen Linus Brandell kom, och Mikael tänkte att det väl bara var något practical joke. Å andra sidan fanns det värre skämt än att luras ner till kvarterspuben, och han stannade i femton minuter och avhandlade en del ekonomiska och hälsorelaterade bekymmer innan han till slut vände och gick mot dörren, och det var då grabben anlände.

DET VAR INTE det att August fyllt i de rätta svaren på talserierna. Sådant imponerade inte särskilt på en man som Frans Balder. Det var i stället det som låg intill siffrorna och som vid en första anblick såg ut som ett fotografi eller en målning, men som i själva verket var en teckning, en exakt återgivning av trafikljuset på Hornsgatan de passerat häromkvällen. Inte bara var det enastående fångat in i minsta detalj med en sorts matematisk skärpa.

Det formligen lyste om det. Utan att någon hade lärt August ett enda dugg om tredimensionell gestaltning, eller hur en konstnär arbetar med skuggor och ljus, föreföll han behärska tekniken till fulländning. Trafikljusets röda öga blixtrade emot dem, och runt om slöt sig Hornsgatans höstmörker som också det tycktes glöda, och mitt i gatan syntes mannen som Frans sett och vagt känt igen. Mannens ansikte var kapat ovanför ögonbrynen. Han såg rädd eller åtminstone obehagligt berörd ut, som om August fått honom ur balans, och han gick lite ostadigt, hur i helsicke nu pojken kunnat skildra det.

"Herregud", sa Frans. "Har du gjort det här?"

August varken nickade eller skakade på huvudet utan tittade bara snett bort mot fönstret, och Frans Balder fick en egendomlig känsla av att hans liv inte skulle bli sig likt från och med nu.

MIKAEL VISSTE VÄL inte egentligen vad han förväntat sig, en Stureplanskille förmodligen, någon ung sprätt. Men den som kom var en lufs, en kort kille med trasiga jeans och långt otvättat mörkt hår och något sömnigt, undflyende i blicken. Han var kanske tjugofem eller yngre, hade dålig hy och en lugg som skymde ögonen, och ett ganska fult munsår. Linus Brandell såg inte ut som en kille som satt på ett stort scoop.

"Linus Brandell, förmodar jag."

"Stämmer. Ledsen att jag dröjde. Råkade stöta på en tjej jag kände. Vi gick i samma klass i nian, och hon…"

"Ska vi försöka få det här undanstökat", avbröt Mikael och ledde in dem till ett bord längre in i puben.

När Amir kom fram och log diskret beställde de två Guinness, och satt sedan tysta under ett par sekunder. Mikael kunde inte begripa varför han var så irriterad. Det var inte likt honom, kanske var det hela Sernerdramat, trots allt. Han log mot Arne och hans gäng där borta som studerade dem uppmärksamt.

"Jag ska komma direkt till saken", sa Linus.

"Det låter bra."

"Känner du till Supercraft?"

Mikael Blomkvist visste inte mycket om datorspel. Men Supercraft hade till och med han hört talas om.

"Till namnet ja."

"Inte mer?"

"Nej."

"Då vet du inte att det som utmärker spelet, eller gör det så speciellt, är att det finns en särskild AI-funktion som gör att du kan kommunicera med en kombattant om krigsstrategin utan att vara helt säker, åtminstone inledningsvis, på om det är en verklig människa eller en digital skapelse du talar med."

"Ser man på", sa Mikael. Ingenting intresserade honom mindre än finesser i ett jäkla spel.

"Det är en liten revolution i branschen, och jag har faktiskt varit med om att ta fram det", fortsatte Linus Brandell.

"Grattis. Då har du väl gjort dig en rejäl hacka."

"Det är just det."

"Vad menar du?"

"Man har snott tekniken från oss, och nu tjänar Truegames miljarder på det utan att vi får ett öre."

Den visan hade Mikael hört förut. Han hade till och med talat med en gammal dam som hävdade att det egentligen var hon som skrivit Harry Potter-böckerna, och att J.K. Rowling stulit alltihop genom telepati.

"Hur gick det till då?" frågade han.

"Man hackade oss."

"Och hur vet ni det?"

"Det har konstaterats av experter på FRA, jag kan ge dig ett namn där om du vill, och så av en…"

Linus hejdade sig.

"Ja?"

"Inget. Men även Säpo var inblandat, du kan prata med Gabriella Grane där, en analytiker som jag tror kommer att bekräfta det för dig. Hon nämner också händelsen i en offentlig rapport hon publicerade förra året. Jag har ett ärendenummer här…"

"Så det är ingen nyhet med andra ord", avbröt Mikael.

"Nej, inte i den meningen. *Ny Teknik* och *Computer Sweden* skrev om det. Men eftersom Frans inte ville prata om det, och till och med vid ett par tillfällen nekade till att det överhuvudtaget skett något intrång, blev det aldrig någon vidare spridning på storyn."

"Men det är ändå en gammal nyhet."

"I och för sig."

"Varför ska jag då lyssna på dig, Linus?"

"För att Frans kommit hem från San Francisco nu och verkar ha förstått vad som hänt. Jag tror han sitter på rent sprängstoff. Han har blivit helt manisk med säkerheten. Använder bara värstingkrypteringar på telefonen och mejlen, och han har just fått ett nytt tjuvlarm med kameror och sensorer och hela skiten. Jag tycker att du borde tala med honom, det är därför jag hör av mig. En kille som du kanske kan få honom att öppna sig. Mig lyssnar han inte på."

"Så du beordrade ner mig hit för att det verkar som om någon som heter Frans kanske sitter på sprängstoff."

"Inte någon som heter Frans, Blomkvist, utan Frans Balder, ingen mindre, sa jag inte det? Jag var en av hans assistenter."

Mikael sökte i minnet; den enda Balder han kunde komma på var Hanna, skådespelerskan, vad som nu hänt med henne.

"Vem är det?" sa han.

Han fick en blick av så påtagligt förakt att han blev helt paff.

"Har du levt på Mars eller? Frans Balder är en legend. Ett begrepp."

"Verkligen?"

"Jösses, ja!" fortsatte Linus. "Googla honom så får du se. Han blev professor i datavetenskap bara tjugosju år gammal, och han har nu i två decennier varit en världsledande auktoritet inom AI-forskning. Det finns knappast någon som ligger så långt framme i utvecklingen av kvantdatorer och neurala nätverk. Han hittar hela tiden knäppa, oortodoxa lösningar. Har en helskön, bakvänd hjärna. Tänker helt nytt och banbrytande, och som du kanske kan ana har datorindustrin slitit i honom i åratal. Men Balder vägrade länge att låta sig rekryteras. Han ville jobba ensam. Eller ensam och ensam, han har alltid haft olika assistenter som han kört livet ur. Han kräver resultat, inget annat, och han går på med sitt: 'Ingenting är omöjligt. Vårt jobb är att flytta fram gränserna, bla bla bla.' Men folk lyssnar på det. Man gör vad som helst för honom. Man kan dö för honom nästintill. Bland oss nördar är han rena guden."

"Hör det."

"Men tro inte att jag är någon okritisk beundrare, inte alls. Det finns ett pris att betala, det vet jag om någon. Man gör storartade saker ihop med honom. Men man kan också gå sönder. Frans själv får inte ens ha hand om sin son. Han klantade till det på något oförlåtligt vis, det finns flera sådana historier. Assistenter som gått in i väggen och kvaddat sina liv och gud vet vad. Men även om han alltid varit besatt och hopplös har han aldrig betett sig så här förut. Varit så hysteriskt säkerhetsfixerad, och det är också därför jag sitter här. Jag vill att du snackar med honom. Jag bara vet att han kommit något stort på spåren."

"Du bara vet det."

"Du måste fatta, han är normalt ingen paranoid person. Han har tvärtom varit alldeles för lite paranoid med tanke på nivån på det han hållit på med. Men nu har han låst in sig i sitt hus och går knappt ut. Han verkar rädd, och annars blir han verkligen inte skraj i första taget. Han har snarare varit en tokig jävel som bara stormat på."

"Och han höll på med datorspel?" sa Mikael utan att dölja sin skepsis.

"Alltså… Frans visste ju att vi var spelfreakar allihop, och tyckte väl att vi skulle få arbeta med något vi gillade. Men hans AI-program passade också för den branschen. Det var en perfekt experimentverkstad, och vi åstadkom fantastiska resultat. Vi bröt ny mark. Det var bara det…"

"Kom till saken, Linus."

"Saken är den att Balder och hans patentjurister skrev en patentansökan på de mest innovativa delarna i tekniken, och då kom den första chocken. En rysk ingenjör på Truegames hade snott ihop en ansökan strax innan som blockerade patenten, vilket knappast var någon slump. Men det spelade egentligen ingen roll. Patentet hade bara varit en papperstiger i sammanhanget. Det intressanta var hur i helvete de fått korn på vad vi gjort, och eftersom vi alla var intill döden lojala mot Frans fanns det egentligen bara ett alternativ: vi måste ha blivit hackade, trots alla våra försiktighetsåtgärder."

"Var det då ni kontaktade Säpo och FRA?"

"Inte först. Frans har svårt för folk som sätter på sig slips och är på jobbet mellan nio och fem. Han föredrar besatta idioter som hänger framför datorn hela nätterna, och därför sökte han i stället upp någon mysko hacker som han träffat någonstans, och hon sa direkt att vi var utsatta för ett intrång. Inte för att hon gav ett särskilt trovärdigt intryck precis. Jag skulle inte anställt henne på min firma, om du förstår vad jag menar, och möjligen svamlade hon bara. Men det viktigaste i hennes

slutsatser bekräftades ändå senare av folk på Försvarets Radio-
anstalt."

"Men ingen visste vem som hackat er?"

"Nej, nej, att spåra hackerintrång är ofta hopplöst. Men så
mycket är klart att det måste ha varit proffs. Vi hade arbetat
mycket med vår IT-säkerhet."

"Fast nu tror du att Frans Balder fått veta något om det?"

"Definitivt. Annars skulle han inte uppträda så skumt. Jag är
övertygad om att han fick nys om något på Solifon."

"Så han jobbade där?"

"Ja, konstigt nog. Frans hade ju tidigare vägrat att låta sig
bindas upp av de stora datorjättarna, som jag sa. Ingen på jor-
den tjatade så mycket om utanförskap som han, om vikten av
att stå fri och inte bli slav under de kommersiella krafterna
och allt vad det var. Men hux flux när vi stod där med byxorna
nere, och var bestulna på vår teknik, nappade han plötsligt på
ett erbjudande från Solifon av alla bolag, och ingen fattade ett
dugg. Okej, de erbjöd monsterlön, fria tyglar och hela skiten:
Gör vad fan du vill, typ, men jobba åt oss, och det kanske lät
häftigt. Det skulle definitivt vara häftigt för vem som helst som
inte var Frans Balder. Men sådana där erbjudanden hade han
fått i parti och minut från Google, Apple och alla möjliga. Var-
för var det här plötsligt så intressant? Han förklarade aldrig
det. Han bara tog sitt pick och pack och stack, och efter vad jag
hört gick det också lysande till en början. Frans vidareutveck-
lade vår teknik, och jag tror att ägaren Nicolas Grant började
fantisera om nya miljardintäkter. Det rådde stor upphetsning.
Men sedan hände något."

"Något du egentligen inte vet så mycket om."

"Nej, vi förlorade ju kontakten. Frans förlorade kontakten
med hela världen i stort sett. Men så mycket inser jag att det
måste vara något allvarligt. Frans hade ju alltid predikat öp-
penhet och snackat sig varm för Wisdom of Crowds och allt
det där; vikten av att använda sig av kunskapen från många, ja

hela Linuxtänket. Men på Solifon höll han tydligen vartenda kommatecken hemligt, till och med för de allra närmaste, och så pang, bom sa han upp sig och åkte hem, och nu sitter han där i sitt hus i Saltsjöbaden och går inte ens ut i trädgården, eller bryr sig det minsta om hur han ser ut."

"Så vad du har, Linus, är en story om en professor som verkar pressad, och som inte bryr sig om hur han ser ut – hur nu grannarna kan se det när han inte går ut?"

"Jo, men jag tror…"

"Jag tror också, Linus, att det här kan vara en intressant historia. Men det är nog tyvärr inget för mig. Jag är inte någon IT-reporter – jag är en stenåldersman som någon så klokt skrev häromdagen. Jag skulle rekommendera dig att kontakta Raoul Sigvardsson på *Svenska Morgonposten*. Han kan allt om den där världen."

"Nej, nej, Sigvardsson är för lättviktig. Det här är över hans nivå."

"Tror att du underskattar honom."

"Kom igen, banga inte ur nu? Det här kan bli din comeback, Blomkvist."

Mikael gjorde en trött gest mot Amir som torkade ett bord inte långt ifrån dem.

"Får jag ge dig ett råd?" svarade Mikael.

"Va… jo… visst."

"Nästa gång du ska sälja in en story, försök inte förklara för reportern vad det kommer att innebära för honom. Vet du hur många gånger folk har dragit den valsen för mig? 'Det här kommer att bli det största i ditt liv. Det här är större än Watergate!' Du kommer längre med lite vanlig saklighet, Linus."

"Jag menade bara…"

"Vad menade du egentligen?"

"Att du skulle prata med honom. Jag tror att han skulle gilla dig. Ni är samma sorts kompromisslösa typer."

Linus verkade i ett slag ha förlorat sitt självförtroende och

Mikael undrade om han inte varit onödigt hård. Han brukade alltid, av princip i stort sett, vara vänlig och uppmuntrande mot tipsare, hur galna de än lät, inte bara för att det kunde finnas en bra story även i det som verkade vansinnigt utan för att han visste att han ofta var deras sista halmstrå. Många vände sig till honom när alla andra slutat lyssna. Han var inte sällan människors sista hopp, och det fanns aldrig någon anledning att vara hånfull.

"Du", sa han. "Jag har haft en överjävlig dag, och det var inte min mening att låta sarkastisk."

"Det är okej."

"Och du har faktiskt rätt", fortsatte Mikael. "Det är verkligen en sak som intresserar mig i den här historien. Du sa att ni hade besök av en kvinnlig hacker."

"Jo, men det har inget med det här att göra egentligen. Hon var nog mest Balders sociala projekt."

"Men hon verkade kunna sina grejer."

"Eller så fick hon rätt av ren tur. Hon snackade mycket skit."

"Så du träffade henne?"

"Ja, när Balder precis stuckit till Silicon Valley."

"Hur länge sedan är det?"

"Elva månader sedan. Jag hade flyttat våra datorer till min lägenhet på Brantingsgatan. Ingen kan påstå att mitt liv var särskilt toppen. Jag var singel och pank och bakis, och det såg för jävligt ut där hemma, och jag hade precis talat med Frans i telefon, och han hade gått på som en tröttsam gammal farsa. Det var mycket: Döm henne inte efter hennes utseende och sådant, skenet kan bedra, bla, bla, och vad fan, det sa han till mig! Jag är inte precis någon svärmorsdröm själv. Har aldrig haft slips och kavaj i hela mitt liv, och jag om någon vet hur folk brukar se ut i hackerkretsar. Hur som helst så satt jag där och väntade på den där bruden. Tänkte väl att hon åtminstone skulle knacka på. Men hon bara öppnade dörren och klev in."

"Hur såg hon ut?"

"För jävlig… eller rättare sagt, hon var väl sexig också på något skumt vis. Men för jävlig!"

"Linus, jag menade inte att du skulle recensera hennes utseende. Jag vill bara veta hur hon var klädd och om hon eventuellt sa sitt namn."

"Jag har ingen aning vem hon var", fortsatte Linus, "även om jag kände igen henne någonstans ifrån – jag fick för mig att det var något dåligt. Hon var tatuerad och piercad och hela skiten och såg ut som en svartrockare eller en goth eller punkare, och så var hon mager som fan."

Utan att knappt vara medveten om det gav Mikael tecken åt Amir att hälla upp ännu en Guinness.

"Vad hände?" frågade han.

"Ja, vad ska jag säga. Jag tänkte väl att vi inte behövde köra igång direkt, så jag satte mig på min säng – det fanns inte så mycket annat att sitta på – och föreslog att vi skulle ta en drink eller så först. Men vet du vad hon gjorde då? Hon bad mig gå ut. Hon beordrade mig att lämna mitt eget hem som om det var den naturligaste sak i världen, och jag vägrade förstås. Försökte liksom: 'Jag bor faktiskt här.' Men hon sa bara: 'Stick, försvinn', och då såg jag ingen annan utväg än att dra, och jag var borta rätt länge. När jag kom tillbaka låg hon och rökte i min säng, helt sjukt, och läste en bok om strängteori eller något, och kanske blängde jag på henne på något skumt vis, vad vet jag. Hon förklarade att hon inte tänkte ligga med mig, ens lite. 'Ens lite', sa hon, och jag tror inte hon tittade mig i ögonen en enda gång. Hon slängde bara ur sig att vi haft en trojan i våra datorer, en RAT, och att hon kände igen mönstret på intrånget, själva verkshöjden i programmeringen. Ni har blivit blåsta, sa hon. Sedan drog hon."

"Utan att säga hej?"

"Utan ett förbannat ord."

"Jösses", lät Mikael undslippa sig.

"Fast uppriktigt sagt tror jag mest hon stajlade. Killen på

FRA som gjorde samma undersökning en tid senare, och som rimligtvis var långt mer insatt i den här typen av attacker, sa bestämt att några sådana slutsatser inte gick att dra, och hur han än sökte igenom datorn hittade han inget gammalt spionvirus. Ändå lutade också han – Molde heter han för övrigt, Stefan Molde – åt att vi varit utsatt för ett intrång."

"Den här tjejen, presenterade hon sig aldrig på något sätt?"

"Jag låg faktiskt på henne om det, men det enda hon sa, och då bara surt, var att jag kunde kalla henne Pippi, och så mycket var ju klart, det var inte hennes riktiga namn direkt, men ändå…"

"Vad?"

"Tyckte jag det passade henne på något vis."

"Du", sa Mikael. "Alldeles nyss var jag nära att sticka hem."

"Ja, jag märkte det."

"Men nu har situationen förändrats högst väsentligt. Sa du inte att Frans Balder kände den här tjejen?"

"Ja, jo."

"Då vill jag komma i kontakt med Frans Balder så fort som möjligt."

"På grund av tjejen?"

"Något sådant."

"Okej, bra", sa Linus fundersamt. "Men du lär inte hitta några kontaktuppgifter på honom. Han har blivit så förbaskat hemlig, som jag sa. Har du Iphone?"

"Det har jag."

"Då kan du glömma det. Frans menar att Apple mer eller mindre sålt ut sig till NSA. För att tala med honom måste du köpa en Blackphone eller åtminstone låna en Android och ladda ner ett speciellt krypteringsprogram. Men jag ska försöka få honom att höra av sig till dig, så kan ni stämma träff på något säkert ställe."

"Toppen, Linus, tack."

MIKAEL SATT KVAR en stund sedan Linus gått och drack upp sin Guinness och stirrade ut mot stormen därute. Bakom honom skrattade Arne och hans gäng åt något. Men Mikael var så djupt försjunken i tankar att han inte hörde ett dugg, eller knappt ens lade märke till att Amir slog sig ner intill honom och började dra den senaste väderprognosen.

Det skulle tydligen bli ett helt sinnessjukt väder. Temperaturen skulle ner mot tio minus. Årets första snö väntades falla, och då inte på något behagligt eller gemytligt vis. Eländet skulle komma piskande från sidan i den värsta storm landet haft på länge.

"Kan bli orkanvindar", sa Amir, och Mikael, som fortfarande inte lyssnade, svarade bara kort:

"Så bra."

"Bra?"

"Ja… va… bättre än inget väder alls i alla fall."

"Det är sant. Men hur är det med dig? Du ser helt chockad ut. Var det inget bra möte?"

"Jodå, det var helt okej."

"Men det var ändå något omskakande du fick höra, eller hur?"

"Det vet jag inte precis. Men det är lite rörigt just nu. Jag funderar på att sluta på *Millennium*."

"Trodde du var ett med den där tidningen."

"Trodde jag också. Men jag gissar att allting har sin tid."

"Det är väl så", sa Amir. "Min gamle far brukade säga att även det eviga har sin tid."

"Och hur tänkte han då?"

"Jag tror han tänkte på den eviga kärleken. Det här var precis innan han lämnade min mamma."

Mikael fnissade till.

"Nja. Jag har inte varit så bra på evig kärlek själv. Däremot…"

"Ja, Mikael?"

"Finns det en kvinna som jag känt, och som varit försvunnen från mitt liv rätt länge nu."

"Jobbigt."

"Ja, det är lite speciellt. Men nu fick jag plötsligt ett livstecken från henne, åtminstone tror jag det, och kanske var det det som fick mig att se konstig ut."

"Förstår."

"Nåväl, jag antar att jag behöver komma hem. Vad blir jag skyldig?"

"Vi tar det senare."

"Fint, sköt om dig, Amir", sa han och gick förbi stamgästerna som slängde ur sig några nya förflugna kommentarer, och därefter steg han ut i stormen.

Det var en nära-döden-upplevelse. Vindbyarna drog rakt genom kroppen på honom, och ändå stod han en stund stilla i ovädret och förlorade sig i gamla minnen, och bara långsamt gick han hem och av någon anledning hade han svårt att få upp dörren. Han fick tricksa med nyckeln, och efteråt sparkade han av sig skorna och satte sig vid datorn och sökte information om professor Frans Balder.

Men han var hopplöst okoncentrerad, och i stället undrade han som så många gånger förr: vart har hon tagit vägen? Bortsett från en rapport från hennes gamla arbetsgivare Dragan Armanskij hade han inte hört ett ord om henne. Hon var som uppslukad, och trots att de i stort sett bodde i samma kvarter hade han inte sett skymten av henne, och det var väl också därför Linus ord påverkat honom så.

Det kunde i och för sig ha varit någon annan som dykt upp hos honom den där dagen. Det var möjligt, men inte särskilt troligt. Vem förutom Lisbeth Salander klampar in så där utan att ens se folk i ögonen och kör ut dem ur deras hem, och genomskådar de innersta hemligheterna i deras datorer, och kläcker ur sig saker som: "Jag tänker inte ligga med dig, ens lite"? Det måste ha varit Lisbeth, och Pippi, hur typiskt var inte det?

Det stod V. Kulla utanför hennes dörr på Fiskargatan, och han förstod mycket väl att hon inte använde sitt riktiga namn. Hennes riktiga namn var alltför sökbart och associerat till stora dramer och vansinnigheter. Var höll hon hus numera? Det var i och för sig inte första gången den tjejen gick upp i rök. Men ända sedan den där dagen då han knackat på hennes dörr på Lundagatan och skällt ut henne för att hon skrivit en lite väl ingående personundersökning om honom hade de aldrig varit ifrån varandra så här länge, och det kändes lite märkligt, gjorde det inte? Lisbeth var ju ändå hans… ja, vad tusan var hon?

Knappast hans vän. Vänner träffar man. Vänner försvinner inte bara så där. Vänner hör inte enbart av sig genom att hacka sig in i våra datorer. Ändå förblev han sammantvinnad med Lisbeth, och framför allt, det gick inte att komma ifrån, var han orolig för henne. Hennes gamla förmyndare Holger Palmgren brukade visserligen säga att Lisbeth alltid klarar sig. Trots hennes fasansfulla barndom, eller kanske tack vare den, förblev hon en sjuhelvetes överlevare, och säkert låg det en del i det.

Men det fanns knappast några garantier, inte för en tjej med den bakgrunden, och med den förmågan att skaffa sig fiender. Kanske hade hon verkligen spårat ur, som Dragan Armanskij hade antytt då han och Mikael träffades över en lunch på Gondolen för ett halvår sedan eller så. Det hade varit en vårdag, en lördag och Dragan hade propsat på att få bjuda på öl och snaps och hela galoppen. Mikael hade haft en känsla av att Dragan behövde prata av sig, och även om de officiellt bara träffades som två gamla vänner var det ingen tvekan om att Dragan egentligen bara ville tala om Lisbeth, och med hjälp av några glas hänge sig åt en viss sentimentalitet.

Dragan berättade bland annat att hans företag, Milton Security, hade levererat ett antal trygghetslarm till ett ålderdomshem i Högdalen, bra larm, sa han.

Men det hjälper nu inte om strömmen går, och ingen bryr sig om att åtgärda det, och det var precis vad som skett. Det hade blivit strömavbrott på hemmet sent på kvällen, och under natten som följde ramlade en av åldringarna, en dam vid namn Rut Åkerman, och bröt lårbenshalsen, och låg sedan i timme efter timme och tryckte på larmet till ingen nytta. På morgonen var hennes tillstånd rätt kritiskt, och eftersom tidningarna just då fokuserade en hel del på problem och slarv inom äldrevården slogs händelsen upp stort.

Nu klarade sig Rut dessbättre. Men det oturliga i sammanhanget var ändå att hon var mamma till en av höjdarna i Sverigedemokraterna, och när det kom ut på partiets webbsajt Avpixlat att Armanskij var arab – vilket han för övrigt inte alls var, men det var åtminstone sant att han ibland kallades Araben – exploderade det i kommentarsfälten. Hundratals anonyma skribenter skrev att så går det "när blattarna levererar teknik till oss", och Dragan tog illa vid sig, särskilt eftersom hans gamla mor också förolämpades grovt.

Men så plötsligt, som genom ett trollslag, var alla de där skribenterna inte anonyma längre. Tvärtom stod det precis vad de hette och var de bodde och vad de arbetade med och hur gamla de var. Det var riktigt prydligt – som om de allihop fyllt i ett formulär. Hela sajten avpixlades kunde man säga, och det visade sig förstås att det inte alls bara var socialt missanpassade rättshaverister som skrivit utan många etablerade medborgare, till och med några konkurrenter till Armanskij i säkerhetsbranschen, och länge stod de ansvariga helt maktlösa. De begrep ingenting. De bara slet sitt hår innan de till slut lyckades stänga ner sidan, och svor på att hämnas på de skyldiga. Det var bara det förstås; ingen visste vem det var som låg bakom attacken, ingen mer än Dragan Armanskij själv.

"Det var ju en klassisk Lisbethgrej", sa han, "och det är ju klart, jag var part i målet. Jag var inte storsint nog att tycka synd om alla som blev uthängda, hur mycket jag än i mitt yrke värnar om IT-säkerhet. Du vet, jag hade ju inte hört ifrån henne på evigheter, och jag var fullständigt övertygad om att hon struntade i mig fullständigt, ja, att hon struntade i alla andra med för den delen. Men så hände detta, det var så fint. Hon stod upp för mig, och jag skickade iväg ett översvallande tack på mejlen, och till min förvåning kom det ett svar. Vet du vad hon skrev?"

"Nej."

"Bara en enda mening: 'Hur fan kan ni skydda det där äcklet Sandvall på Östermalmskliniken?'"

"Och vem är Sandvall?"

"En plastikkirurg som vi gav personskydd eftersom han blivit hotad sedan han kladdat på en ung estniska som han gjort en bröstoperation på. Tjejen råkade vara flickvän till en känd kriminell."

"Oj då."

"Exakt, inte så smart helt enkelt, och jag svarade också Lisbeth att inte heller jag trodde att Sandvall var Guds bästa barn. Jag till och med visste att han inte var det. Men jag försökte påpeka att vi inte kan göra den typen av bedömningar. Vi kan inte bara skydda de moraliskt klanderfria. Även mansgrisar har rätt till en viss säkerhet, och eftersom Sandvall var allvarligt hotad och bad om vår hjälp, gav vi honom den – för dubbel taxa. Svårare än så var det inte."

"Men Lisbeth köpte inte resonemanget?"

"I alla fall svarade hon inte – åtminstone inte på mejl. Men hon gav en annan sorts replik får man väl säga."

"Och hur såg den ut?"

"Hon tågade fram till våra vakter på kliniken och beordrade dem att hålla sig lugna. Jag tror till och med att hon hälsade från mig. Sedan gick hon raka vägen förbi alla patienter och sjuksköterskor och doktorer, och klev in på Sandvalls mottagning och knäckte tre av hans fingrar, och hotade honom å det grövsta."

"Jösses!"

"Det är det minsta man kan säga. Skogstokigt. Jag menar, bete sig på det viset inför så många vittnen och på en läkarmottagning till råga på allt."

"Ja, rätt galet."

"Och givetvis, det blev ett fruktansvärt liv efteråt, och skrik om stämningar och åtal och fanskap. Du fattar själv: bryta fingrarna på en kirurg som har förbundit sig att göra massor med värdefulla lyft och snitt och skit. Det är sådant som får stjärnadvokater att se dollartecken överallt."

"Vad hände då?"

"Ingenting. Inte ett dugg, och det är kanske det märkligaste av allt. Hela saken rann ut i sanden, tydligen för att kirurgen själv inte ville driva saken vidare. Men ändå, Mikael, det var sinnessjukt. Ingen människa i balans tågar in på en läkarmottagning mitt på dagen och knäcker fingrarna på en läkare. Inte ens en Lisbeth Salander i balans gör något sådant."

Mikael Blomkvist var i och för sig inte helt säker på den analysen. Han tyckte snarare det lät rätt logiskt, Lisbethlogiskt, och här var han mer eller mindre en expert i ämnet. Han om någon visste hur rationellt den kvinnan tänkte, inte rationellt som folk i allmänhet, men rationellt utifrån de grundpremisser hon ställt upp, och han tvivlade inte en sekund på att den där läkaren gjort långt värre saker än tafsat på fel flickvän. Ändå kunde han inte låta bli att undra om inte något brustit för Lisbeth här, om inte annat så i riskanalysen.

Han snuddade till och med vid tanken att hon *ville* hamna i trassel igen, kanske i någon sorts föreställning om att det skulle få henne att leva upp igen. Men det var säkert orättvist. Han visste ingenting om hennes bevekelsegrunder. Han visste inte ett dugg om hennes liv numera, och medan stormen riste till i fönsterrutorna, och han satt där framför sin dator och googlade på Frans Balder, försökte han se det vackra i att de nu åtminstone snubblat över varandra så här indirekt. Det var i alla fall bättre än ingenting, och han antog att han fick vara glad att hon var sig lik. Lisbeth tycktes vara som hon alltid varit, och kanske, vem vet, hade hon gett honom en story. Av någon anledning hade Linus irriterat honom från första stund, och förmodligen hade han struntat i grejen även om Linus slängt fram något halvt sensationellt. Men när Lisbeth dök upp i berättelsen började han se allt med nya ögon.

Det gick ju inte precis att klaga på hennes intellekt, och om hon tagit sig tid att engagera sig i ärendet, ja, då kanske det fanns skäl också för honom att fördjupa sig i det. Han kunde åtminstone kolla upp grejen lite närmare, och med lite tur få veta något mer om Lisbeth på kuppen, för det fanns en tiotusenkronorsfråga här redan i upplägget, fanns det inte?

Varför hade hon överhuvudtaget ryckt ut?

Någon sorts ambulerande IT-konsult var hon ju inte, och visserligen kunde hon bli förbannad över livets orättvisor. Hon kunde rycka ut och skipa sin egen rättvisa. Men att kvinnan som inte drar sig för att hacka sig in var som helst just skulle uppröras över ett dataintrång, det var lite förvånande, trots allt. Knäcka fingrarna på en kirurg, fine! Men att engagera sig mot olagliga hackerattacker, det var väldigt mycket att kasta sten i glashus, var det inte? Å andra sidan visste han ingenting.

Rimligtvis fanns här en förhistoria. Kanske var hon och Balder vänner eller diskussionspartner. Det var inte omöjligt, och på försök samgooglade han deras namn, men utan att få några träffar, inget som betydde något i alla fall, och ett litet tag satt Mikael bara och tittade ut mot stormen och tänkte på en tatuerad drake på en mager blek rygg, och på en köldknäpp i Hedestad och på en uppgrävd grav i Gosseberga.

Därefter sökte han vidare på Frans Balder, och det saknades inte precis saker att läsa. Professorn hade två miljoner träffar, och ändå var det inte lätt att få en biografisk översikt. Det mesta var vetenskapliga artiklar och kommentarer och det verkade inte som om Frans Balder gav några intervjuer. Därför bar alla detaljer om hans liv en sorts mytologisk prägel – som om de blåsts upp och romantiserats av beundrande studenter.

Det stod att Frans som barn uppfattats som mer eller mindre utvecklingsstörd ända tills han en dag kommit in till rektorn på sin skola ute på Ekerö, och pekat ut ett fel i nians matteböcker rörande de så kallade imaginära talen. Rättelsen infördes senare i de nya upplagorna, och Frans vann påföljande vår en nationell tävling i matematik. Han påstods kunna tala baklänges och skapa egna långa palindromer. I en tidig skoluppsats som publicerats på nätet var han kritisk mot H.G. Wells roman *Världarnas krig* eftersom han inte kunde förstå hur varelser som var oss överlägsna i allt inte begrep något så grundläggande som skillnaderna i bakteriefloran mellan Mars och Jorden.

Efter gymnasiet läste han datavetenskap på Imperial College i London, och disputerade med en avhandling om algoritmer i neurala nätverk som ansågs epokgörande. Han blev rekordung professor på Tekniska Högskolan i Stockholm och invald i Kungliga Ingenjörsvetenskapsakademien. I dag betraktades han som en världsledande auktoritet på det hypotetiska begreppet "teknologisk singularitet", det tillstånd då datorernas intelligens passerat vår egen.

Han var ingen uppseendeväckande eller tjusig karaktär. På alla bilder såg han ut som ett ovårdat troll med små ögon och håret spretande åt alla håll. Ändå gifte han sig med den glamorösa skådespelerskan Hanna Lind, senare Balder. Paret fick en son som enligt ett kvällstidningsreportage med rubriken "Hannas stora sorg" var svårt mentalt handikappad, även om pojken faktiskt inte – åtminstone inte på bilden i artikeln – såg det minsta efterbliven ut.

Äktenskapet sprack, och inför en uppflammande vårdnadstvist i Nacka tingsrätt steg teaterns enfant terrible, Lasse Westman, in i dramat och förklarade aggressivt att Balder inte borde få ha hand om sonen överhuvudtaget eftersom Frans mer brydde sig om "intelligensen hos datorer än hos barn". Men Mikael fördjupade sig inte vidare i skilsmässoproblematiken utan koncentrerade sig i stället på att försöka förstå Balders forskning och de rättstvister han var inblandad i, och länge satt han försjunken i ett snårigt resonemang om kvantprocesser i datorer.

Efteråt gick han in på sina dokument och öppnade en fil han skapade för något år sedan. Filen hette *Lisbeths låda*. Han hade ingen aning om ifall hon fortfarande hackade sig in hos honom, eller om hon ens intresserade sig för hans journalistik längre. Men han kunde inte låta bli att hoppas på det, och nu undrade han om han inte borde pränta ner en liten hälsning, trots allt. Problemet var förstås bara: vad skulle han skriva?

Långa, personliga brev var inte något för henne – det skulle bara göra henne besvärad. Snarare borde han försöka med något kort och lite gåtfullt. Han prövade med frågan:

Vad ska vi tro om Frans Balders artificiella intelligens?

Därefter reste han sig upp och såg ut mot snöstormen igen.

KAPITEL 4

DEN 20 NOVEMBER

EDWIN NEEDHAM, eller Ed the Ned som han ibland kallades, var inte den högst betalda säkerhetsteknikern i USA. Men kanske var han den bästa och den stoltaste. Hans pappa Sammy hade varit ett rötägg av Guds nåde, en alkoholiserad vildhjärna som ibland tog ströjobb i hamnen, men som ofta stack iväg på sanslösa suprundor som inte sällan slutade i häktet eller på akuten, och det var förstås inte roligt för någon.

Ändå var Sammys fyllesvängar familjens bästa tid. När han var ute och söp infann sig ibland en sorts andrum där modern Rita kunde trycka sina två barn intill sig och säga att allt nog skulle bli bra ändå. Annars fungerade inget där hemma. Familjen bodde i Dorchester i Boston, och då fadern var vänlig nog att vara närvarande slog han ofta Rita sönder och samman, och i timmar och ibland hela dagar levde hon inlåst på toaletten och grät och skakade.

Under de värsta perioderna kräktes hon blod, och ingen blev särskilt förvånad när hon dog bara fyrtiosex år gammal av inre blödningar, eller när Eds storasyster gick ner sig i crack, eller än mindre när fadern och barnen efteråt stod och balanserade på gränsen till hemlöshet.

Eds uppväxt hade bäddat för ett liv i trubbel, och under tonåren tillhörde han ett gäng som kallade sig "The Fuckers", en ren skräck i Dorchester som ägnade sig åt gängbråk och överfall och rån mot livsmedelsbutiker. Eds närmaste vän, en kille som hette Daniel Gottfried, mördades genom att hängas upp på en köttkrok och slaktas med en machete. I tonåren stod Ed och blickade ner mot avgrunden.

Eds utseende hade tidigt något trubbigt och brutalt över sig, som inte hjälptes av att han aldrig log och saknade två tänder i överkäken. Han var kraftig och lång och orädd, och hans ansikte bar som regel spår av slagsmål, antingen det nu var efter fighter med sin far eller sviter efter gängbråken. De flesta lärare i skolan var livrädda för Ed. Alla var övertygade om att han skulle sluta i fängelse eller med ett skotthål i huvudet. Men det fanns också vuxna som började engagera sig i honom – troligen för att de upptäckte att det inte bara rymdes aggressivitet och våld i hans glödande blå ögon.

Ed ägde en obändig upptäckarlust, en energi som gjorde att han kunde sluka en bok med samma kraft som han förstörde inredningen i en kommunal buss, och ofta drog han sig för att gå hem om dagarna. Han blev gärna kvar i det så kallade teknikrummet i skolan där det stod ett par persondatorer som han satt med timme efter timme. En fysiklärare med det svenskklingande namnet Larson noterade Eds begåvning med maskiner och efter en utredning – där de sociala myndigheterna var inblandade – tilldelades han ett stipendium och fick möjlighet att byta till en skola med mer motiverade elever.

Ed började glänsa i studierna, och han fick nya stipendier och utmärkelser, och till slut, vilket var ett smärre under med tanke på oddsen från början, började han studera Electrical Engineering and Computer Science, EECS, vid MIT i Massachusetts. Han skrev sin doktorsavhandling om vissa specifika farhågor rörande de nya asymmetriska kryptosystemen som RSA, och fortsatte till höga positioner på Microsoft och Cisco innan han till slut rekryterades av Nationella Säkerhetsmyndigheten, NSA, i Fort Meade i Maryland.

Egentligen var hans cv inte helt klanderfritt för uppgiften, inte bara på grund av kriminaliteten i tonåren. Han hade rökt en hel del gräs på college och haft böjelser för socialistiska eller till och med anarkistiska ideal, och faktiskt också två gånger suttit anhållen för misshandel även i vuxen ålder, inga märkvärdiga saker, krogbråk som mest. Hans humör förblev våldsamt, och alla som kände honom drog sig för att bråka med honom.

Men på NSA såg man hans andra kvaliteter, och för övrigt var det hösten 2001. Amerikanska underrättelsetjänster var i så desperat behov av datatekniker att man anställde i stort sett vem som helst, och under åren som följde ifrågasatte ingen heller Eds lojalitet eller patriotism, och om någon ändå gjorde det vägde fördelarna alltid över.

Ed var inte bara en lysande begåvning. Det fanns en besatthet i hans karaktär, en manisk noggrannhet och en rasande effektivitet som bådade gott för en man som sattes att värna IT-säkerheten på den hemligaste av amerikanska myndigheter. Ingen jävel skulle få knäcka hans system. Det var en personlig fråga för honom, och i Fort Meade gjorde han sig snabbt oumbärlig, och ständigt stod folk i kö för att konsultera honom. Många förblev livrädda för Ed och ofta skällde han ut medarbetare bortom all rim och reson. Till och med självaste NSA-chefen, den legendariske amiralen Charles O'Connor, hade han bett dra åt helvete.

"Ägna ditt upptagna jävla huvud åt sådant du begriper", hade Ed rutit när amiralen försökt ha synpunkter på hans arbete.

Men Charles O'Connor och alla andra lät det ske. De visste att Ed skrek och bråkade av rätt anledning – därför att folk slarvat med säkerhetsföreskrifterna, eller för att de pratade om saker de inte förstod. Aldrig någonsin lade han sig i spionorganisationens arbete i övrigt, trots att han i kraft av sina befogenheter närmast hade full insyn, och trots att myndigheten på senare år befunnit sig mitt i en vild opinionsstorm där företrädare för både höger och vänster sett NSA som djävulen själv, som Orwells inkarnerade Storebror. Men för Eds vidkommande fick organisationen göra vad tusan den ville, så länge hans säkerhetssystem var rigorösa och intakta, och eftersom han ännu inte skaffat sig någon familj levde han mer eller mindre på kontoret.

Han var en kraft man litade på, och även om han förstås själv varit föremål för en rad personkontroller hade det aldrig funnits något att invända mot, förutom då några rejäla fyllor, där han på senare tid blivit lite oroväckande sentimental och börjat tala om allt han gått igenom. Men det fanns inga som helst tecken på att han ens då berättat för utomstående vad han arbetade med. Ute i den andra världen teg han som en mussla, och om någon händelsevis pressade honom höll han sig alltid till sina inövade lögner som internet och databaserna bekräftade.

Det var ingen slump, eller resultatet av intrigerande eller rävspel, att han stigit i graderna och blivit den högsta ansvariga säkerhetschefen på huvudkontoret, och vänt upp och ner på allt "så att inga nya visselblåsare ska poppa upp igen och slå oss på käften". Ed och hans team hade skärpt den interna övervakningen på varenda punkt, och under ändlösa vaknätter skapat något som han omväxlande kallade "en obrytbar mur" och "en ettrig liten blodhund".

"Ingen jävel kan ta sig in, och ingen jävel kan rota runt därinne utan tillåtelse", sa han, och för det var han oerhört stolt.

Åtminstone var han stolt fram till den här fördömda morgonen i november. Dagen var vacker och molnfri. Ingenting av de infernaliska oväder som drog fram över Europa anades i Maryland. Folk var klädda i skjortor och tunna vindtygsjackor, och Ed, som med åren blivit ganska rund om magen, kom med sin karaktäristiska vaggande gång från kaffeautomaten.

I kraft av sin ställning struntade han i klädkoderna. Han bar jeans och en rödrutig snickarskjorta som inte riktigt var fastsatt i midjan, och när han slog sig ner vid sin dator suckade han. Han mådde inte helt bra. Han hade ont i ryggen och i högerknät, och han svor över att kollegan, den gamla FBI-snuten, den frispråkiga och rätt bedårande flatan Alona Casales, lyckats locka ut honom på en löprunda i förrgår, förmodligen av ren sadism.

Dessbättre fanns inget överdrivet akut han behövde ta itu med. Han skulle bara få iväg ett internt PM med lite nya förhållningsregler till de ansvariga för COST, ett samarbetsprogram med de stora IT-koncernerna. Men han kom inte särskilt långt. Han hann bara skriva med sin sedvanligt lite hårdkokta prosa:

För att ingen ska frestas att bli en idiot igen utan fortsätta vara en god paranoid cyberagent vill jag påpeka..., när han blev avbruten av en av sina varningssignaler.

Han blev inte särskilt oroad. Hans varningssystem var så känsliga att de reagerade på minsta avvikelse i informationsflödet. Det var säkert bara en liten anomali, ett tecken kanske på att någon försökte överträda sina befogenheter, eller vad som helst, en störning.

Men faktum var att han inte hann kolla upp det. I nästa ögonblick inträffade något så spökligt att han under flera sekunder vägrade tro det. Han bara satt där och stirrade på skärmen. Ändå visste han precis vad det var som hände. I alla fall visste han det med den del av hjärnan som ännu tänkte förnuftigt. Det var en RAT inne i intranätet, NSANet, och var som helst annars hade han tänkt: de jävlarna, jag ska krossa dem. Men här, i det mest slutna och kontrollerade av allt, i det som han och hans team tröskat igenom sjutusenelva gånger bara det senaste året för att spåra varenda liten ynka sårbarhet, här, nej, nej, det var omöjligt, det gick inte.

Utan att själv vara medveten om det slöt han ögonen, precis som om han hoppades att alltsammans skulle försvinna bara han blundade tillräckligt länge. Men när han tittade på skärmen igen fullföljdes meningen han påbörjat. Hans "...**vill jag påpeka**..." fortsatte nu av sig själv med orden: ...**att ni slutar göra en massa olagligheter, och egentligen är det ju mycket enkelt. Den som bevakar folket blir till sist också bevakad av folket. Det finns en fundamental demokratisk logik i det.**

"Helvete, helvete", muttrade han – vilket åtminstone var ett tecken på att han höll på att återhämta sig något.

Men då fortsatte texten: **Bli inte upprörd, Ed. Häng med på en tur i stället. Jag har Root**, och då skrek han högt. Ordet Root fick hela hans väsen att bryta samman, och under någon minut när datorn blixtsnabbt färdades genom de hemligaste delarna av systemet trodde han på fullt allvar att han skulle få en hjärtattack, och bara som i ett töcken märkte han att folk började samlas runt honom.

HANNA BALDER BORDE gå ut och handla. Det saknades både öl och något vettigt att äta i kylskåpet. Dessutom kunde Lasse komma hem när som helst och han skulle knappast bli glad om han inte ens fick en pilsner. Men vädret därute såg alldeles hopplöst ut, och hon sköt det framför sig, och satt i stället i köket och rökte, trots att det var värdelöst för hennes hy och värdelöst överhuvudtaget, och flipprade på sin telefon.

Två eller tre gånger gick hon igenom sin telefonlista i hopp om att ett nytt namn skulle dyka upp. Men givetvis hittade hon ingen. Det var samma gamla personer som alla var trötta på henne, och mot bättre vetande ringde hon Mia. Mia var hennes agent, och en gång i tiden hade de varit bästa vänner som drömt om att erövra världen ihop. Nu var Hanna mest Mias dåliga samvete, och hon visste inte hur många ursäkter och till intet förpliktigande ord hon hört på sistone. "Det är inte lätt att åldras som kvinnlig skådespelare, bla, bla." Hon stod inte ut med det. Varför inte säga det rakt ut i stället: "Du ser sliten ut, Hanna. Publiken älskar dig inte längre."

Men självklart svarade inte Mia, och det var nog lika bra.

Ingen av dem skulle mått bra av samtalet, och Hanna kunde inte låta bli att kika in i Augusts rum bara för att uppleva det där stynget av saknad som fick henne att känna att hon förlorat sin sista viktiga uppgift i livet, sitt moderskap, och det gav henne paradoxalt nog lite nya krafter. På något perverst vis tröstades hon av sin självömkan, och hon stod precis och undrade om hon inte skulle komma iväg och köpa lite pilsner, trots allt, då telefonen ringde.

Det var Frans, och då grimaserade hon ytterligare lite. Hon hade hela dagen tänkt – men inte vågat – ringa honom och säga att hon ville ta tillbaka August, inte bara för att hon längtade efter pojken, eller än mindre för att hon trodde att sonen skulle få det bättre här hos dem. Det var för att undvika en katastrof, inget annat.

Lasse ville hämta hem grabben för att få sina bidrag igen, och gud vet, tänkte hon, vad som händer om Lasse dyker upp i Saltsjöbaden och hävdar sin rätt. Kanske sliter han August ur huset och skrämmer honom från vettet, och slår Frans sönder och samman. Hon måste få Frans att förstå det. Men när hon svarade, och försökte få fram sitt ärende, gick det överhuvudtaget inte att prata med honom. Han bara öste på med någon underlig historia som tydligen "var helt fantastisk och fullständigt enastående" och allt vad det var.

"Förlåt Frans, jag förstår inte. Vad pratar du om?" sa hon.

"August är en savant. Han är ett geni."

"Har du blivit galen?"

"Tvärtom, kära du, jag har blivit klok till sist. Du måste komma hit, ja, faktiskt på en gång! Det är enda sättet, tror jag. Det går inte att begripa annars. Jag betalar en taxi. Jag lovar, du kommer att smälla av. Du förstår, han måste ha fotografiskt minne, och på något obegripligt vis ha tillägnat sig perspektivtecknandets alla hemligheter helt av sig själv. Det är så vackert Hanna, så exakt. Det lyser med ett sken som från en annan värld."

"Vad är det som lyser?"

"Hans trafikljus. Lyssnade du inte, det vi passerade härom-kvällen och som han nu har gjort en hel rad perfekta avbild-ningar av, ja mer än perfekta…"

"Mer än…"

"Eller vad ska jag säga? Han har inte bara kopierat, Hanna, inte bara fångat det exakt utan också tillfört något, en konst-närlig dimension. Det finns en sådan märklig glöd i det han gjort, och paradoxalt nog också något matematiskt, som om han till och med har insikter i axonometri."

"Axo…?"

"Strunt samma, Hanna! Du måste komma hit och se", gick han på, och först långsamt började hon förstå.

August hade plötsligt och utan förvarning börjat teckna som en virtuos, eller åtminstone påstod Frans det, och det vore förstås fantastiskt om det var sant. Men det sorgliga var att Hanna ändå inte blev glad, och först förstod hon inte var-för. Sedan anade hon. Det var för att det hänt hos Frans. Här hade pojken bott hos henne och Lasse i åratal och ingenting hade skett överhuvudtaget. Här hade han bara suttit med sina pussel och sina klossar och inte yppat ett ord, bara fått sina obehagliga utbrott då han skrikit med sin skärande, plågade röst och kastat kroppen fram och tillbaka, och så hux flux, några veckor hos pappa, och nu kallades han ett geni.

Det var helt enkelt för mycket. Inte så att hon inte var glad för pojken. Men det gjorde ändå ont, och det värsta av allt: hon var inte så förvånad som hon borde ha varit. Hon satt inte och skakade på huvudet och mumlade "omöjligt, omöjligt". Tvärtom kändes det som om hon hade anat, inte precis att sonen skulle göra exakta avbildningar av trafikljus, men att det fanns något mer under ytan.

Hon hade anat det i hans ögon, i den där blicken som ibland under upphettade stunder tycktes registrera varje liten detalj i omgivningen. Hon hade anat det i pojkens sätt att lyssna på skollärarna, och i hans nervösa bläddrande i matteböckerna hon köpt, och framför allt: hon hade anat det i hans siffror. Inget var så egendomligt som hans siffror. Timme efter timme kunde han skriva ner ändlösa serier av obegripligt stora tal, och Hanna hade verkligen försökt förstå dem, eller åtminstone fatta något av vad det handlade om. Men hur hon än ansträngt sig hade hon inte kommit underfund med det, och nu gissade hon att det var något viktigt hon missat med de där talen. Hon hade varit för olycklig och självupptagen för att begripa vad det var som pågick i hennes sons tankar, var det inte så?

"Jag vet inte", sa hon.

"Vet inte vadå", svarade Frans irriterat.

"Jag vet inte om jag kan komma", fortsatte hon och hörde i samma ögonblick oväsen vid ytterdörren.

Lasse anlände med sin gamla suparkompis Roger Winter, och det fick henne att skrämt rygga till, muttra fram en ursäkt till Frans och för tusende gången tänka att hon var en dålig mamma.

FRANS STOD MED telefonen i handen på det schackrutiga golvet i sovrummet och svor. Golvet hade han låtit anlägga för att det tilltalade hans känsla av matematisk ordning, och för att schackrutorna fortplantade sig in i evigheten i klädskåpens speglar som stod på var sin sida av sängen. Det fanns dagar när han såg rutornas fördubblande därinne som en myllrande gåta, som något nästan levande som steg upp ur det schematiska och regelbundna precis som tankar och drömmar stiger fram ur hjärnans neuroner eller datorprogram ur binära koder. Men i den stunden var han försjunken i helt andra sorters tankar.

"Lilla du. Vad har hänt med din mor?" sa han.

August, som satt på golvet intill honom och åt en smörgås med saltgurka och ost, tittade upp med en koncentrerad blick, och då greps Frans av en underlig föraning om att sonen skulle säga något alldeles vuxet och klokt. Men det var givetvis idiotiskt. August pratade lika lite som någonsin och visste inget om kvinnor som försummats och slocknat, och att Frans ens fått för sig något sådant berodde förstås på teckningarna.

Teckningarna – de hade blivit tre vid det här laget – tycktes honom i vissa stunder som ett bevis inte bara på konstnärlig och matematisk begåvning utan också på någon sorts visdom. Verken kändes så mogna och komplexa i sin geometriska precision att Frans inte fick ihop dem med bilden av August som efterbliven. Eller rättare sagt: han ville inte få ihop det, för självfallet hade han för länge sedan listat ut vad det handlade om, och då inte bara för att han som alla andra hade sett Rain Man på sin tid.

Som far till en autistisk pojke hade han förstås tidigt stött på savantbegreppet, det som beskriver människor med svåra kognitiva brister som ändå äger lysande färdigheter inom begränsade områden, talanger som ofta på ett eller annat sätt inbegriper ett fantastiskt minne och ett detaljseende. Frans hade redan från början anat att många föräldrar hoppades på det som diagnosens tröstpris. Men oddsen var emot dem.

Enligt en vanlig uppskattning hade bara ett av tio barn med autism någon form av savantbegåvning, och för det mesta var det inte några lika häftiga talanger som hos Rain Man i filmen. Det fanns exempelvis autistiska personer som kunde säga på vilka veckodagar ett visst datum inföll inom en tidsram på flera hundra år – ja, i extremfallen inom en ram av fyrtiotusen år.

Andra besatt ett encyklopediskt kunnande inom ett smalt fält, som busstidtabeller eller telefonnummer. Vissa kunde huvudräkna stora tal, eller mindes precis vilket väder det varit varenda dag i deras liv, eller förmådde exakt på sekunden säga vad tiden var utan att titta på en klocka. Det existerade en hel rad mer eller mindre märkliga talanger, och vad Frans förstod kallades personer som ägde sådana egenskaper för begåvade savanter, människor som behärskade något enastående med hänsyn till deras handikapp i övrigt.

Sedan fanns en annan grupp som var långt mer sällsynt, och det var i den Frans ville tro att August hörde hemma. Det var de så kallade geniala savanterna, de individer vars talanger var sensationella hur man än såg på det. Det var Kim Peek till exempel, som nyligen dött i en hjärtattack. Kim kunde inte klä på sig själv, och hade svåra intellektuella handikapp. Ändå hade han memorerat tolvtusen böcker och kunde blixtsnabbt besvara i stort sett vilken faktafråga som helst. Han var som en levande databank. Kimputer kallades han.

Sedan var det musiker som Leslie Lemke, en blind och efterbliven man som en gång när han var sexton år steg upp mitt i natten och utan skolning eller övning spelade Tjajkovskijs första pianokonsert helt perfekt efter att bara ha hört stycket en enda gång på teve. Men framför allt var det killar som Stephen Wiltshire, en autistisk engelsk pojke som var extremt tillbakadragen som barn och som yppade sitt första ord då han var sex år gammal – ett ord som råkade vara papper.

Stephen kunde vid åtta, tio års ålder rita av stora byggnadskomplex helt perfekt och in i minsta detalj efter att bara ha sett på dem med en enda kort svindlande blick. Vid ett tillfälle for han i helikopter över London och stirrade ner på husen och gatorna därnere. När han steg ur tecknade han ner hela staden i ett fantastiskt myllrande panorama. Ändå var han ingalunda bara en kopiator. Det fanns tidigt en underbar självständighet i hans verk, och numera betraktades han som en stor konstnär på alla plan. Det var pojkar som han, pojkar just.

Bara en av sex savanter var flickor, och troligen hängde det ihop med en av de stora orsakerna till autism – att det ibland cirkulerar för mycket testosteron i livmodern, framför allt då förstås i samband med pojkar. Testosteronet kan skada hjärnvävnaden hos fostren, och så gott som alltid angrips vänster hjärnhalva eftersom den utvecklas långsammare och är mer sårbar. Savantsyndromet är den högra hjärnhalvans kompensation för skador i den vänstra.

Men på grund av att sidorna skiljer sig från varandra – i vänster hjärnhalva finns det abstrakta tänkandet och förmågan att se större sammanhang – blir resultatet ändå speciellt. En ny sorts perspektiv uppstår, en speciell sorts detaljfixering, och om Frans fattade det hela rätt måste han och August ha betraktat det där trafikljuset på helt olika sätt. Inte bara för att pojken uppenbart var så mycket mer fokuserad, utan också för att Frans hjärna blixtsnabbt sorterade bort allt det oviktiga och koncentrerade sig på det centrala, säkerheten förstås och trafikljusets själva budskap, gå eller stanna. Med all sannolikhet grumlades hans blick också av mycket annat, framför allt av Farah Sharif. För honom flöt övergångsstället samman med hela hans ström av minnen och förhoppningar om henne medan det för August måste ha framstått exakt sådant det var.

Han hade in i minsta detalj kunnat fixera både det och den vagt bekanta mannen som precis då korsade gatan. Efteråt hade han burit med sig bilden som en fin etsning i sina tankar, och först efter ett par veckor känt ett behov av att få ut den, och det märkligaste av allt: han hade gjort mer än att återge trafikljuset och mannen. Han hade laddat dem med ett oroande ljus, och Frans kunde inte släppa tanken på att August ville säga honom något mer än: Titta vad jag kan! För hundrade gången stirrade han på teckningarna, och då var det som om en nål stacks in i hans hjärta.

Han blev rädd. Han förstod det inte helt. Men det var något med den där mannen på teckningen. Hans ögon var blanka och hårda. Käkpartiet var spänt och läpparna underligt smala, nästan obefintliga, även om just den detaljen knappast kunde anföras emot honom. Ändå tycktes han mer och mer skrämmande ju längre Frans stirrade på honom, och plötsligt greps Balder av en isande skräck, precis som om han drabbades av ett varsel.

"Jag älskar dig, min pojke", mumlade han utan att knappt veta vad han sa, och troligen upprepade han meningen ett par gånger, för orden började kännas alltmer främmande i hans mun.

Han insåg med en ny sorts smärta att han aldrig uttalat dem förr, och när han hämtat sig från den första chocken slog det honom att det fanns något djupt ovärdigt i det. Krävdes det en enastående begåvning för att han skulle älska sitt eget barn? Det vore alltför typiskt i så fall. Han hade varit så krampaktigt resultatinriktad i hela sitt liv.

Det som inte var nydanande eller högt begåvat hade han inte brytt sig om, och när han lämnade Sverige för Silicon Valley hade han knappt haft en tanke på August. Sonen var i stort sett bara ett irritationsmoment för de epokgörande saker Frans höll på att upptäcka.

Men nu skulle det bli en ändring, lovade han sig. Han skulle glömma sin forskning och allt det som plågat och jagat honom de senaste månaderna, och bara ägna sig åt pojken.

Han skulle bli en ny människa, trots allt.

KAPITEL 5
DEN 20 NOVEMBER

HUR GABRIELLA GRANE hamnade på Säpo förstod ingen, allra minst hon själv. Hon hade varit den sortens flicka som alla förespått en lysande framtid. Att hon nu redan var trettiotre år och varken berömd eller förmögen eller ens gift, vare sig rikt eller överhuvudtaget, gjorde de gamla väninnorna från Djursholm bekymrade.

"Vad har hänt med dig, Gabriella? Ska du vara polis hela livet?"

För det mesta orkade hon inte käbbla emot, eller framhålla att hon inte alls var polis utan handplockad som analytiker, och att hon i dag skrev långt mer kvalificerade texter än hon någonsin gjort på UD eller under sina somrar som ledarskribent på *Svenska Dagbladet*. Dessutom fick hon inte prata om det mesta i vilket fall. Det var lika bra att hålla tyst och strunta i alla tramsiga statusfixeringar; bara acceptera att ett jobb på Säkerhetspolisen betraktades som ett absolut bottennapp – både hos hennes överklassvänner och än mer förstås hos hennes intellektuella kompisar.

I deras ögon var Säpo högervridna klantarslen som jagade kurder och araber av dolt rasistiska skäl, och inte drog sig för att begå grova brott och rättsövergrepp för att skydda gamla sovjetiska toppspioner, och visst, ibland höll hon med. Det

71

fanns inkompetens och osunda värderingar i organisationen, och Zalachenkoaffären förblev en stor skamfläck. Men det var inte hela sanningen. Det pågick ett intressant och viktigt arbete här också, framför allt nu efter alla utrensningar, och ibland tyckte hon att det var här på Säkerhetspolisen de intressanta tankarna uttalades, eller i varje fall att det var här och inte på några ledarsidor eller i några akademiska salar man bäst förstod den omvälvning som skedde i världen. Men givetvis undrade hon ofta: Hur hamnade jag här och varför är jag kvar?

Förmodligen handlade en del om smicker. Ingen mindre än den då nytillträdda Säpochefen, Helena Kraft, hade kontaktat henne, och sagt att Säkerhetspolisen efter alla katastrofer och nidartiklar måste börja rekrytera på ett nytt sätt. Vi måste tänka mer som britterna, sa hon, och "knyta till oss de verkliga begåvningarna från universiteten, och ärligt talat, Gabriella, finns det ingen bättre person än du", och mer än så behövdes inte.

Gabriella anställdes som analytiker på kontraspionaget, och senare på avdelningen för Industriskydd, och även om hon inte var lämplig för uppdraget i den meningen att hon var ung och kvinna och till råga på allt snygg på ett lite präktigt vis, var hon lämplig i alla andra avseenden. Hon kallades "pappas flicka" och "överklassnorpa" och det skapade en del onödig friktion. Men i övrigt var hon en stjärnrekrytering, både snabb och receptiv och med en förmåga att tänka utanför boxen. Dessutom talade hon ryska.

Hon hade lärt sig det parallellt med sina studier på Handelshögskolan i Stockholm, där hon givetvis var en mönsterstudent men egentligen aldrig särskilt road. Hon drömde om något större än ett liv inom affärsvärlden och efter examen sökte hon in på UD, och kom självklart in. Men hon blev inte överdrivet stimulerad där heller. Diplomaterna var för stela och välkammade, och det var i det läget Helena Kraft sökte upp henne, och nu hade hon redan varit på Säpo i fem år, och långsamt blivit accepterad som den begåvning hon var, även om det förstås inte alltid var lätt.

Det hade inte varit lätt i dag, inte bara för det förbannade vädret. Byråchefen Ragnar Olofsson hade dykt upp på hennes rum och sett sur och humorlös ut och påpekat att hon då fan inte skulle flirta då hon var ute på uppdrag.

"Flirta?" sa hon.

"Det har kommit blommor hit."

"Så det är mitt fel?"

"Jag tycker du har ett ansvar där, ja. Vi måste uppträda korrekt och stramt då vi är ute på fältet. Vi representerar en högst central myndighet."

"Underbart, kära Ragnar! Av dig lär man sig alltid något. Nu förstår jag äntligen att det är mitt fel att forskningschefen på Ericsson inte kan skilja mellan vanligt artigt bemötande och en flirt. Nu begriper jag till slut att det är mitt ansvar att vissa män önsketänker så vilt att de ser en sexuell invit i ett enkelt leende."

"Larva dig inte", sa Ragnar och försvann, och efteråt ångrade hon sig.

Sådana där utfall leder sällan till någonting. Å andra sidan hade hon tagit skit alldeles för länge.

Det var dags att stå upp för sig själv, och hastigt städade hon undan på sitt skrivbord och tog fram en analys från brittiska GCHQ om ryskt industrispionage mot europeiska mjukvaruföretag som hon ännu inte hunnit läsa. Då ringde telefonen. Det var Helena Kraft, och då blev Gabriella glad. Ännu hade Helena aldrig hört av sig för att klaga eller gnälla, tvärtom.

"Låt mig gå rakt på sak", sa Helena. "Jag har fått ett samtal från USA som möjligen är lite akut. Kan du ta det på din Ciscotelefon? Vi har ordnat en säker linje."

"Självklart."

"Bra, jag vill att du tolkar informationen åt mig, bedömer

73

om det ligger något i det. Det låter allvarligt, men jag får konstiga vibbar av uppgiftslämnaren – som förresten säger att hon känner dig."

"Koppla in det."

Det var Alona Casales på NSA i Maryland som hörde av sig – även om Gabriella ett ögonblick undrade om det verkligen var hon. När de senast träffats på en konferens i Washington D.C. hade Alona varit en självsäker och karismatisk föreläsare i det hon med en lätt eufemism kallade aktiv signalspaning – det vill säga hacking – och efteråt hade hon och Gabriella stått en stund och sippat drinkar ihop. Gabriella hade närmast mot sin vilja blivit förtrollad. Alona rökte cigariller och hade en mörk och sensuell röst som gärna uttryckte sig i slagkraftiga oneliners, och ofta anspelade på sex. Men nu i telefon verkade hon helt stirrig, och ibland tappade hon tråden på ett obegripligt vis.

ALONA BLEV INTE nervös i första taget och hade normalt inga problem med att hålla sig till ämnet. Hon var 48 år och storvuxen och frispråkig, med en svällande byst och två små intelligenta ögon som kunde göra vem som helst osäker. Ofta tycktes hon se rakt igenom folk och ingen påstod att hon led av någon särskild respekt för överordnade. Hon skällde ut vem som helst – om det så var justitieministern på besök – och det var också en av anledningarna till att Ed the Ned trivdes med henne. Ingen av dem bryddes sig överdrivet mycket om position. Det var begåvning och inget annat de var intresserade av, och därför var en chef för säkerhetspolisen i ett litet land som Sverige bara småpotatis för Alona.

Ändå hade hon – när de vanliga samtalskontrollerna gjorts – tappat koncepterna helt och hållet. Men det hade nu inget med denna Helena Kraft att göra. Det var dramat i kontorslandskapet bakom henne som just då exploderade. Visserligen var alla vana vid Eds vredesutbrott. Ed kunde skrika och vråla och banka näven i bordet för i stort sett ingenting. Men något sa henne direkt att det hela nu var på en annan nivå.

Karln verkade helt paralyserad, och medan Alona satt där och hasplade ur sig några förvirrade ord i telefon samlades folk omkring honom, och flera av dem tog upp sina telefoner, och alla utan undantag såg upprörda eller skrämda ut. Men som den idiot Alona var, eller kanske bara för att hon var alltför chockad, lade hon inte på eller bad om att få återkomma senare. Hon lät sig enbart kopplas om och hamnade då precis som hon velat hos Gabriella Grane, denna förtjusande unga analytiker som hon träffat i Washington och då genast försökt ragga upp, och även om det inte lyckats hade Alona lämnat henne med en känsla av djupt välbehag.

"Hallå, vännen", sa hon. "Hur mår du?"

"Jodå, bra", svarade Gabriella. "Vi har ett fruktansvärt oväder, men annars är det okej."

"Det var verkligen ett fint möte vi hade sist, eller hur?"

"Absolut, det var mycket trevligt. Var bakis hela dagen därpå. Men jag antar att du inte ringer för att bjuda ut mig."

"Nej tyvärr, sorgligt nog. Jag ringer för att vi har uppsnappat ett allvarligt hot mot en svensk forskare."

"Vem?"

"Länge hade vi svårt att tolka informationen, eller ens förstå vilket land det handlade om. Bara vaga kodord användes och mycket av kommunikationen var krypterad och omöjlig att knäcka, men ändå, som så ofta, med hjälp av små pusselbitar så... vad fan..."

"Förlåt?"

"Vänta lite!"

Alonas dator blinkade till. Sedan slocknade den, och vad hon förstod hände samma sak över hela kontorslandskapet, och ett ögonblick undrade hon vad hon skulle göra. Hon fortsatte samtalet, åtminstone tills vidare; det kanske bara var ett strömavbrott, trots allt, även om belysningen i övrigt fungerade.

"Jag väntar", sa Gabriella.

"Tack, det var vänligt av dig. Och du måste ursäkta mig. Det är rena röran här. Var var jag?"

"Du talade om pusselbitar."

"Precis, precis, vi lade ihop ett och annat, det är ju alltid någon som är oförsiktig hur professionella de än vill vara, eller som..."

"Ja?"

"...pratar, nämner en adress eller något, i det här fallet snarare ett..."

Alona tystnade igen. Ingen mindre än commander Jonny Ingram, en av de verkliga höjdarna i organisationen med kontakter långt upp i Vita huset, hade kommit in i kontorslandskapet. Jonny Ingram försökte visserligen verka lika cool och överklassig som vanligt. Han drog till och med något skämt med ett gäng längre bort. Men han lurade ingen. Under hans välpolerade och solbrända yta – ända sedan sin tid som chef för NSA:s kryptologiska center på Oahu var han solbränd året om – anades något nervöst i hans blick och nu tycktes han vilja ha allas uppmärksamhet.

"Hallå, är du kvar?" sa Gabriella i andra änden.

"Jag måste tyvärr avsluta samtalet. Jag hör av mig igen", sa Alona och lade på, och i det ögonblicket blev hon orolig på allvar.

Det kändes i luften att något fruktansvärt hänt, kanske ett nytt stort terrorattentat. Men Jonny Ingram fortsatte sitt lugnande skådespel, och även om han vred sina händer, och det var svett på hans överläpp och panna, betonade han gång på gång att inget allvarligt skett. Det rörde sig snarare om ett virus, sa han, som sökt sig in i intranätet, trots alla försiktighetsåtgärder.

"För säkerhets skull har vi stängt ner våra servrar", sa han och ett ögonblick lugnade han verkligen ner stämningen. "Vad tusan – ett virus", tycktes folk säga, "det är väl inte så farligt ändå."

Men sedan blev Jonny Ingram mångordig och vag, och då kunde Alona inte låta bli att vråla:

"Tala klarspråk!"

"Vi vet inte så mycket än, det har ju nyss hänt. Men möjligen har vi haft ett dataintrång. Vi återkommer så fort vi vet mer", svarade Jonny Ingram, påtagligt orolig igen, och då gick ett sus genom lokalen.

"Är det iranierna igen", undrade någon.

"Vi tror…", fortsatte Ingram.

Han kom inte längre. Den som givetvis borde ha stått där från början och förklarat vad som hänt avbröt honom bryskt och reste sig med hela sin björnliknande skepnad, och i den stunden kunde ingen ta ifrån honom att han var en imponerande syn. Om Ed Needham nyss varit tillplattad och chockad, utstrålade han nu en oerhörd beslutsamhet.

"Nej", fräste han. "Det är en hacker, en satans jävla superhacker som jag ska skära ballarna av och inget annat."

GABRIELLA GRANE HADE precis satt på sig sin kappa för att gå hem då Alona Casales ringde upp igen, och först blev Gabriella irriterad, inte bara på grund av förvirringen sist. Hon ville komma iväg innan stormen därute blev ohanterlig. Enligt radionyheterna skulle det blåsa uppåt trettio meter i sekunden och temperaturen skulle krypa ner mot tio minusgrader, och hon var alldeles för tunnklädd.

"Förlåt att det dröjde", sa Alona Casales. "Vi har haft en helt galen förmiddag. Fullt kaos."

"Här också", svarade Gabriella artigt och tittade på sin klocka.

"Men jag har som sagt ett viktigt ärende, åtminstone tror jag det. Det är inte helt lätt att värdera. Jag har precis börjat kartlägga en grupp ryssar, sa jag det?" fortsatte Alona.

"Nej."

"Nåja, det finns förmodligen också tyskar och amerikaner där och möjligen en och annan svensk."

"Vad för sorts grupp talar vi om?"

"Kriminella, sofistikerade kriminella får jag väl säga, som inte rånar banker längre eller säljer knark utan som stjäl företagshemligheter och konfidentiell affärsinformation."

"Black hats."

"De är inte bara hackers. De utpressar också folk och mutar dem. Kanske ägnar de sig även åt något så gammaldags som mord. Men ärligt talat har jag inte mycket på dem än, mest en del kodord och obekräftade förbindelser, och så ett par riktiga namn, några unga dataingenjörer i lägre ställning. Gruppen ägnar sig åt kvalificerat industrispionage, och det är också därför ärendet hamnat på mitt bord. Vi befarar att amerikansk spjutspetsteknik hamnat i ryska händer."

"Jag förstår."

"Men det är inte lätt att komma åt dem. De krypterar sig väl, och hur jag än ansträngt mig har jag inte kommit närmare ledarskikten än att jag snappat upp att ledaren kallas för Thanos."

"Thanos?"

"Ja, en härledning från Thanatos, dödsguden i den grekiska mytologin, han som är son till Nyx, natten, och tvillingbror till Hypnos, sömnen."

"Dramatiskt värre."

"Barnsligt snarare. Thanos är en ond förgörare i Marvel Comics, du vet de där seriealbumen som har hjältar som Hulken, Iron Man och Captain America, och det är till att börja med inte något särskilt ryskt, men framför allt är det... hur ska jag säga...?"

"Både lekfullt och högmodigt?"

"Ja, som om de var ett gäng kaxiga collegeungdomar som drev med oss, och det retar mig. Det är uppriktigt sagt en massa saker som stör mig i den här historien, och därför blev jag förstås väldigt intresserad när vi via signalspaning fick veta att det här nätverket kunde ha fått en avhoppare, någon som kanske skulle kunna ge oss lite insyn – om vi bara kunde lägga vantarna på killen innan de själva gjorde det. Men nu när vi tittade närmare på det insåg vi att det inte alls var som vi trott."

"På vilket sätt?

"Det var inte någon kriminell som hoppat av utan tvärtom en hederlig person som slutat på ett företag där den här organisationen har mullvadar, någon som förmodligen genom en slump fått veta något avgörande."

"Fortsätt."

"Och vår bedömning är att den här personen i dag har en allvarlig hotbild. Han behöver skydd. Men fram till alldeles nyligen hade vi ingen aning om var vi skulle söka honom. Vi visste inte ens vilket företag han arbetat på. Men nu tror vi att vi har ringat in honom", fortsatte Alona. "Du förstår, nu i dagarna råkade en av de här figurerna antyda något om den här killen och säga att 'med honom rök alla jävla T:n'."

"Jävla T:n?"

"Ja, det lät ju kryptiskt och konstigt, men det hade den fördelen att det var specifikt och ytterst sökbart, ja, just 'jävla T:n' gav ingenting, men T:n i allmänhet, ord på T i samband med företag, högteknologiska bolag gissningsvis, ledde hela tiden till samma sak – till Nicolas Grant och hans maxim: Tolerans, Talang och Täthet."

"Vi snackar Solifon", sa Gabriella.

"Vi tror det. Åtminstone kändes det som om allt föll på plats, och därför började vi undersöka vem som hoppat av från Solifon på sistone, och först kom vi ingen vart, det är ju stor rörlighet i det där bolaget. Jag tror till och med att det är en av grundtankarna. Begåvningarna ska strömma in och ut. Men så började vi tänka just på de där T:na. Vet du vad Grant menar med det?"

"Inte riktigt."

"Det är hans recept för kreativitet. Med tolerans menar han

79

att det krävs tolerans både för udda idéer och udda personer. Ju större öppenhet för avvikande människor, eller för minoriteter överhuvudtaget, desto större mottaglighet också för nya sorters tankar. Det är lite som Richard Florida, du vet, och hans gayindex. Där det finns tolerans för sådana som jag, finns det också större öppenhet och kreativitet."

"Alltför homogena och dömande organisationer åstadkommer inget."

"Precis. Och talanger – ja talanger, säger han, åstadkommer inte bara goda resultat. De drar till sig andra begåvningar också. De skapar en miljö där folk vill vara, och redan från första början försökte Grant locka till sig snillena i branschen snarare än att få dit precis rätt sorts specialister. Låt begåvningarna bestämma inriktningen och inte tvärtom, menade han."

"Och med täthet?"

"Att dessa talanger just ska sitta tätt. Det ska inte krävas någon omständlig byråkrati för att träffas. Man ska inte behöva boka möten och tala med sekreterare. Man ska bara kunna klampa in och diskutera. Idéerna ska friktionslöst kunna kastas fram och tillbaka, och som du säkert vet blev ju Solifon också en enastående framgångssaga. Man levererade banbrytande teknik på en hel rad fält, ja, också till oss på NSA, dig och mig emellan. Men sedan dök det upp ett nytt litet snille, en landsman till dig, och med honom…"

"…rök alla jävla T:n."

"Precis."

"Och det var Balder."

"Mycket riktigt, och jag tror inte att han normalt har några problem med tolerans, eller med täthet heller för den delen. Men redan från början spred han en sorts gift omkring sig, och vägrade dela med sig ett enda dugg. Han lyckades på nolltid förstöra den goda stämningen bland elitforskarna på företaget, särskilt när han började anklaga folk för att vara tjuvar och epigoner. Dessutom hade han ett uppträde med ägaren,

Nicolas Grant. Men Grant har vägrat att berätta vad det handlade om – bara att det var något privat. Kort därpå sa Balder upp sig."

"Jag vet."

"Ja, och de flesta var väl bara glada när han stack. Luften på företaget blev lättare att andas, och folk började lita på varandra igen, åtminstone någorlunda. Men Nicolas Grant var inte glad, och framför allt var inte hans advokater glada. Balder hade plockat med sig det han utvecklat på Solifon, och det fanns en allmän uppfattning – kanske just för att ingen fått insyn och ryktena avlöste varandra – om att han satt på något sensationellt som kunde revolutionera den kvantdator som Solifon arbetade med."

"Och rent juridiskt tillhörde det han tagit fram företaget och inte honom själv personligen."

"Precis. Så även om Balder gastat om stöld var det till syvende och sist han själv som var tjuven, och snart lär det smälla till i rätten, som du vet, såvida inte Balder kan skrämma de här höjdaradvokaterna med det han nu känner till. Informationen är hans livförsäkring, låter han hälsa och det kan så vara. Men i värsta fall blir den också…"

"Hans död."

"Åtminstone är jag orolig för det", fortsatte Alona. "Vi får allt starkare indikationer på att något allvarligt är i görningen, och nu har jag förstått av din chef att du kan hjälpa oss med en del pusselbitar."

Gabriella kastade en blick mot stormen därute, och längtade intensivt hem och bort från alltsammans. Ändå tog hon av sig kappan och satte sig på sin stol igen, djupt obehaglig till mods.

"Vad vill ni ha hjälp med?"

"Vad tror du det är han fått veta?"

"Ska jag tolka det som att ni varken lyckats avlyssna eller hacka honom?"

"På det svarar jag inte, hjärtat. Men vad tror du?"

Gabriella mindes hur Frans Balder stått här i dörröppningen på hennes kontor för inte så länge sedan och mumlat om att han drömde om "en ny sorts liv" – vad han nu menade med det.

"Jag antar att du känner till", sa hon, "att Balder ansåg sig ha blivit bestulen på sin forskning redan här i Sverige. Försvarets Radioanstalt, FRA, gjorde en ganska omfattande undersökning och gav honom rätt till viss del, även om de inte kom vidare i ärendet. I den vevan träffade jag Balder för första gången, och jag gillade honom inte speciellt. Han pratade sönder huvudet på mig, och var blind för allt som inte handlade om honom och hans forskning. Jag minns att jag tänkte att ingen framgång på jorden är värd en sådan ensidighet. Om det är den sortens attityd som krävs för att bli ett världsnamn ville jag inte bli det, ens i mina drömmar. Men kanske påverkades jag av domen mot honom."

"Vårdnadsdomen?"

"Ja, han hade precis förlorat all rätt att ha hand om sin autistiske son eftersom han struntat i honom helt och inte ens märkt att pojken fått hela hans bokhylla i huvudet i stort sett, och när jag hörde att han fått alla och envar emot sig på Solifon förstod jag det mycket väl. Rätt åt honom tänkte jag mer eller mindre."

"Men sedan?"

"Sedan kom han hem, och då snackades det internt om att han borde få någon form av skydd, så då träffade jag honom igen. Det är bara några veckor sedan, och det var egentligen rätt otroligt. Han var helt förändrad. Inte bara för att han rakat av sig sitt skägg, fått ordning på frisyren och gått ner i vikt. Han var också mer lågmäld, till och med lite osäker. Inget av den där besattheten fanns kvar längre, och jag kommer ihåg att jag frågade honom om han var orolig för de här processerna som väntade honom. Vet du vad han svarade?"

"Nej?"

"Han förklarade oerhört sarkastiskt att han inte var orolig eftersom vi alla är lika inför lagen."

"Och vad menade han med det?"

"Att vi är lika – om vi betalar lika. I hans värld, sa han, var lagen inget annat än ett svärd som man genomborrade sådana som han med. Så ja, han var orolig. Han var också orolig för att han visste saker som inte var så lätta att bära, även om det var saker som kunde rädda honom."

"Men han sa inte vad det var?"

"Han ville inte förlora sitt enda trumfkort, sa han. Han ville vänta och se hur långt motståndaren var beredd att gå. Men jag märkte på honom att han var skakad, och vid ett tillfälle hasplade han också ur sig att det nog fanns människor som ville honom illa."

"På vilket sätt?"

"Inte rent fysiskt, menade han. Det var nog mest hans forskning och hans heder de var ute efter, sa han. Men jag är inte så säker på att han verkligen trodde att det skulle stanna vid det, och därför föreslog jag honom att skaffa en vakthund. Tyckte överhuvudtaget att en hund vore ett utmärkt sällskap för en man som levde ute i förorten i ett alldeles för stort hus. Men han slog det ifrån sig. Jag kan inte ha en hund nu, sa han skarpt."

"Varför då, tror du?"

"Jag vet faktiskt inte. Men jag fick en känsla av att något tryckte honom, och han protesterade inte särskilt högljutt då jag såg till att han fick ett nytt avancerat larmsystem i sitt hus. Det har precis installerats."

"Av vem?"

"En säkerhetsfirma vi brukar arbeta med, Milton Security."

"Bra, mycket bra. Men jag skulle ändå föreslå att ni flyttar honom till en säker plats."

"Är det så illa?"

"Åtminstone finns det en risk för det, och det räcker, eller hur?"

"O ja", sa Gabriella. "Kan du skicka över någon sorts dokumentation, så ska jag tala med min överordnade på en gång?"

"Ska se – men jag vet inte riktigt vad jag kan åstadkomma just nu. Vi har haft… ganska allvarliga datorproblem."

"Är ni verkligen en myndighet som har råd med sådant?"

"Nej, det är sant, det är helt sant. Jag återkommer, hjärtat", sa hon och lade på, och Gabriella satt kvar i några sekunder helt stilla och tittade ut mot stormen som piskade allt ilsknare mot fönstret.

Sedan tog hon upp sin Blackphone och ringde Frans Balder. Om och om igen ringde hon. Inte bara för att varna honom och se till att han genast flyttade till en säker plats utan för att hon plötsligt fick lust att tala med honom, och få reda på vad han menat med de där orden:

"De senaste dagarna har jag drömt om en ny sorts liv."

Men utan att någon visste om det, eller ens skulle ha trott på det om de fått veta, var Frans Balder fullt upptagen med att få sin son att rita ännu en teckning som lyste med den där egendomliga glöden som från en annan värld.

KAPITEL 6
DEN 20 NOVEMBER

ORDEN BLINKADE TILL på datorn:

Mission Accomplished!

Plague skrek rakt ut i luften med en hes, nästan sinnesrubbad röst och det var möjligen lite oförsiktigt. Men grannarna, om de nu händelsevis råkade höra, kunde knappast ana vad det handlade om. Plagues hem såg inte direkt ut som en plats för säkerhetspolitiska kupper på högsta internationella nivå.

Det kändes snarare som ett tillhåll för ett socialfall. Plague bodde på Högklintavägen i Sundbyberg, ett ytterst oglamoröst område med trista fyravåningshus i urblekt tegel, och om själva lägenheten fanns verkligen inget gott att säga. Det luktade inte bara surt och unket. På hans skrivbord låg allsköns skräp, McDonald'srester och Coca-Cola-burkar, hopknycklade anteckningsblad, kaksmulor, odiskade kaffekoppar och tomma godispåsar, och även om en del av det faktiskt hamnat i papperskorgen hade denna å andra sidan inte tömts på veckor, och det gick knappt att gå en meter i rummet utan att få brödsmulor och grus under fötterna. Men ingen som kände honom skulle ha blivit förvånad.

Plague var också i vanliga fall en kille som inte duschade eller bytte kläder i onödan. Han levde helt och hållet framför datorn, och även under mindre extrema arbetsperioder såg han bedrövlig ut: överviktig, plufsig och ovårdad om än med ett försök till stilenligt pipskägg. Men det skägget hade sedan länge förvandlats till en oformlig buske. Plague var stor som en jätte och sned i sin hållning, och stånkade gärna när han rörde sig. Men killen kunde annat.

Framför datorn var han en virtuos, en hacker som flög obehindrat genom cyberrymden och som kanske bara hade en enda överman på området, eller överkvinna får man väl säga i det här speciella fallet, och bara att se honom dansa med sina fingrar över tangenterna var en fröjd för ögat. Han var lika lätt och vig på nätet som han var tung och otymplig i den andra, mer påtagliga världen, och medan en granne någonstans ovanför, herr Jansson förmodligen, nu bankade i golvet, svarade han på meddelandet han fått:

Wasp, ditt förbannade geni. Man borde resa en staty!

Sedan lutade han sig tillbaka med ett saligt leende och försökte rekapitulera hela händelseförloppet, eller egentligen bara vila i triumfen en liten stund innan han tänkte pumpa Wasp på varenda detalj, och kanske också försäkra sig om att hon sopade igen sina spår. Ingen skulle kunna spåra dem, ingen!

Jävlats med mäktiga organisationer hade de gjort förr. Men det här var på en ny nivå, och många i det exklusiva sällskap han tillhörde, den så kallade Hackerrepubliken, hade också motsatt sig idén, framför allt Wasp själv. Wasp kunde fightas med vilken myndighet eller person som helst om det krävdes. Men hon gillade inte att bråka bara för sakens skull.

Hon tyckte inte om sådant barnsligt hackertjafs. Hon var inte en person som tog sig in i superdatorer bara för att göra sig märkvärdig. Wasp ville alltid ha ett tydligt syfte, och alltid gjorde hon sina förbaskade konsekvensanalyser. Hon vägde de långsiktiga riskerna mot den kortsiktiga behovstillfredsställelsen, och ingen kunde påstå att det i den bemärkelsen var särskilt förnuftigt att hacka sig in hos NSA. Ändå lät hon sig övertalas, varför begrep ingen riktigt.

Kanske behövde hon stimulans. Kanske var hon uttråkad och ville skapa lite kaos för att inte dö av leda. Eller så befann hon sig som några i gruppen hävdade redan i konflikt med NSA, och därför var intrånget inget annat än hennes privata hämnd. Men andra i gruppen ifrågasatte också det, och hävdade att hon i stället sökte information – att hon varit på jakt efter något ända sedan hennes far Alexander Zalachenko mördats på Sahlgrenska sjukhuset i Göteborg.

Men ingen visste säkert. Wasp hade alltid haft sina hemligheter, och egentligen spelade ju motivet ingen roll, i alla fall försökte de intala sig det. Ville hon hjälpa till var det bara att tacka och ta emot, och inte bekymra sig över att hon inledningsvis inte visat någon större entusiasm eller knappt några känslor överhuvudtaget. Men hon satte sig åtminstone inte på tvären längre, och det räckte gott.

Med Wasp ombord såg projektet mer hoppfullt ut, och bättre än de flesta visste de allihop att NSA å det grövsta överträtt sina befogenheter de senaste åren. I dag avlyssnade organisationen inte bara terrorister och potentiella säkerhetsrisker, eller ens enbart viktiga potentater som utländska statschefer eller makthavare, utan allt, nära på allt. Miljoner, miljarder, biljoner samtal och korrespondenser och aktiviteter på nätet övervakades och arkiverades, och för varje dag flyttade NSA fram sina positioner och borrade sig längre och längre in i allas vårt privatliv, och förvandlades till ett enda stort, vakande ont öga.

Det var sant att ingen i Hackerrepubliken var något större föredöme på området. De hade alla utan undantag tagit sig in i digitala landskap där de överhuvudtaget inte hade något att göra. Det var så att säga spelets regler. En hacker var en gränsöverskridare på gott och ont, en person som enbart i kraft av sin sysselsättning trotsade regler och vidgade gränserna för sitt vetande, och inte alltid brydde sig om de där skillnaderna mellan privat och offentligt.

Men de saknade inte moral, och framför allt visste de, också av egen erfarenhet, hur makt korrumperar och i synnerhet hur makt utan insyn gör det, och ingen av dem gillade heller tanken på att de värsta och mest skrupelfria hackerattackerna inte längre gjordes av enskilda rebeller och outlaws utan av statliga kolosser som ville kontrollera sin befolkning. Plague och Trinity och Bob the Dog och Flipper och Zod och Cat och hela gänget i Hackerrepubliken hade därför beslutat att slå tillbaka, genom att hacka NSA och jävlas på ett eller annat sätt.

Det var nu ingen lätt uppgift. Det var lite som att sno guldet från Fort Knox, och som de övermodiga idioter de var ville de inte bara in i systemet. De ville äga också. De ville skaffa sig en superanvändarstatus, eller Root för att tala Linuxspråk, och för att lyckas med det behövde de hitta okända säkerhetshål, så kallade Zero days – först på NSA:s serverplattform och sedan vidare in på organisationens intranät, NSANet, från vilket myndighetens signalspaning över hela världen skedde.

Som vanligt började de med lite social engineering. De behövde hitta namn på systemadministratörer och infrastrukturanalytiker som satt på de komplicerade lösenorden till intranätet, och inte heller skulle det skada om det fanns något klantarsel som kunde tänkas slarva med säkerhetsrutinerna, och faktiskt, via sina egna kanaler fick de fram fyra, fem, sex namn, bland annat en kille som hette Richard Fuller.

Richard Fuller arbetade inom NISIRT, NSA Information Systems Incident Response Team, som övervakade intranätet på myndigheten och ständigt var på jakt efter läckor och infiltratörer. Richard Fuller var en helyllekille – juristexamen från Harvard, republikan, gammal quarterback, en patriotisk dröm om man skulle tro hans cv. Men Bob the Dog lyckades via en gammal älskarinna ta reda på att han i all hemlighet också var bipolär, och möjligtvis även kokaintorsk.

När han blev upphetsad gjorde han alla möjliga dumheter, som att till och med plocka upp filer och dokument utan att först sätta dem i en sandlåda. Dessutom såg han riktigt snygg ut, lite oljig kanske, mer som en finanskille, en Gordon Gekko, än en hemlig agent, och någon, troligen Bob the Dog själv, slängde fram idén att Wasp skulle åka till hans hemstad Baltimore och ligga med honom och sätta dit honom i en honungsfälla.

Wasp bad dem alla att fara åt helvete.

Sedan spolade hon också deras andra idé om att de skulle skriva ett dokument med uppgifter som tycktes vara sprängstoff just om infiltratörer och läckor på huvudkontoret i Fort Meade, ett dokument som skulle smittas med ett spionprogram, en avancerad trojan med hög verkshöjd som Plague och Wasp skulle arbeta fram. Tanken var att de därefter skulle lägga ut ledtrådar på nätet som skulle locka Fuller till filen, och i bästa fall göra honom så upphetsad att han slarvade med säkerheten. Det var ingen dålig plan, inte alls – framför allt skulle den kunna leda dem in i NSA:s datorsystem utan att de behövde göra ett aktivt intrång som möjligen gick att spåra.

Men Wasp tänkte inte, sa hon, sitta och vänta på att puckot Fuller gjorde bort sig. Hon ville inte vara beroende av andras misstag, och var allmänt motvalls och trilsk, och ingen blev därför förvånad när hon plötsligt ville ta över hela operationen själv, och även om det utlöst en del bråk och protester gav man med sig till sist, men då förstås med en rad förhållningsorder, och det var sant att hon nogsamt antecknade namnen och uppgifterna om systemadministratörerna de fått fram och bad om hjälp med den så kallade fingerprintoperationen: kartläggningen av serverplattform och operativsystem. Men därefter stängde hon dörren mot Hackerrepubliken och världen och Plague hade ingen känsla av att hon lyssnade särskilt mycket på hans råd, till exempel att hon inte fick använda sitt handle, sitt alias, och att hon inte borde arbeta hemma utan snarare på ett avlägset hotell under falsk identitet, om nu NSA:s blodhundar lyckades spåra henne via Tor-nätets labyrintiska irrgångar. Men givetvis gjorde hon allt på sitt eget vis, och Plague hade inte kunnat göra annat än att sitta här vid sitt skrivbord i Sundbyberg och vänta, helt slutkörd i nerverna, och fortfarande hade han därför ingen aning om hur hon gått till väga.

Bara en sak visste han säkert: det hon åstadkommit var stort och legendariskt, och medan stormen tjöt därute sopade han undan lite skräp på skrivbordet och lutade sig fram över datorn och skrev:

Berätta! Hur känns det?

Tomt, svarade hon.

TOMT.

Det var så det kändes. Lisbeth Salander hade knappt sovit på en vecka, och förmodligen hade hon druckit och ätit alldeles för lite också, och nu värkte huvudet och ögonen blödde, och händerna skakade, och helst ville hon sopa ner hela sin utrustning i golvet. Men någonstans var hon nöjd också, fast knappast av den anledning som Plague eller någon annan i Hackerrepubliken trodde. Hon var nöjd för att hon fått veta något nytt om den kriminella gruppering hon kartlade, och för att hon kunnat påvisa ett samband hon tidigare bara anat eller gissat sig till. Men det höll hon för sig själv, och det förvånade henne att de andra ens trott att hon hackat systemet för sakens skull.

Hon var ingen hormonstinn tonåring, ingen kicksökande idiot som ville visa sig på styva linan. Kastade hon sig ut i ett sådant här vågspel ville hon något ytterst konkret, även om det var sant att hackandet en gång i tiden var mer än enbart ett verktyg för henne. Under de värsta stunderna i barndomen hade det varit hennes sätt att fly och få livet att kännas lite mindre instängt.

Med datorernas hjälp kunde hon krossa murar och barriärer som annars satts upp för henne, och uppleva stunder av frihet, och det fanns säkert ett mått av det nu också.

Men främst var hon på jakt, och det hade hon varit ända sedan hon vaknat i den tidiga gryningen med sin dröm om näven som rytmiskt och ihållande slog mot madrassen på Lundagatan, och ingen kunde påstå att jakten var enkel. Motståndarna gömde sig bakom dimridåer, och kanske var det också därför Lisbeth Salander verkat ovanligt svår och tvär på sistone. Det var som om ett nytt mörker strålade ut från henne, och bortsett från en storvuxen, gapig boxningstränare vid namn Obinze, och ett par tre älskare och älskarinnor, träffade hon knappt en enda människa, och mer än någonsin såg hon ut som trubbel. Håret var spretigt och blicken mörk, och även om hon ibland försökte hade hon inte blivit mycket bättre på artighetsfraser.

Hon sa sanningar eller inget alls, och hennes våning här på Fiskargatan... den var ett kapitel för sig. Den var stor som för en sjubarnsfamilj, och trots att åren gått var inget inrett eller hemtrevligt. Det stod bara lite Ikeamöbler här och där, utplacerade som på måfå, och hon ägde inte ens en stereoanläggning, kanske delvis för att hon inte förstod sig på musik. Hon såg mer musik i en differentialekvation än i ett stycke av Beethoven. Ändå var hon rik som ett troll. De pengar hon en gång stulit från skurken Hans-Erik Wennerström hade vuxit till drygt fem miljarder kronor. Men på något sätt – som var typiskt henne – hade förmögenheten inte satt några spår i hennes personlighet, bortsett kanske från att vetskapen om pengarna hade gjort henne ännu mer orädd. Åtminstone hade hon på sistone hittat på alltmer drastiska saker, som att bryta fingrarna på en våldtäktsman, och irra sig in på NSA:s intranät.

Det var inte osannolikt att hon gått över gränsen där. Men hon hade betraktat det som nödvändigt, och under åtskilliga dagar och nätter hade hon varit helt absorberad och glömt allt annat. Nu efteråt blickade hon med trötta, kisande ögon ut över sina två arbetsbord, som var vinklade som ett L framför henne. På borden stod hennes utrustning, den egna vanliga datorn, och så testmaskinen hon köpt, och på vilken hon installerat en kopia av NSA:s server och operativsystem.

Testdatorn hade hon sedan attackerat med sitt specialskrivna fuzzingprogram som sökte efter fel och kryphål i plattformen. Efteråt kompletterade hon med debugging-, black box- och betaattacker. Resultatet hon fick fram låg till grund för hennes spionvirus, hennes RAT, och därför hade hon inte kunnat slarva på en enda punkt. Hon genomlyste systemet uppifrån och ner, och det var självklart därför hon installerat en kopia av servern här hemma. Om hon gått loss på den riktiga plattformen hade NSA:s tekniker märkt det på en gång och dragit öronen åt sig, och då hade det snabbt varit slut på det roliga.

Nu kunde hon ostört hålla på, dag efter dag, utan särskilt mycket sömn eller mat, och om hon händelsevis ändå lämnade datorn var det för att slumra till ett ögonblick i soffan eller för att värma någon pizza i mikrovågsugnen. I övrigt slet hon tills ögonen blödde, inte minst med sin Zeroday Exploit, den mjukvara som sökte efter okända säkerhetshål och som skulle uppdatera hennes status när hon väl tagit sig in, och uppriktigt sagt, det var helt sanslöst.

Lisbeth skrev ett program som inte bara gav henne kontroll över systemet utan också en möjlighet att fjärrstyra vad som helst inne i ett intranät som hon bara hade sporadisk kunskap om, och det var egentligen det mest absurda av allt.

Hon skulle inte bara ta sig in. Hon skulle vidare också, in på NSANet, som var ett eget självständigt universum, knappt alls förbundet med det vanliga nätet. Hon kanske såg ut som en tonåring som fick underkänt i alla ämnen. Men med källkoder i datorprogram och med logiska samband överhuvudtaget sa hennes hjärna bara klick, klick, och ett helt nytt förfinat spionprogram var precis vad hon skapade, ett avancerat virus som hade ett eget självständigt liv, och när hon till slut kände sig nöjd med det kom nästa fas i hennes arbete. Då skulle hon sluta leka i sin egen verkstad och gå till attack på riktigt.

Därför tog hon fram ett kontantkort hon köpt i Berlin från operatören T-Mobile och satte in det i sin telefon. Sedan kopplade hon upp sig via det, och kanske borde hon verkligen ha suttit någon annanstans, långt borta i en annan del av världen, kanske förklädd till sin andra identitet, Irene Nesser.

Nu skulle säkerhetskillarna på NSA om de var riktigt nitiska och duktiga möjligen kunna spåra henne till Telenors basstation här i kvarteret. De skulle visserligen inte nå ända fram, inte på teknisk väg i alla fall. Men det skulle ändå vara nära nog, och det vore inte bra på något vis. Ändå tyckte hon att fördelarna med att sitta här hemma övervägde, och hon vidtog alla försiktighetsåtgärder hon kunde. Som så många andra hackers använde hon sig av Tor, ett nätverk som fick hennes trafik att studsa mellan tusen och åter tusen användare. Men hon visste också att inte ens Tor var säkert här – NSA använde ett program som kallades Egotistical Giraffe för att forcera systemet – och därför arbetade hon länge med att ytterligare förbättra sitt personliga skydd, och först därefter gick hon till attack.

Hon skar upp plattformen som ett stycke papper. Men det fanns ingen anledning att bli övermodig för det. Nu måste hon fort, fort hitta de systemadministratörer hon fått namnen på och injicera sitt spionprogram i någon av deras filer, och skapa en brygga mellan servernätet och intranätet, och det var ingen okomplicerad operation, inte på något sätt. Inga varningsklockor, inga antivirusprogram fick börja ringa, och till slut valde hon en man som hette Tom Breckinridge, och tog sig med hans identitet in i NSANet, och så... varje muskel i hennes kropp spändes. Framför hennes ögon, hennes utarbetade, utvakade ögon, skedde magin.

Hennes spionprogram förde henne längre och längre in i detta det hemligaste av det hemliga, och givetvis visste hon precis vart hon var på väg. Hon skulle till Active Directory eller dess motsvarighet för att uppgradera sin status. Från en ovälkommen liten besökare skulle hon bli en superanvändare i detta myllrande universum, och först därefter försökte hon få något slags översikt över systemet, och det var inte lätt. Det var snarast stört omöjligt, och hon hade inte mycket tid heller.

Det var bråttom, bråttom, och hon slet för att få grepp om söksystemet, och fatta alla kodord och uttryck och hänvisningar, hela den interna rotvälskan, och hon var precis på väg att ge upp när hon till slut hittade ett dokument, märkt Top Secret, NOFORN – No foreign distribution – inget märkligt papper i sig. Men tillsammans med ett par kommunikationslänkar mellan Zigmund Eckerwald på Solifon och cyberagenter på avdelningen för *Övervakning av strategiska teknologier* på NSA blev det ändå sprängstoff, och då log hon, och memorerade varenda liten detalj, även om hon i nästa ögonblick svor högt då hon fick syn på ännu ett dokument som tycktes ha med saken att göra. Dokumentet var krypterat, och därför såg hon ingen annan utväg än att kopiera det, och då gissade hon att någon varningsklocka skulle börja ringa i Fort Meade.

Läget började bli akut, gissade hon. Dessutom var hon tvungen att ta tag i sitt officiella uppdrag, om officiella nu var rätt ord i sammanhanget. Men hon hade heligt lovat Plague och de andra i Hackerrepubliken att dra ner byxorna på NSA och banka lite högmod ur kroppen på organisationen, och därför försökte hon ta reda på vem hon borde kommunicera med. Vem skulle få hennes budskap?

Hon valde Edwin Needham, Ed the Ned. Gällde det IT-säkerhet dök hans namn upp hela tiden, och när hon hastigt tog reda på lite om honom på intranätet kände hon en motvillig respekt. Ed the Ned var en stjärna. Men nu hade hon överlistat honom likafullt, och ett ögonblick drog hon sig för att ge sig till känna.

Hennes angrepp skulle skapa kalabalik. Men kalabalik var nu precis vad hon sökte, och därför gick hon till angrepp. Hon hade ingen aning om vad klockan var. Det kunde ha varit natt eller dag, höst eller vår, och bara vagt, långt bak i medvetandet, anade hon att stormen därute blåste upp ytterligare, precis som om vädret var synkroniserat med hennes kupp, och långt borta i Maryland – inte långt från den berömda korsningen Baltimore Parkway och Maryland Route 32 – påbörjade Ed the Ned ett mejl.

Han kom inte långt, för sekunden senare tog hon över och fortsatte hans mening och skrev: **Den som bevakar folket blir till sist också bevakad av folket. Det finns en fundamental demokratisk logik i det**, och en kort stund kändes meningarna som mitt i prick, en snilleblixt. Hon anade revanschens heta sötma, och efteråt drog hon med Ed the Ned på en resa genom systemet. De två dansade och flängde förbi en hel flimrande värld av sådant som till varje pris skulle hållas dolt.

Det var tveklöst en hisnande upplevelse, men ändå, som sagt, men ändå... När hon kopplade ur sig och alla hennes loggfiler automatiskt raderades, kom baksmällan. Det var som efter en orgasm med fel partner, och de där meningarna som nyss tycktes så träffsäkra klingade alltmer barnsliga och hackertramsiga, och hon längtade plötsligt efter att supa sig full, inget mindre. Med trötta, hasande steg gick hon ut i köket och hämtade en flaska Tullamore Dew och ett par tre öl att skölja munnen med, och därefter satte hon sig vid sina datorer och drack. Inte för att fira, inte alls. Det fanns inga segerkänslor kvar i kroppen. Det var snarare... ja, vadå? Trots kanske.

Hon drack och drack medan stormen tjöt därute och hejaropen strömmade in från Hackerrepubliken. Men inget av det angick henne längre. Hon orkade knappt hålla sig upprätt, och med en svepande, hastig rörelse drog hon handen över borden och betraktade likgiltigt hur flaskor och askkoppar for i golvet. Sedan tänkte hon på Mikael Blomkvist.

Det var säkert spriten. Blomkvist brukade dyka upp i tankarna när hon var full, precis som gamla älskare kan göra på fyllan, och utan att knappt vara medveten om det hackade hon sig in i hans dator, och det var inte precis NSA. Sedan gammalt hade hon en genväg till honom, och först undrade hon vad hon hade där att göra.

Hon struntade i honom, gjorde hon inte? Han var historia, en attraktiv idiot bara som hon en gång råkat bli kär i, och det misstaget tänkte hon inte göra om igen. Nej, egentligen borde hon bara koppla ur sig och inte titta åt en dator på flera veckor. Ändå blev hon kvar på hans server och i nästa ögonblick lyste hon upp. Kalle jävla Blomkvist hade skapat en fil som hette *Lisbeths låda* och i det dokumentet stod en fråga till henne:

Vad ska vi tro om Frans Balders artificiella intelligens? och då log hon lite grann, trots allt, och till en del berodde det nog på Frans Balder.

Han var hennes typ av datanörd, insnöad på källkoder och kvantprocesser och logikens möjligheter. Men främst log hon åt själva det faktum att Mikael Blomkvist snubblat in på samma område som hon själv, och även om hon länge övervägde att bara stänga ner och gå och lägga sig, skrev hon tillbaka:

Balders intelligens är inte det minsta artificiell. Hur är det med din egen nuförtiden?

Och vad händer, Blomkvist, om vi skapar en maskin som är lite smartare än vi själva?

Därefter gick hon in i ett av sina sovrum och kollapsade med kläderna på.

KAPITEL 7
DEN 20 NOVEMBER

NÅGOT YTTERLIGARE HADE hänt på tidningen, något som inte var bra. Men Erika ville inte ge några detaljer på telefon. Hon propsade på att få komma hem till honom. Mikael hade försökt avråda henne:

"Du kommer att frysa din vackra rumpa av dig!"

Erika hade inte lyssnat, och om det inte varit för hennes tonfall hade han bara varit glad för hennes envishet. Ända sedan han lämnat redaktionen hade han längtat efter att få tala med henne, och kanske också dra in henne i sovrummet och slita kläderna av henne. Men något sa honom att det inte skulle bli tal om det nu. Erika hade låtit störd, och mumlat ett "förlåt" som bara gjorde honom ännu mer orolig.

"Jag tar en taxi på en gång", sa hon.

Sedan dröjde hon i alla fall, och i brist på annat gick han in i badrummet och tittade sig i spegeln. Han hade haft bättre dagar. Håret var rufsigt och oklippt, och han hade ringar och påsar under ögonen. Det var Elizabeth Georges fel på det hela taget, och han svor åt det, och gick ut ur badrummet och röjde lite ytterligare i lägenheten.

Erika skulle inte kunna klaga på det åtminstone. Hur länge de än känt varandra, och hur sammanflätade deras liv än var, grodde fortfarande ett litet ordningskomplex i honom. Han var arbetarsonen och ungkarlen, hon var den gifta överklass-frun i det perfekta hemmet i Saltsjöbaden, och i alla händelser skulle det inte skada om det såg anständigt ut hemma. Han fyllde diskmaskinen och gjorde ren diskbänken och sprang ut med soporna.

Han hann till och med dammsuga i vardagsrummet och vattna blommorna i fönstret, och få lite ordning på bokhyllan och i tidningsstället innan det till slut ringde på dörren. Det både knackade och ringde. En otålig person var på väg in, och när han öppnade blev han riktigt gripen. Erika var stelfrusen.

Hon skakade som ett asplöv, och det berodde inte bara på vädret. Hennes klädsel hade gjort sitt till också. Hon bar inte ens en mössa. Den välvårdade frisyren från i morse hade blåst all världens väg, och på högra kinden fanns något nytt som såg ut som ett skrapsår.

"Ricky", sa han. "Hur är det med dig?"

"Frusit min vackra rumpa av mig. Det gick inte att få tag i någon taxi."

"Vad har du gjort på kinden?"

"Halkat. Tre gånger tror jag."

Han såg ner på hennes högklackade rödbruna italienska stövlar.

"Och perfekta snökängor har du också."

"Helt perfekta. För att inte tala om mitt beslut att strunta i långkalsonger i morse. Genialt!"

"Kom in så ska jag värma dig."

Hon föll i hans armar och skakade ännu mer, och han kramade henne hårt.

"Förlåt", sa hon igen.

"För vadå?"

"För allt. För Serner. Jag har varit en idiot."

"Överdriv nu inte, Ricky."

Han strök bort snöflingor från hennes hår och panna och synade försiktigt hennes sår på kinden.

"Nej, nej, jag ska berätta", sa hon.

"Men först ska jag få av dig kläderna och sätta dig i ett varmt bad. Vill du ha ett glas rött också?"

Det ville hon, och hon blev kvar i badet länge med sitt glas som han fyllde på två eller tre gånger. Han satt intill henne på toalettstolen och lyssnade på hennes berättelse, och trots alla illavarslande nyheter hade samtalet något försonande över sig, precis som om de bröt igenom en mur som de byggt upp mellan sig på sistone.

"Jag vet att du tyckte att jag var en idiot från första början", sa hon. "Nej, protestera inte nu, jag känner dig alltför väl. Men du måste förstå att jag, Christer och Malin inte såg någon annan lösning. Vi hade rekryterat Emil och Sofie och var så stolta över det. Det fanns knappast hetare reportrar då, eller hur? Det var en otrolig prestige för oss. Det visade att vi var på gång, och det blev ju också ett fint buzz omkring oss igen, positiva reportage i *Resumé* och *Dagens Media*. Det var som i gamla tider, och uppriktigt sagt, för mig personligen betydde det mycket att jag lovat både Sofie och Emil att de kunde känna sig trygga på tidningen. Vi har en stabil ekonomi, sa jag. Vi har Harriet Vanger i ryggen. Vi kommer att ha pengar till djuplodande, fantastiska reportage. Ja, som du förstår trodde jag verkligen på det också. Men sedan…"

"Sedan ramlade himlen ner lite grann."

"Precis, det var ju inte bara tidningskrisen, och annonsmarknaden som kraschade. Det var ju hela härvan på Vangerkoncernen också. Jag vet inte om du helt fattade vilken röra det var. Ibland betraktar jag det nästan som en statskupp. Alla gamla mörkermän i familjen, och mörkerkvinnor också för den delen, ja, du om någon känner ju dem, alla gamla rasister och bakåtsträvare slöt sig samman och stack kniven i ryggen på Harriet. Jag glömmer aldrig det där samtalet från henne. Jag är överkörd, sa hon. Krossad. Det var förstås främst alla hennes försök att förnya och modernisera koncernen som retat dem, och så givetvis hennes beslut att välja in David Goldman i styrelsen, han som är son till rabbinen Viktor Goldman. Men vi fanns ju också med i bilden, som du vet, Andrei hade precis skrivit sitt reportage om tiggarna i Stockholm, som vi alla tyckte var det bästa han gjort, och som citerades överallt, också i utlandet. Men som Vangerfolket..."

"Klassade som vänstersmörja."

"Värre än så, Mikael, som propaganda 'för lata jävlar som inte ens orkar ta ett jobb'."

"Sa de så?"

"Något åt det hållet, men jag gissar att reportaget egentligen inte betydde något. Det var bara deras ursäkt för att ytterligare underminera Harriets roll inom koncernen. De ville sätta punkt för allt som Henrik och Harriet stått för."

"Idioter."

"Jösses ja, men det hjälpte inte oss precis. Jag minns de där dagarna. Det var som om golvet drogs undan för mig, och självklart, jag vet, jag vet, jag borde ha involverat dig mer. Men jag trodde att vi alla skulle vinna på om du fick koncentrera dig på dina storys."

"Och ändå levererade jag inget vettigt."

"Du försökte, Mikael, du försökte verkligen. Men det jag skulle komma till var att det var just då, när allt tycktes kört i botten, som Ove Levin ringde."

"Någon hade väl tipsat honom om vad som hänt."

"Säkert, och jag behöver väl inte säga dig att jag var skeptisk först. Serner kändes som tabloidsmörja. Men Ove gick på med hela sin svada och bjöd ner mig till sitt nya stora hus i Cannes."

"Va?"

"Ja, förlåt, jag berättade inte det heller. Jag antar att jag skämdes. Men jag skulle ändå ner på filmfestivalen och porträttera den där iranska filmregissören. Du vet, hon som förföljts för att hon gjorde dokumentären om nittonåriga Sara som stenades, och jag tyckte inte det gjorde något om Serner hjälpte oss med resekostnaderna. Hur som helst satt Ove och jag uppe hela natten och pratade och jag förblev rätt skeptisk. Han var löjligt skrytig och körde en del säljarsnack. Men till sist började jag ändå lyssna, och vet du varför?"

"Han var ett fantastiskt ligg."

"Ha, nej, det var hans förhållande till dig."

"Ville han ligga med mig i stället?"

"Han beundrar dig måttlöst."

"Skitsnack."

"Nej, Mikael, där tar du fel. Han älskar sin makt och sina pengar, och sitt hus i Cannes. Men än mer gnager det i honom att han inte uppfattas som lika häftig som du. Snackar vi kredd, Mikael, är han fattig och du stenrik. Innerst inne vill han vara som du, det kände jag direkt, och ja, jag borde ha insett att en sådan avund även kan bli farlig. Hela drevet mot dig handlade ju om det, det fattar du väl. Din kompromisslöshet får människor att känna sig ynkliga. Du påminner dem med din blotta existens om hur mycket de sålt ut sig, och desto mer du hyllas, ju ynkligare framstår de själva, och i sådana lägen finns bara ett sätt att försvara sig: genom att dra ner dig i smutsen. Om du faller, känner de sig lite bättre. Skitsnacket ger dem tillbaka en smula av värdighet, åtminstone inbillar de sig det."

"Tack, Erika, men jag struntar verkligen i det där drevet."

"Ja, jag vet, jag hoppas i alla fall det. Men vad jag insåg var att Ove verkligen ville vara med, och känna sig som en av oss. Han ville smittas lite av vårt renommé och jag trodde att det var ett bra incitament. Om det var cool som du han ville vara, skulle det vara förödande för honom att förvandla *Millennium* till en vanlig kommersiell Sernerprodukt. Om han blev känd som killen som förstörde en av de mest mytomspunna tidningarna i Sverige skulle de sista resterna av hans kredd skjutas i sank för gott. Därför trodde jag honom faktiskt då han sa att både han och koncernen behövde en prestigetidning, ett alibi om man så vill, och att han bara skulle hjälpa oss att göra den journalistik vi trodde på. Visserligen ville han engagera sig i tidningen, men jag uppfattade det bara som fåfänga. Att han ville kaxa sig lite och kunna säga till sina glidarkompisar att han var vår spinndoktor eller något. Jag trodde aldrig han skulle våga gå loss på tidningens själ."

"Ändå är det väl precis det han gör nu."

"Ja, tyvärr."

"Och vad händer då med din fina psykologiska teori?"

"Jag underskattade opportunismens makt. Som du märkte skötte sig Ove och Serner föredömligt innan det här drevet mot dig drog igång, men sedan…"

"Utnyttjade han det."

"Nej, nej, någon annan gjorde det. Någon som ville åt honom. Först efteråt begrep jag att Ove inte haft det lätt att få med sig de andra i beslutet att köpa in sig hos oss. Som du förstår lider inte alla i Serner av journalistiska mindervärdeskomplex. De flesta är bara enkla affärsmän, och de föraktar allt tal om att stå för något viktigt och sådant. De irriterade sig på Oves 'falska idealism' som de sa, och i och med drevet mot dig såg de en chans att klämma åt honom."

"Oj då."

"Om du bara anar. Först såg det rätt okej ut. Det kom bara några krav på en viss marknadsanpassning, och som du vet tyckte jag att en hel del av det lät rätt bra. Jag har ju också funderat mycket på hur vi ska kunna nå en yngre målgrupp. Jag tyckte faktiskt att Ove och jag hade en bra dialog om det, och därför var jag inte heller överdrivet orolig för hans presentation i dag."

"Nej, jag märkte det."

"Men då hade inte kalabaliken brutit ut."

"Vilken kalabalik talar vi om då?"

"Den som exploderade när du saboterade Oves anförande."

"Jag saboterade ingenting, Erika. Jag gick bara ut."

Erika låg där i badet och tog en klunk från sitt vinglas, och log sedan med ett visst vemod.

"När ska du lära dig att du är Mikael Blomkvist?" sa hon.

"Trodde att jag började få koll på det lite grann."

"Verkar inte så, för då skulle du ha insett att när Mikael Blomkvist går ut mitt under en presentation om hans egen tidning blir det en stor sak oavsett om Mikael Blomkvist vill det eller inte."

"Då ber jag om ursäkt för mitt sabotage."

"Nej, nej, jag klandrar dig inte, inte längre. Nu är det jag som säger förlåt, som du märker. Det är jag som försatt oss i den här sitsen. Det skulle säkert blivit en soppa oavsett om du stuckit eller inte. De väntade bara på en anledning att få hoppa på oss."

"Var är det som har hänt?"

"När du försvunnit gick luften ur oss allihop, och Ove, vars självkänsla fått sig ännu en törn, gav tusan i hela sin presentation. Det är ingen idé, sa han. Därefter ringde han huvudkontoret och berättade, och det skulle inte förvåna mig om han dramatiserade det hela rätt ordentligt. Den där avunden jag hoppats på förvandlades förmodligen till något riktigt småaktigt och ondsint. Efter någon timme kom han tillbaka, och sa att koncernen var beredd att storsatsa på *Millennium* och använda alla sina kanaler för att marknadsföra tidningen."

"Och det var tydligen inte bra."

"Nej, och det visste jag innan han sagt ett ord om det. Det syntes på hela hans ansiktsuttryck. Det liksom strålade med en blandning av skräck och triumf, och först hade han också svårt att hitta orden. Han svamlade mest, och sa att koncernen vill ha större insyn i verksamheten, en föryngring av innehållet, och mer kändisar. Men sedan…"

Erika slöt ögonen och drog handen genom det blöta håret och svepte det sista av sitt vin.

"Ja, Erika?"

"Sa han att de vill ha bort dig från redaktionen."

"Va?"

"Givetvis kunde varken han eller koncernen säga det rent ut, eller än mindre riskera att få rubriker som 'Serner sparkar Blomkvist', så Ove formulerade det väldigt snyggt och sa att han ville att du skulle få friare tyglar och få koncentrera dig på det du kan bäst: skriva reportage. Han föreslog en strategisk placering i London och ett generöst stringeravtal."

"London?"

"Han sa att Sverige är för litet för en kille av din kaliber, men du fattar vad det handlar om."

"De tror sig inte kunna genomföra sina förändringar om jag är kvar på redaktionen?"

"Ungefär så. Samtidigt tror jag ingen av dem blev förvånad när jag, Christer och Malin sa blankt nej, 'inte förhandlingsbart ens', för att nu inte tala om Andreis reaktion."

"Vad gjorde han?"

"Det blir jag nästan generad av att berätta. Andrei ställde sig upp och sa att det var det mest skamliga han hört i hela sitt liv. Han sa att du var något av det bästa vi hade i landet, en stolthet för demokratin och journalistiken, och att hela Sernerkoncernen borde dra täcket över huvudet och skämmas. Han sa att du var en stor man."

"Han tar då i."

"Men det är en fin pojke."

"Det är han verkligen. Vad gjorde Sernerfolket då?"

"Ove var beredd på det förstås. Ni kan självklart köpa ut oss också, sa han. Det var bara det…"

"Att priset gått upp", fyllde Mikael i.

"Precis, enligt varje form av fundamental analys, sa han, borde Serners andel åtminstone ha fördubblats sedan koncernen gick in med tanke på det mervärde och den goodwill de skapat."

"Goodwill! Är de inte kloka?"

"Inte det minsta tydligen, men de är smarta, och de vill jävlas. Och jag undrar om de inte vill slå två flugor i en smäll: både göra sig ett klipp, och knäcka oss finansiellt och bli av med en konkurrent."

"Vad fan ska vi göra?"

"Det vi är bäst på, Mikael: fightas. Jag tar av mina egna pengar och så köper vi ut dem och slåss för att göra norra Europas bästa tidning."

"Visst, toppen, Erika, men sedan då? Vi kommer att sitta där med en usel ekonomi som inte ens du kan göra något åt."

"Jag vet, men det kommer att gå. Vi har rett ut svåra situationer förr. Du och jag kan dra ner våra löner till noll en tid. Vi klarar ju oss ändå?"

"Allting har sitt slut, Erika."

"Säg inte så! Aldrig någonsin!"

"Inte ens om det är sant?"

"Speciellt inte då."

"Okej."

"Har du ingenting på gång?" fortsatte hon. "Något vad som helst, något som vi kan slå Mediesverige i huvudet med?"

Mikael dolde sitt ansikte i händerna, och av någon anledning kom han att tänka på Pernilla, sin dotter, som sagt att hon till skillnad från honom skulle skriva "på riktigt", vad det nu var som inte var "riktigt" i hans skrivande.

"Jag tror inte det", sa han.

Erika slog handen i badvattnet så att det skvätte ut på hans strumpor.

"Fan, du måste ju ha något. Jag vet ingen i landet som får in så mycket tips som du!"

"Det mesta är bara skit", sa han. "Men kanske... jag kollade just upp en grej."

Erika satte sig upp i badkaret.

"Vadå?"

"Nej, ingenting", rättade han. "Jag önsketänker bara."

"I det här läget måste vi önsketänka."

"Ja, men det är inget, bara en massa rök och inget som går att bevisa."

"Och ändå är det något i dig som tror på det, eller hur?"

"Möjligen, men då beror det på en enda liten sak som inte har något med själva historien att göra."

"Vad?"

"Att min gamla vapendragare också har varit på storyn."

"Hon med stort H."

"Just hon."

"Det låter lovande ändå, gör det inte?" sa Erika och reste sig naken och vacker ur badkaret.

KAPITEL 8
KVÄLLEN DEN 20 NOVEMBER

AUGUST SATT PÅ KNÄ på det schackrutiga golvet i sovrummet och betraktade ett stilleben med ett stearinljus på ett blått fat, och två gröna äpplen och en apelsin som fadern ställt i ordning åt honom. Men ingenting hände. August bara stirrade tomt mot ovädret därute, och Frans undrade: Är det kanske bara dumt att ge pojken ett motiv?

Om sonen bara sneglade på något satt det ju uppenbarligen fastpräglat i hans tankar, så varför skulle hans pappa av alla människor välja ut vad han borde teckna? Rimligtvis hade August tusen egna bilder i huvudet, och kanske var ett fat och några frukter så fel och töntigt det kunde bli. August intresserade sig kanske för helt andra saker, och återigen frågade sig Frans: Ville pojken säga något speciellt med sitt trafikljus? Teckningen var ingen snäll liten betraktelse. Stoppljuset lyste tvärtom som ett ont blängande öga, och kanske, vad visste Frans, hade August känt sig hotad av den där mannen på övergångsstället.

Frans tittade på sonen för hundraelfte gången i dag. Det var en stor skam, var det inte? Han hade tidigare uppfattat August som enbart konstig och obegriplig. Nu undrade han återigen om inte han och sonen i själva verket var ganska lika. På Frans tid var läkarna inte mycket för diagnoser. Då avfärdades folk mer lättvindigt som konstiga och bakom flötet. Själv hade han definitivt varit annorlunda, alltför allvarlig, och orörlig i sin mimik, och ingen på skolgården tyckte att han var särskilt kul. Å andra sidan tyckte inte han att de andra barnen var särskilt roliga heller – han flydde till sina siffror och ekvationer, och sa inte många ord i onödan.

Han skulle väl knappast ha stämplats som autistisk i Augusts mening. Men säkert skulle de i dag ha klistrat en Aspergeretikett på honom, och det kunde ha varit bra eller dåligt, det spelade mindre roll. Det väsentliga var att han och Hanna trott att den tidiga diagnosen på August skulle hjälpa dem. Ändå hade så lite hänt, och det var först nu, då sonen var åtta år gammal, som Frans insett att pojken ägde en speciell begåvning som rimligtvis var både spatial och matematisk. Varför hade Hanna och Lasse inte anat något av det?

Även om Lasse var en skitstövel var ju Hanna i grunden en receptiv och fin person. Frans skulle aldrig glömma deras första möte. Det var en kväll med IVA, Kungliga Ingenjörsvetenskapsakademien i Stadshuset, och han hade fått något pris han inte brytt sig om, och varit uttråkad hela middagen och längtat hem till sin dator när en vacker kvinna han vagt kände igen – Frans kunskaper om kändisvärlden var ytterst begränsade – kom fram till honom och började prata. I sin självbild var Frans fortfarande nörden från Tappströmsskolan som tjejerna bara tittade föraktfullt åt.

Han kunde inte begripa vad en kvinna som Hanna såg hos honom, och på den tiden – det fick han snart veta – stod hon på toppen av sin karriär. Men hon förförde honom, och älskade med honom den natten som ingen kvinna hade älskat med honom förut. Sedan följde den kanske lyckligaste tiden i Frans liv, och ändå… de binära koderna vann över kärleken.

Han jobbade sönder äktenskapet, och efter det gick allting utför. Lasse Westman tog över, och Hanna slocknade, och förmodligen August med, och för det borde Frans förstås vara rasande. Men han visste också att han själv bar på en skuld. Han hade köpt sig fri och struntat i sonen, och kanske var det sant som det sades under vårdnadsrättegången att han valde drömmen om ett artificiellt liv före sitt eget barn. Vilken jubel-idiot han varit.

Han tog fram sin laptop och googlade mer information om savantbegåvning. Han hade redan beställt en rad böcker, bland annat det stora referensverket i ämnet, *Islands of Genius* av professor Darold A. Treffert. På sedvanligt vis tänkte han lära sig allt som fanns att veta. Ingen förbaskad psykolog el-ler pedagog skulle kunna slå honom på fingrarna och säga vad August behövde i det här läget. Han skulle veta det långt bättre än någon av dem, och därför fortsatte han nu sitt sö-kande, och den här gången fastnade han för en berättelse om den autistiska flickan Nadia.

Hennes öde var skildrat i Lorna Selfes bok *Nadia: a case of ex-traordinary drawing ability in an autistic child,* och i Oliver Sacks *Mannen som förväxlade sin hustru med en hatt,* och Frans läste fascinerat. Det var en gripande historia, och på många vis ett parallellfall. Precis som August hade Nadia verkat helt frisk vid födseln, och bara långsamt förstod föräldrarna att något var fel.

Språket kom inte igång. Flickan såg inte folk i ögonen. Hon ogillade kroppskontakt och reagerade inte på sin mors leen-den eller utspel. För det mesta var hon tyst och tillbakadra-gen, och klippte tvångsmässigt sönder papper i obeskrivligt smala remsor. När hon var sex år hade hon fortfarande inte sagt sitt första ord.

Ändå tecknade hon som en da Vinci. Redan vid tre års ålder hade hon utan förvarning börjat rita hästar, och till skillnad från andra barn började hon inte med formen, med själva helheten, utan med någon liten detalj, en hov, en ryttares stö-vel, en svans, och det märkligaste av allt: hon tecknade fort. I rasande fart satte hon ihop delarna, en här, en där, till en perfekt helhet, till en häst som galopperade eller skrittade fram. Sedan egna försök i tonåren visste Frans att inget är svårare än att rita ett djur i rörelse. Hur vi än försöker blir resultatet onaturligt eller stelt. Det krävs en mästare för att få fram lättheten i språnget. Nadia var en mästare redan tre år gammal.

Hennes hästar var som perfekta stillbilder, gjorda med lätt hand, och det var uppenbart inte följden av lång övning. Hennes virtuositet bröt fram som en fördämning som brast, och det fascinerade hennes samtid. Hur kunde hon? Hur var det möjligt att hon bara med några snabba handrörelser hoppade över sekler av utveckling i konsthistorien? De australiensiska forskarna Allan Snyder och John Mitchell studerade teckningarna, och lade 1999 fram en teori som långsamt vunnit allmän acceptans om att vi alla har en nedärvd förmåga till den typen av virtuositet, men att den är blockerad hos de flesta av oss.

Ser vi en fotboll eller vad som helst förstår vi inte direkt att det är ett tredimensionellt objekt. Tvärtom tolkar hjärnan blixtsnabbt en rad detaljer, skuggor som faller och skillnader i djup och nyanser, och drar utifrån dem slutsatser om formen. Vi är inte medvetna om det. Men det krävs en analys av delarna innan vi fattar något så enkelt som att det är en boll och inte en cirkel därborta.

Hjärnan skapar den slutgiltiga formen själv, och när den gör det ser vi inte längre alla detaljer vi först uppfattade. Skogen skymmer så att säga träden. Men vad som slog Mitchell och Snyder var att om vi bara lyckades plocka fram den ursprungliga bilden från vår hjärna skulle vi kunna betrakta världen på ett helt nytt sätt, och kanske kunna återskapa den lättare, precis som Nadia gjorde utan någon som helst träning.

Idén var med andra ord att Nadia just hade tillgång till den ursprungliga bilden, själva hjärnans råmaterial. Hon såg myllret av detaljer och skuggor innan de var bearbetade och det var också därför hon alltid började med en enskild del, som en hov, en nos, och inte med helheten, för att helheten i vår mening ännu inte var skapad. Även om Frans Balder såg en del problem med teorin, eller åtminstone som alltid fylldes av en rad kritiska frågor, tilltalades han av tanken.

Det var på många vis ett sådant ursprungligt betraktelsesätt han alltid sökt i sin forskning; ett perspektiv som inte tog saker och ting för givna utan såg bortom det uppenbara ner till de små detaljerna, och överhuvudtaget kände han sig alltmer besatt av ämnet och läste med stigande fascination ända tills han rös till. Han till och med svor högt, och stirrade med ett styng av ångest på sin son. Men det var inget om dessa forskningsrön som fick Frans att rysa till. Det var skildringen av Nadias första år i skolan.

Nadia hade satts i en klass för autistiska barn, och undervisningen hade koncentrerats på att få henne att börja tala, och flickan gjorde också framsteg. Orden kom ett efter ett. Men priset var högt. I och med att hon började tala försvann hennes genialitet med kritorna, och enligt författarinnan Lorna Selfe ersattes troligen ett språk med ett annat. Från att ha varit ett konstnärsgeni blev Nadia en vanlig, svårt handikappad autistisk flicka som visserligen talade lite grann men som helt förlorat det som fått världen att häpna. Var det värt det? För att kunna säga några ord?

Nej, ville Frans skrika, kanske också för att han själv alltid varit beredd att betala vilket pris som helst för att bli ett geni inom sitt gebit. Hellre en person som inte kunde föra ett enda vettigt samtal i en middagskonversation än någon som var medelmåttig. Vad som helst utom det ordinära! Det hade varit hans eget riktmärke hela livet, och ändå… han var inte dummare än att han förstod: hans egna elitistiska principer var inte nödvändigtvis en bra vägledning här. Kanske var några fantastiska teckningar ingenting mot att själv kunna be om ett glas mjölk, eller byta några ord med en vän, eller en far, vad visste han?

Ändå vägrade han att stå inför ett sådant val. Han stod inte ut med att tvingas välja bort det mest fantastiska som hänt i Augusts liv. Nej, nej... det fick inte finnas en sådan fråga. Ingen förälder skulle behöva välja mellan alternativen geni eller inte geni. Ingen kunde ju på förhand veta vad som var bäst för barnet.

Ju mer han tänkte på det desto mer orimligt fann han det, och det slog honom att han inte trodde på det, eller kanske snarare inte *ville* tro på det. Nadia var trots allt bara ett case, och ett case var inget vetenskapligt underlag.

Han måste ta reda på mer, och därför sökte han vidare på nätet. Då ringde hans telefon. Det hade ringt en hel del de senaste timmarna. Det var ett hemligt nummer bland annat, och så Linus, hans gamla assistent som han fått allt svårare för, och som han kanske inte ens litade på, men som han i alla händelser inte hade lust att tala med nu. Han ville forska vidare om Nadias öde, inget annat.

Ändå svarade han – kanske av ren nervositet. Det var Gabriella Grane, den förtjusande analytikern på Säpo, och då log han lite, trots allt. Om han helst ville vara med Farah Sharif, var Gabriella en god tvåa. Hon hade gnistrande vackra ögon, och så var hon kvicktänkt. Han var svag för kvinnor som fattade snabbt.

"Gabriella", sa han. "Jag skulle älska att tala med dig. Men jag har inte tid. Jag sitter mitt i något viktigt."

"För det här har du definitivt tid", svarade hon osedvanligt strängt. "Du befinner dig i fara."

"Struntprat, Gabriella! Det sa jag ju till dig. De försöker kanske stämma skjortan av mig. Men det är allt."

"Frans, jag är rädd att vi har fått in nya uppgifter, och då från en ytterst kvalificerad källa. Det tycks verkligen finnas en hotbild."

"Vad menar du?" sa han, inte helt närvarande.

Med telefonen fastklämd mellan axeln och örat fortsatte han att söka information om Nadias förlorade begåvning.

"Jag har visserligen svårt att värdera uppgifterna, men de oroar mig, Frans. Jag tror de är värda att ta på allvar."

"Då ska jag också göra det. Jag lovar att vara extra försiktig. Jag ska hålla mig inomhus som vanligt. Men jag är lite upptagen, som jag sa, och dessutom är jag ganska övertygad om att du har fel. På Solifon…"

"Visst, visst, jag kan ha fel", avbröt hon. "Det är fullt möjligt. Men tänk om jag har rätt, tänk om det bara finns en liten, liten risk att jag har det?"

"Absolut, men…"

"Inga men Frans, inga men överhuvudtaget. Lyssna på mig i stället. Jag tror att din analys är korrekt. Ingen på Solifon vill dig illa rent fysiskt. Det är ett civiliserat företag, trots allt. Men det verkar som om någon eller några i koncernen har kontakt med en kriminell organisation, en oerhört farlig grupp med förgreningar både i Ryssland och i Sverige, och det är därifrån hotet kommer."

För första gången släppte Frans datorskärmen med blicken. Han visste ju att Zigmund Eckerwald på Solifon samarbetade med en kriminell grupp. Han hade till och med uppsnappat några kodord om ledaren, men han kunde inte begripa varför gruppen skulle ge sig på honom – eller kunde han det?

"En kriminell organisation?" muttrade han.

"Exakt", fortsatte Gabriella. "Och är inte det på sätt och vis logiskt? Du var ju själv inne på sådana tankegångar, eller hur? Att när man väl börjat stjäla andras idéer, och tjänat pengar på dem, då har man redan gått över gränsen, då bär det bara neråt."

"Jag tror snarare jag sa att det räcker med ett gäng advokater. Med ett gäng slipade jurister kan man tryggt stjäla vad som helst. Advokater är vår tids torpeder."

"Okej, kanske det. Men lyssna nu, jag har inte fått något beslut om personskydd än. Jag vill därför placera dig på hemlig ort. Jag tänker hämta upp dig på en gång."

"Va?"

"Jag tror vi måste agera direkt."

"Aldrig i livet", sa han. "Jag och…"

Han tvekade.

"Har du någon annan där?" frågade hon.

"Nej, nej, men jag kan inte åka någonstans just nu."

"Hör du inte vad jag säger?"

"Jag hör mycket väl. Men med all respekt tycker jag det låter som om du mest spekulerar."

"Att spekulera hör till själva hotbildens natur, Frans. Men den som hörde av sig… ja, egentligen borde jag inte säga det… var en agent från NSA som arbetar med att kartlägga den här organisationen."

"NSA", fnyste han.

"Jag vet att du är skeptisk mot dem."

"Skeptisk är bara förnamnet."

"Okej, okej. Men den här gången står de på din sida, i alla fall den agent som ringde. Hon är en bra person. Hon har genom avlyssning uppsnappat något som mycket väl kan vara en mordplan."

"Mot mig?"

"Mycket tyder på det."

"*Mycket väl, och tyder*… det låter väldigt löst."

Framför honom sträckte sig August efter sina pennor och Frans lyckades på något vis helt koncentrera sig på det.

"Jag stannar", fortsatte han.

"Du måste skämta."

"Nej, nej. Jag flyttar gärna om ni får in fler uppgifter, men inte just nu. Dessutom är det där larmet Milton installerade alldeles utmärkt. Jag har kameror och sensorer överallt."

"Menar du allvar?"

"Ja, och du vet att jag är en envis jävel."

"Har du något vapen?"

"Vad har det tagit åt dig, Gabriella? Jag och vapen! Det farligaste jag har är väl min nya osthyvel."

"Du…" sa hon, och lät dröjande.

"Ja."

"Jag ska ordna bevakning av dig oavsett om du vill det eller inte. Du behöver inte bekymra dig om det. Du kommer inte ens att märka det, gissar jag. Men om du nu är så förbannat envis har jag ett annat råd till dig."

"Vadå?"

"Go public, det skulle vara en sorts livförsäkring. Berätta för medierna vad du vet – då kanske det i bästa fall blir meningslöst att röja dig ur vägen."

"Jag ska tänka på saken."

Frans hörde en plötslig distraktion i Gabriellas röst.

"Ja?" sa han.

"Vänta lite", svarade hon. "Jag har någon annan på tråden. Jag måste…"

Hon förvann bort och Frans, som rimligtvis borde ha haft annat att fundera på, tänkte i den stunden bara på en enda sak: kommer August att förlora sin förmåga att teckna om jag lär honom prata?

"Är du kvar?" frågade Gabriella efter en liten stund.

"Självklart."

"Jag måste dessvärre avsluta. Men jag svär, jag ska se till att du får någon sorts bevakning så fort som möjligt. Jag hör av mig. Var rädd om dig!"

Han lade på och suckade, och återigen tänkte han på Hanna, och på August och på det schackrutiga golvet som speglades i klädskåpen och på allt möjligt som i sammanhanget inte var särskilt viktigt, och bara ofokuserat, liksom förstrött, mumlade han:

"De är ute efter mig."

Någonstans insåg han att det inte var orimligt, inte alls, även om han hela tiden vägrat tro att det skulle gå så långt som till våld. Men vad visste han egentligen? Ingenting. Dessutom orkade han inte ta itu med det nu. Han sökte i stället vidare om

Nadias öde och vad det kunde betyda för hans son, och egentligen var det inte klokt. Han låtsades som ingenting. Trots hotet surfade han bara på, och snart stötte han på en professor i neurologi, en ledande expert på savantsyndromet, en man vid namn Charles Edelman, och i stället för att läsa mer som han brukade – Balder föredrog alltid litteraturen framför människorna – ringde han Karolinska Institutets växel.

Han insåg sedan att klockan var för mycket. Edelman var knappast kvar på jobbet och hans privata nummer var hemligt. Men vänta nu… han förestod också något som hette Ekliden, en inrättning för autistiska barn med särskilda färdigheter, och Frans prövade där. En rad signaler gick fram. Därefter svarade en dam som presenterade sig som syster Lindros.

”Förlåt att jag stör så här sent på kvällen”, sa Frans Balder. ”Jag söker professor Edelman. Är han möjligtvis kvar?”

”Ja, faktiskt. Ingen lyckas ta sig hem i det här ovädret. Vem kan jag hälsa ifrån?”

”Frans Balder”, svarade han, och lade till om det händelsevis skulle hjälpa: ”Professor Frans Balder.”

”Vänta lite bara”, sa syster Lindros. ”Så ska jag se om han har tid.”

Han stirrade på August, som återigen grep om sin penna och tvekade, och på något vis gjorde det honom orolig precis som om det var ett illavarslande tecken. En kriminell organisation, mumlade han igen.

”Charles Edelman”, sa en röst. ”Är det verkligen professor Balder jag talar med?”

”Just han. Jag har en liten…”

”Du kan inte ana vilken ära det är”, fortsatte Edelman. ”Jag är precis hemkommen från en konferens i Stanford, och då talade vi faktiskt om din forskning kring neurala nätverk, ja, vi ställde till och med frågan om vi neurologer inte kan lära oss en del om hjärnan bakvägen, via AI-forskningen. Vi undrade…”

"Jag är mycket smickrad", avbröt Frans. "Men nu var det så att jag har en liten fråga."

"Å, verkligen! Är det något du behöver i din forskning?"

"Inte alls, men jag har en autistisk son. Han är åtta år och har fortfarande inte sagt sina första ord, men häromdagen passerade vi ett trafikljus på Hornsgatan, och sedan…"

"Ja?"

"Så satte han sig ner och tecknade av det i en rasande fart, fullständigt perfekt. Helt häpnadsväckande!"

"Och nu vill du att jag ska komma och titta på det han gjort?"

"Gärna det. Men det är inte därför jag ringer. Jag är orolig faktiskt. Jag har läst att hans teckningar kanske är hans språk med yttervärlden, och att han kan förlora sin förmåga om han lär sig att tala. Att ett sätt att uttrycka sig kan ersättas av ett annat."

"Du har läst om Nadia förstås."

"Hur vet du det?"

"För att hon alltid dras upp i frågan. Men lugn, lugn, får jag säga Frans?"

"Självfallet."

"Mycket bra, Frans, jag är oerhört glad att du ringer, och jag kan direkt säga att du inte har något att oroa dig för, tvärtom. Nadia är undantaget som bekräftar regeln, ingenting annat. All forskning visar att språklig utveckling snarare fördjupar savanttalangen. Titta bara på Stephen Wiltshire, honom har du läst om, eller hur?"

"Han som tecknade av hela London i stort sett."

"Precis. Han har utvecklats på alla sätt, både konstnärligt, intellektuellt och språkligt. Han betraktas i dag som en stor konstnär. Så känn dig trygg, Frans. Visst händer det att barn förlorar sin savantförmåga, men det beror oftast på annat. De tröttnar eller råkar ut för något. Du läste väl att Nadia förlorade sin mor i samma veva."

"Jo."

"Kanske var det den verkliga orsaken. Ja, givetvis vet varken jag eller någon annan säkert. Men det var knappast för att hon lärde sig tala. Det finns nästan inget annat dokumenterat exempel på en liknande utveckling, och det säger jag inte bara rakt ut eller för att det råkar vara min egen vetenskapliga hypotes. Det råder i dag stor konsensus om att savanter har allt att vinna på att utveckla sina intellektuella färdigheter på alla plan."

"Menar du det?"

"Ja, definitivt."

"Han är bra på siffror också."

"Verkligen?" sa Charles Edelman undrande.

"Varför säger du så?"

"För att en konstnärlig färdighet hos en savant ytterst sällan kombineras med en matematisk talang. Det handlar om två olika begåvningar som inte alls är besläktade, och som ibland till och med tycks blockera varandra."

"Men så är det. Hans teckningar har också något geometriskt exakt över sig, som om han räknat sig till proportionerna."

"Ytterst intressant. När kan jag få träffa honom?"

"Det vet jag inte riktigt. Jag ville i första hand bara be om ett råd."

"Då är rådet tveklöst: Satsa på pojken. Stimulera honom. Låt honom utveckla sina färdigheter på alla vis."

"Jag…"

Frans kände ett egendomligt tryck över bröstet, och hade plötsligt svårt att få fram orden.

"Jag ville bara tacka", fortsatte han. "Verkligen tacka. Nu måste jag…"

"Det är sådan ära att tala med dig, och det vore underbart att få träffa dig och din son. Jag har utvecklat ett ganska sofistikerat test för savanter, om jag får skryta lite. Tillsammans skulle vi kunna lära känna pojken bättre."

"Jo, visst, det vore förstås bra. Men nu måste jag…", mumlade Frans utan att riktigt veta vad han ville säga. "Adjö och tack."

"Jaså, ja, självklart. Hoppas att snart få höra av dig igen."

Frans lade på och satt ett ögonblick stilla, med händerna korslagda över bröstet, och tittade på August som ännu tvekande höll i sin gula penna och blickade mot det brinnande stearinljuset. Sedan drog en skakning genom Frans Balders axlar, och så plötsligt kom tårarna, och mycket gick att säga om professor Balder, men han grät inte i onödan.

Han mindes inte när det hände sist. Det var inte när hans mor dog och definitivt inte när han sett eller läst något gripande – han betraktade sig som en stenstod. Men nu, framför sin son och hans rader av pennor och kritor, grät professorn som ett barn och lät det bara ske, och givetvis, det var Charles Edelmans ord.

Nu kunde August både lära sig att tala och teckna vidare, och det var stort. Men självklart grät Frans inte bara för det. Det var också dramat på Solifon. Det var mordhotet. Det var hemligheterna han satt på och saknaden efter Hanna eller Farah eller vem som helst som kunde fylla tomrummet i hans bröst.

"Min lilla pojke!" sa han, så gripen och ifrån sig att han inte märkte att hans laptop slogs på och visade bilder från en av övervakningskamerorna på hans tomt.

Därute i trädgården i den piskande stormen gick en gänglig man i fodrad läderjacka, och med en grå keps neddragen så att den noggrant dolde ansiktet. Vem det än var var det en man som visste att han blev filmad, och även om han tycktes mager och spenslig var det något i hans vaggande, lätt teatraliska gång som påminde om en tungviktsboxare på väg in i ringen.

GABRIELLA GRANE SATT kvar i sitt rum på Säpo och sökte på nätet och i myndighetens register. Ändå blev hon inte så värst mycket klokare, och det berodde förstås på att hon inte riktigt visste vad hon letade efter. Men något nytt och oroande gnagde i henne, något vagt och oklart.

Hon hade blivit avbruten i sitt samtal med Balder. Det var

Helena Kraft, Säpochefen, som sökte henne igen, och det var samma ärende som sist. Alona Casales på NSA ville tala med henne och den här gången lät Alona betydligt lugnare, och återigen lite flirtig.

"Har ni fått ordning på era datorer?" frågade Gabriella.

"Ha… ja, det var en del cirkus, ingen fara tror jag, och jag ber om ursäkt för att jag var lite kryptisk sist. Kanske måste jag vara det till viss del nu också. Men jag vill ge dig mer, och jag vill återigen betona att jag uppfattar hotet mot professor Balder som reellt och allvarligt, även om vi ingenting vet med säkerhet. Har ni hunnit ta itu med det?"

"Jag har talat med honom. Han vägrar lämna sitt hem. Han sa att han var mitt uppe i något. Jag ska ordna bevakning."

"Utmärkt, och som du kanske anar har jag gjort mer än bara spanat in dig. Jag är väldigt imponerad, fröken Grane. Borde inte en sådan som du jobba på Goldman Sachs och tjäna miljoner?"

"Inte min stil."

"Inte min heller. Skulle inte säga nej till pengarna, men det här underbetalda snokandet passar mig bättre. Nå, hjärtat, så här ligger det till. För vårt vidkommande är det här ingen stor grej, inte alls – vilket jag för övrigt tror är en felbedömning. Inte bara för att jag är övertygad om att den här gruppen utgör ett hot mot nationella ekonomiska intressen. Jag tror också att det finns politiska kopplingar. En av de här ryska dataingenjörerna som jag nämnde, en person vid namn Anatoli Chabarov, har också förbindelser med en beryktad ledamot av ryska duman som heter Ivan Gribanov, och som är stor aktieägare i Gazprom."

"Jag förstår."

"Men det mesta är bara lösa trådar än så länge, och jag har ägnat mycket tid åt att försöka knäcka identiteten på ledargestalten."

"Han som kallas Thanos."

"Eller hon."

"Hon?"

"Ja, fast förmodligen har jag fel. Den här typen av kriminella grupper brukar ju utnyttja kvinnor – inte lyfta upp dem i ledarställning, och för det mesta har den här gestalten också omnämnts som en *han*."

"Vad får dig att tro att det ändå kan vara en kvinna?"

"En sorts vördnad, skulle man kunna säga. Man pratar om den här personen så som män i alla tider talat om kvinnor de åtrår och beundrar."

"En skönhet alltså."

"Verkar så, men kanske är det bara lite homoerotik jag nosat mig till, och ingen skulle bli gladare än jag om ryska gangsters eller ryska beslutsfattare överhuvudtaget ägnade sig mer åt den disciplinen."

"Ha, sant!"

"Men egentligen nämner jag det bara för att du ska ha ett öppet sinne om den här soppan nu landar på ditt bord. Du förstår, det finns en del advokater inblandade. Det finns alltid advokater inblandade, eller hur? Med hackers kan man stjäla och med advokater kan man legitimera stölderna. Vad var det nu Balder själv sa?"

"Vi är lika inför lagen – om vi betalar lika."

"Precis, den som har råd med ett starkt försvar kan lägga beslag på vad som helst numera. Du känner förstås till Balders juridiska motpart, Washingtonbyrån Dackstone & Partner."

"O ja."

"Och då vet du att byrån även annars anlitas av stora teknikföretag som vill stämma skiten av uppfinnare och innovatörer som hoppas få lite ersättning för sina skapelser."

"Givetvis, det lärde jag mig redan när vi höll på med uppfinnaren Håkan Lans processer."

"En ryslig historia det också, eller hur? Men det intressanta här är att Dackstone & Partner också förekommer i en av de få konversationer vi lyckades spåra och läsa från det här kriminella nätverket, även om byrån då bara nämns som D.P., eller till och med D."

"Så Solifon och de här skurkarna har samma jurister."

"Det verkar så, och inte nog med det. Nu ska Dackstone & Partner öppna kontor i Stockholm, och vet du hur vi fick reda på det?"

"Nej", sa Gabriella som kände sig alltmer stressad.

Hon ville så fort som möjligt avsluta samtalet och se till att Balder fick polisskydd.

"Genom vår övervakning av den här gruppen", fortsatte Alona. "Chabarov råkade nämna saken i en bisats, vilket antyder att det finns nära band till byrån. Gruppen kände till etableringen innan det blev offentligt."

"Jaså?"

"Ja, och i Stockholm ska Dackstone & Partner slå sig ihop med en svensk advokat som heter Kenny Brodin och som tidigare var brottmålsjurist och då känd för att komma sina klienter lite väl nära."

"Det finns om inte annat en klassisk bild som irrade sig ut i kvällspressen då Kenny Brodin festar med sina gangsters och kladdar på någon call girl", sa Gabriella.

"Jag såg det, och jag gissar att mr Brodin är en bra person att börja med om ni också vill titta på den här historien. Vem vet, kanske kan han vara länken mellan storfinansen och den här gruppen."

"Jag ska kika på det", svarade Gabriella. "Men nu har jag en del annat att ta itu med. Vi hörs säkert igen."

Därefter ringde hon jourhavande för Säpos Personskydd, för kvällen ingen mindre än Stig Yttergren, och det gjorde inte saken lättare. Stig Yttergren var sextio år och korpulent och hyggligt alkoholiserad och gillade mest att spela kort och lägga patiens på nätet. Ibland kallades han för "Herr Ingenting är möjligt", och därför förklarade hon läget med sin mest myndiga röst och krävde att professor Frans Balder i Saltsjöbaden så fort som möjligt skulle få livvaktsskydd. Stig Yttergren svarade i vanlig ordning att det skulle bli väldigt svårt och förmodligen inte gå, och när hon kontrade med att det var en order från Säpochefen själv mumlade han något som i värsta fall var "den surfittan".

"Det där hörde jag inte", sa hon. "Men se till att det går fort", och det gjorde det förstås inte, och medan hon väntade och trummade nervöst med fingrarna på skrivbordet sökte hon information om Dackstone & Partner och allt hon kunde hitta om det Alona berättat, och det var då en känsla av något oroande bekant kom över henne.

Men inget ville riktigt klarna, och innan hon kom fram till något ringde Stig Yttergren verkligen upp igen, och självklart: ingen från Personskyddet fanns tillgänglig. Det var ovanligt mycket med kungafamiljen i kväll, sa han, någon sorts spektakel ihop med det norska kronprinsparet, och så hade Sverigedemokraternas partiledare fått en mjukglass i håret utan att vakterna hunnit ingripa, vilket gjort att man tvingats förstärka bevakningen vid hans sena tal i Södertälje.

Yttergren hade i stället beordrat ut "två fantastiska killar från ordningspolisen" som hette Peter Blom och Dan Flinck, och då fick Gabriella nöja sig med det, även om namnen Blom och Flinck gav henne associationer till Kling och Klang i Pippi Långstrump, och hon greps ett ögonblick av onda aningar. Sedan blev hon arg på sig själv.

Det var så typiskt hennes snobbiga bakgrund att döma folk efter deras namn. Hon borde snarare blivit mer oroad om de hette Gyllentofs eller något. Då skulle de säkert ha varit degenererade och slappa. Det här blir nog bra, tänkte hon och slog bort sina farhågor.

Därefter fortsatte hon att arbeta. Det skulle bli en lång natt.

KAPITEL 9
NATTEN MOT DEN 21 NOVEMBER

LISBETH VAKNADE PÅ snedden i den stora dubbelsängen, och insåg att hon precis drömt om sin far. Känslan av något hotfullt svepte som en kappa över henne. Men så mindes hon gårdagskvällen och insåg att det lika gärna kunde vara en kemisk reaktion i kroppen. Hon var svårt bakfull, och på vingliga ben reste hon sig upp och gick in i det stora badrummet med jacuzzin och marmorn och hela idiotlyxen för att kräkas. Men inget annat hände än att hon sjönk ner på golvet och andades tungt.

Därefter reste hon sig upp och tittade sig i spegeln, och det var inte särskilt uppmuntrande det heller. Blicken var blodröd. Å andra sidan var klockan bara strax efter midnatt. Hon kunde inte ha sovit mer än några timmar, och ur badrumsskåpet tog hon fram ett glas och fyllde det med vatten. Men i samma ögonblick återvände minnena från drömmen, och då kramade hon sönder glaset och slet upp ett sår i handen. Blod droppade ner på golvet, och hon svor åt det, och insåg att hon knappast skulle kunna somna om.

Skulle hon försöka knäcka den krypterade filen hon laddat ner i går? Nej, det skulle vara lönlöst, åtminstone nu, och i stället virade hon en handduk runt handen, och gick till sin bokhylla och plockade fram en ny studie av Princetonfysikern

Julie Tammet som beskrev hur en stor stjärna kollapsar till ett svart hål, och med den boken lade hon sig i den röda soffan intill fönstren mot Slussen och Riddarfjärden.

När hon började läsa mådde hon lite bättre. Blod från handduken droppade visserligen ner på sidorna och huvudet slutade inte värka. Men hon försjönk alltmer i boken, och då och då antecknade hon i marginalen. Egentligen var det inget nytt för henne. Hon visste bättre än de flesta att en stjärna håller sig vid liv av två motverkande krafter, kärnexplosioner i dess inre som vill få den att utvidgas och gravitationen som håller den samman. Hon såg det som en balansakt, en dragkamp som länge är jämn, men som ändå till slut, när kärnbränslet sinar och explosionerna avtar i styrka, ohjälpligt får en segrare.

När tyngdkraften får övertaget drar himlakroppen ihop sig likt en ballong som förlorar luft och blir mindre och mindre. En stjärna kan på så vis försvinna till ingenting. Med en oerhörd elegans, formulerad i formeln

$$r_{sch} = \frac{2GM}{c^2}$$

där G är gravitationskonstanten, hade Karl Schwarzschild redan under första världskriget beskrivit det stadium då en stjärna trycks ihop så mycket att inte ens ljuset kan lämna den, och i ett sådant läge finns ingen återvändo. I en sådan situation är himlakroppen dömd att störta samman. Varenda atom i den dras då inåt mot en singulär punkt där tiden och rummet tar slut, och möjligen ännu konstigare saker sker, inslag av ren irrationalitet mitt i det lagbundna universum.

Denna singularitet, som kanske snarare än en punkt är en sorts händelse, en slutstation för alla kända fysikaliska lagar, omges av en händelsehorisont, och bildar tillsammans med den ett så kallat svart hål. Lisbeth gillade svarta hål. Hon kände ett släktskap med dem.

Ändå var hon precis som Julie Tammet inte i första hand intresserad av de svarta hålen i sig, utan av processen som skapar dem, och då främst av det faktum att stjärnornas kollaps börjar i den vida, utsträckta delen av universum som vi brukar förklara med Einsteins relativitetsteori men slutar i den försvinnande lilla värld som lyder under kvantmekaniska principer.

Lisbeth var och förblev övertygad om, att om hon bara kunde beskriva den processen skulle hon kunna föra samman universums två oförenliga språk, kvantfysiken och relativitetsteorin. Men säkert låg det över hennes förmåga, precis som den förbannade krypteringen, och ofelbart började hon till slut tänka på sin far igen.

Under hennes barndom hade det äcklet våldtagit hennes mor gång på gång. Våldtäkterna hade fått pågå ända tills hennes mamma skadades oåterkalleligt och Lisbeth själv, tolv år gammal, slog tillbaka med fruktansvärd kraft. På den tiden hade hon ingen aning om att fadern var en avhoppad toppspion från den sovjetiska militära underrättelsetjänsten, GRU, eller än mindre att en särskild avdelning inom Säkerhetspolisen, den så kallade Sektionen, skyddade honom till varje pris. Ändå insåg hon redan då att det fanns en gåta kring fadern, ett mörker som ingen fick närma sig eller ens påpeka att det fanns. Det gällde även en så enkel sak som hans namn.

På alla brev och skrivelser stod det Karl Axel Bodin, och alla utomstående förväntades också kalla honom Karl. Men familjen på Lundagatan visste att det var ett falsarium, och att hans rätta namn var Zala, eller mer exakt Alexander Zalachenko. Han var en man som med små medel kunde skrämma livet ur folk, och framför allt bar han på en osårbarhetsmantel, det var åtminstone så Lisbeth uppfattade det.

Även om hon då ännu inte kände till hans hemlighet förstod hon ändå att fadern kunde göra vad som helst och komma undan med det. Det var en av anledningarna till att han utstrålade den där otäcka grandiosa hållningen. Han var en person som inte gick att komma åt den vanliga vägen och som var fullt medveten om det. Andra pappor kunde man anmäla till sociala myndigheter och till polisen. Men Zala hade krafter bakom sig som stod över allt sådant, och det som Lisbeth nyss erinrat sig i drömmen var den dagen när hon hittade sin mamma livlös på golvet och hon beslöt att ensam oskadliggöra fadern.

Det var det och en sak till som var hennes verkliga svarta hål.

LARMET GICK KLOCKAN 01.18 och Frans Balder vaknade med ett ryck. Var det någon inne i huset? Han kände en oförklarlig skräck och sträckte ut armen i sängen. August låg intill honom. Pojken måste ha smugit in som vanligt, och nu kved han oroligt, som om tjutandet tagit sig in i hans drömmar. Min lilla pojke, tänkte Frans. Därefter stelnade han till. Var det steg?

Nej, säkert inbillade han sig bara. Det gick i vilket fall inte att höra något annat än larmet, och oroligt kastade han en blick mot ovädret därute. Det tycktes ha blåst upp värre än någonsin. Sjön piskade mot bryggan och strandkanten. Glasfönstren skakade och bågnade i stormen. Kunde vindbyarna själva ha dragit igång larmet? Kanske var det så enkelt.

Ändå måste han titta efter givetvis, och ringa efter hjälp om det behövdes och se om den där bevakningen Gabriella Grane ordnat kommit hit till slut. Två män från ordningspolisen hade varit på väg till honom i timmar. Det var helt parodiskt. De hade hela tiden blivit hindrade av ovädret och en rad kontraorder: Kom och hjälp till med det och det! Det var både det ena och det andra och han höll med Gabriella, det kändes hopplöst inkompetent.

Men det var något han fick ta itu med sedan. Nu måste han ringa. Det var bara det att August vaknade, eller höll på att vakna, och då måste Frans göra något snabbt. En hysterisk August som bankade sin kropp mot sänggaveln var det sista han behövde nu. Öronpropparna, slog det honom, de gamla gröna öronpropparna han köpt på flygplatsen i Frankfurt.

Han tog fram dem från nattduksbordet och tryckte försiktigt in dem i sonens öron. Sedan bäddade han om honom och kysste honom på kinden, och strök honom över det lockiga, vildvuxna håret. Därefter såg han till att kragen på pyjamasen låg rätt, och att huvudet vilade skönt på kudden. Det var obegripligt. Frans var rädd och hade rimligtvis bråttom, eller kunde åtminstone ha det.

Ändå fördröjde han sina rörelser och pysslade med sonen. Kanske var det en sentimentalitet i krisens stund. Eller så ville han skjuta upp mötet med det som nu väntade därute, och ett ögonblick önskade han sig verkligen ett vapen. Inte för att han skulle ha vetat hur det användes.

Han var en förbaskad programmerare som fått lite faderskänslor på gamla dagar, det var allt. Han borde inte ha hamnat i den här soppan. Må fan ta Solifon och NSA och alla kriminella organisationer! Men nu fick han bita ihop, och med smygande, osäkra steg gick han ut i hallen, och innan han gjorde någonting annat, innan han ens tittade ut mot vägen därute, stängde han av larmet. Oljudet hade satt hela hans nervsystem ur lag, och i den plötsliga tystnad som följde stod han stilla i hallen, oförmögen till varje form av handling. Då ringde hans mobiltelefon, och även om han skrämt hoppade till var han ändå tacksam över distraktionen.

"Ja", svarade han.

"Hallå, det här är Jonas Anderberg, jourhavande på Milton Security. Är allt bra?"

"Va, jo… jag tror det. Mitt larm har gått igång."

"Jag vet det, och enligt våra anvisningar ska ni i sådana lägen ta er ner till ett speciellt rum i källaren och låsa dörren. Är ni därnere?"

"Ja", ljög han.

"Bra, mycket bra. Vet ni vad som hänt?"

"Inte alls. Jag vaknade av larmet. Jag har ingen aning om vad som utlöst det. Kan det inte vara stormen?"

"Knappast... vänta lite!"

Jonas Anderberg fick något okoncentrerat i rösten.

"Vad är det?" frågade Frans nervöst.

"Det verkar..."

"För helvete, sjung ut nu. Jag är skakis."

"Förlåt, lugn, lugn... jag håller på att gå igenom bildsekvenser från era kameror, och det verkar inte bättre än att..."

"Än att vadå?"

"Än att ni har fått påhälsning. En man, ja, ni kan ju titta själv sedan, en ganska gänglig man i mörka glasögon och keps har snokat runt på era ägor. Han har varit där i två omgångar, vad jag förstår, fast som sagt... jag har precis upptäckt det. Jag måste studera det närmare för att kunna säga något mer."

"Vad är det för typ?"

"Ja, hörni, det är ju inte så lätt att säga."

Jonas Anderberg föreföll studera bildsekvenserna igen.

"Men kanske... jag vet inte... nej, jag borde inte spekulera så här tidigt", fortsatte han.

"Jo, snälla, gör det. Jag behöver något konkret. Som ren terapi."

"Okej, då skulle man kunna säga att det åtminstone finns en omständighet som är betryggande."

"Och vad är det?"

"Det är hans gång. Mannen går som en pundare – som en kille som just dragit i sig en massa tjack. Det finns något överdrivet uppblåst och styltigt i hans sätt att röra sig, och det skulle ju kunna tyda på att han bara är en vanlig knarkare och småtjuv. Å andra sidan..."

"Ja?"

"Döljer han sitt ansikte lite oroväckande väl och så..."

Jonas tystnade igen.

"Fortsätt!"

"Vänta lite."

"Ni gör mig nervös, vet ni det?"

"Inte meningen. Men vet ni…"

Balders kropp frös till. Motorljud hördes på hans garage-uppfart.

"…ni får besök."

"Vad ska jag göra?"

"Stanna där ni är."

"Okej", sa Frans och stod kvar, mer eller mindre förlamad, på en helt annan plats än den Jonas Anderberg trodde att han befann sig på.

NÄR TELEFONEN RINGDE klockan 01.58 var Mikael Blomkvist fortfarande vaken. Men eftersom mobilen låg kvar i hans jeans på golvet lyckades han ändå inte svara i tid. Dessutom var det ett hemligt nummer, och han svor åt det och kröp ner i säng-en igen och slöt ögonen.

Det fick inte bli ännu en vaknatt. Ända sedan Erika somnat strax före midnatt hade han legat och vridit sig och tänkt på sitt liv utan att särskilt mycket i det kändes bra, inte ens rela-tionen med Erika. Han älskade Erika sedan decennier, och inget tydde på att hon inte kände likadant för honom.

Men det var inte lika enkelt längre och kanske hade Mikael börjat känna sympati för Greger. Greger Beckman var konstnär och Erikas man och ingen kunde kalla honom missunnsam el-ler småaktig. Tvärtom, när Greger hade anat att Erika aldrig skulle komma över Mikael eller ens lyckas avhålla sig från att slita kläderna av honom, hade han inte gått i taket eller hotat att flytta till Kina med hustrun. Han hade slutit en överenskom-melse:

"Du får vara med honom – bara du alltid kommer tillbaka till mig", och så blev det.

De skapade ett ménage à trois, en okonventionell konstellation där Erika för det mesta sov hemma i Saltsjöbaden med Greger, men ibland här hos Mikael på Bellmansgatan, och under åren hade Blomkvist tänkt att det verkligen var en fantastisk lösning, en sådan som flera par som levde under tvåsamhetens diktatur borde ha. Varje gång Erika hade sagt "Jag älskar min man mer när jag får vara med dig också", eller då Greger på något cocktailparty lagt armen om honom i en broderlig omfamning, hade Mikael tackat sin lyckliga stjärna för arrangemanget.

Ändå hade han på sistone börjat tvivla, kanske för att han överhuvudtaget fått mer tid att tänka på sitt liv, och det hade slagit honom att allt som kallas överenskommelser inte nödvändigtvis är det.

Tvärtom kan en part självsvåldigt driva igenom något under sken av ett gemensamt beslut, och i det långa loppet visar det sig ofta att någon lidit i alla fall, trots alla försäkringar om motsatsen, och uppriktigt sagt: inte hade Erikas samtal till Greger sent i går kväll mottagits med applåder precis. Vem vet, kanske låg också Greger vaken just nu.

Mikael ansträngde sig för att tänka på något annat. Ett litet tag prövade han till och med på att dagdrömma. Men det hjälpte inte mycket, och till sist steg han upp, fast besluten att göra något vettigt i stället, varför inte läsa på lite om industrispionage, eller ännu hellre skissa på en alternativ finansieringsplan för *Millennium*? Han klädde på sig och satte sig vid sin dator, och kollade inkorgen på mejlen.

Det var mest skit som vanligt, även om några av mejlen göt lite kraft i honom. Det var hejarop från Christer och Malin och Andrei Zander och Harriet Vanger inför den kommande striden med Serner, och han svarade på dem med en ton av större kämpaglöd än han egentligen kände. Sedan kollade han Lisbeths dokument, utan att förvänta sig något. Men så sken han upp. Hon hade svarat. För första gången på evigheter hade hon gett ifrån sig ett livstecken:

Balders intelligens är inte det minsta artificiell. Hur är det med din egen nuförtiden?

Och vad händer, Blomkvist, om vi skapar en maskin som är lite smartare än vi själva?

Mikael log och mindes den sista gången de träffats över en kopp på Kaffebar på S:t Paulsgatan, och därför dröjde det innan han reflekterade över att hennes hälsning innehöll två frågor, den första en liten vänskaplig gliring, som nog tyvärr var en smula sann. Det han skrivit i tidningen på sistone hade saknat intelligens och genuint nyhetsvärde. Som så många journalister hade han bara jobbat på och använt beprövade grepp och formuleringar. Men det var nu som det var, och det roade honom mer att fundera på Lisbeths andra fråga, hennes lilla gåta, inte i första hand för att den intresserade honom överdrivet utan för att han ville skriva något spirituellt tillbaka.

Om vi skapar en maskin som är smartare än vi själva, tänkte han, vad händer då? Han gick ut i köket och öppnade en flaska Ramlösa och satte sig vid sitt köksbord. Under honom hostade fru Gerner ganska illa och långt bort i stadsvimlet tjöt en ambulans i stormen. Jo, svarade han sig själv, då får vi en maskin som kan göra alla de smarta grejer vi själva kan, plus lite till, till exempel... Han skrattade högt och förstod själva poängen med frågan. En sådan maskin måste också kunna framställa något som är intelligentare än sig själv, eftersom vi ju kunde framställa den, och vad sker då?

Givetvis att den nya maskinen också kan göra något som är smartare, och precis samma sak med nästa maskin och nästa och nästa och snart är själva upphovet till alltihop, människan själv, inte intressantare än små vita möss för den senaste datorn. Vi når en intelligensexplosion bortom all kontroll, det blir som i Matrixfilmerna. Mikael log och gick tillbaka till datorn och skrev:

Om vi skapar en sådan maskin får vi en värld där inte ens Lisbeth Salander är så kaxig.

Därefter satt han stilla en stund och tittade ut genom fönstret, så mycket som nu gick att se i snöyran, och då och då kastade han en blick genom den öppna dörren mot Erika som sov tungt, och inget visste om maskiner som blir intelligentare än människan, eller i vart fall inte bekymrade sig om det just nu. Sedan tog han upp sin telefon.

Han hade för sig att den plingat till, och mycket riktigt: han hade fått ett nytt meddelande, och då blev han lite orolig, varför visste han inte riktigt. Men bortsett från gamla älskarinnor som ringer på fyllan och vill ha sex brukar det bara komma dåliga nyheter på natten, och därför kollade han meddelandet på en gång. Rösten på svararen lät jagad:

Mitt namn är Frans Balder. Oförskämt förstås att ringa så här sent. Jag ber om ursäkt för det. Men min situation har blivit lite kritisk, i alla fall upplever jag det så och jag fick just reda på att du sökt mig, och det var faktiskt ett märkligt sammanträffande. Jag har några saker jag velat berätta om ett tag nu och som jag tror kan intressera dig. Glad om du hör av dig så fort som möjligt. Har en känsla av att det brådskar.

Sedan uppgav Frans Balder ett telefonnummer och en mejladress, och Mikael antecknade dem och satt stilla en stund och trummade med fingrarna på köksbordet. Därefter ringde han upp.

FRANS BALDER LÅG i sängen, fortfarande uppjagad och skrämd. Ändå var han något lugnare nu. Bilen som kört upp på hans garageuppfart hade varit polisbevakningen till sist. Det var två män i fyrtioårsåldern, en väldigt lång och en ganska kort man som bägge två såg lite självmedvetna och malliga ut och som hade samma sorts kortklippta stajlade frisyrer, men som i övrigt uppträdde artigt, och med all tillbörlig respekt bad om ursäkt för förseningen.

"Vi har informerats om läget av Milton Security och av Gabriella Grane på Säk", förklarade de.

De visste således att en man med keps och mörka glasögon snokat runt på tomten, och att de måste vara uppmärksamma. Därför avböjde de erbjudandet om en kopp varmt te i köket. De ville ha uppsikt över huset, och Frans tyckte att det lät professionellt och klokt. Han fick inget överdrivet positivt intryck av dem. Å andra sidan fick han inget överdrivet dåligt intryck heller. Han hade tagit deras telefonnummer och återvänt till sängen och till August som ännu sov, hopkrupen med sina gröna öronproppar.

Men givetvis hade Frans inte kunnat somna om. Han lyssnade efter ljud därute i stormen, och till slut satte han sig upp i sängen. Han måste företa sig något. Han skulle bli tokig annars. Han lyssnade av sin mobil. Han hade två meddelanden från Linus Brandell som på en gång lät ettrig och defensiv, och först ville Frans bara lägga på. Han orkade inte höra på Linus tjat.

Men så uppfattade han ett par intressanta saker ändå. Linus hade talat med Mikael Blomkvist på tidningen *Millennium*, och nu ville Blomkvist ha kontakt med honom, och då föll Frans i tankar. Mikael Blomkvist, mumlade han.

Ska han bli min länk till världen?

Frans Balder hade inga vidare kunskaper om den svenska journalistkåren. Men Mikael Blomkvist kände han till, och såvitt han visste var det en person som alltid borrade djupt i sina storys, och aldrig gav efter för påtryckningar. Han behövde inte vara rätt man för jobbet för det, i och för sig, och någonstans påminde sig Frans att han hört andra, mindre smickrande saker om honom också, och därför reste han sig och ringde Gabriella Grane igen, Gabriella som kunde det mesta om den mediala scenen, och som sagt att hon skulle sitta uppe i natt.

"Hallå", svarade hon direkt. "Jag skulle just höra av mig. Jag tittar precis på den här mannen från övervakningskameran. Vi bör nog flytta dig på en gång, trots allt."

"Men herregud, Gabriella, nu är ju poliserna här till sist. De sitter precis utanför dörren."

"Mannen behöver ju inte komma tillbaka via huvudporten."

"Varför skulle han överhuvudtaget komma tillbaka? Han såg ut som en gammal pundare sa de på Milton."

"Jag är inte så säker på det. Han håller i någon låda, något tekniskt. Vi bör nog ta det säkra för det osäkra."

Frans kastade en blick på August intill honom.

"Jag flyttar gärna i morgon. Det vore kanske bra för mina nerver. Men i natt gör jag ingenting – jag tycker att dina poliser verkar professionella, hyggligt professionella i alla fall."

"Tänker du vara obstinat nu igen?"

"Det tänker jag."

"Okej, då ska jag se till att Flinck och Blom går upp och rör på sig och håller koll på din tomt."

"Bra, bra, men det är inte därför jag ringer. Du rådde mig att 'go public', minns du det?"

"Jo… ja… Det var inte precis det vanliga rådet från Säkerhetspolisen, eller hur, och i och för sig anser jag fortfarande att det vore en god idé. Men först skulle jag vilja att du berättar för oss vad du vet. Jag börjar få onda aningar av den här historien."

"Då talas vi vid i morgon bitti när vi sovit ut. Men du, vad tror du om Mikael Blomkvist på *Millennium*? Skulle han kunna vara en person att tala med?"

Gabriella skrattade till.

"Om du vill skapa störtblödning hos mina kollegor ska du definitivt tala med honom."

"Är det så illa?"

"Här på Säpo skyr man honom ungefär som pesten. Står Mikael Blomkvist i din trappuppgång så vet du att det året är förstört, som man brukar säga. Alla här, inklusive Helena Kraft, skulle avråda dig å det bestämdaste."

"Men nu frågar jag dig."

"Och då svarar jag att det är rätt tänkt. Det är en förbannat bra journalist."

"Men har han inte kritiserats också?"

"Absolut, på senare tid har det sagts att han är passé och inte skriver tillräckligt positivt och glatt, eller vad det nu är. Han är en gammaldags grävande reporter av bästa märke. Har du hans uppgifter?"

"Min gamla assistent gav dem till mig."

"Bra, toppen. Men innan du kontaktar honom måste du först berätta för oss. Lovar du det?"

"Jag lovar, Gabriella. Nu ska jag sova några timmar."

"Gör det, så håller jag kontakten med Flinck och Blom och ordnar en säker adress åt dig i morgon."

När han lade på försökte han komma till ro igen. Men det var lika omöjligt nu, och ovädret gav honom tvångstankar. Det kändes som om något ont färdades över sjön därute och var på väg mot honom, och hur ogärna han än ville det lyssnade han spänt på varenda avvikelse i ljudbilden omkring honom, och efter hand blev han alltmer rastlös och orolig.

Det var sant att han lovat Gabriella att tala med henne först. Men efter ett tag tycktes ingenting kunna vänta. Allt det han hållit inne med så länge bultade för att komma ut, även om han förstod att det var irrationellt. Ingenting kunde vara så akut. Det var mitt i natten, och oavsett vad Gabriella sagt var han rimligtvis tryggare än på länge. Han hade polisbevakning och en förstklassig larmanordning. Men det hjälpte inte. Han var uppjagad, och därför tog han fram numret som Linus gett honom och ringde, men givetvis svarade inte Blomkvist.

Varför skulle han? Det var alldeles för sent, och i stället talade Frans in ett meddelande med en lite forcerad, viskande röst för att inte väcka August, och sedan gick han upp och tände nattduukslampan på sin sida. Han tittade lite i bokhyllan till höger om sängen.

På hyllan stod en del litteratur som inte hade något med hans arbete att göra, och på en gång förstrött och oroligt bläddrade han i en gammal roman av Stephen King, *Jurtjyrkogården*. Men då började han tänka ännu mer på onda gestalter som färdades genom natten och mörkret, och länge stod han bara där med boken i handen, och i den stunden hände något med honom. Han fick en tanke, en intensiv farhåga, som han möjligen i dagsljus skulle ha avfärdat som nonsens men som just då kändes högst verklig, och han greps av en plötslig lust att tala med Farah Sharif eller kanske snarare med Steven Warburton i Los Angeles som ju helt säkert var vaken, och medan han begrundade frågan och föreställde sig alla möjliga otäcka scenarier såg han ut mot sjön och natten och de rastlösa molnen som jagade på himlen. I det ögonblicket ringde telefonen, precis som om den hört hans bön. Men det var förstås varken Farah eller Steven.

"Jag heter Mikael Blomkvist", sa en röst. "Du har sökt mig."

"Precis. Jag ber om ursäkt för att jag ringde så sent."

"Ingen fara. Jag låg vaken."

"Samma här. Kan du prata nu?"

"Absolut, jag svarade faktiskt precis på ett meddelande från en person jag tror vi känner bägge två. Hon heter Salander."

"Vem?"

"Förlåt, jag kanske har missförstått det hela. Men jag hade fått den uppfattningen att du anlitade henne för att gå igenom era datorer och spåra ett misstänkt intrång."

Frans skrattade till.

"Ja, herregud, det är en speciell flicka det", sa han. "Men hon avslöjade aldrig sitt efternamn, trots att vi hade rätt mycket kontakt en tid. Jag antog att hon hade sina skäl till det, och jag pressade henne heller aldrig. Jag träffade henne på en av mina föreläsningar på KTH. Jag berättar gärna om det; det var rätt häpnadsväckande. Men det jag tänkte fråga var… ja, du tycker säkert att det är en vansinnig idé."

"Ibland gillar jag vansinniga idéer."

"Du har inte lust att komma hit på en gång? Det skulle betyda mycket för mig. Jag sitter på en story som jag tror har viss sprängkraft. Jag kan betala taxi åt dig fram och tillbaka."

"Vänligt av dig, men vi står alltid för våra egna omkostnader. Varför måste vi tala nu mitt i natten?"

"Därför…" Frans tvekade. "Därför att jag har en känsla av att det är bråttom, eller egentligen mer än en känsla. Jag har precis fått veta att jag har en hotbild, och för bara någon timme sedan snokade någon runt på min tomt. Jag känner mig rädd, för att vara helt ärlig, och jag vill få den här informationen ur kroppen. Jag vill inte vara ensam om den längre."

"Okej."

"Okej vadå?"

"Jag kommer – om jag lyckas få tag i en bil."

Frans gav honom adressen och lade på, och ringde därefter upp professor Steven Warburton i Los Angeles, och talade koncentrerat och intensivt med honom på en krypterad linje i bortåt tjugo, trettio minuter. Sedan gick han upp och satte på sig ett par jeans och en svart kashmirpolo och tog fram en flaska Amarone, om nu Mikael Blomkvist var hugad för sådana nöjen. Men han kom inte längre än till dörröppningen. Han ryckte skrämt till.

Han trodde sig ha uppfattat en rörelse, något som fladdrat förbi, och nervöst tittade han ut mot bryggan och sjön. Men han såg ingenting. Det var samma ödsliga, stormpiskade landskap som förut, och han avfärdade hela saken som inbillning, en produkt av hans nervösa sinnesstämning, åtminstone försökte han göra det. Därefter lämnade han sovrummet, och fortsatte längs det stora fönstret på väg mot övervåningen. Men så greps han av en ny oroande känsla och vände sig hastigt om igen, och den här gången skymtade han verkligen något borta vid grannens hus, Cedervalls.

En gestalt rusade fram där borta i skydd av träden, och även om Frans inte såg personen särskilt länge noterade han ändå att det var en kraftig man med ryggsäck och mörka kläder. Mannen sprang hukande, och något i hans rörelsemönster föreföll professionellt, som om han sprungit så där många gånger, kanske i ett avlägset krig. Det fanns något effektivt och inövat där som gav Frans associationer till något filmiskt och skrämmande, och kanske dröjde det därför några sekunder innan han plockade fram sin mobiltelefon ur fickan och försökte förstå vilket av numren på hans samtalslista som hörde till poliserna därute.

Han hade inte fört in dem bland sina kontakter, bara ringt upp dem för att numren skulle finnas på hans display, och nu blev han osäker. Vilka var deras? Han visste inte, och med darrande hand prövade han med ett som han trodde var rätt. Ingen svarade, inte först. Tre, fyra, fem signaler gick fram innan en röst flåsade fram:

"Blom här, vad händer?"

"Jag såg en man springa längs träden vid grannhuset. Jag vet inte var han är nu. Men han kan mycket väl vara uppe vid vägen hos er."

"Okej, vi ska titta efter."

"Han verkade…", fortsatte Frans.

"Vadå?"

"Jag vet inte, snabb."

DAN FLINCK OCH Peter Blom satt i polisbilen och småpratade om sin unga kollega, Anna Berzelius, och storleken på hennes rumpa. Peter och Dan var båda nyskilda.

Deras skilsmässor hade till en början varit rätt såriga. Båda hade småbarn och fruar som känt sig svikna, och svärföräldrar som i varierande ordalag kallade dem för oansvariga skitstövlar. Men när det hela satt sig och de fått delad vårdnad om barnen och nya, om än anspråkslösa hem, hade de bägge två drabbats av samma insikt: de hade saknat ungkarlslivet, och på sistone, under sina barnfria veckor, hade de levt rullan som aldrig förr, och efteråt, precis som i tonåren, gått igenom alla detaljer från partysvängen och synat kvinnorna de mött uppifrån och ner, och noggrant recenserat deras kroppar och förmågor i sängen. Men den här gången hann de inte fördjupa sig lika mycket i Anna Berzelius rumpa som de önskat.

Peters mobil ringde, och då hoppade de båda två till, delvis för att Peter hade bytt ringsignal till en rätt extrem variant av *Satisfaction*, men främst förstås för att natten och stormen och ensamheten härute gjorde dem lättskrämda. Dessutom hade Peter telefonen i byxfickan, och eftersom byxorna var trånga – partylivets utsvävningar hade fått magen att svälla – dröjde det innan han fick fram den. När han lade på såg han bekymrad ut.

"Vad är det om?" frågade Dan.

"Balder har sett en man, en snabb jäkel tydligen."

"Var då?"

"Där nere vid träden intill grannhuset. Men troligen är killen på väg upp till oss."

Peter och Dan steg ur bilen och chockerades ännu en gång av kylan. De hade varit ute många gånger denna långa kväll och natt. Men de hade aldrig skakat så in i märgen, och ett ögonblick stod de bara och blickade valhänt åt höger och vänster. Sedan tog Peter – som var den längre – kommandot, och sa åt Dan att stanna kvar uppe vid vägen medan han själv gick ner mot vattnet.

Det var en liten backe som sträckte sig förbi ett trästaket och en liten allé av nyplanterade träd. Det hade fallit en del snö och det var halt, och nedanför låg sjön, Baggensfjärden trodde Peter och egentligen, tänkte han, var det konstigt att vattnet inte frusit. Kanske piskade vågorna för mycket för det. Stormen var sinnessjuk, och Peter svor över det, och över nattpassen som slet på honom och förstörde hans skönhetssömn. Ändå försökte han utföra sitt jobb, inte så helhjärtat kanske, men ändå.

Han lystrade efter ljud och tittade sig omkring, och först uppfattade han ingenting som skilde ut sig. Det var å andra sidan mörkt. Bara en ensam lyktstolpe lyste på tomten precis framför bryggan, och han gick neråt, förbi en grå eller grön trädgårdsstol som flugit runt i stormen, och i nästa ögonblick såg han Frans Balder genom det stora glasfönstret.

Balder stod längre in i huset, böjd över en stor säng och med spänd hållning. Kanske ordnade han till täcket, det var inte lätt att säga. Han tycktes upptagen med någon liten detalj i sängen, och Peter borde inte bry sig om det. Han borde ha uppsikt över tomten. Ändå var det något i Balders kroppsspråk som fascinerade honom, och han förlorade koncentrationen en sekund eller två. Sedan drogs han tillbaka till verkligheten igen.

Han fick en isande känsla av att någon betraktade honom, och hastigt vände han sig om och irrade vilt med blicken. Men han såg ingenting, inte först, och han hade precis börjat lugna ner sig när han uppfattade två saker på en gång – en plötslig rörelse vid de stålblanka soptunnorna intill staketet, och så ljudet av en bil uppe vid vägen. Bilen stannade och en bildörr öppnades.

Inget av det var anmärkningsvärt i sig. Rörelsen vid soptunnorna kunde lika gärna ha varit ett djur, och självklart kunde det komma bilar hit även sent på natten. Ändå spändes Peters kropp till det yttersta, och ett ögonblick stod han bara där, osäker på hur han borde reagera. Då hördes Dans röst.

"Någon kommer!"

Peter rörde sig inte. Han kände sig övervakad, och närmast omedvetet fingrade han på sitt tjänstevapen vid höften, och tänkte plötsligt på sin mor och på sin exfru och på sina barn, precis som om något allvarligt verkligen stod i begrepp att hända. Men längre hann han inte i sina tankar. Dan skrek igen, nu med ett desperat tonfall:

"Polis, stanna för helvete", och då sprang Peter upp mot

vägen, även om han inte ens då såg det som ett självklart val. Han kunde inte befria sig från misstanken att han lämnade något hotfullt och obehagligt därnere vid soptunnorna. Men om hans kollega skrek på det viset, då hade han inget val, eller hur, och i hemlighet kände han sig lättad. Han hade varit räddare än han velat erkänna, och därför rusade han iväg och kom snubblande upp på vägen.

Längre bort jagade Dan efter en vinglig man med bred rygg och alldeles för tunna kläder, och även om Peter tänkte att den figuren knappast kunde definieras som en "snabb jäkel" sprang han efter, och kort därpå fick de ner honom vid dikesrenen, precis intill ett par brevlådor och en liten lykta som gav ett visst matt sken åt hela spektaklet.

"Vem fan är du?" röt Dan förvånansvärt aggressivt – han hade kanske varit rädd han med – och i den stunden tittade mannen på dem med en förvirrad och skräckslagen blick.

Mannen saknade mössa och hade rimfrost i skäggstubben och håret, och det syntes att han frös och mådde allmänt kymigt. Men framför allt fanns det något oerhört bekant med hans ansikte.

Peter trodde ett ögonblick att de hade gripit en känd och efterspanad skurk, och upplevde några sekunders stolthet.

FRANS BALDER HADE gått tillbaka till sovrummet och stoppat om August, kanske för att dölja honom under täcket om något skulle hända. Därefter fick han en besinningslös tanke som bottnade i farhågan han nyss känt, och som förstärkts av samtalet med Steven Warburton, och som han först avfärdade som en storartad dumhet, något som bara kunde dyka upp mitt i natten när hjärnan grumlas av upphetsning och rädsla.

Sedan anade han att idén egentligen inte var ny utan tvärtom legat och mognat i hans undermedvetna under ändlösa vaknätter i USA, och därför tog han fram sin laptop, sin egen lilla superdator som var hopkopplad med en hel rad andra maskiner för att få tillräcklig kapacitet, och sitt AI-program som han vigt sitt liv åt, och så… det var obegripligt, var det inte?

Han tänkte knappt igenom det. Han bara raderade filen och all backup, och kände sig som en ond gud som utsläckte ett liv, och kanske var det precis det han gjorde. Ingen visste, inte ens han själv, och en liten stund satt han där och undrade om han skulle golvas av ånger och ruelse. Hans livsverk var borta med några få knapptryckningar.

Men egendomligt nog blev han i stället lugnare, som om han nu åtminstone skyddat sig på en punkt, och därefter reste han sig upp och tittade återigen ut mot natten och ovädret. Då ringde telefonen. Det var Dan Flinck, den andra av poliserna.

"Jag ville bara säga att vi har gripit personen du såg", sa polismannen. "Du kan med andra ord vara lugn. Vi har situationen under kontroll."

"Vem är det ni har gripit?" frågade Frans.

"Det kan jag inte säga. Han är väldigt berusad och vi måste få lugn på honom. Jag ville bara berätta det. Vi återkommer."

Frans lade ner telefonen på nattduksbordet, precis intill sin laptop, och försökte gratulera sig själv. Nu var mannen gripen, och hans forskning kunde inte hamna i orätta händer. Ändå blev han inte lugnare. Han förstod först inte varför. Sedan insåg han: det där med berusning stämde inte. Den som sprungit längs träden hade varit allt annat än full.

DET DRÖJDE NÅGON minut innan Peter Blom insåg att de inte alls hade gripit en berömd och efterspanad brottsling utan i stället fångat skådespelaren Lasse Westman, som visserligen ofta spelade bandit och torped i teve, men som knappast hade någon efterlysning på sig, och den insikten gjorde inte precis Peter lugnare. Inte bara för att han återigen anade att det varit ett misstag att lämna träden och soptunnorna därnere utan för att han genast insåg att intermezzot kunde leda till skandaler och löpsedlar.

Så mycket visste han om Lasse Westman att det den killen gjorde bara alltför ofta hamnade i kvällspressen, och ingen kunde påstå att skådisen såg särskilt glad ut. Han stånkade och svor och försökte komma upp på fötter, och Peter försökte begripa vad i hela friden killen hade här ute att göra mitt i natten.

"Bor du här?" frågade han.

"Jag har ingen anledning att säga ett enda skit till dig", fräste Lasse Westman, och då vände sig Peter till Dan för att förstå hur hela dramat hade börjat.

Men Dan stod redan en bit bort och talade i telefon, uppenbarligen med Balder. Han ville väl visa sig duktig och meddela att de gripit den misstänkte, om det nu verkligen var den misstänkte.

"Har du smugit runt på professor Balders tomt?" fortsatte Peter.

"Hörde du inte vad jag sa? Jag säger inte ett skit till er. Vad fan, här strosar jag omkring helt fredligt och så kommer den där dåren och viftar med en pistol. Det är helt skandalöst. Vet ni vem jag är?"

"Jag vet vem du är, och har vi betett oss illa ber jag om ursäkt. Vi kommer säkert att få tillfälle att prata om det igen. Men just nu har vi en väldigt spänd situation, och jag kräver att du på en gång berättar vad du hade för ärende till professor Balder, nej, nej, försök inte smita nu!"

Lasse Westman stod upp till sist och försökte troligen inte smita alls. Han hade bara svårt att behålla balansen, och så harklade han sig lite melodramatiskt och spottade rakt ut i luften. Spottloskan kom inte särskilt långt utan for tillbaka som en projektil och frös till is på hans kind.

"Vet du en sak?" sa han och torkade sig i ansiktet.

"Nej?"

"Det är inte jag som är skurken i den här historien."

Peter tittade oroligt ner mot vattnet och allén av träd, och undrade än en gång vad det var han sett därnere. Ändå stod han kvar, paralyserad av det absurda i situationen.

"Vem är det då?" sa han.

"Balder."

"Varför det?"

"Han har tagit min tjejs son."

"Varför skulle han ha gjort det?"

"Det ska ni fan inte fråga mig. Fråga datasnillet därinne! Den jäveln har ingen som helst rätt att ha honom", sa Lasse Westman och fumlade med innerfickan till sin rock, precis som om han letade efter något.

"Han har inget barn därinne om du tror det", sa Peter.

"Det har han då fan visst det."

"Verkligen?"

"Verkligen!"

"Så nu hade du tänkt komma hit mitt i natten, full som en spruta, och hämta barnet", fortsatte Peter och var just på väg att säga något mer lika dräpande när han blev avbruten av ett ljud, ett svagt klirrande ljud som nådde honom nedifrån vattnet.

"Vad var det?" sa han.

"Vadå?" svarade Dan, som nu stod intill honom igen och inte verkade ha hört ett dugg, och det var sant att ljudet inte heller hade varit särskilt högt, inte härifrån åtminstone.

Ändå gav det Peter rysningar, och påminde honom om vad han känt vid träden och soptunnorna, och han skulle just gå ner och se vad som hänt då han tvekade igen. Kanske var han rädd, eller bara allmänt obeslutsam och oduglig, det var inte lätt att veta. Men han såg sig oroligt om, och hörde då ännu en bil som närmade sig.

Det var en taxi som körde förbi dem och stannade vid Frans Balders port, och det gav Peter en ursäkt att bli kvar uppe på vägen, och medan chauffören och resenären i taxin gjorde upp om betalningen kastade han ännu en orolig blick ner

mot vattnet, och tyckte sig då höra ytterligare något, inget lug-
nande ljud det heller.

Men han visste inte säkert, och nu öppnades bildörren och
en man klev ur som Peter efter en sekunds förvirring kände
igen som journalisten Mikael Blomkvist, varför i helvete nu
alla kändisar måste flockas just här ute mitt i natten.

KAPITEL 10
TIDIG MORGON DEN 21 NOVEMBER

FRANS BALDER STOD i sovrummet intill sin dator och telefon och tittade på August som gnydde oroligt i sängen. Han undrade vad pojken drömde. Var det ens en värld han skulle förstå? Han kände att han ville veta. Han kände att han ville börja leva, och inte längre begrava sig i kvantalgoritmer och källkoder och än mindre vara rädd och paranoid.

Han ville bli lycklig, och inte plågas av den där ständiga tyngden i kroppen utan tvärtom kasta sig ut i något vilt och storslaget, en romans till och med, en kärleksrelation, och under några intensiva sekunder tänkte han på en hel rad kvinnor som fascinerat honom: Gabriella, Farah och alla möjliga.

Han tänkte också på kvinnan som tydligen hette Salander. Han hade varit som förhäxad av henne, och när han nu återigen erinrade sig henne tyckte han sig se något nytt hos henne, något på en gång välbekant och främmande, och plötsligt slog det honom: hon påminde om August. Det var vrickat förstås. August var en liten autistisk pojke, och Lisbeth var i och för sig inte så gammal hon heller, och möjligen fanns det något pojkaktigt över henne. Men i övrigt var hon hans raka motsats. Hon var svartklädd, punkig och helt kompromisslös. Ändå slog det honom nu att hennes blick hade samma egendomliga skimmer som Augusts hade haft när han stirrat mot trafikljuset på Hornsgatan.

Frans hade träffat Lisbeth under en föreläsning på Kungliga Tekniska Högskolan i Stockholm då han talat om teknologisk singularitet, det hypotetiska tillstånd då datorerna blir mer intelligenta än människan. Han hade precis inlett med att förklara begreppet singularitet i en matematisk och fysisk bemärkelse när dörren öppnades och en svartklädd och mager flicka steg in i föreläsningssalen. Hans första tanke var att det var sorgligt att knarkarna inte hade någon annanstans att ta vägen. Sedan undrade han om tjejen verkligen var narkoman. Hon såg inte nedgången ut i den bemärkelsen. Däremot verkade hon trött och sur, och givetvis föreföll hon inte lyssna ett dugg på hans föredrag. Hon satt bara där och hängde oformligt över bänken och till sist, mitt i ett resonemang om den singulära punkten i komplex matematisk analys, där gränsvärdena blir oändliga, frågade han henne rakt ut vad hon tyckte om det hela. Det var elakt. Det var snobbigt. Varför skulle han banka in sina egna nördiga kunskaper i huvudet på henne? Men vad hände?

Tjejen tittade upp och sa att han i stället för att strö omkring sig flummiga begrepp borde bli skeptisk när hans beräkningsgrund föll sönder. Snarare än någon sorts fysikaliskt sammanbrott i den reella världen var det ett tecken på att hans egen matematik inte höll måttet, och därför var det också på det hela taget bara populistiskt av honom att mystifiera singulariteterna i de svarta hålen när det stora problemet så uppenbart var att det saknades ett kvantmekaniskt sätt att räkna på gravitationen.

Sedan drog hon med en isande klarhet – som skapade ett sus i lokalen – en genomgripande kritik av de singularitetsteoretiker han citerat, och då lyckades han inte svara något annat än ett bestört:

"Vem fan är du?"

Det var så de fått kontakt, och senare överraskade Lisbeth honom ytterligare några gånger. Blixtsnabbt eller just med en enda skimrande blick förstod hon genast vad han höll på med, och när han till slut begrep att han blivit bestulen på sin teknologi hade han bett henne om hjälp, och det hade svetsat dem samman. Sedan dess delade de en hemlighet, och nu stod han där i sovrummet och tänkte på henne. Men så blev han bryskt avbruten i sina tankar. Han drabbades av ett nytt isande obehag, och såg ut genom dörröppningen mot det stora fönstret intill vattnet.

Framför det stod en reslig gestalt i mörka kläder och en tajt svart mössa med en liten lampa på pannan. Gestalten gjorde något med fönstret. Han drog över det med ett hastigt och kraftfullt ryck, ungefär som en konstnär som påbörjade ett verk, och innan Frans ens hunnit skrika föll hela fönstret ihop, och gestalten satte sig i rörelse.

GESTALTEN KALLADE SIG Jan Holtser, och uppgav oftast att han arbetade med säkerhetsfrågor för industrin. I själva verket var han en gammal rysk elitsoldat som snarare än att hitta säkerhetslösningar forcerade dem. Han genomförde operationer som den här, och i regel var förarbetet så omsorgsfullt att riskerna inte var lika stora som man kunde förmoda.

Han hade en liten stab av skickligt folk, och visserligen var han ingen ungdom längre. Han var femtioett. Men han höll sig i form med hård träning, och han var känd för sin effektivitet och sin improvisationsförmåga. Dök det upp nya omständigheter tog han dem i beaktande och ändrade sin planläggning.

Överhuvudtaget kompenserade han i erfarenhet det han hade förlorat i ungdomlig spänst, och ibland – i den begränsade grupp där han kunde tala öppet – pratade han om en sorts sjätte sinne, en förvärvad instinkt. Åren hade lärt honom när han skulle avvakta och när han skulle slå till, och trots att han för ett par år sedan haft en djup svacka, och visat tecken på svaghet – mänsklighet, skulle hans dotter säga – kände han sig numera skickligare än någonsin.

Han hade fått tillbaka glädjen i arbetet, den gamla känslan av nerv och spänning, och visserligen medicinerade han sig fortfarande med tio milligram Stesolid före en operation. Men det var bara för att det skärpte hans precision med vapnen, och han förblev glasklar och alert i kritiska stunder, och framför allt: han utförde alltid det han skulle. Jan Holtser var inte en person som svek eller hoppade av. Så såg han på sig själv.

Ändå hade han i natt, trots att hans uppdragsgivare betonat att det var bråttom, övervägt att avbryta operationen. Ovädret var förstås en faktor. Det var ostyriga omständigheter att arbeta i. Men i sig skulle stormen aldrig ha räckt för att få honom att ens överväga att ställa in. Han var ryss och soldat och hade stridit under värre omständigheter än det här, och han hatade folk som gnällde över småsaker.

Det som oroade honom var polisbevakningen som plötsligt och utan förvarning dykt upp. Han gav inget för poliserna på plats. Han hade suttit gömd och studerat dem och sett hur de snokade runt på tomten med förströdd motvilja, likt småpojkar som kommenderats ut i dåligt väder. Helst ville de sitta inne i sin bil och snacka skit, och så blev de lätt rädda, framför allt blev den längre av dem lätt rädd.

Han verkade ogilla mörkret och stormen och det svarta vattnet. För inte så länge sedan hade killen stått där, helt skräckslagen vad det verkade, och stirrat in bland träden, förmodligen för att han anat Jans närvaro, men det var inget som bekymrade Jan i sig. Han visste att han ljudlöst och blixtsnabbt skulle kunna skära halsen av honom. Ändå var det förstås inte bra.

Även om snutarna var blåbär ökade polisbevakningen riskerna högst väsentligt, och framför allt var det en indikation på att något av planeringen läckt ut, och att det fanns en höjd beredskap. Kanske hade till och med professorn börjat prata, och då skulle operationen vara meningslös eller rentav kunna förvärra deras situation, och Jan ville inte ens för en sekund utsätta sin uppdragsgivare för onödiga risker. Det betraktade han som en del av sin styrka. Han såg alltid till den större bilden, och trots sin profession var det ofta han som manade till försiktighet.

Han visste inte hur många kriminella organisationer i hans hemland som krossats och gått under för att de varit alltför benägna till våld. Våld kan väcka respekt. Våld kan tysta och skrämma och avlägsna risker och hot. Men våld kan också skapa kaos och en hel kedja av oönskade effekter, och på allt det där hade han tänkt när han suttit gömd bakom träden och soptunnorna. Under några sekunder var han till och med helt säker på att han skulle avbryta operationen och återvända till sitt hotellrum. Ändå blev det inte så.

Någon anlände med bil däruppe och tog polisernas uppmärksamhet i anspråk, och då såg han en möjlighet, en öppning, och utan att vara helt klar över sina bevekelsegrunder fäste han pannlampan på huvudet. Han tog fram diamantsågen och vapnet, en 1911 R1 Carry med specialbyggd ljuddämpare, och vägde dem i handen. Sedan sa han som alltid:

"Ske din vilja, Amen."

Ändå förblev han stilla. Osäkerheten lämnade honom inte. Var det verkligen rätt? Han skulle tvingas agera blixtsnabbt. Å andra sidan kunde han huset utan och innan, och Jurij hade varit här i två omgångar och hackat larmsystemet. Dessutom var poliserna hopplösa amatörer. Även om han blev fördröjd därinne – om professorn till exempel inte hade datorn intill sängen som alla intygade, och polisen hann komma till hans undsättning – skulle Jan utan problem kunna likvidera snutarna också. Han såg till och med fram emot det, och därför muttrade han en andra gång:

"Ske din vilja, Amen."

Därefter osäkrade han vapnet, och förflyttade sig hastigt fram till det stora fönstret mot vattnet och spanade in i huset, och kanske berodde det på hela det osäkra i situationen. Men han reagerade osedvanligt starkt när han såg Frans Balder stå därinne i sovrummet, djupt försjunken i något, och visserligen försökte han intala sig att det var bra. Måltavlan var väl synlig. Ändå fick han återigen onda aningar, och han gjorde ett nytt överslag: Skulle han avbryta?

Han avbröt inte. I stället spände han högerarmen och drog med all sin kraft med diamantsågen över fönstret och pressade till. Fönstret föll samman med ett oroande slammer, och så rusade han in och höjde vapnet mot Frans Balder som stirrade stint på honom, och viftade med handen som i en desperat hälsning. Sedan började professorn som i trans uttala något förvirrat och högtidligt som lät som en bön, en litania. Men i stället för "Gud" eller "Jesus" hörde Jan ordet "idiot". Mer förstod han inte, och det hade nu i alla händelser inte med något att göra. Folk hade sagt alla möjliga konstiga saker till honom.

Han visade ändå ingen nåd.

FORT, FORT OCH nästan ljudlöst förflyttade sig gestalten över hallen in i sovrummet. Ändå hann Frans förvånas över att larmet inte gick igång, och lägga märke till en tecknad grå spindel på mannens tröja, strax nedanför axeln och så ett smalt, avlångt ärr i den bleka pannan under mössan och lampan.

Därefter såg han vapnet. Mannen riktade en pistol mot honom och då höjde han sin hand som ett fåfängt skydd, och tänkte på August. Ja, trots att hans liv så uppenbart hotades och skräcken slog sina klor i honom, tänkte han på sonen och ingenting annat. Må vad som helst hända! Må han själv dö, men inte August, och därför utbrast han:

"Döda inte mitt barn! Han är en idiot, han förstår ingenting."

Men Frans Balder visste inte hur långt han hann. Hela världen stelnade och natten och ovädret därute tycktes färdas emot honom och allt blev svart.

JAN HOLTSER SKÖT, och precis som han förväntat sig saknades inget i hans precision. Han träffade Frans Balder två gånger i huvudet, och professorn föll ihop på golvet som en flaxande fågelskrämma, och det rådde inget tvivel om att han var död. Ändå var det något som inte kändes bra. En stormvind svepte in från sjön och strök över Jans nacke som ett kallt, levande väsen, och en sekund eller två begrep han inte vad som hände med honom.

Allt hade gått planenligt, och där borta stod Balders dator, precis som det sagts. Han borde bara gripa tag i den och rusa ut. Han borde vara rasande effektiv. Ändå stod han kvar som frusen till is, och först med en egendomlig fördröjning insåg han varför.

I den stora dubbelsängen, nästan helt dold av ett duntäcke, låg en liten pojke med vildvuxet rufsigt hår och tittade på honom med glasartad blick, och den blicken berörde honom intensivt illa, och det berodde inte bara på att den tycktes se rakt igenom honom. Det var annat också. Men det spelade å andra sidan ingen roll.

Han måste fullfölja sitt uppdrag. Ingenting fick äventyra operationen och utsätta dem alla för risker, och här hade vi ett glasklart vittne, och några vittnen fick inte finnas, speciellt nu när han exponerat sitt ansikte, och därför riktade han sitt vapen mot pojken och såg in i hans egendomligt skimrande ögon, och mumlade för tredje gången:

"Ske din vilja, Amen."

MIKAEL BLOMKVIST STEG ur taxin, klädd i ett par svarta kängor och en vit päls med bred fårskinnskrage han plockat fram ur garderoben, och en gammal pälsmössa som han ärvt efter sin far.

Klockan var då tjugo i tre på natten. Ekonyheterna hade rapporterat om en allvarlig olycka med en långtradare som sades blockera Värmdöleden. Men Mikael och taxichauffören hade inte sett något av den utan färdats ensamma genom mörka och stormpiskade förorter. Mikael hade varit illamående av trötthet, och inte velat något hellre än att stanna hemma och krypa ner till Erika igen och somna om.

Men han hade inte kunnat säga nej till Balder. Han förstod inte riktigt varför. Det kan ha varit en sorts plikt, en känsla av att han inte fick vara bekväm nu när tidningen befann sig i kris, eller också var det för att Balder låtit ensam och rädd, och att Mikael känt både sympati och nyfikenhet. Inte så att han trodde att han skulle få höra något sensationellt. Han räknade kallt med att bli besviken. Kanske skulle han mest sitta där som en terapeut, en nattvakt i stormen. Å andra sidan visste man aldrig, och återigen tänkte han på Lisbeth. Lisbeth gjorde sällan något utan att ha goda skäl till det. Dessutom var Frans Balder tveklöst en spännande person som aldrig låtit sig intervjuas. Det kan säkert bli intressant, tänkte Mikael och såg sig om i mörkret.

En lyktstolpe med ett blåaktigt sken lyste upp huset, och det var inget dåligt hus för den delen, arkitektritat och med stora glasfönster, och något tågliknande i utförandet. Intill brevlådan stod en lång polis i fyrtioårsåldern med en svag solbränna och något ansträngt, nervöst i anletsdragen. Längre bort på vägen befann sig en kortare kollega och bråkade med en berusad man som viftade med armarna. Det var helt klart en större aktivitet här ute än vad Mikael räknat med.

"Vad är det som pågår?" sa han till den längre polisen.

Han fick aldrig något svar. Polisens telefon ringde, och Mikael förstod direkt att något hade hänt. Larmanordningen verkade inte bete sig normalt. Men han tog sig inte tid att lyssna klart. Han hörde ett ljud nedifrån tomten, ett knastrande oroande ljud, och instinktivt kopplade han ihop det med telefonsamtalet. Han tog ett par steg åt höger, och såg ner längs en backe som sträckte sig vidare mot en brygga och mot sjön, och mot ännu en lyktstolpe som lyste med ett matt blåaktigt sken. I det ögonblicket kom en gestalt rusande som från ingenstans, och Mikael insåg att något var väldigt fel.

JAN HOLTSER KRAMADE avtryckaren på sitt vapen och skulle precis skjuta pojken när en bil hördes uppe vid vägen, och då tvekade han, trots allt. Men det var egentligen inte bilen. Det var i stället ordet "idiot" som dök upp i hans tankar igen, och givetvis insåg han att professorn hade haft alla skäl i världen att ljuga den sista stunden i sitt liv. Men när Jan nu stirrade på barnet undrade han om det inte stämde ändå.

Stillheten i pojkens kropp var alltför stor, och från ansiktet strålade förundran snarare än skräck, precis som om han ingenting begrep av det som skedde. Blicken var för blank och glasartad för att notera något på riktigt.

Den tillhörde en ordlös, ovetande människa, och det var inte bara något Jan fick för sig nu. Han påmindes om något han läst under sin research. Balder hade verkligen en svårt efterbliven son, även om det både i tidningarna och i domstolshandlingarna stått att professorn inte fick ha hand om pojken. Men här måste nu grabben ändå vara, och Jan varken kunde eller behövde skjuta honom. Det skulle vara meningslöst och ett brott mot hans yrkesetik, och den insikten drabbade honom som en stor och plötslig lättnad som skulle gjort honom misstänksam om han varit mer uppmärksam på sig själv.

Nu sänkte han bara pistolen, lyfte upp datorn och telefonen vid sängbordet och stoppade ner dem i sin ryggsäck. Sedan sprang han ut i stormen och natten mot den flyktväg han stakat ut. Men han kom inte långt. Han hörde en röst bakom sig, och vände sig om. Där uppe längs vägen stod en man som varken var den långa eller den korta polisen utan en ny figur, klädd i päls och pälsmössa och med en helt annan auktoritet i sin utstrålning, och kanske var det därför Jan Holtser återigen höjde sin pistol. Han anade en fara.

MANNEN SOM RUSADE förbi var svartklädd och vältränad och hade en pannlampa på sin mössa, och på något sätt som Mikael inte helt kunde förklara tycktes det honom som om gestalten var en del av en större övning, en samordnad operation. Mikael förväntade sig närmast att flera liknande gestalter skulle dyka upp i mörkret, och det gav honom ett djupt obehag. Han ropade:

"Hallå, stopp där!"

Det var ett misstag. Mikael förstod det i samma ögonblick som mannens kropp stelnade till, precis som en soldat i strid, och det var säkert därför som Mikael reagerade så snabbt. När mannen drog ett vapen, och med en förbluffande självklarhet avlossade ett skott, hade Mikael redan kastat sig bakom husknuten. Skottet hördes knappt. Men eftersom det smällde till i Balders brevlåda rådde det inget tvivel om vad som hänt, och den längre av poliserna avslutade abrupt sitt samtal. Ändå rörde han sig inte ur fläcken. Han bara stod där paralyserad, och den enda som sa något i den stunden var den berusade mannen:

"Vad fan är det här för cirkus? Vad är det som händer?" skrek han med en kraftfull röst som lät underligt bekant, och först då började poliserna att tala med varandra med nervösa, väsande röster:

"Är det någon som skjuter?"

"Jag tror det."

"Vad ska vi göra?"

"Vi måste kalla på förstärkning."

"Men han kommer undan därnere."

"Då får vi titta efter", svarade den längre, och med dröjande, tvekande rörelser, som om de ville att skytten skulle komma undan, drog de sina vapen och gick neråt mot vattnet.

Längre bort i vintermörkret skällde en hund, en liten, ettrig hund, och från sjön blåste det hårt. Snön yrde, och det var halt på marken. Den kortare av poliserna var nära att halka, och viftade clownlikt med händerna. Med lite tur skulle de slippa möta mannen därnere. Något sa Mikael att gestalten skulle röja killarna ur vägen hur lätt som helst. Det snabba och effektiva sätt på vilket han vänt sig om och dragit sitt vapen antydde att han var tränad för situationer som den här, och Mikael undrade om han själv borde göra något.

Han hade inget att försvara sig med. Ändå reste han sig upp, borstade snön från kläderna och tittade försiktigt ner längs backen igen, och vad han förstod hände inget dramatiskt. Poliserna var på väg ner längs vattnet bort mot grannvillan. Men av den svartklädda skytten syntes ingenting, och då gav sig Mikael ner han också, och det dröjde inte länge förrän han märkte att ett stort fönster krossats på gaveln.

Ett stort hål gapade i huset och rakt framför honom därinne stod en dörr öppen, och han undrade om han borde ropa på poliserna. Det blev aldrig av. Han uppfattade något, ett tyst egendomligt kvidande, och därför steg han in genom det sönderslagna fönstret, och kom in i en korridor med ett fint ekgolv som sken svagt i mörkret, och långsamt gick han mot den öppna dörren. Ljudet kom helt klart därinifrån.

"Balder", ropade han. "Det är jag, Mikael Blomkvist. Har det hänt något?"

Han fick inget svar. Men det kvidande ljudet tilltog i styrka, och då drog han ett djupt andetag och steg in, och ryckte till, helt paralyserad, och efteråt visste han inte vad han lade märke till först, eller ens vad som skrämde honom mest. Det var inte säkert att det var kroppen på golvet, trots blodet och ansiktsuttrycket och den livlösa, stela blicken.

Det kunde lika gärna vara scenen på den stora dubbelsängen strax bredvid, även om den inte omedelbart gick att förstå. Men det var ett litet barn, kanske sju, åtta år gammalt, en pojke med fina anletsdrag och ett vildvuxet mörkblont hår, som klädd i en blårutig pyjamas metodiskt och hårt dunkade sin kropp mot sänggaveln och väggen. Pojken tycktes göra sitt yttersta för att skada sig själv, och när han kved lät han inte som ett barn som led eller grät, utan snarare som någon som ansträngde sig för att slå så hårt han kunde, och innan Mikael ens hann tänka en redig tanke störtade han fram till honom. Men det gjorde inte saken bättre. Pojken sparkade vilt omkring sig.

"Lugn", försökte Mikael. "Lugn", och slog armarna om honom.

Men pojken vred och slingrade sig med en häpnadsväckande, explosiv kraft och lyckades blixtsnabbt – kanske också för att Mikael ogärna ville hålla i honom för hårt – slita sig ur hans grepp och rusa genom dörren ut i korridoren, barfota över allt glassplittret mot det sönderslagna fönstret, och då sprang Mikael efter och skrek "nej, nej", och det var då han mötte poliserna.

De stod utanför i snön med ett uttryck av fullständig förvirring.

KAPITEL 11
DEN 21 NOVEMBER

EFTERÅT KONSTATERADES det återigen att polisen inte hade ordning på sina rutiner, och att ingen som helst avspärrning i området kom till stånd förrän det var för sent. Mannen som sköt professor Frans Balder måste i lugn och ro ha kunnat sätta sig i säkerhet, och poliserna som var först på plats, Peter Blom och Dan Flinck, och som internt lite hånfullt kallades Casanovas, hade dröjt med att slå larm, eller åtminstone inte gjort det med den kraft och auktoritet som hade behövts.

Först klockan tjugo i fyra på morgonen anlände tekniker och utredare från våldsroteln samt en ung dam som presenterade sig som Gabriella Grane och som de flesta trodde var anhörig med tanke på hennes upprörda tillstånd, men som man senare förstod var analytiker på Säkerhetspolisen, och utsänd av Säpochefen själv. Inte för att Gabriella hade något för det. I kraft av de samlade fördomarna inom kåren, eller möjligen som en markering för att hon betraktades som utomstående, blev hennes uppdrag att ansvara för barnet.

"Du ser ut att ha rätta handlaget", sa jourhavande spaningsledaren Erik Zetterlund när han såg hur Gabriella varsamt böjde sig ner för att undersöka pojkens skadade fötter, och även om Gabriella snäste ifrån, och förklarade att hon hade annat att göra, föll hon till föga när hon såg in i pojkens ögon.

August – som han hette – var helt förstelnad av skräck, och länge satt han på golvet på övervåningen och drog handen mekaniskt över en röd, persisk matta. Peter Blom, som i andra avseenden inte varit särskilt handlingskraftig, rotade fram ett par strumpor och satte plåster på pojkens fötter. Samtidigt konstaterades att barnet hade blåmärken över hela kroppen och sprucken läpp. Enligt journalisten Mikael Blomkvist – vars närvaro skapade påtaglig nervositet i huset – hade pojken dunkat sitt huvud mot sängen och väggen därnere, och sprungit med nakna fötter över glassplittret i korridoren på bottenvåningen.

Gabriella Grane, som av någon anledning drog sig för att presentera sig för Blomkvist, insåg förstås direkt att August var ett vittne. Men hon fick ingen som helst kontakt, och lyckades inte heller ge någon tröst. Kramar och ömhet i vanlig bemärkelse var uppenbart inte rätt metod. Lugnast blev August när Gabriella enbart satt bredvid, lite på avstånd, och skötte sina egna angelägenheter, och bara en enda gång verkade han lystra till. Det var när Gabriella i ett samtal med Helena Kraft nämnde numret på vägen, 79. Men hon tänkte inte mycket på det då, och kort därefter fick hon tag i en upprörd Hanna Balder.

Hanna ville omedelbart ha tillbaka sin son, och förklarade, något förvånande, att Gabriella genast skulle plocka fram pussel, särskilt ett på regalskeppet Vasa som Frans rimligtvis måste ha framme någonstans. Däremot anklagade hon inte exmaken för att olovligt ha lagt beslag på pojken, och hon hade inget svar på varför hennes fästman varit här och krävt att få honom tillbaka. Men det verkade i vart fall inte vara omsorg om barnet som drivit Lasse Westman hit.

Överhuvudtaget kastade pojken en del ljus över Gabriellas gamla frågetecken. Hon förstod varför Frans Balder varit undanglidande i vissa avseenden, och varför han inte velat ha en vakthund. Under morgontimmarna såg Gabriella också till att en psykolog och en läkare skulle komma hit och föra August till modern i Vasastan, om det nu inte visade sig att han behövde mer akut vård. Sedan fick hon en helt annan tanke.

Det slog henne att motivet till mordet inte nödvändigtvis behövde vara att tysta Balder. Gärningsmännen kunde lika gärna ha velat råna honom – inte på något så banalt som pengar förstås utan på hans forskning. Vad Frans Balder hållit på med det sista året i sitt liv visste inte Gabriella. Kanske hade ingen förutom han själv känt till det. Men det var inte svårt att räkna ut ungefär vad det var: med all sannolikhet en vidareutveckling av hans AI-program som redan när det bestals första gången ansågs revolutionerande.

Kollegorna på Solifon hade gjort allt för att få insyn i det, och enligt vad Frans en gång lät undslippa sig vakade han över det som en mor över sin bebis, vilket borde betyda, tänkte Gabriella, att han också sov med det, eller åtminstone hade det intill sängen. Därför reste hon sig upp, sa åt Peter Blom att hålla ett öga på August och gick ner till sovrummet på bottenvåningen där polisteknikerna arbetade.

"Stod det en dator härinne?" sa hon.

Teknikerna skakade på huvudet och Gabriella tog fram sin telefon och ringde Helena Kraft igen.

DET KONSTATERADES tidigt att Lasse Westman hade försvunnit. I det allmänna tumultet måste han ha lämnat platsen, och det fick den tillförordnade spaningsledaren Erik Zetterlund att svära och skrika, särskilt när det visade sig att Westman inte fanns hemma på Torsgatan heller.

Erik Zetterlund övervägde till och med att skicka ut en efterlysning, vilket fick hans unga kollega Axel Andersson att fråga om Lasse Westman borde betraktas som farlig. Kanske förmådde Axel Andersson inte skilja på Westman och hans rollfigurer. Men till hans försvar kunde sägas att situationen blev alltmer rörig.

Mordet var uppenbarligen inte någon vanlig uppgörelse inom familjen, ingen fyllefest som spårat ur, inget dåd begånget i hastigt mod, utan en kylig, välplanerad attack mot en svensk toppforskare. Inget blev heller bättre av att länspolismästare Jan-Henrik Rolf hörde av sig och sa att mordet måste ses som ett allvarligt slag mot svenska industriintressen. Erik Zetterlund stod plötsligt mitt uppe i en inrikespolitisk händelse av dignitet, och även om han inte hade den skarpaste hjärnan i kåren insåg han ändå att det han gjorde nu skulle få avgörande betydelse för den kommande utredningen.

Erik Zetterlund, som fyllt fyrtioett bara två dagar tidigare, och fortfarande bar på vissa sviter från födelsedagsfesten, hade heller aldrig varit i närheten av att ansvara för en utredning på den här nivån. Att han alls fått göra det, om än bara under några timmar, berodde förstås på att det inte funnits särskilt mycket kompetent folk att tillgå under natten, och att hans överordnade valt att inte väcka herrarna på Rikskriminalens mordkommission eller någon annan av Stockholmspolisens mer erfarna mordutredare.

Erik Zetterlund befann sig mitt i röran med en växande känsla av osäkerhet, och skrek ut sina order. Framför allt försökte han få igång en effektiv dörrknackningsoperation. Han ville snabbt få in så många vittnesmål som möjligt, även om han egentligen inte hoppades särskilt mycket på det. Det var natt och mörkt och det var storm. Grannarna hade förmodligen inte sett mycket. Å andra sidan gick det aldrig att veta, och så hade han förhört Mikael Blomkvist, vad i helvete nu Blomkvist hade där att göra.

Närvaron av en av Sveriges mest kända journalister gjorde ingenting lättare, och ett litet tag fick Erik Zetterlund för sig att Blomkvist granskade honom kritiskt för att kunna skriva en avslöjande artikel. Men det var säkert inget annat än hans egna demoner. Blomkvist var uppenbart själv skakad och var under hela förhöret enbart artig och mån om att hjälpa till.

Ändå hade han inte alltför mycket att bidra med. Alltihop hade gått för snabbt, och det i sig var anmärkningsvärt, menade journalisten.

Det hade funnits något brutalt och effektivt i den misstänktes sätt att röra sig, och det var ingen överdrivet vågad gissning, menade Blomkvist, att mannen var eller hade varit militär, till och med elitsoldat. Hans sätt att vända sig om och skjuta hade sett mycket inövat ut, och trots att mannen haft en pannlampa fastspänd på en tajt svart mössa hade Blomkvist inte uppfattat något av hans anletsdrag.

Avståndet hade varit för stort, och Mikael hade kastat sig ner i samma ögonblick som gestalten vänt sig om. Förmodligen fick han vara glad att han levde. Därför kunde han bara beskriva kroppen och kläderna, och det gjorde han i och för sig mycket väl. Enligt journalisten var mannen troligen inte helt ung, kanske till och med över fyrtio. Han var vältränad och längre än genomsnittet, mellan 185 och 195 centimeter, kraftigt byggd med smal midja och breda axlar, klädd i kängor och svarta militärliknande kläder. Han bar på en ryggsäck och hade troligen en kniv fastspänd på högerbenet.

Mikael Blomkvist trodde att mannen försvunnit ner längs vattenbrynet, förbi grannvillorna, och det stämde också med Peter Bloms och Dan Flincks vittnesmål. Poliserna hade i och för sig inte hunnit se mannen alls. Men de hade hört hans steg försvinna ner längs sjön och förgäves tagit upp jakten, i alla fall påstod de det. Erik Zetterlund var inte helt säker på den saken.

Förmodligen hade Blom och Flinck fegat ur, trodde han, och bara stått där i mörkret och darrat och inte kommit sig för ett enda dugg. Det var i alla händelser i det skedet som det stora misstaget begåtts. I stället för att organisera en polisinsats och kartlägga utfarterna från området, och försöka sätta upp avspärrningar, tycktes mycket lite ha skett överhuvudtaget. Flinck och Blom hade visserligen då ännu inte förstått att ett mord ägt rum, och strax efteråt blev de fullt upptagna med en liten barfotapojke som hysteriskt rusade ut från huset, och det var säkert inte lätt att hålla huvudet kallt. Ändå fortsatte tiden att rinna iväg, och även om Mikael Blomkvist förblev återhållsam i sin skildring gick det lätt att ana att även han var kritisk. Han hade två gånger frågat poliserna om de slagit larm, och fått en nick till svar.

Senare, när Mikael uppsnappade ett samtal som Flinck förde med sambandscentralen, insåg han att den där nicken troligen ändå var ett nej, eller i bästa fall en sorts förvirrat oförstående. Larmet hade under alla omständigheter dröjt, och inte ens när det väl gått fram hade saker och ting gått korrekt till, troligen för att Flincks redogörelse varit för oklar.

Handlingsförlamningen hade fortplantat sig till andra nivåer, och Erik Zetterlund var oändligt glad att han inte kunde lastas för det. Vid den tidpunkten hade han ännu inte kopplats in i utredningen. Å andra sidan var han här nu, och han fick inte göra saken värre. Hans meritlista på sistone var inte direkt lysande, och han måste ta chansen och visa framfötterna, eller i vart fall inte göra bort sig.

Han stod på tröskeln till vardagsrummet och hade just avslutat ett samtal med Milton Security om den gestalt som tidigare under natten skymtats på övervakningsbilderna. Det var en man som inte alls stämde överens med det signalement Mikael Blomkvist gett på den förmodade mördaren utan tvärtom såg ut lite som en gammal mager pundare, men som förmodligen ändå satt inne med hög teknologisk kompetens. På Milton Security trodde man att den mannen hackat tjuvlarmet och satt alla kameror och sensorer ur spel, vilket sannerligen inte gjorde historien mindre olustig.

Det var inte bara det professionella i planeringen. Det var själva idén att genomföra ett mord, trots polisövervakning och ett avancerat tjuvlarm. Vilket självförtroende tydde inte det på? Erik var egentligen på väg ner till teknikerna på nedervåningen. Ändå blev han kvar häruppe, och stirrade, djupt besvärad, tomt ut i luften ända tills hans blick fastnade på Balders son, som visserligen var deras nyckelvittne men som tydligen inte kunde prata ett enda dugg, och som överhuvudtaget inte förstod ett ord av vad de sa, ungefär vad man kunde vänta sig i den här soppan med andra ord.

Erik såg hur pojken höll i en liten pusselbit till ett alltför stort pussel, och därefter började han gå mot den svängda trappan ner mot bottenvåningen. I nästa ögonblick stelnade han till. Han tänkte på sitt första intryck av barnet. När han precis stövlat in i huset, och inte vetat så mycket om det som hänt, hade pojken gett intryck av att vara som vilket barn som helst. Det hade inte funnits något hos honom som märkte ut honom, tyckte han, ingenting förutom den upprörda blicken och de spända axlarna. Erik skulle till och med ha kunnat beskriva honom som en ovanligt söt grabb med stora ögon och lockigt busigt hår. Först efteråt fick han veta att pojken var autistisk och svårt efterbliven. Det var alltså något han inte sett på egen hand utan fått berättat för sig, och det betydde – trodde han – att mördaren antingen kände pojken sedan tidigare eller också visste precis hur det stod till med honom. Annars skulle han väl knappast ha låtit honom leva och riskera att bli utpekad i en vittneskonfrontation, eller hur? Trots att Erik inte ens gav sig tid att tänka tanken fullt ut gjorde insikten honom upphetsad, och han tog några hastiga steg fram till pojken.

"Vi måste förhöra honom nu på en gång", sa han med en röst som ofrivilligt blev alltför hög och hetsig.

"Herregud, var lite varsam med honom", sa Mikael Blomkvist som tillfälligtvis stod strax intill.

"Lägg dig inte i", fräste han. "Han kan ha känt gärningsmannen. Vi måste få fram bildalbum och visa honom. Vi måste på något sätt…"

Pojken avbröt honom genom att drämma till sitt pussel

med en plötslig svepande rörelse, och Erik Zetterlund såg ingen annan råd än att muttra fram en ursäkt och gå ner till sina tekniker.

NÄR ERIK ZETTERLUND försvunnit ner till bottenvåningen stod Mikael Blomkvist kvar och betraktade pojken. Det kändes som om något ytterligare var på väg att hända med honom, kanske ett nytt utbrott, och det sista Mikael ville var att barnet skulle skada sig igen. Men i stället stelnade pojken till och började veva med högerhanden i en rasande fart över mattan.

Därefter slutade han tvärt och tittade vädjande upp, och även om Mikael ett kort ögonblick undrade vad det kunde betyda släppte han tanken när den längre polisen, som han lärt sig hette Peter Blom, satte sig ner med pojken och försökte få honom att lägga pusslet igen. Själv gick Mikael ut i köket för att få lite lugn och ro. Han var dödstrött och ville åka hem. Men tydligen måste han först titta på några bilder från en övervakningskamera. Han visste inte när det skulle ske. Allt drog ut på tiden och föreföll rörigt och oorganiserat, och Mikael längtade rätt desperat efter sin säng.

Han hade då redan talat med Erika två gånger och informerat henne om vad som hänt, och även om de än så länge kände till mycket lite om mordet var de båda överens om att Mikael skulle skriva ett längre stycke om det till nästa nummer. Inte bara för att dådet i sig tycktes som ett stort drama och Frans Balders liv föreföll värt att skildra. Mikael hade också en personlig ingång till storyn som skulle höja reportaget, och ge honom en fördel gentemot konkurrenterna. Bara det dramatiska samtalet i natt, som fått honom att åka hit, skulle ge hans artikel en oväntad nerv.

Ingen av dem behövde heller orda särskilt mycket om läget med Serner och krisen på tidningen. Det låg underförstått i samtalen, och Erika hade redan planerat att den ständiga vikarien Andrei Zander skulle göra förarbetet i researchen medan Mikael sov ut. Hon hade ganska bestämt – som någonting mitt emellan en ömsint mor och en auktoritativ chefredaktör – sagt att hon vägrade ha sin stjärnreporter slutkörd innan arbetet ens påbörjats.

Mikael accepterade utan problem. Andrei var ambitiös och sympatisk, och det skulle vara skönt att vakna med hela grundresearchen gjord, och gärna också med listor om vilka i Balders närhet han borde intervjua, och en liten stund, som för att få något annat att tänka på, funderade han på Andreis ständiga problem med kvinnor som Mikael blivit invigd i under några kvällssittningar på Kvarnen. Andrei var ung och intelligent och tjusig. Han borde vara ett kap för vem som helst. Men på grund av något alltför vekt och vädjande i hans karaktär blev han ständigt lämnad, och det tog honom hårt. Andrei var en oförbätterlig romantiker. Han drömde ständigt om den stora kärleken och det stora scoopet.

Mikael satte sig vid Balders köksbord och såg ut mot mörkret därute. Framför honom på bordet, intill en tändsticksask och ett exemplar av tidningen *New Scientist* och ett block med några obegripliga ekvationer, låg en vacker, lite hotfull teckning av ett övergångsställe. Intill ett trafikljus syntes en man med simmiga, kisande ögon och smala läppar. Mannen var fångad i flykten, och ändå gick det att se varje rynka i hans ansikte och vecken i täckjackan och byxorna. Han såg inte speciellt trevlig ut. Han hade en hjärtformad leverfläck på hakan.

Ändå var det trafikljuset som präglade teckningen. Det lyste med ett pregnant, oroande ljus, och var skickligt återgivet i enlighet med en sorts matematisk teknik. Det gick nästan att ana geometriska linjer där bakom. Förmodligen tecknade Frans Balder vid sidan om, och Mikael undrade lite över motivet. Det var inte särskilt traditionellt.

Å andra sidan, varför skulle en person som Balder rita solnedgångar och skepp? Ett trafikljus var säkert lika intressant som något annat. Mikael fascinerades av känslan av ögonblicksfoto. Även om Frans Balder suttit och studerat trafikljuset kunde han ju knappast ha bett mannen passera gatan om och om igen. Kanske var killen bara ett fiktivt tillägg, eller också hade Frans Balder en fotografisk blick, precis som... Mikael försjönk i tankar. Därefter grep han sin telefon och ringde för tredje gången Erika.

"Är du på väg hem nu?" frågade hon.

"Inte än, tyvärr. Jag måste titta på ett par saker först. Men jag skulle vilja att du gör mig en tjänst."

"Vad annat är jag till för?"

"Skulle du vilja gå till min dator och logga in dig. Du kan mitt lösenord, eller hur?"

"Kan allt om dig."

"Bra, bra. Gå då in på mina dokument, och ta fram en fil som heter *Lisbeths låda.*"

"Jag tror jag anar vart det här barkar."

"Verkligen? Jag vill att du skriver så här i dokumentet..."

"Vänta lite, jag måste ta fram det också. Okej, nu... vänta, det står redan en del grejer här."

"Strunt i det. Så här vill jag ha det, ovanför allt det andra, är du med?"

"Jag är med."

"Skriv: **Lisbeth, kanske vet du det redan, men Frans Balder är död, skjuten med två skott i huvudet. Kan du försöka få fram varför någon ville ha ihjäl honom?**"

"Är det allt?"

"Det är inte så lite, inte med tanke på att vi inte hörts av på länge. Hon tycker säkert att det är fräckt att jag bara frågar. Men jag tror inte det skulle skada om vi fick hennes hjälp."

"Lite olaglig hacking skulle inte skada, menar du."

"Det där hörde jag inte. Förhoppningsvis ses vi snart."

"Förhoppningsvis."

LISBETH HADE LYCKATS somna om, och vaknade igen klockan halv åtta på morgonen. Hon var inte precis i toppform. Huvudet värkte och hon mådde illa. Ändå kände hon sig bättre, och hon klädde sig hastigt, och åt en kvick frukost bestående av två mikrade köttpiroger och ett stort glas Coca-Cola. Därefter stoppade hon träningskläder i en svart väska och gick ut. Stormen hade bedarrat. Ändå låg det skräp och tidningar överallt som vinden drivit ut över staden, och hon gick ner från Mosebacke torg och vidare längs Götgatan, och förmodligen muttrade hon för sig själv.

Hon såg ilsken ut, och åtminstone två personer tog lite skrämt ett steg åt sidan. Men Lisbeth var inte arg alls, bara samlad och målmedveten. Hon hade inte minsta lust att träna. Hon ville bara hålla fast vid sina rutiner och driva gifterna ur kroppen. Därför fortsatte hon ner till Hornsgatan, och precis innan Hornsgatspuckeln vek hon in till höger, till boxningsklubben Zero som låg en trappa ner i källaren, och som just den här morgonen verkade mer förfallen än någonsin.

Stället skulle ha mått bra av en omgång målarfärg och lite allmän uppfräschning. Ingenting föreföll ha gjorts därinne sedan sjuttiotalet, vare sig med inredningen eller affischerna. Det var fortfarande Ali och Foreman på väggarna. Det såg fortfarande ut som dagen efter den legendariska matchen i Kinshasa, vilket i och för sig kunde bero på att Obinze som ansvarade för lokalen hade upplevt fighten på plats som liten kille, och efteråt sprungit runt i det förlösande monsunregnet och skrikit Ali Bomaye! Den språngmarschen var inte bara hans lyckligaste minne utan utgjorde också vad han kallade den sista punkten i "oskuldens dagar".

Inte långt därefter tvingades han fly med sin familj undan Mobutus terror, och ingenting hade blivit sig likt efter det, och kanske var det inte alls så konstigt att han ville bevara det ögonblicket i historien, eller på något sätt föra det vidare till denna gudsförgätna boxningshall på Södermalm i Stockholm. Obinze talade fortfarande ständigt om matchen. Han talade ständigt om allt möjligt i och för sig.

Han var stor och väldig och skallig och en pratmakare av Guds nåde, och en av många därinne som hade ett gott öga till Lisbeth, även om han likt många andra ansåg henne mer eller mindre galen. Periodvis tränade hon hårdare än någon därinne och gick vilt åt boxningsbollar, säckar och sparring-partner. Det fanns ett slags uråldrig, ursinnig energi hos henne som Obinze knappt stött på tidigare, och en gång innan han lärt känna henne hade han föreslagit att hon skulle börja tävlingsboxas.

Den fnysning han fick till svar gjorde att han inte frågat igen, och varför hon tränade så hårt hade han aldrig förstått, inte för att han egentligen behövde ett svar på den frågan. Träna hårt kunde man göra av ingen anledning alls. Det var bättre än att supa hårt. Det var bättre än allt möjligt, och kanske var det rentav sant som hon sagt till honom en sen kväll för något år sedan, att hon ville vara fysiskt förberedd om hon hamnade i trubbel igen.

Han visste att hon varit i trubbel förut. Det hade han googlat fram. Han hade läst vartenda ord om henne på nätet, och han fattade mycket väl att hon ville vara i form om någon ny ond skugga från hennes förflutna dök upp. Inget kunde han förstå bättre. Han hade själv fått båda sina föräldrar mördade av Mobutus torpeder.

Vad han inte begrep var varför Lisbeth med jämna mellanrum fullständigt gav tusan i träningen, och inte verkade röra sig överhuvudtaget, och envisades med att bara äta skräpmat. Den sortens tvära kast mellan ytterligheter var för honom obegriplig, och när hon steg in på gymmet den här morgonen, lika demonstrativt svartklädd och piercad som alltid, hade han inte sett henne på två veckor.

"Hallå min skönhet. Var har du varit?" sa han.

"Gjort något förfärligt olagligt."

"Kan tänka mig det. Spöat upp ett motorcykelgäng eller så."

Men på den lustigheten svarade hon inte ens. Hon bara fortsatte surt in mot omklädningsrummet, och då gjorde han något han visste att hon skulle hata. Han ställde sig framför henne och tittade henne rakt i ansiktet.

"Du är illröd i ögonen."

"Jag är bakfull som en hund. Flytta på dig!"

"Då vill jag inte se dig här, det vet du."

"Skip the crap. Jag vill att du kör skiten ur mig", fräste hon, och gick och bytte om och kom ut i sina alltför stora boxningsshorts, och sitt vita linne med den svarta dödskallen på bröstet, och då såg han ingen annan råd än att verkligen köra skiten ur henne.

Han pressade henne tills hon kräktes tre gånger i hans papperskorg, och han skällde ut henne så gott han kunde. Hon skällde ganska hyggligt tillbaka. Därefter stack hon och bytte om och lämnade lokalen utan ens ett hej, och Obinze drabbades som ofta i sådana stunder av en känsla av tomhet. Kanske var han till och med lite kär. Åtminstone var han berörd – hur det nu var möjligt att bli annat av en tjej som boxades på det viset.

Det sista han såg av henne var hennes vader som försvann uppför trappan, och han hade därför ingen aning om att världen svajade till för henne när hon kom ut på Hornsgatan. Lisbeth tog spjärn mot husväggen och andades tungt. Sedan fortsatte hon mot sin våning på Fiskargatan, och väl hemma drack hon ännu ett stort glas Coca-Cola samt en halv liter juice. Efteråt kraschade hon i sängen och tittade upp i taket en tio, femton minuter, och tänkte på både det ena och det andra, på singulariteter och händelsehorisonter och på vissa speciella aspekter av Schrödingerekvationen och på Ed the Ned och på allt möjligt.

Först då världen återfått sina gamla färger reste hon sig upp igen, och gick fram till sin dator. Hur ogärna hon än ville drevs hon ständigt dit med en kraft som inte avtagit sedan barndomen. Den här förmiddagen var hon dock inte hågad för några svårare snedsprång. Hon hackade sig bara in i Mikael Blomkvists dator, och i nästa ögonblick frös hon till. Hon till och med vägrade att förstå. Nyss hade de skämtat om Balder. Nu skrev Mikael att Balder var mördad, skjuten med två skott i huvudet.

"Helvete", muttrade hon, och kollade kvällstidningarna på nätet.

De hade inget om det än, inte uttryckligen. Men det krävdes inte mycket för att förstå att det var Balder som dolde sig bakom uppgifterna om en "svensk akademiker, skjuten i sitt hem i Saltsjöbaden". Polisen var uppenbart förtegen tills vidare, och journalisterna hade hittills inte varit några särskilt skickliga blodhundar, förmodligen för att de ännu inte förstått digniteten i storyn, eller lagt ner någon kraft på den. Det fanns tydligen viktigare händelser från natten: stormen och strömavbrotten över hela landet, och de sinnessjuka förseningarna i tågtrafiken, och en och annan kändisnyhet som Lisbeth inte ens orkade försöka begripa.

Om mordet stod bara att det skett runt klockan tre på morgonen, och att polisen sökte efter vittnesmål i grannskapet, iakttagelser av allt som skilde ut sig. Ännu hade polisen ingen misstänkt, men tydligen hade vittnen noterat okända och suspekta personer på tomten. Polisen ville ha mer information om dem. I slutet av artiklarna stod att det senare under dagen skulle hållas en presskonferens under ledning av kriminalkommissarie Jan Bublanski. Lisbeth log lite vemodigt åt det. Hon hade haft en del med Bublanski att göra – eller Bubbla som han ibland kallades – och hon tänkte att så länge de inte placerar några puckon i hans arbetsgrupp borde utredningen kunna skötas hyggligt effektivt.

Därefter läste hon Mikael Blomkvists meddelande en gång till. Mikael ville ha hjälp, och utan att ens tänka över det skrev hon "okej". Inte bara för att han bad henne om det. Det var en personlig sak för henne. Sorg låg inte för henne, inte på traditionellt vis. Ilska däremot, en kylig tickande vrede, och även om hon hade en viss respekt för Jan Bublanski litade hon inte i onödan på ordningsmakten.

Hon var van vid att ta saken i egna händer, och hon hade alla möjliga skäl till att ta reda på varför Frans Balder mördats. För det var givetvis ingen slump att hon sökt upp honom och engagerat sig i hans situation. Sannolikt var hans fiender också hennes.

Det hela hade inletts med den gamla frågan om hennes far i någon mening levde vidare. Alexander Zalachenko, Zala, hade inte bara dödat hennes mor och förstört hennes barndom. Han hade också drivit ett kriminellt nätverk och sålt droger och vapen och levt på att utnyttja och förnedra kvinnor, och enligt hennes övertygelse försvinner inte en sådan ondska. Den övergår bara i andra livsformer, och ända sedan den där dagen för drygt ett år sedan när hon vaknat i gryningen på hotell Schloss Elmau i de bayerska alperna bedrev Lisbeth en egen undersökning om vad som hänt med arvet.

De gamla kumpanerna visade sig emellertid mest ha blivit losers, depraverade banditer, äckliga hallickar eller smågangsters. Ingen av dem var någon skurk i hennes fars dignitet, och länge förblev Lisbeth övertygad om att organisationen sjangserat och förfallit efter Zalachenkos död. Ändå gav hon sig inte, och till sist stötte hon på något som pekade i en helt oväntad riktning. Det var spåren efter en av Zalas unga adepter, en viss Sigfrid Gruber, som lett henne dit.

Gruber var redan medan Zala levde en av de intelligentare i nätverket, och till skillnad från de andra kumpanerna hade han skaffat sig universitetsexamina i både datavetenskap och företagsekonomi och det hade uppenbarligen fört in honom i mer exklusiva kretsar. I dag förekom han i ett par utredningar om grov brottslighet mot högteknologiska företag: stölder av ny teknik, utpressning, insideraffärer, hackerattacker.

Normalt skulle Lisbeth inte ha följt spåret längre än så. Inte bara för att saken inte, bortsett från Grubers inblandning, tycktes ha med faderns gamla verksamhet att göra. Inget kunde heller bekymra henne mindre än att ett par rika företagskoncerner blivit av med några av sina innovationer. Men sedan hade allt förändrats.

I en sekretessbelagd rapport hon kommit över från GCHQ, Government Communications Headquarters i Cheltenham, hade hon stött på några kodord som var associerade till det här gänget som Gruber nu tycktes tillhöra, och de orden hade fått henne att haja till, och efteråt kunde hon inte släppa historien. Hon tog reda på allt hon kunde om gruppen, och till slut, på något så okvalificerat som en halvöppen hackersajt, stötte hon på ett återkommande rykte om att organisationen stulit Frans Balders AI-teknik och sålt den till det rysk-amerikanska spelföretaget Truegames.

Det var på grund av de uppgifterna hon dykt upp på professorns föreläsning på Kungliga Tekniska Högskolan och tjafsat med honom om singulariteterna längst in i de svarta hålen, åtminstone var det en del av anledningen.

DEL 2
MINNETS LABYRINTER

21–23 NOVEMBER

Eidetik, studiet av personer med eidetiskt,
eller så kallat fotografiskt minne.

Forskning visar att människor med eidetiskt minne har
lättare för att bli nervösa och stressade än andra.

Flertalet, men inte alla, personer med eidetiskt minne
är autistiska. Det finns också samband mellan fotografiskt
minne och synestesi – det tillstånd när två eller flera sinnen är
sammankopplade, till exempel då siffror ses i färger, och
varje talserie bildar en tavla i tankarna.

KAPITEL 12
DEN 21 NOVEMBER

JAN BUBLANSKI HADE sett fram mot en ledig dag och ett långt samtal med rabbi Goldman i Söderförsamlingen om vissa frågor som plågat honom på sistone rörande Guds existens.

Det var väl inte precis så att han höll på att bli ateist. Men själva gudsbegreppet hade blivit honom alltmer problematiskt, och han ville tala om det, och känslorna av meningslöshet som drabbat honom den senaste tiden, och kanske också om sina drömmar om att säga upp sig.

Jan Bublanski betraktade visserligen sig själv som en god mordutredare. Hans uppklarningsprocent var på det hela taget enastående, och då och då blev han ännu stimulerad av sitt jobb. Men han var inte säker på att han ville fortsätta att utreda mord. Kanske borde han skola om sig medan det ännu fanns tid. Han drömde om att undervisa, och få unga människor att växa och tro på sig själva, kanske just för att han själv ofta sjönk ner i det djupaste självtvivel. Men han visste inte vilket ämne det skulle vara i så fall. Jan Bublanski hade aldrig skaffat sig ett specialområde förutom det som blivit hans lott i livet: ond bråd död, och mänskliga morbida perversioner, och det var definitivt inget han ville undervisa i.

Klockan var tio över åtta på morgonen, och han stod framför spegeln i badrummet och provade sin kippa som nog dessvärre hade alltför många år på nacken. En gång i tiden hade den haft en fin klarblå färg som ansågs lite extravagant. Nu såg den mest blek och sliten ut, som en liten symbolisk bild av hans egen utveckling, tyckte han, för ingen kunde påstå att han i övrigt var nöjd med sitt utseende.

Han kände sig plufsig och sliten och skallig, och förstrött tog han upp Singers roman *Trollkarlen från Lublin* som han älskat så passionerat att han sedan flera år låtit den ligga intill toalettstolen om han skulle få lust att läsa under tillfällen då magen krånglade. Men nu hann han inte många rader. Telefonen ringde, och ingenting blev bättre när han förstod att det var chefsåklagare Richard Ekström. Ett samtal från Ekström betydde inte bara arbete, utan sannolikt också arbete som var politiskt och medialt gångbart. Annars skulle Ekström ha slingrat sig ur som en orm.

"Hej Richard, så trevligt", ljög Bublanski. "Men jag är tyvärr upptagen."

"Va... nej, nej, inte för det här, Jan. Det här kan du inte missa. Jag hörde att du var ledig i dag."

"Visserligen, men jag är på väg till..." Han ville inte säga synagogan. Hans judiskhet var inte vidare populär i kåren. "...doktorn", fyllde han i.

"Är du sjuk?"

"Inte egentligen."

"Vad menas med det? Nästan sjuk?"

"Något sådant."

"Men då är det väl inga problem. Nästan sjuka är vi ju allihop, eller hur? Det här är en viktig sak, Jan. Näringsminister Lisa Green har till och med hört av sig, och hon är helt införstådd med att du tar hand om utredningen."

"Har ytterst svårt att tro att Lisa Green vet vem jag är."

"Nåja, kanske inte precis vid namn, och egentligen får hon ju inte lägga sig i heller. Men vi är alla överens om att vi behöver en toppkraft."

"Smicker funkar inte på mig längre, Richard. Vad gäller saken?" sa han och ångrade sig på en gång.

Att bara fråga var ett halvt ja, och det märktes att Richard Ekström genast tog det som en liten seger.

"Professor Frans Balder mördades i natt i sitt hem i Saltsjöbaden."

"Och vem är det?"

"En av våra mest kända forskare internationellt sett. Han är ett världsledande namn inom AI-teknik."

"Inom vad?"

"Han arbetade med neurala nätverk och digitala kvantprocesser och den sortens saker."

"Förstår fortfarande ingenting."

"Han försökte med andra ord få datorer att tänka, ja, helt enkelt att efterlikna den mänskliga hjärnan."

Efterlikna den mänskliga hjärnan? Jan Bublanski undrade vad rabbi Goldman skulle tycka om saken.

"Man tror att han tidigare varit utsatt för industrispionage", fortsatte Richard Ekström. "Det är därför mordet engagerar Näringsdepartementet. Du vet säkert hur högtidligt Lisa Green talat om att skydda svensk forskning och innovationsteknik."

"Jo, kanske."

"Det fanns tydligen också en hotbild. Balder hade polisbevakning."

"Du menar att han mördades trots det."

"Det kanske inte var den bästa bevakningen på jorden, det var Flinck och Blom från ordningen."

"Casanovas?"

"Ja, och de hade kastats in i natt mitt under stormen och den allmänna oredan. Men till deras försvar kan sägas att de inte hade det lätt. Det var stökigt. Frans Balder sköts i huvudet medan killarna tvingades hantera ett fyllo som dykt upp från ingenstans vid porten. Ja, du kan tänka dig, mördaren tog chansen i denna lilla lucka av ouppmärksamhet."

"Låter inte bra."

"Nej, det känns väldigt professionellt, och till råga på allt verkar de ha hackat tjuvlarmet."

"Så de var flera?"

"Vi tror det. Dessutom…"

"Ja?"

"Finns en del prekära detaljer."

"Som medierna kommer att gilla?"

"Som medierna kommer att älska", fortsatte Ekström. "Den där fyllbulten som dök upp till exempel är ingen mindre än Lasse Westman."

"Skådisen?"

"Just han. Och det är ytterst besvärande."

"För att det hamnar på löpsedlarna?"

"Dels det förstås, men också för att vi riskerar att få en massa slipprig skilsmässoproblematik på halsen. Lasse Westman påstod att han var där för att hämta hem sin åttaåriga styvson som Frans Balder hade hos sig, en pojke som… Vänta lite nu… jag måste se till att jag får det här rätt… som Balder visserligen är biologisk far till, men som han enligt en vårdnadsdom inte är kapabel att ta hand om."

"Varför skulle inte en professor som kan få datorer att efterlikna människor vara kapabel att ta hand om sitt eget barn?"

"Därför att han tidigare brustit grovt i ansvar och arbetat i stället för att se till sin son, och på det hela taget varit en fullkomligt hopplös far, om jag fattat det rätt. I alla händelser är det en känslig historia. Den här lilla pojken som alltså inte borde ha varit hos Balder blev sannolikt vittne till mordet."

"Jösses! Och vad säger han?"

"Ingenting."

"Är han för chockad?"

"Säkert, men han säger aldrig någonting överhuvudtaget. Han är stum och svårt efterbliven. Så han kommer inte att bli till någon nytta för oss."

"Så det lär bli ett spaningsmord."

"Om det nu inte fanns en anledning till att Lasse Westman dök upp precis när mördaren tog sig in på nedervåningen och sköt Balder. Det är nog rätt viktigt att ni snabbt tar in Westman på förhör."

"Om jag nu åtar mig utredningen."

"Det kommer du att göra."

"Är det så säkert?"

"Du har inget val, skulle jag säga. Dessutom har jag sparat det bästa till sist."

"Och vad är det?"

"Mikael Blomkvist."

"Vad är det med honom?"

"Av någon anledning befann han sig på platsen. Jag tror att Frans Balder hade sökt honom för att avslöja något."

"Mitt i natten?"

"Tydligen."

"Och sedan sköts han?"

"Precis innan Blomkvist knackade på – journalisten verkar till och med ha fått en skymt av mördaren."

Jan Bublanski skrattade till. Det var fel reaktion på alla tänkbara sätt, och egentligen kunde han inte förklara det ens för sig själv. Kanske var det en nervös reaktion, eller möjligtvis en känsla av att livet upprepade sig.

"Förlåt?" sa Richard Ekström.

"Lite hostig bara. Så nu är ni rädda att ni ska få en privatspanare på halsen, som kommer att ställa er alla i dålig dager."

"Hm, ja, kanske. I alla händelser förutsätter vi att *Millennium* redan är igång med storyn, och faktum är att jag just nu försöker hitta ett lagrum för att stoppa dem, eller åtminstone se till att de får restriktioner. Det är inte omöjligt att det här kan betraktas som något som rör rikets säkerhet."

"Så vi har Säpo på halsen också?"

"Ingen kommentar", svarade Ekström.

Far åt helvete, tänkte Bublanski.

"Är det Ragnar Olofsson och de andra på Industriskydd som arbetar med saken?" frågade han.

"Inga kommentarer som sagt. När kan du sätta igång?"

Far åt helvete en gång till, tänkte Bublanski.

"Jag sätter igång på ett par villkor", sa han sedan. "Jag vill ha mitt vanliga gäng, Sonja Modig, Curt Svensson, Jerker Holm-berg och Amanda Flod."

"Visst, okej, men du får Hans Faste också."

"Aldrig i livet! Över min döda kropp!"

"Sorry, Jan, det är inte förhandlingsbart. Du får vara glad att du får välja alla de andra."

"Du är hopplös, vet du det?"

"Jag har hört det sägas."

"Så Faste ska bli vår lilla Säpoinfiltratör?"

"Verkligen inte, men jag tror att alla arbetsgrupper mår bra av att ha någon som tänker på tvärs."

"Så när vi andra har skakat av oss alla fördomar och förut-fattade meningar ska vi ha någon som drar oss tillbaka igen?"

"Larva dig inte."

"Hasse Faste är en idiot."

"Nej, Jan, det är han verkligen inte. Han är snarare…"

"Vadå?"

"Konservativ. Han är en person som inte låter sig fångas av de senaste feministiska strömningarna."

"Inte av den första strömningen heller. Han har möjligtvis precis accepterat det där med kvinnlig rösträtt."

"Nu får du faktiskt skärpa dig, Jan. Hasse Faste är en ytterst pålitlig och lojal utredare, jag vill inte ha någon mer diskussion om det. Hade du fler krav?"

Att du drar något gammalt över dig, tänkte Bublanski.

"Jag vill klara av mitt läkarbesök, och under tiden vill jag att Sonja Modig leder utredningen", sa han.

"Är det verkligen så klokt?"

"Det är förbaskat klokt", fräste han.

"Okej, okej, jag ser till att Erik Zetterlund gör en överlämning till henne", svarade Richard Ekström, och grimaserade lite för sig själv.

Richard Ekström var inte alls så säker på att han själv borde ha tackat ja till den här utredningen.

ALONA CASALES ARBETADE sällan nätter. Hon hade sluppit undan i flera år, och med viss rätt skyllt på sin reumatism som under perioder tvingade henne att ta starka kortisontabletter som inte bara gav hennes ansikte ett månformat intryck. Blodtrycket sköt i höjden, och hon behövde sin sömn och sina rutiner. Ändå var hon här nu. Klockan var tio över tre på natten. Hon hade kört från sitt hem i Laurel, Maryland, längs 175 East i ett lätt regn och passerat skylten "NSA, nästa höger, enbart anställda".

Hon hade åkt förbi spärrarna och elstängslet mot den svarta kublika huvudbyggnaden i Fort Meade, och parkerat på den stora spretiga parkeringsplatsen, precis till höger om den ljusblå golfbollsaktiga radomen med sina myllrande parabolantenner, och tagit sig igenom säkerhetsspärrarna upp till sin arbetsplats på tolfte våningen. Det pågick inte precis någon större aktivitet däruppe.

Ändå förvånades hon över hettan i atmosfären, och det dröjde inte länge förrän hon begrep att det var Ed the Ned och hans unga hackerkillar som stod för känslan av förtätat allvar som låg över kontorslandskapet, och även om hon kände Ed mycket väl brydde hon sig inte om att hälsa.

Ed såg helt besatt ut, och stod för tillfället upp och skällde ut en ung man vars ansikte strålade med ett isande blekaktigt sken, överhuvudtaget en märklig grabb, tyckte Alona, precis som alla de där unga hackersnillena Ed knutit till sig. Grabben var mager och anemisk och med en frisyr från helvetet. Dessutom var han egendomligt kutryggig och hade någon sorts spasm i axlarna. Han skakade till med jämna mellanrum, och möjligen var han rädd på allvar, och inte blev det bättre av att Ed sparkade till ett stolsben. Killen verkade förvänta sig en örfil, en hurring. Men då hände något oväntat.

Ed lugnade ner sig och rufsade grabben i håret som en kärleksfull far, och det var inte likt honom. Ed var inte mycket för ömhet och tjafs. Han var en cowboy som aldrig skulle göra något så suspekt som att krama en karl. Men kanske var han så desperat att han till och med prövade lite allmän mänsklighet. Ed hade knäppt upp sina byxor. Han hade spillt kaffe eller Coca-Cola på skjortan, och hans ansikte hade en osund rödsprängd färg, och hans röst var hes och grov som om han skrikit för mycket, och Alona tänkte att ingen i hans ålder och med den övervikten borde få slita ut sig så.

Trots att det bara gått ett halvt dygn såg det ut som om Ed och hans pojkar bott här i en vecka. Överallt låg kaffemuggar och snabbmatsrester och avlagda kepsar och collegetröjor, och från deras kroppar steg en sur stank av svett och anspänning. Gänget höll helt klart på att vända upp och ner på hela världen för att spåra hackern, och till slut ropade hon till dem med en tillgjord hurtighet.

"Kör hårt killar!"

"Om du bara anar!"

"Bra, bra. Sätt dit den jäveln bara!"

Hon menade det inte helt. I hemlighet tyckte hon att intrånget var lite roligt. Många hos dem verkade tro att de kunde göra precis vad de ville, som om de satt på ett carte blanche, och kanske var det rentav hälsosamt att inse att andra sidan kunde slå tillbaka. "Den som bevakar folket blir till sist också bevakad av folket", skulle hackern ha skrivit, och det var rätt kul, tyckte hon, även om det förstås inte var sant.

Här i Puzzle Palace fanns det totala övertaget, och deras otillräcklighet visade sig bara när de försökte förstå något verkligt allvarligt, som hon gjorde nu. Det var Catrin Hopkins som ringt och väckt henne och sagt att den svenske professorn blivit mördad i sitt hem utanför Stockholm, och även om det inte i sig var någon stor sak för NSA – inte än åtminstone – betydde det något för Alona.

Mordet visade att hon tolkat signalerna rätt, och nu måste hon se om hon kunde komma framåt ytterligare ett steg, och därför loggade hon in på sin dator och tog fram sin översiktsbild av organisationen där den undflyende och mystiska Thanos stod överst, men där det också fanns handfasta namn som Ivan Gribanov, ledamoten i ryska duman, och tysken Gruber, en högutbildad, före detta skurk i en stor traffickinghärva.

Egentligen förstod hon inte varför ärendet var så lågt prioriterat hos dem och varför hennes chefer hela tiden hänvisade till andra, mer regelrätta brottsbekämpande myndigheter. För henne kändes det inte alls osannolikt att nätverket kunde ha statligt skydd, eller förbindelser med den ryska underrättelsen, och att det hela gick att betrakta som en del i handelskriget mellan Öst och Väst. Även om underlaget var litet och bevisen knappast entydiga fanns det ändå tydliga indikationer på att västerländsk teknik stals och hamnade i ryska händer.

Men det var sant att härvan var svåröverskådlig, och det var inte alltid lätt att ens veta om ett brott begåtts eller om en liknande teknik av en ren slump hade utvecklats på annat håll. Stöld inom näringslivet var numera också ett högst flytande begrepp. Det stals och lånades hela tiden, ibland som en del av det kreativa utbytet, och ibland för att övergreppen gavs juridisk legitimitet.

Stora företag skrämde regelmässigt skiten ur mindre bolag med hjälp av hotfulla advokater, och ingen såg något konstigt i att enskilda innovatörer var mer eller mindre rättslösa. Dessutom betraktades industrispionage och hackerattacker ofta inte som något annat än lite vanlig omvärldsanalys, och ingen påstod heller att de här i Puzzle Palace bidrog till någon moralisk uppryckning på området.

Å andra sidan… Mord gick inte lika lätt att relativisera, och Alona beslöt närmast högtidligt att vända på varenda pusselbit för att försöka slå hål på organisationen. Hon kom inte långt. Hon hann egentligen bara sträcka på armarna och massera sin nacke när hon hörde stånkande steg bakom sig.

Det var Ed och han såg inte klok ut, helt sned och vind. Ryggen måste ha pajat ihop på honom också. Hennes egen nacke kändes bättre bara hon tittade på honom.

"Ed, vad förskaffar mig den äran?"

"Undrar om vi inte fått ett gemensamt problem."

"Slå dig ner, gamle man. Du behöver sitta."

"Eller dras i sträckbänk. Du vet, från mitt begränsade perspektiv…"

"Ta inte ner dig själv nu, Ed."

"Jag tar inte ner mig själv ett skit. Men som du vet bryr jag mig inte om vem som är hög eller låg, eller vem som tycker dittan eller dattan. Jag fokuserar på mitt. Jag skyddar våra system, och det enda som riktigt imponerar på mig är yrkesskicklighet."

"Du skulle rekrytera djävulen själv om han bara var en begåvad IT-tekniker."

"I alla fall känner jag respekt för vilken fiende som helst om han bara är tillräckligt skicklig. Kan du fatta det?"

"Det kan jag."

"Jag börjar tänka att vi är lika, han och jag, bara av en ren tillfällighet på olika sidor. Som du säkert hört tog sig en RAT, ett spionprogram, igenom vår server och vidare in på intranätet, och det programmet, Alona…"

"Ja?"

"Är som ren musik. Så kompakt och elegant skrivet."

"Du har mött en värdig fiende."

"Utan tvivel, och det är likadant för mina killar där borta. De spelar upprörda och patriotiska eller vad fan de nu spelar. Men egentligen vill de inget hellre än att träffa den här hackern och tuppa sig med honom, och ett tag försökte jag också tänka: Okej, fine, kom över det! Skadan är kanske inte så stor ändå. Det är bara ett enskilt hackergeni som vill visa sig på styva linan, och kanske kommer det något gott ur det. Vi har ju redan lärt oss massor om vår sårbarhet genom att jaga den här figuren. Men sedan…"

"Ja?"

"Sedan började jag undra om jag inte blev lurad också där – om inte hela uppvisningen med min mejlserver bara var en dimridå, en fasad för att dölja något helt annat."

"Som vadå?"

"Som att ta reda på vissa saker."

"Nu blir jag nyfiken."

"Det borde du bli. Vi har fått fram exakt vad hackern sökt på och allt handlar i stort sett om samma sak, nämligen det nätverk du hållit på med, Alona. Kallar de sig inte Spiders?"

"*The Spider Society* till och med. Men det är nog mest på skoj."

"Hackern var ute efter information om det gänget och deras samarbete med Solifon, och då tänkte jag att han kanske själv tillhörde nätverket, att han ville ta reda på vad vi visste om dem."

"Det låter väl inte orimligt. Hackerkompetens har de ju uppenbarligen."

"Men sedan började jag tvivla igen."

"Varför då?"

"Därför att det ser ut som om hackern också ville visa oss något. Du vet, han lyckades skaffa sig superanvändarstatus och kunde därför läsa dokument som kanske inte ens du tagit del av, handlingar med kvalificerad sekretess, även om den fil han faktiskt kopierade och laddade hem är så svårt krypterad att varken han eller vi ens har en chans att läsa den om inte den jäveln som skrev den ger oss de privata nycklarna, men ändå…"

"Vadå?"

"Så avslöjade hackern genom vårt eget system att även vi samarbetar med Solifon på samma sätt som Spiders. Visste du det?"

"Nej, helvete, nej."

"Anade det. Men det verkar inte bättre än att också vi har folk i Eckerwalds grupp. De tjänster som Solifon gör Spiders, gör man också oss. Företaget utgör en del av vårt industrispionage, och det är säkert därför ditt ärende varit så lågt prioriterat. Man är rädd att din utredning ska stänka skit också på oss."

"Förbannade idioter."

"Får nog hålla med dig där, och det är väl inte osannolikt att du kommer att bli bortkopplad från jobbet helt och hållet nu."

"Då blir jag galen."

"Lugn, lugn, det finns en annan utväg, och det är också därför jag släpat min arma kropp hela vägen till ditt skrivbord. Du kan börja jobba för mig i stället."

"Hur menar du då?"

"Den här fördömda hackern vet saker om Spiders, och lyckas vi knäcka hans identitet lär vi båda två få ett genombrott, och då kan du få en chans att säga vilka sanningar som helst."

"Jag förstår vart du vill komma."

"Så det är ett ja?"

"Ett nja", sa hon. "Jag tänker fortsätta koncentrera mig på att ta reda på vem som sköt Frans Balder."

"Men du informerar till mig?"

"Okej."

"Bra."

"Men du", fortsatte hon, "om hackern nu är så skicklig, har han då inte haft vett att sopa igen spåren efter sig?"

"På den punkten kan du vara lugn. Det spelar ingen roll hur slug han varit. Vi tänker hitta honom i alla fall, och flå honom levande."

"Vad hände med all din respekt för motståndaren?"

"Den finns kvar, vännen. Men vi krossar honom likafullt och burar in honom på livstid. Ingen jävel gör intrång i mitt system."

KAPITEL 13

DEN 21 NOVEMBER

MIKAEL BLOMKVIST FICK inte sova särskilt mycket nu heller. Händelserna från natten jagade honom, och klockan kvart över elva på förmiddagen satte han sig upp i sängen och gav upp.

Han gick ut i köket och bredde två mackor med cheddarost och prosciutto och hällde upp en tallrik yoghurt och müsli. Men han åt inget vidare för det. Han satsade på kaffe i stället och på vatten och huvudvärkstabletter. Han drack fem, sex glas Ramlösa och tog två Alvedon, och plockade fram ett vaxdukshäfte och försökte sammanfatta det som hänt. Han kom inte särskilt långt. Helvetet bröt ut. Telefonerna började ringa och det tog inte lång tid för honom att fatta vad som hänt.

Nyheten hade exploderat, och nyheten var att "stjärnjournalisten Mikael Blomkvist och skådespelaren Lasse Westman" befunnit sig mitt i ett "mystiskt" morddrama, mystiskt just för att ingen verkade kunna räkna ut varför Westman och Blomkvist av alla människor, tillsammans eller var för sig, varit på plats då en svensk professor hade skjutits med två skott i huvudet. Det fanns något insinuant i frågorna, och säkert var det därför Mikael ganska öppet berättade att han åkt dit, trots den sena timmen, för att han trodde att Balder hade något angeläget att berätta.

"Jag var där för att utöva mitt yrke", sa han.

Det var onödigt mycket av försvarstal. Men han kände sig anklagad och han ville förklara, även om det kunde trigga fler reportrar att gräva i samma story. I övrigt sa han "inga kommentarer", och det var inte en idealisk replik det heller. Men orden hade åtminstone det goda med sig att de var raka och tydliga, och därefter stängde han av mobilen och klädde sig återigen i sin gamla vinterpäls och gav sig ut på stan i riktning mot Götgatan.

Aktiviteten på redaktionen påminde honom om gamla dagar. Överallt, i varenda vrå, satt kollegorna och arbetade koncentrerat. Erika hade säkert hållit ett och annat brandtal, och säkert kände alla stundens allvar. Det var inte bara tio dagar till deadline. Över dem svävade hotet från Levin och Serner, och hela gänget verkade inställda på att fightas. Ändå flög förstås alla upp när de fick se honom, och ville höra om Balder och natten och hans reaktion på norrmännens utspel. Men han tänkte inte vara sämre själv.

"Senare, senare", sa han bara, och gick fram till Andrei Zander.

Andrei Zander var tjugosex år gammal, och redaktionens yngsta medarbetare. Han hade gjort sin praktiktjänst på tidningen, och bitit sig fast, ibland som nu på vikariat och ibland som frilansare. Det smärtade Mikael att de inte kunnat ge honom en fast tjänst, framför allt sedan de anställt Emil Grandén och Sofie Melker. Egentligen hade han nog hellre knutit till sig Andrei. Men Andrei var inget namn än, och fortfarande skrev han kanske inte tillräckligt bra.

Dessutom var han en fantastisk lagspelare, och det var bra för tidningen, men inte nödvändigtvis bra för honom själv. Inte i den här krassa branschen. Killen var inte fåfäng nog, trots att han hade all anledning. Han såg ut som en ung Antonio Banderas, och fattade snabbare än de flesta. Men han gjorde inte vad som helst för att slå sig fram. Han ville bara vara med och göra god journalistik och han älskade *Millen-*

nium, och Mikael kände plötsligt att han älskade dem som älskade *Millennium.* En vacker dag skulle han göra något storslaget för Andrei Zander.

"Tjena Andrei", sa han. "Hur är läget?"

"Jodå. Busy."

"Jag hade inte väntat mig annat. Vad har du fått fram?"

"En hel del. Det ligger på ditt bord, och så har jag skrivit en sammanfattning. Men får jag komma med ett råd?"

"Ett gott råd är precis vad jag skulle behöva."

"Stick då härifrån på en gång till Zinkens väg och träffa Farah Sharif."

"Vem?"

"En riktigt snygg professor i datavetenskap som bor där och tagit hela dagen ledigt."

"Du menar att det jag verkligen skulle behöva just nu är en riktigt tjusig, intelligent kvinna."

"Inte precis. Men professor Sharif ringde nyss, och hade förstått att Frans Balder ville berätta något för dig. Hon tror sig veta vad det kan ha handlat om, och hon ville gärna prata med dig. Kanske rentav för att fullfölja hans egen vilja. Jag tycker det låter som en idealisk start."

"Har du kollat upp henne i övrigt?"

"Självklart, och givetvis kan vi inte utesluta att hon har en egen agenda. Men hon stod nära Balder. De pluggade ihop och har skrivit ett par vetenskapliga artiklar tillsammans. Det finns ett par, tre vimmelbilder på dem också. Hon är ett tungt namn i sin bransch."

"Okej, jag sticker. Meddelar du att jag är på väg?"

"Det gör jag", sa Andrei och gav Mikael den exakta adressen, och så blev det precis som dagen innan.

Mikael lämnade redaktionen innan han knappt kommit, och medan han försvann ner mot Hornsgatan läste han researchmaterialet gående. Ett par, tre gånger stötte han in i folk. Men så koncentrerad var han att han knappt bad om ursäkt, och därför förvånade det honom att han inte gick raka vägen till Farah Sharif. Han stannade till på Mellqvist kaffebar, och drack på stående fot två dubbla espresso. Inte enbart för att driva tröttheten ur kroppen.

Han trodde också att en koffeinchock kunde hjälpa mot huvudvärken. Men efteråt undrade han om det var rätt medicin. När han lämnade kaféet var han i sämre skick än när han stigit in, men det berodde i och för sig inte på espresson. Det var alla puckon som läst om nattens drama och slängde ur sig idiotiska repliker. Det sägs att unga människor inget hellre vill än att bli kända. Han borde förklara för dem att det inte är något att stå efter. Du blir bara galen på det, särskilt när du inte sovit, och sett saker ingen människa borde se.

Mikael Blomkvist fortsatte uppför Hornsgatan förbi McDonald's och Coop, sneddade över till Ringvägen, och kastade då en blick åt höger, och stelnade till, precis som om han sett något viktigt. Men vad fanns det för viktigt här? Ingenting! Det var en hopplöst olycksdrabbad korsning med för mycket avgaser, inget annat. Sedan förstod han.

Det var trafikljuset, just det trafikljus Frans Balder ritat av med sin matematiska skärpa, och då undrade Mikael för andra gången över motivet. Inte ens som övergångsställe betraktat var det särskilt märkvärdigt utan slitet och anspråkslöst. Kanske var det å andra sidan själva poängen.

Det var inte motivet. Det var det man såg i det. Konstverket finns i betraktarens öga, och för övrigt hade det inget med saken att göra. Inte mer än att det berättade att Frans Balder varit här, och kanske suttit på en stol någonstans och studerat trafikljuset. Mikael gick vidare förbi Zinkensdamms idrottsplats och tog till höger ner på Zinkens väg.

KRIMINALINSPEKTÖR Sonja Modig hade arbetat intensivt under morgontimmarna. Nu satt hon i sitt arbetsrum och tittade ett ögonblick på ett inramat fotografi på skrivbordet. Bilden förestställde hennes sexåriga son Axel som jublade efter ett mål på fotbollsplanen. Sonja var ensamstående med pojken och hade ett litet helsicke att få livet att gå ihop. Hon räknade kallt med att få ett helsicke den närmaste tiden också. Det knackade på dörren. Det var Bublanski till sist, och då skulle hon lämna över ansvaret för utredningen. Inte för att Bubbla såg ut att vilja ansvara för något.

Han var ovanligt välklädd i kavaj och slips och i en nystruken blå skjorta. Håret var kammat över flinten. Blicken var drömsk och bortvänd. Han verkade tänka på allt annat än mordutredningar.

"Vad sa doktorn?" undrade hon.

"Doktorn sa att det viktiga inte är att vi tror på Gud. Gud är inte småaktig. Det viktiga är att vi förstår att livet är allvarligt och rikt. Vi ska både uppskatta det, och försöka att göra världen bättre. Den som finner balansen däremellan står Gud nära."

"Så du var egentligen hos din rabbin?"

"Sant."

"Okej Jan, jag vet inte vad jag kan göra åt det där med att uppskatta livet. Inte mer än att jag kan bjuda på en bit schweizisk apelsinchoklad som jag råkar ha i skrivbordslådan. Men om vi griper killen som sköt Frans Balder gör vi definitivt världen lite bättre."

"Schweizisk apelsinchoklad och ett uppklarat mord tycker jag låter som en god början."

Sonja tog fram chokladen, bröt en bit och gav den till Bublanski som tuggade under viss andakt.

"Utsökt", sa han.

"Eller hur?"

"Tänk om livet kunde vara så där ibland", sa han, och pekade på bilden av den jublande Axel på skrivbordet.

"Hur menar du?"

"Om lyckan gav sig till känna med samma kraft som smärtan", fortsatte han.

"Ja tänk."

"Hur är det med Balders son?" sa han. "August hette han väl?"

"Svårt att säga", sa hon. "Han är hos sin mor nu. En psykolog har undersökt honom."

"Och vad har vi att jobba med?"

"Inte mycket än, tyvärr. Vi har fått fram vapentypen. En Remington 1911 R1 Carry, förmodligen rätt nyinköpt. Vi kollar upp det vidare, men jag känner mig ganska säker på att vi inte kommer att kunna spåra det. Vi har bilderna från övervakningskamerorna som vi analyserar. Men hur vi än vänder och vrider på dem ser vi inte mannens ansikte, och vi hittar inga särskilda kännetecken heller, inga födelsemärken, ingenting, bara en armbandsklocka som anas på en sekvens och som ser dyr ut. Killens kläder är svarta. Hans keps är grå utan text. Jerker säger att han rör sig som en gammal knarkare. På en bild håller han en liten svart låda, förmodligen någon form av dator eller GSM-station. Troligen hackade han larmsystemet med den."

"Jag hörde det. Hur hackar man ett larm?"

"Jerker har tittat på det också, och det är inte lätt, särskilt inte larm på den här nivån, men det går. Systemet var anslutet till nätet och mobilsystemet och sände kontinuerligt information till Milton Security vid Slussen. Det är inte omöjligt att killen med sin låda spelade in en frekvens från larmet och lyckades hacka det den vägen. Eller också hade han stött ihop med Balder på någon promenad och elektroniskt stulit information från professorns NFC."

"Från hans vad?"

"Near Field Communication, en funktion på Frans Balders mobiltelefon med vilken han aktiverade larmet."

"Det var enklare förr då tjuvarna hade kofot", sa Bublanski. "Inga bilar i området?"

"Ett mörkt fordon stod parkerat hundra meter bort längs

vägrenen och hade av och till motorn på, men den enda som sett bilen är en äldre dam som heter Birgitta Roos, och hon har ingen aning om vad det var för bilmodell. Kanske Volvo, som hon säger. Eller en sådan som hennes son har. Hennes son har en BMW."

"Suck."

"Ja, det är rätt dystert på spaningsfronten", fortsatte Sonja Modig. "Gärningsmännen hade nytta av natten och stormen. De kunde röra sig ostörda i området, och bortsett från Mikael Blomkvists vittnesmål har vi egentligen bara en enda notering. Det är en trettonåring. Ivan Grede heter han. En lite lustig mager figur som hade leukemi som barn, och som möblerat sitt rum helt i japansk stil. Pratar lillgammalt. Ivan gick på toaletten mitt i natten och från badrumsfönstret såg han då en kraftig man borta vid vattenbrynet. Mannen såg ut över sjön och gjorde korstecknet med knytnävarna. Det såg på en gång aggressivt och religiöst ut, sa Ivan."

"Ingen bra kombination."

"Nej, religion och våld ihop brukar inte båda gott. Men Ivan var inte säker på att det var korstecknet heller. Det såg ut som korstecknet med ett tillägg, säger han. Eller kanske som en militär ed. Ivan var ett tag rädd att mannen skulle gå ut i vattnet och ta livet av sig. Det fanns något högtidligt över situationen, sa han, något aggressivt."

"Men det blev inget självmord."

"Nej. Mannen joggade vidare mot Balders hus. Han bar på en ryggsäck, och han hade mörka kläder, möjligen kamouflagebyxor. Han var kraftig och vältränad och påminde om Ivans gamla leksaker, sa han, Ninjakrigarna."

"Känns inte bra det heller."

"Inte bra alls, och troligen var det samme man som sköt mot Mikael Blomkvist."

"Och Blomkvist såg inte hans ansikte?"

"Nej, han hade slängt sig ner när mannen vände sig om och

sköt. Dessutom gick allt mycket fort. Men enligt Blomkvist var mannen troligen militärt tränad och det stämmer ju med Ivan Gredes iakttagelser, och jag kan inte annat än att hålla med. Snabbheten och effektiviteten i operationen pekar åt samma håll."

"Har ni överhuvudtaget förstått varför Blomkvist befann sig där?"

"O ja. Är det något som gjordes ordentligt i natt är det förhören med honom. Du kan titta på det här." Sonja räckte över en utskrift. "Blomkvist har haft kontakt med en av Balders gamla assistenter som hävdar att professorn varit utsatt för ett dataintrång och blivit bestulen på sin teknik, och den storyn intresserade Blomkvist. Han hade velat få tag på Balder. Men Balder hade inte hört av sig. Han brukade inte göra det. Den sista tiden hade han levt isolerat och knappt haft kontakt med omvärlden. Alla inköp och ärenden sköttes av en hushållerska som heter… vänta nu, Lottie Rask, fru Rask som för övrigt hade stränga order att inte säga ett ord om att sonen fanns i huset. Jag kommer till det strax. Men i natt hände något. Jag gissar att Balder var orolig och ville få ur sig något som tryckte honom. Glöm inte att han just fått besked om att det fanns ett allvarligt hot mot honom. Dessutom hade hans larmsystem gått igång, och två poliser bevakade huset. Kanske anade han att hans dagar var räknade. Jag vet inte. Mitt i natten ringde han i alla fall Mikael Blomkvist och ville berätta något."

"Förr i tiden kallade man på en präst i sådana lägen."

"Nu ringer man en journalist tydligen. Nå, allt det där är rena spekulationer. Vi vet bara vad Balder sagt på Blomkvists telefonsvarare. I övrigt har vi ingen aning om vad han tänkte berätta. Blomkvist vet inte heller, säger han, och jag tror honom. Men det verkar jag rätt ensam om. Richard Ekström, som är otroligt tjatig för övrigt, är övertygad om att Blomkvist håller inne med saker som han tänker publicera i sin tidning. Men jag har mycket svårt att tro det. Blomkvist är en lurig jävel, det vet vi alla. Men han är ingen som med vett och vilja saboterar en polisutredning."

"Verkligen inte."

"Det är bara det att Ekström går loss som en idiot och säger att Blomkvist borde anhållas för mened och trots, och gud vet vad. Han vet mer, fräser han. Det känns som om han kommer att agera."

"Kan knappast leda till något gott."

"Nej, och med tanke på Blomkvists kapacitet tror jag snarare det är bättre att vi förblir vänner med honom."

"Vi får förhöra honom igen antar jag."

"Antar jag också."

"Och det här med Lasse Westman?"

"Honom har vi precis hört, och det är ingen uppbygglig historia precis. Westman hade varit på KB och Teatergrillen och Operabaren och Riche och gud vet var, och gapat och gått på om Balder och pojken timme efter timme. Hans kompisar blev galna på det. Ju mer Westman drack och ju mer pengar som gick upp i rök, desto mer fixerad blev han."

"Varför var det så viktigt för honom?"

"Till en del var det väl en hang up, en sådan där alkisgrej. Jag känner igen det från min gamla farbror. Varje gång han blev packad fick han något på hjärnan. Men självfallet var det också mer än så, och till att börja med pratade Westman hela tiden om vårdnadsdomen i ärendet, och om han varit en annan, mer empatisk person kunde det kanske förklara en del. Då skulle man kunna tro att han ville pojken väl. Men nu… du vet väl att Lasse Westman är dömd för misshandel."

"Det visste jag inte."

"Han var ihop med den där modebloggerskan Renata Kapusinski för ett antal år sedan. Han spöade skiten ur henne. Jag tror han till och med bet sönder hennes kind."

"Illa."

"Dessutom…"

"Ja?"

"Så hade Balder skrivit en del anmälningar som han inte skickat iväg, kanske på grund av rättsläget, där det tydligt framgår att han misstänkte Lasse Westman för att misshandla sonen också."

"Vad säger du?"

"Balder hade sett skumma blåmärken på pojkens kropp – och här får han faktiskt stöd av en psykolog från Autistiskt Centrum. Så det var…"

"…knappast kärlek och omsorg som drev Lasse Westman till Saltsjöbaden."

"Nej, snarare pengar. Efter att Balder hämtat sonen hade han dragit in eller åtminstone skurit ner på det underhåll han förbundit sig att betala."

"Westman hade inte försökt anmäla honom för det?"

"Han vågade väl inte med tanke på omständigheterna."

"Vad står mer i den där vårdnadsdomen?" frågade Bublanski.

"Att Balder var en hopplös far."

"Var han det?"

"Han var i alla fall ingen elak person, som Westman. Men det hade inträffat en incident. Efter skilsmässan hade Balder sonen varannan helg, och på den tiden bodde han i en lägenhet på Östermalm med böcker från golv till tak. En av de där helgerna, då August var sex år gammal, satt han i vardagsrummet medan Balder som vanligt var försjunken framför datorn i rummet intill. Exakt vad som hände vet vi inte. Men det fanns en liten stege som stod lutad mot en av bokhyllorna. August klev upp på den, och tog troligen tag i några av böckerna intill taket, och föll och bröt armbågen och slog sig medvetslös. Men Frans hörde ingenting. Han bara jobbade på, och först efter flera timmar upptäckte han August kvidande på golvet intill de där böckerna, och då blev han hysterisk och körde pojken till akuten."

"Och sedan förlorade han vårdnaden helt och hållet?"

"Inte bara det. Det konstaterades att han var känslomässigt omogen, och inte kapabel att ta hand om sitt barn. Han fick inte längre vara ensam med August. Men ärligt talat ger jag inte så mycket för den där domen."

"Varför inte?"

"För att det var en process utan försvar. Exfruns advokat gick ut stenhårt, medan Frans Balder bara kröp till korset och sa att han var oduglig och oansvarig och oförmögen att leva, och gud vet vad. Domstolen skrev illvilligt och tendentiöst, tycker jag, att Balder aldrig kunnat knyta an till andra människor, och ständigt sökt sin tillflykt till maskiner. Jag som nu hunnit titta en del på hans liv ger inte mycket för det där. Vad som egentligen bara var hans skuldtyngda tirader och självanklagande utspel tog domstolen för sanningar, och i alla händelser var Balder väldigt samarbetsvillig. Han gick som sagt med på att betala ett mycket stort underhåll, fyrtiotusen kronor i månaden, tror jag, plus en engångssumma på niohundratusen kronor för oförutsedda utgifter. Inte långt därefter försvann han till USA."

"Men sedan kom han tillbaka."

"Ja, och det fanns förmodligen flera skäl till det. Han hade blivit bestulen på sin teknik, och kanske också fått veta vem som stulit den. Han befann sig i en allvarlig konflikt med sin arbetsgivare. Men jag tror att det också handlade om sonen. Kvinnan från Autistiskt Centrum som jag nämnde, och som för övrigt heter Hilda Melin, hade i ett tidigt skede varit väldigt optimistisk om pojkens utveckling. Men inget hade blivit som hon hoppats. Dessutom hade hon fått rapporter om att Hanna och Lasse Westman brustit i sitt ansvar för hans skolplikt. Enligt överenskommelsen skulle August undervisas hemma. Men de specialpedagoger som ansvarade för undervisningen tycks ha spelats ut mot varandra, och troligen förekom också bedrägerier med skolpengen och påhittade lärarnamn, ja, all tänkbar skit. Men det är en annan historia som någon får titta på senare."

"Du talade om kvinnan från Autistiskt Centrum."

"Precis, Hilda Melin. Hon anade ugglor i mossen, och ringde till Hanna och Lasse och fick höra att allt var toppen. Men något sa henne att det inte var sant. Därför gjorde hon mot all normal praxis ett oanmält hembesök, och när hon till slut blev insläppt fick hon en stark känsla av att pojken inte mådde bra, och att hans utveckling stagnerat. Dessutom såg hon de där blåmärkena, och efter det ringde hon Frans Balder i San Francisco och hade ett långt samtal med honom. Kort därpå flyttade han hem och tog med sig sonen till sitt nya hus i Saltsjöbaden, oavsett vad som stod i vårdnadsdomen."

"Hur gick det till, om nu Lasse Westman var så mån om sitt underhåll?"

"Det är också en fråga. Enligt Westman kidnappade Balder pojken mer eller mindre. Men Hanna har en annan version. Hon säger att Frans dök upp och verkade förändrad, och att hon lät honom ta pojken. Hon trodde till och med att August skulle få det bättre hos honom."

"Och Westman?"

"Westman var enligt henne full, och hade precis fått en stor roll i en ny tevesatsning och var allmänt kaxig och övermodig för det. Han accepterade det också. Hur mycket han än tjatat om pojkens väl och ve tror jag bara han var glad att slippa honom."

"Men sedan?"

"Sedan ångrade han sig, och till råga på allt fick han sparken från teveserien för att han inte kunde hålla sig nykter, och då ville han plötsligt ha tillbaka August, eller egentligen inte honom förstås…"

"Utan underhållet."

"Precis, och det bekräftas också av hans polare på krogen, bland annat den där festfixaren, Rindevall. Det var när Westmans kreditkort visade sig sakna täckning som han började yra och fäkta som värst om pojken. Därefter bommade han femhundra spänn till taxi av en ung tjej i baren, och drog iväg mitt i natten till Saltsjöbaden."

Jan Bublanski satt i tankar en liten stund, och tittade ännu en gång på bilden av den jublande Axel.

"Vilken soppa", sa han.

"Jo."

"Och i normala fall skulle vi vara nära en lösning. Då skulle motivet finnas någonstans där i vårdnadstvisten och i den gamla skilsmässan. Men de här killarna som hackar larmsystem och ser ut som Ninjakrigare, de passar inte in i bilden."

"Nej."

"Sedan undrar jag en annan sak."

"Vadå?"

"Om August inte kunde läsa, vad skulle han då med de där böckerna till?"

MIKAEL BLOMKVIST satt mitt emot Farah Sharif med en kopp te vid köksbordet och tittade ut mot Tantolunden, och även om han visste att det var ett svaghetstecken önskade han att han inte hade en story att skriva. Han önskade att han bara kunde sitta här och inte pressa henne ett enda dugg.

Hon tycktes inte betjänt av att prata ut. Hela hennes ansikte hade fallit samman, och de mörka intensiva ögonen, som i dörröppningen sett rakt igenom honom, föreföll nu desorienterade, och ibland mumlade hon Frans namn som i ett mantra eller en besvärjelse. Kanske hade hon älskat honom. Säkert hade *han* älskat henne. Farah var femtiotvå år och djupt intagande, inte vacker i klassisk bemärkelse, men med en drottninglik resning.

"Hur var han?" försökte han.

"Frans?"

"Ja."

"En paradox."

"På vilket sätt?"

"På alla möjliga sätt. Men kanske främst för att han arbetade hårt med det som oroade honom mer än något annat. Kanske ungefär som Oppenheimer i Los Alamos. Han höll på med det han trodde kunde bli vår undergång."

"Nu hänger jag inte med."

"Frans ville återskapa den biologiska evolutionen på digital nivå. Han arbetade med självlärande algoritmer – som genom försök och misstag kan förbättra sig själva. Han bidrog också till utvecklingen av de så kallade kvantdatorerna som Google, Solifon och NSA arbetar med. Hans mål var att åstadkomma AGI, Artificial General Intelligence."

"Och vad är det?"

"Något som är lika intelligent som människan, men som samtidigt äger datorns snabbhet och precision i alla mekaniska discipliner. En sådan skapelse skulle ge oss enorma fördelar inom alla forskningsfält."

"Säkert."

"Forskningen på området är oerhört omfattande, och även om de flesta inte uttryckligen har ambitionen att nå AGI driver oss konkurrensen dit. Ingen har råd med att inte skapa så intelligenta applikationer som möjligt, eller hålla tillbaka utvecklingen. Tänk bara på vad vi åstadkommit så här långt. Tänk bara på vad som fanns i din telefon för fem år sedan och vad som finns i dag."

"Jo."

"Frans uppskattade tidigare – innan han blev så hemlighetsfull – att vi skulle kunna nå AGI inom trettio, fyrtio år, och det kanske låter drastiskt. Men personligen undrar jag om han inte var alltför försiktig. Datorernas kapacitet fördubblas var artonde månad, och vår hjärna är dålig på att greppa vad en sådan exponentiell utveckling innebär. Det är lite som riskornet på schackbrädet, du vet. Man lägger ett riskorn på den första rutan och två på den andra och fyra på den tredje och åtta på den fjärde."

"Och snart översvämmar riskornen hela världen."

"Tillväxttakten bara ökar och är till sist bortom vår kontroll. Det intressanta är egentligen inte när vi uppnår AGI utan vad som händer därefter. Här finns många scenarier – också beroende på sättet vi når dit på. Men vi kommer säkert att använda program som uppdaterar och förbättrar sig själva, och här får vi inte glömma att vi får ett nytt tidsbegrepp."

"Hur menar du då?"

"Att vi lämnar de mänskliga begränsningarna. Vi kastas in i en ny ordning där maskinerna blixtsnabbt uppdaterar sig själva dygnet runt. Bara några dagar efter att vi uppnått AGI kommer vi att ha ASI."

"Och vad är det?"

"Artificial Superintelligence, något som är intelligentare än vi. Därefter går det snabbare och snabbare. Datorerna börjar förbättra sig i en accelererande takt, kanske i en faktor på tio, och blir hundra, tusen, tiotusen gånger så smarta som vi är, och vad händer då?"

"Säg det."

"Just det. Intelligens i sig är inte något förutsägbart. Vi vet inte vart den mänskliga intelligensen kommer att leda oss. Vi vet ännu mindre vad som sker med en superintelligens."

"I värsta fall blir vi inte intressantare än små vita möss för datorn", sköt Mikael in och tänkte på det han skrivit till Lisbeth.

"I värsta fall? Vi delar nittio procent av vårt DNA med möss, och vi antas vara ungefär hundra gånger så smarta, hundra gånger, inte mer. Här står vi inför något helt nytt, något som enligt matematiska modeller inte har några sådana hämningar – som kanske kan bli miljoner gånger så intelligenta. Kan du föreställa dig?"

"Jag försöker åtminstone", sa Mikael med ett försiktigt leende.

"Jag menar", fortsatte hon, "hur tror du en dator känner sig som vaknar upp och finner sig tillfångatagen och kontrollerad av primitiva kryp som vi. Varför skulle den finna sig i situationen? Varför skulle den överhuvudtaget visa oss någon överdriven hänsyn, eller än mindre låta oss rota i dess inre för att stänga av processen? Vi riskerar att stå inför en intelligensexplosion, en teknologisk singularitet som Vernor Vinge kallade det. Allt som händer därefter ligger bortom vår händelsehorisont."

"Så i samma ögonblick som vi skapar en superintelligens förlorar vi kontrollen."

"Risken är att allt vi vet om vår värld upphör att gälla, och att det blir slutet för den mänskliga existensen."

"Skojar du?"

"Jag vet att det låter vrickat för den som inte satt sig in i den här problematiken. Men det är en högst reell fråga. I dag arbetar tusentals människor över hela världen för att förhindra en sådan utveckling. Många är optimistiska, eller till och med utopiska. Man talar om friendly ASI, om vänliga superintelligenser som redan från början programmeras så att de enbart hjälper oss. Man tänker sig något i stil med vad Asimov föreställde sig i boken *Jag, robot*, inbyggda lagar som förbjuder maskinerna att skada oss. Innovatören och författaren Ray Kurzweil ser en underbar värld framför sig där vi med hjälp av nanoteknik integrerar oss med datorerna, och delar vår framtid med dem. Men självklart finns inga garantier. Lagar kan hävas. Betydelsen av initiala programmeringar kan förändras, och det är oerhört lätt att göra antropomorfiska misstag; tillskriva maskinerna mänskliga drag, och missförstå deras inneboende drivkraft. Frans var besatt av de här frågorna, och som jag sa: han var kluven. Han både längtade efter intelligenta datorer och oroade sig för dem."

"Han kunde inte låta bli att bygga sina monster."

"Lite så, drastiskt uttryckt."

"Hur långt hade han kommit?"

"Längre, tror jag, än vad någon ens kunde föreställa sig, och jag tror det var ännu en anledning till att han var så hemlighetsfull med sitt arbete på Solifon. Han var rädd att hans program skulle hamna i orätta händer. Han var till och med rädd att programmet skulle få kontakt med internet, och förena sig med det. Han kallade det August, efter sin son."

"Och var finns det nu?"

"Han tog aldrig ett steg utan att ha det nära sig. Rimligtvis hade han det intill sängen när han sköts. Men det otäcka är att polisen påstår att det inte fanns någon dator där."

"Jag såg inte heller någon. Men jag var i och för sig fokuserad på annat."

"Måste ha varit hemskt."

"Du vet kanske att jag såg gärningsmannen också", fortsatte Mikael. "Han hade en stor ryggsäck på sig."

"Låter inte bra. Men med lite tur har datorn dykt upp någonstans i huset. Jag talade bara med polisen helt kort, och jag fick en känsla av att de inte hade koll på läget än."

"Vi får hoppas det. Har du någon aning om vem som stal hans teknik första gången?"

"Ja, det har jag faktiskt."

"Nu blir jag väldigt intresserad."

"Förstår det. Men det trista i historien för min egen del är att jag har ett personligt ansvar i den här soppan. Du förstår, Frans höll på att jobba ihjäl sig och jag var orolig för att han skulle bränna ut sig. Han hade då precis förlorat vårdnaden om August."

"När var det?"

"För två år sedan, och han gick omkring helt utvakad och anklagade sig själv. Ändå kunde han inte släppa sin forskning. Han kastade sig över den som om det var det enda han hade kvar i livet, och därför såg jag till att han fick några assistenter som kunde avlasta honom. Jag fick loss mina bästa studenter, och visserligen visste jag att ingen av dem var Guds bästa barn. Men de var ambitiösa och begåvade och de beundrade Balder vettlöst, och allt verkade lovande. Men sedan…"

"Blev han bestulen."

"Han fick svart på vitt på det när en patentansökan från Truegames kom in till amerikanska patentverket i augusti förra året. Alla de unika delarna i hans teknik var kopierade och nedskrivna där, och det var självklart; först misstänkte de alla att deras datorer hade hackats. Själv var jag skeptisk redan från början. Jag visste ju vilken hög nivå det var på Frans krypteringar. Men eftersom någon annan förklaring inte tycktes möjlig så blev det utgångspunkten, och ett tag kanske Frans till och med trodde på det själv. Men det var givetvis dumheter."

"Vad säger du?" sa Mikael upphetsat. "Dataintrånget bekräftades ju av experter."

"Av någon idiot på FRA, ja, som ville göra sig märkvärdig. Men i övrigt var det bara Frans sätt att skydda sina killar, eller egentligen inte bara det är jag rädd för. Jag misstänker att han ville leka detektiv också, hur han nu kunde vara så dum. Du förstår…"

Farah tog ett djupt andetag.

"Ja?" sa Mikael.

"Jag fick reda på alltihop för ett par veckor sedan. Frans och lilla August var här på middag, och jag kände direkt att Frans ville säga något viktigt. Det låg i luften, och redan efter några glas bad han mig lägga undan min mobil, och började viska. Jag måste erkänna att jag först mest blev irriterad. Han tjatade om sitt unga hackergeni igen."

"Hackergeni?" sa Mikael och försökte låta neutral.

"En tjej han pratade om så mycket att jag fått hål i huvudet. Jag ska inte trötta dig med det, men det var en brud som dykt upp från ingenstans på hans föreläsningar, och snackat om singularitetsbegreppet."

"På vilket sätt?"

Farah försjönk i tankar.

"Va… ja, det har ju ingenting med det här att göra egentligen", svarade hon. "Men begreppet teknologisk singularitet är ju hämtat från den gravitationella singulariteten."

"Och vad är det?"

"Mörkrets hjärta brukar jag säga; det som finns längst inne i de svarta hålen, och som är en slutstation för allt vi vet om universum, och som kanske till och med har öppningar mot andra världar och tidsåldrar. Många ser singulariteten som något helt irrationellt och menar att den därför med nödvändighet måste skyddas av en händelsehorisont. Men den här tjejen sökte kvantmekaniska sätt att räkna på och hävdade att det mycket väl kunde finnas nakna singulariteter utan händelsehorisonter, ja, låt mig slippa fördjupa mig i det. Men hon impade på Frans, och han började öppna sig för henne, och det får man kanske förstå. En sådan ärkenörd som Frans hade inte många att prata med på sin egen nivå, och när han insåg att tjejen också var en hacker bad han henne undersöka deras datorer. Hela utrustningen stod då hemma hos en av assistenterna, en kille som heter Linus Brandell."

Mikael beslöt återigen att inte berätta vad han visste.

"Linus Brandell", sa han bara.

"Precis", fortsatte hon. "Tjejen kom hem till honom på Östermalm, och körde ut honom ur hans eget hem. Efteråt gick hon loss på datorerna. Hon fann inga som helst tecken på något intrång. Men hon nöjde sig inte med det. Hon hade en lista på Frans assistenter och från Linus dator hackade hon dem allihop, och det dröjde inte länge innan hon förstod att en av dem sålt ut honom till just Solifon."

"Vem?"

"Frans ville inte berätta det, hur jag än låg på honom. Men tydligen ringde tjejen direkt från Linus bostad. Frans befann sig i San Francisco då, och du kan tänka dig själv: förrådd av en av sina egna! Jag hade förväntat mig att han skulle anmäla killen direkt och ta all heder och ära av honom och ställa till ett helvete. Men han fick en annan idé. Han bad tjejen låtsas att det verkligen skett ett dataintrång."

"Varför det?"

"Han ville inte att några spår eller bevis skulle städas bort. Han ville begripa mer om vad som hänt, och det kanske man kan förstå, trots allt. Att ett av världens ledande mjukvaruföretag stulit och sålt ut hans teknik var givetvis allvarligare än att något rötägg, någon amoralisk skitstövel till student, gått bakom ryggen på honom. Solifon är ju inte bara en av de mest välrenommerade forskningskoncernerna i USA. Solifon hade också år efter år försökt rekrytera Frans, och det gjorde honom rasande. 'De jävlarna både uppvaktade mig och stal från mig', fräste han."

"Vänta lite", sa Mikael. "Låt mig förstå det här rätt. Så du menar att han tog jobb på Solifon för att få reda på varför och hur de stulit från honom?"

"Har jag lärt mig något genom åren så är det att det inte är så lätt att begripa människors motiv. Lönen och friheten och resurserna hade säkert också viss betydelse. Men i övrigt: Ja! Så var det nog. Redan innan den här bruden undersökte hans datorer hade han fattat att Solifon var inblandat i stölden. Men tjejen gav honom nu mer specifik information, och det var då han verkligen började gräva i skiten. Det visade sig förstås mycket svårare än han tänkt sig, och han skapade en massa misstänksamhet omkring sig, och blev snabbt förbluffande illa omtyckt och höll sig alltmer för sig själv. Men han hittade verkligen något."

"Vad?"

"Det är här allt blir väldigt känsligt, och jag borde egentligen inte berätta det för dig."

"Och ändå sitter vi här."

"Och ändå gör vi det, och det är inte bara för att jag alltid haft stor respekt för din journalistik. I morse slog det mig att det kanske inte var någon slump att Frans ringde dig i natt, och inte Säpos Industriskyddsgrupp som han också haft kontakt med. Jag tror han började misstänka att det fanns en läcka där. Det kan förstås ha varit ren paranoia. Frans uppvisade alla möjliga tecken på förföljelsemani. Men det var till dig han hörde av sig, och nu hoppas jag med lite tur kunna uppfylla hans vilja."

"Jag förstår."

"På Solifon finns en avdelning som heter 'Y', kort och gott", fortsatte Farah. "Förebilden är Google X, den avdelning på Google där de sysslar med moonshots som de kallar det, vilda och långsökta idéer som att söka evigt liv eller förbinda sökmotorerna med hjärnans neuroner. Är det någonstans man kommer att nå AGI eller ASI är det väl just där, och det var till Y som Frans knöts. Men det var inte lika smart som det lät."

"Varför inte?"

"För att han av sin hackertjej fått veta att det fanns en hemlig grupp omvärldsanalytiker på Y som leddes av en person som heter Zigmund Eckerwald."

"Zigmund Eckerwald?"

"Precis, Zeke kallad."

"Och vem är det?"

"Just den person som kommunicerat med Frans svekfulla assistent."

"Så Eckerwald var tjuven."

"Kan man gott säga. En tjuv på hög nivå. Arbetet i Eckerwalds grupp var helt legitimt utåt sett. Man skapade sammanställningar över framstående forskare och lovande forskningsprojekt. Alla stora hightechföretag har liknande verksamheter. Man vill veta vad som är på gång, och vem man ska rekrytera. Men Balder förstod att gruppen gick längre än så. De inte bara kartlade. De stal också – genom hackerattacker, spionage, mullvadar och mutor."

"Varför anmälde han dem inte?"

"Bevisläget var knepigt. De var försiktiga förstås. Men till slut gick Frans ändå till ägaren Nicolas Grant. Grant blev djupt upprörd, och enligt Balder tillsatte han en internutredning. Men utredningen fann ingenting, antingen för att Eckerwald städat undan bevisen, eller för att utredningen bara var ett spel för gallerierna. Det blev en jäkla sits för Frans. All ilska vändes mot honom. Jag tror att Eckerwald var en drivande kraft i processen, och förmodligen var det inte svårt att få med sig de andra. Frans uppfattades redan då som paranoid och misstänksam, och han blev alltmer isolerad och utfryst. Jag kan riktigt se honom i den situationen. Hur han sitter där och bara blir mer och mer avig och på tvären, och vägrar säga ett ord till någon."

"Så han hade inga reella bevis, menar du?"

"Jodå, åtminstone hade han det bevis han fått från hacker-tjejen: att Eckerwald snott hans egen teknologi och sålt den vidare."

"Så det visste han säkert?"

"Utan tvivel tydligen. Dessutom hade han insett att Ecker-walds grupp inte arbetade ensam. Gruppen hade stöd och uppbackning utifrån, troligen från de amerikanska underrät-telsetjänsterna och också…"

Farah hejdade sig.

"Ja?"

"Här var han mer kryptisk, och kanske visste han inte så mycket egentligen. Men han hade stött på ett kodord, sa han, för den person som var den verkliga ledaren utanför Solifon. Kodordet var Thanos."

"Thanos?"

"Precis. Det fanns en påtaglig skräck för den gestalten, sa han. Men mer ville han inte säga. Han behövde en livförsäk-ring, hävdade han, när advokaterna kom efter honom."

"Du sa att du inte visste vem av hans assistenter som sålde ut honom. Men du måste ha funderat på saken", sa Mikael.

"Klart jag har, och ibland, jag vet inte…"

"Vadå?"

"Undrade jag om det inte var allihop."

"Varför säger du så?"

"När de började jobba hos Frans var de unga, begåvade och ambitiösa. När de slutade var de livströtta och oroliga. Kanske körde Frans livet ur dem, eller också är det något som plågar dem."

"Har du namnen på allihop?"

"Det är klart. Det är ju mina pojkar, tyvärr får jag väl säga. Först är det Linus Brandell som jag nämnde. Han är 24 år i dag, och driver bara runt och spelar datorspel och dricker alldeles för mycket. Ett tag hade han ett bra jobb som spelutvecklare på Crossfire. Men han förlorade det sedan han börjat sjukskriva sig i tid och otid, och anklaga kollegorna för att spionera på honom. Sedan är det Arvid Wrange, du kanske har hört talas om honom. Han var en lovande schackspelare en gång i tiden. Hans pappa pressade honom på ett rätt omänskligt sätt, och till sist fick Arvid nog och började plugga hos mig. Jag hade hoppats att han skulle ha disputerat för länge sedan. Men i stället ränner han runt på krogarna kring Stureplan och verkar helt rotlös. Han levde visserligen upp med Frans en tid. Men det var också en massa larvig konkurrens bland pojkarna, och Arvid och Basim, som den tredje killen heter, kom att hata varandra, i alla fall hatade Arvid Basim. Basim Malik är nog inte så mycket för hat. Det är en känslig, begåvad kille som anställdes av Solifon Norden för ett år sedan. Men luften gick ur honom ganska snabbt. Han är i dag inlagd för depression på Ersta sjukhus, och i morse ringde faktiskt hans mor som jag känner lite och berättade att han låg nedsövd. När han fick reda på vad som hänt med Frans försökte han skära av sig pulsådern, och det gör mig förstås ont. Samtidigt undrar jag givetvis: var det bara sorg? Eller var det skuld också?"

"Hur mår han nu?"

"Det är ingen större fara med honom rent fysiskt. Och sedan är det Niklas Lagerstedt, och han... ja, vad ska jag säga om honom? Han är i vart fall inte som de andra, inte utåt sett. Han är ingen som super skallen i bitar eller som skulle komma på tanken att skada sig själv. Han är en ung man som har moraliska invändningar mot det mesta, till och med mot våldsamma datorspel och porr. Han är aktiv inom Missionsförbundet. Hans fru är barnläkare, och de har en liten son som heter Jesper. Dessutom är han konsult hos Rikskriminalen, ansvarig för det datorsystem som ska börja användas efter nyår, och det betyder förstås att man gjort en säkerhetscheck på honom. Men jag vet inte hur pass djupt den gick."

"Varför säger du så?"

"För att han bakom den där präktiga ytan är en girig liten ful fisk. Jag råkar veta att han förskingrat delar av sin svärfars och sin frus förmögenhet. Han är en hycklare."

"Är killarna hörda?"

"Säpo har pratat med dem, men inget kom ut av det. På den tiden trodde man ju också att Frans verkligen varit utsatt för ett dataintrång."

"Jag gissar att polisen kommer att höra dem igen nu."

"Jag antar det."

"Vet du förresten om Balder tecknade mycket på sin fritid?"

"Tecknade?"

"Om han gillade att rita av saker in i minsta detalj."

"Nej, det har jag inte hört något om", sa hon. "Varför undrar du det?"

"Jag såg en fantastisk teckning hemma hos honom som föreställde trafikljuset här uppe i korsningen Hornsgatan-Ringvägen. Den var helt perfekt, en sorts snapshot i mörkret."

"Det låter märkligt. Frans var aldrig annars här i trakten."

"Konstigt."

"Ja."

"Det är något med den där teckningen som inte vill släppa taget om mig", sa Mikael, och kände då till sin förvåning att Farah grep om hans hand.

Han strök henne över håret. Sedan reste han sig upp med en känsla av att han var något på spåren. Därefter sa han adjö och gick ut på gångstigen.

På väg uppför Zinkens väg igen ringde han Erika och bad henne skriva in en ny fråga i *Lisbeths låda*.

KAPITEL 14
DEN 21 NOVEMBER

OVE LEVIN SATT i sitt arbetsrum med utsikt över Slussen och Riddarfjärden, och gjorde på det hela taget ingenting alls, förutom att googla sig själv i hopp om att hitta något som gladde honom. Men i stället fick han läsa att han var slemmig och lönnfet och att han sålt ut sina ideal, och det i en blogg skriven av en ung tjej på Journalisthögskolan, och då blev han så ursinnig att han inte ens förmådde föra in hennes namn i sin svarta bok över dem som aldrig skulle få anställning inom Sernerkoncernen.

Han orkade inte belasta sin hjärna med idioter som inte fattade ett dugg om vad som krävs, och som aldrig kommer att få göra annat än att på sin höjd skriva underbetalda artiklar i obskyra kulturtidskrifter. I stället för att fastna i destruktiva tankegångar gick han in på sin internetbank och kollade sin portfölj, och det hjälpte lite, åtminstone inledningsvis. Det var en god dag på marknaden. Både Nasdaq och Dow Jones hade gått upp i går kväll, och Stockholmsindex stod på plus 1,1 procent. Dollarn, som han låg tung i, hade stigit, och hans portfölj var efter den senaste sekunduppdateringen värd 12 161 389 kronor.

Inte dåligt för en kille som en gång skrivit om bränder och knivslagsmål i *Expressens* morgonupplaga. Tolv miljoner, plus våningen i Villastaden och huset i Cannes! De kunde gott få skriva vad de ville på sina bloggar. Han hade sitt på det torra, och så kollade han värdet en gång till. 12 149 101. Fan, vände det ner nu? 12 131 737. Han grimaserade. Det fanns ju ingen anledning för börsen att vika, eller hur? De där sysselsättningssiffrorna hade ju varit bra. Han tog nedgången närmast personligt, och började mot sin vilja att tänka på *Millennium* igen, hur obetydlig saken än var i sammanhanget. Ändå hetsade han upp sig igen, och hur mycket han än försökte tränga undan det mindes han ännu en gång hur Erika Bergers vackra ansikte stelnat i ren fientlighet i går eftermiddag, och inte hade något blivit bättre i morse precis.

Han hade fått störtblödning så gott som. Mikael Blomkvist hade dykt upp på varenda sajt, och det gjorde ont. Inte bara för att Ove just med en sådan glädje noterat att den yngre generationen knappt visste vem Blomkvist var. Han hatade också den där medielogiken att alla blev stjärnor, stjärnjournalister och stjärnskådisar och fan vet vad, bara för att de hamnat i trubbel. Föredettingen Blomkvist borde det ha stått i stället, han som inte ens får vara kvar på sin egen tidning, inte om Ove och Serner Media fick bestämma. Det var bara det: Frans Balder av alla människor?

Varför skulle just han bli mördad framför ögonen på Mikael Blomkvist? Det var så typiskt. Så hopplöst. Även om alla korkade journalister därute ännu inte fattat det, visste Ove att Frans Balder var en höjdare. Serners egen tidning *Dagens Affärsliv* hade i en specialbilaga om svensk forskning för inte så länge sedan till och med satt en prislapp på honom: fyra miljarder, hur de nu räknade då? Men Balder var tveklöst en stjärna, och framför allt var han en Garbo. Han gav inga intervjuer, och det ökade förstås bara hans lyskraft.

Hur många förfrågningar hade han inte fått bara av Serners egna journalister? Lika många som han nekat till, eller för den delen inte ens nekat till utan bara gett tusan i att svara på.

Många kollegor därute – det visste Ove – menade att killen satt
på en fantastisk story, och därför hatade han det faktum att Bal-
der, enligt tidningsuppgifterna, velat tala med Blomkvist mitt
i natten. Inte kunde det väl vara så illa att Mikael satt på ett
scoop nu mitt i alltihop? Det vore för hemskt. Återigen, närmast
tvångsmässigt, gick Ove in på *Aftonbladets* sajt och möttes då av
rubriken:

Vad ville den svenske stjärnforskaren säga till Mikael Blomkvist?

Mystiskt samtal strax före mordet

Artikeln illustrerades av en stor bild på Mikael där han inte
verkade det minsta lönnfet. De förbannade redigerarna hade
förstås valt ett så fördelaktigt fotografi som möjligt, och åt det
svor han lite ytterligare. Jag måste göra något åt saken, tänkte
han. Men vad? Hur skulle han kunna stoppa Mikael utan att
klampa in som någon gammal östtysk censor och bara förvärra
allt? Hur skulle han... han tittade ut mot Riddarfjärden igen
och fick en idé. William Borg, tänkte han. Min fiendes fiende
kan bli min bästa vän.

"Sanna", ropade han.

Sanna Lind var hans unga sekreterare.

"Ja, Ove?"

"Boka en lunch med William Borg på Sturehof nu på en
gång. Har han annat att göra så säg åt honom att det är viktigt.
Han kan få löneförhöjning till och med", sa han, och tänkte:
varför inte, vill han hjälpa mig i den här soppan kan han gott
få lite påökt.

HANNA BALDER STOD på vardagsrumsgolvet på Torsgatan
och såg förtvivlat på August som återigen hade rotat fram pap-
per och kritor, och då skulle Hanna enligt de direktiv hon fått
hindra honom, och hon gillade det inte. Inte precis så att hon

ifrågasatte psykologens råd och kunskaper. Ändå kände hon sig tveksam. August hade sett sin far mördas, och om han då ville rita, varför skulle han stoppas? Det var sant att han inte verkade må bra av det.

Hans kropp darrade när han satte igång och ögonen lyste med ett intensivt, plågat sken, och det var också sant att schackrutor som spreds och fördelade sig i speglar var ett märkligt motiv med tanke på vad som hänt. Men vad visste hon egentligen. Det kanske var som med hans sifferserier. Även om hon inte begrep något av det, betydde det säkert något för honom, och kanske – vem kunde veta? – bearbetade han händelserna med de där schackrutorna. Skulle hon inte bara strunta i förbudet? Ingen behövde ju få reda på det, och någonstans hade hon läst att en mor ska lita på sin intuition. Magkänslan är ofta ett bättre verktyg än vilka psykologiska teorier som helst, och därför beslöt hon att August skulle få teckna, trots allt.

Men plötsligt spändes pojkens rygg som en båge, och då tänkte Hanna likafullt på psykologens ord och tog ett vilset steg framåt, och tittade ner på papperet. Hon ryckte till, djupt illa berörd. Hon förstod det inte först.

Det var samma sorts schackrutor som fortplantade sig i två omgivande speglar, och det var rasande skickligt gjort. Men det fanns också något annat där, en skugga som växte fram ur rutorna, som en demon, en vålnad, och det skrämde Hanna från vettet. Hon började till och med tänka på filmer om barn som blir besatta av onda väsen, och då ryckte hon teckningen från pojken och knycklade ihop den med en häftig rörelse utan att helt kunna förklara varför. Därefter slöt hon ögonen, och förväntade sig att få höra det där hjärtskärande tondöva skriket igen.

Men inget skrik hördes, bara ett muttrande som nästan lät som ord. Men det kunde det ju inte vara. Pojken talade inte, och Hanna förberedde sig i stället för ett anfall, ett våldsamt utbrott då August skulle kasta sin kropp fram och tillbaka över vardagsrumsgolvet. Men det kom inget anfall heller utan bara en tyst och samlad målmedvetenhet när August grep ett nytt papper och satte igång att rita samma schackrutor igen, och då såg Hanna ingen annan råd än att bära in honom i hans rum. Efteråt skulle hon beskriva det som en ren fasa.

August sparkade och skrek och slog, och Hanna lyckades bara nätt och jämnt hålla fast i pojken, och länge låg hon med armarna om honom som en knut i sängen och ville gå i bitar hon med, och även om hon ett kort ögonblick övervägde att väcka Lasse och be honom trycka i August de där lugnande supparna de fått, övergav hon snart tanken. Lasse skulle säkert vara på ett fruktansvärt humör, och hur mycket hon än själv tog valium hatade hon att ge barn lugnande medel. Det måste finnas någon annan lösning.

Hon höll på att gå sönder, och sökte desperat den ena utvägen efter den andra. Hon tänkte på sin mor i Katrineholm, på sin agent Mia, på den snälla kvinnan som ringt i natt, Gabriella, och så på psykologen igen, Einar Fors någonting, han som kommit med August. Hon hade inte tyckt om honom speciellt. Å andra sidan hade han erbjudit sig att ta hand om pojken temporärt, och hur som helst var hela situationen hans fel.

Det var han som sagt att August inte fick teckna, och därför borde han också få reda upp det hela, eller hur, och till slut släppte hon sonen och rotade fram psykologens visitkort, och ringde honom medan August givetvis satte fart mot vardagsrummet för att återigen teckna sina olycksaliga schackrutor.

EINAR FORSBERG VAR egentligen inte särskilt erfaren. Han var fyrtioåtta år gammal, och med sina djupt liggande blå ögon och sina nyinköpta Diorglasögon och sin bruna manchesterkavaj kunde han lätt tas för en intellektuell. Men alla som försökt debattera med honom visste att det fanns något stelt och dogmatiskt i hans sätt att tänka, och att han ofta dolde sin okunskap bakom lärosatser och tvärsäkra uttalanden.

Det var också bara två år sedan han fått sin psykologexamen. I botten var han gymnastiklärare från Tyresö, och om man frågade hans gamla elever om honom hade de nog alla vrålat: "Silentium boskap! Tyst mina kreatur!" Einar hade älskat att skrika de orden när han ville få tyst i klassen, bara halvt på skämt, och även om han inte direkt varit någons favoritlärare hade han verkligen haft god disciplin på sina pojkar, och det var också den förmågan som övertygat honom om att hans psykologiska färdigheter borde komma till bättre användning i andra sammanhang.

Sedan ett år arbetade han på Odens Barn- och ungdomsmottagning på Sveavägen i Stockholm. Oden tog akut emot barn och ungdomar när deras föräldrar inte klarade av dem. Inte ens Einar – som alltid med en viss lidelse försvarade sina arbetsplatser – ansåg att mottagningen fungerade särskilt väl. Det var för mycket krishantering, och för lite långsiktigt arbete. Barn kom dit efter traumatiska upplevelser i hemmen, och psykologerna var alltför upptagna av att få bukt med sammanbrott och aggressiva utspel för att kunna ägna sig åt bakomliggande orsaker. Ändå tyckte Einar att han gjorde nytta, särskilt när han med all sin gamla lärarauktoritet fick tyst på hysteriska ungar, eller när han hanterade kritiska situationer ute på fältet.

Han gillade att arbeta med poliser, och han älskade spänningen och stillheten i luften efter dramatiska händelser. När han under nattens jour åkte ut till huset i Saltsjöbaden hade han varit upphetsad och förväntansfull. Det var lite Hollywoodkänsla över upplägget, tyckte han. En svensk forskare hade mördats och hans åttaårige son var vittne, och ingen mindre än Einar skulle få pojken att öppna sig. I backspegeln på väg dit rättade han gång på gång till håret och glasögonen.

Han ville göra en stilfull entré, men väl på plats gjorde han ingen större succé precis. Han begrep sig inte på pojken. Ändå kände han sig sedd och viktig. Kriminalpoliserna frågade hur de skulle kunna förhöra barnet, och även om han inte hade en aning togs hans svar emot med respekt. Han sträckte på sig lite ytterligare och gjorde sitt bästa för att hjälpa till, och tog reda på att pojken led av infantil autism och att han aldrig pratat, eller överhuvudtaget varit särskilt mottaglig för omvärlden.

"Det finns inget vi kan göra för närvarande", sa han. "Hans förståndsgåvor är alltför klena. Som psykolog måste jag sätta hans vårdbehov i första hand", och då lyssnade poliserna på honom med allvarliga miner, och lät honom köra hem pojken till modern, och det var ännu en liten bonus i historien.

Modern var skådespelerskan Hanna Balder. Han hade gillat henne sedan han sett henne i *Myteristerna*, och han mindes hennes höfter och långa ben, och även om hon åldrats en del var hon fortfarande attraktiv. Dessutom var hennes nuvarande man helt uppenbart en skitstövel, och Einar ansträngde sig för att verka kunnig och lågmält charmerande, och så gott som omedelbart fick han också en möjlighet att sätta ner foten, och det var han särskilt stolt över.

Med ett helt sinnessjukt uttryck började sonen rita svartvita klossar eller rutor och det förstod Einar direkt; det var ett osunt beteende. Det var just den typen av destruktiv tvångsmässighet autistiska barn lätt hamnar i, och han insisterade på att pojken genast måste upphöra med det. Visserligen togs orden inte emot lika tacksamt som han hade hoppats. Ändå hade han känt sig handlingskraftig och manlig, och varit nära att berömma Hanna för *Myteristerna* när han ändå var i farten. Men sedan tyckte han inte att det var ett passande tillfälle, trots allt. Kanske hade det varit ett misstag.

Nu var klockan ett på eftermiddagen, och han hade precis kommit hem till sitt radhus i Vällingby och stod i badrummet med sin elektriska tandborste och kände sig helt slutkörd. Då ringde hans mobil, och först blev han bara irriterad. Sedan smålog han ändå. Det var just Hanna Balder.

"Forsberg", svarade han världsvant.

"Hallå", sa hon.

Hon lät desperat och arg. Men han förstod inte vad saken gällde.

"August", sa hon. "August…"

"Vad är det med honom?"

"Han vill inte göra annat än att rita sina schackrutor. Men det får han ju inte, säger du."

"Nej, nej, det är tvångsmässigt. Men lugn nu."

"Hur i helvete ska jag kunna vara lugn?"

"För att pojken behöver ditt lugn."

"Men jag klarar det inte. Han skriker och slår omkring sig. Du sa att ni kunde hjälpa till."

"Jo", sa han, lite tvekande först. Sedan lyste han upp, som om han vunnit någon sorts seger.

"Absolut, självklart. Jag ska se till att han får en plats hos oss på Oden."

"Men sviker jag honom inte då?"

"Du tar tvärtom bara hänsyn till hans behov, och jag ska personligen se till att du får besöka oss så mycket du vill."

"Det kanske är bäst så, trots allt."

"Jag är helt övertygad om det."

"Kommer du på en gång?"

"Jag är där så fort jag kan", sa han, och tänkte att han först och främst måste snygga till sig lite.

Därefter lade han för säkerhets skull till:

"Har jag sagt att jag älskade dig i *Myteristerna?*"

DET FÖRVÅNADE INTE Ove Levin att William Borg redan var på plats på Sturehof, eller än mindre att han beställde det dyraste på menyn, en Sjötunga Meunière och ett glas Pouilly Fumé. Journalisterna brukade passa på när han tog ut dem på lunch. Men det förvånade honom att William tog initiativet, precis som om det var han som satt på pengarna och makten, och det irriterade Ove. Varför hade han babblat om löneförhöjning? Han borde ha hållit William på halster, och låtit honom sitta där och svettas i stället.

"En liten fågel viskade i mitt öra att ni har problem med *Millennium*", sa William Borg, och Ove tänkte: min högerarm för att få bort det där självgoda flinet från hans ansikte.

"Då är du felinformerad", svarade han stramt.

"Verkligen?"

"Vi har läget under kontroll."

"På vilket sätt då om jag får fråga?"

"Om redaktionen är förändringsbenägen och visar sig förstå sina egna problem, kommer vi att stötta tidningen."

"Och om inte…"

"Så drar vi oss ur, och då håller *Millennium* sig knappast flytande i mer än några månader, och det är förstås mycket tråkigt. Men det är så marknaden ser ut. Bättre tidningar än *Millennium* har gått under, och för oss har det varit en blygsam investering. Vi kan klara oss utan den."

"Skip the bullshit, Ove. Jag vet att det är en prestigegrej för dig."

"Det är bara business."

"Hörde att ni vill få bort Mikael Blomkvist från redaktionen."

"Vi har funderat på att placera honom i London."

"Lite fräckt får man väl säga med tanke på vad han har gjort för tidningen."

"Vi har gett honom ett väldigt flott erbjudande", fortsatte Ove och kände sig onödigt defensiv och tråkig.

Det var nästan så att han glömde bort sitt eget ärende.

"Och jag klandrar er inte", fortsatte William Borg. "Ni får gärna trolla honom till Kina för min del. Men jag undrar bara om det inte blir lite besvärligt för er om Mikael Blomkvist nu gör en storstilad comeback med den här Frans Balderhistorien?"

"Varför skulle han göra det? Han har ju tappat stinget. Det har ju du om någon påpekat – med betydande framgång dessutom", försökte Ove sarkastiskt.

"Nåja, jag fick ju lite hjälp också."

"Inte av mig, det kan du vara säker på. Jag hatade den där krönikan. Tyckte den var illa skriven och tendentiös. Det var Thorvald Serner som drog igång drevet, det vet du mycket väl."

"Men som det nu är kan du inte vara helt emot utvecklingen, eller hur?"

"Lyssna nu på mig, William. Jag har den största respekt för Mikael Blomkvist."

"Du behöver inte spela politiker med mig, Ove."

Ove kände för att köra ner hela politikergrejen i halsen på William Borg.

"Jag är bara öppen och ärlig", sa han. "Och faktum är att jag alltid har tyckt att Mikael är en fantastisk reporter, ja, av en helt annan kaliber än du och alla andra i hans generation."

"Jaså", svarade William Borg och såg plötsligt spak ut, och då kände sig Ove i ett slag lite bättre.

"Precis, så är det. Vi får vara tacksamma för alla de avslöjanden Mikael Blomkvist har gett oss, och jag önskar honom allt gott, det gör jag faktiskt. Men tyvärr, får jag säga, ingår det inte i mitt jobb att blicka bakåt och bli nostalgisk, och då kan jag ge dig rätt i att Blomkvist kommit lite i otakt med tiden, och att han kan stå i vägen för en förnyelse av *Millennium*."

"Sant, sant."

"Och därför tror jag det vore bra om det inte blev för mycket rubriker om honom just nu."

"Positiva rubriker menar du."

"Kanske det ja", fortsatte Ove. "Och det var också därför jag bjöd dig på lunch."

"Tacksam för det förstås. Och jag tror faktiskt att jag har något bra att komma med. Jag fick ett samtal i förmiddags från min gamla squashkompis", gick William Borg på, och försökte uppenbarligen återvinna sitt tidigare självförtroende.

"Och vem är det?"

"Richard Ekström, chefsåklagare. Han är förundersöknings-ledare i Baldermordet. Och han är verkligen inte med i Blom-kvists fanklubb."

"Efter Zalachenkohistorien, eller hur?"

"Precis. Blomkvist snuvade honom på hela hans upplägg, och nu är han oroad för att Mikael ska sabotera den här ut-redningen också, eller rättare sagt, att han redan gör det."

"På vilket sätt då?"

"Blomkvist säger inte allt han vet. Han talade med Balder precis innan mordet, och dessutom såg han rakt in i mörda-rens ansikte. Ändå hade han förvånansvärt lite att komma med i förhören. Richard Ekström misstänker att han sparar allt det häftigaste till sin egen artikel."

"Intressant."

"Är det inte? Här snackar vi om en kille som efter att ha blivit hånad i medierna är så desperat efter ett scoop att han till och med är beredd att låta en mördare komma undan. En gammal stjärnreporter som när hans tidning befinner sig i ekonomisk kris är villig att kasta allt samhällsansvar i sjön. Och som faktiskt precis fått reda på att Serner Media vill kicka ut honom från redaktionen. Är det så konstigt att han går över styr?"

"Förstår hur du tänker. Är det något du vill skriva?"

"Jag tror inte det vore bra, uppriktigt sagt. Det är för känt att Blomkvist och jag har ett horn i sidan till varandra. Ni bör nog snarare läcka det till en nyhetsreporter, och ge det under-stöd på era ledarsidor. Ni kommer att få bra citat från Richard Ekström."

"Hm", sa Ove och tittade ut mot Stureplan, och fick se en vacker kvinna därute i en klarröd rock och långt rödblont hår, och för första gången den dagen log han stort och uppriktigt.

"Kanske inte en så dum idé, trots allt", lade han till och beställde in lite vin han med.

MIKAEL BLOMKVIST KOM gående längs Hornsgatan ner mot Mariatorget. Längre bort vid Maria Magdalena kyrka stod en vit skåpbil med en stor buckla på motorhuven, och bredvid stod två män och vevade med armarna och skrek åt varandra. Men även om situationen fångade de flesta i omgivningen, noterade Mikael den knappt.

Han tänkte på hur Frans Balders son suttit på övervåningen i det stora huset i Saltsjöbaden, och sträckt ut sin hand över den persiska mattan. Handen hade varit vit, mindes han, och haft fläckar på fingrarna och handryggen, som efter kritor eller pennor, och själva rörelsen över mattan – det hade sett ut som om pojken tecknade något invecklat i luften, hade det inte? Mikael såg plötsligt hela scenen i ett nytt ljus, och då tänkte han återigen samma sak som hos Farah Sharif. Kanske var det inte Frans Balder som ritat trafikljuset, trots allt.

Kanske hade pojken en oväntad och stor förmåga, och av någon anledning förvånade det honom inte lika mycket som man kunde förvänta sig. Redan då han först mött August Balder i sovrummet på nedervåningen, intill hans döda far på det schackrutiga golvet, och sett honom stånga sin kropp mot sänggaveln, hade han anat att något var speciellt med honom. Nu, medan han sneddade över Mariatorget, greps Mikael av en egendomlig tanke, som säkert var långsökt men som vägrade släppa taget om honom, och uppe vid Götgatsbacken stannade han till.

Han måste åtminstone kolla upp det, och därför tog han fram sin mobiltelefon och sökte efter Hanna Balder. Numret var hemligt, och det var knappast ett som ingick i *Millenniums* telefonbok. Vad skulle han göra? Han tänkte på Freja Granliden. Freja var nöjesreporter på *Expressen*, och det hon skrev kanske inte ärade kåren precis. Det var skilsmässor och romanser och kungagrejer. Men tjejen var klipsk och rapp i käften, och de gånger de setts hade de haft kul ihop, och därför slog han nu hennes nummer. Det var upptaget förstås.

Reportrarna på kvällstidningarna talade numera i telefon nonstop. De var så jagade av tidspress att de aldrig hann lämna sina stolar och ta en titt på hur det såg ut i verkligheten. De bara satt på sina platser och spottade ur sig texter. Men till slut fick han ändå tag i henne, och det förvånade honom inte det minsta att hon brast ut i ett litet glädjetjut.

"Mikael", sa hon. "Vilken ära. Ska du äntligen ge mig ett scoop? Jag har väntat så länge."

"Sorry. Den här gången får *du* hjälpa mig. Jag behöver en adress och ett telefonnummer."

"Och vad får jag för det? Ett häftigt citat kanske om vad du hittade på i natt."

"Jag kan ge dig några yrkesrelaterade råd."

"Vad skulle det vara?"

"Att sluta skriva strunt."

"Ha, vem ska då hålla reda på alla telefonnummer som de fina reportrarna behöver? Vem söker du?"

"Hanna Balder."

"Kan ana varför. Hennes kille var tydligen rejält berusad i går. Träffades ni därute?"

"Fiska inte nu. Vet du var hon bor?"

"På Torsgatan 40."

"Och det kan du bara så där."

"Har ett lysande minne för strunt. Men vänta lite, så ska du få portkoden och telefonnumret också."

"Tack."

"Men du…"

"Ja?"

"Du är inte den enda som söker henne. Våra egna blodhundar är på jakt efter henne också, och vad jag vet har hon inte svarat i telefon på hela dagen."

"Klok kvinna."

Efteråt stod Mikael stilla några sekunder på gatan, osäker på vad han skulle ta sig till, och ingen kunde påstå att han gillade situationen. Att jaga olyckliga mödrar tillsammans med kvällstidningarnas kriminalreportrar var inte vad han önskat sig av dagen. Trots det vinkade han till sig en taxi och for iväg mot Vasastan.

HANNA BALDER HADE följt August och Einar Forsberg till Odens Barn- och ungdomsmottagning som låg på Sveavägen, mitt emot Observatorielunden. Mottagningen bestod av två större lägenheter som slagits samman, men även om det också fanns en känsla av något privat och ombonat i inredningen och den tillhörande gården kändes det ändå lite som en anstalt, och det berodde säkert mindre på den långa korridoren och de stängda dörrarna än på det bistra, vakande uttrycket hos personalen. De anställda såg ut att ha utvecklat en viss misstänksamhet mot barnen de ansvarade för.

Föreståndaren Torkel Lindén var en kort, fåfäng man som påstod sig ha stor erfarenhet av barn med autism, och det lät förstås förtroendeingivande. Men Hanna gillade inte sättet han såg på August, och överhuvudtaget tyckte hon inte om åldersspridningen därinne. Hon såg tonåringar och småbarn om vartannat. Men det kändes för sent att ångra sig nu, och på vägen hem tröstade hon sig med att det bara skulle vara för en kort tid. Kanske skulle hon hämta August redan i kväll?

Hon försjönk i tankar, och tänkte på Lasse och hans fyllor, och återigen på att hon måste lämna honom och ta tag i sitt liv. Då hon klev ur hissen på Torsgatan hoppade hon till. Det satt en attraktiv man och skrev i en anteckningsbok på trappavsatsen. När han reste sig upp och hälsade på henne såg hon att det var Mikael Blomkvist, och då blev hon skräckslagen. Kanske var hon så skuldtyngd att hon fick för sig att han skulle avslöja henne. Det var dumheter förstås. Han log bara generat, och två gånger bad han till och med om ursäkt för att han störde, och då kunde hon inte låta bli att känna en stor lättnad. Hon hade länge beundrat honom.

"Jag har inga kommentarer", sa hon med en röst som egentligen antydde motsatsen.

"Jag är inte ute efter några heller", sa han, och då påminde hon sig om att han och Lasse anlänt tillsammans eller åtminstone samtidigt till Frans i natt, även om hon inte kunde begripa vad de två hade gemensamt, tvärtom föreföll de i den stunden vara varandras absoluta motsatser.

"Söker du Lasse?" frågade hon.

"Jag skulle vilja höra om Augusts teckningar", sa han, och då kände hon ett styng av panik.

Ändå lät hon honom stiga in. Det var säkert oförsiktigt. Lasse hade stuckit iväg för att bota sin bakfylla på någon sylta i närheten och kunde komma tillbaka när som helst. Han skulle bli galen av att se en journalist av den kalibern hemma hos dem. Men Hanna hade inte bara blivit orolig utan också nyfiken. Hur i helsicke kände Blomkvist till teckningarna? Hon lät honom slå sig ner i den grå soffan i vardagsrummet medan hon gick ut i köket och gjorde i ordning lite te och skorpor. När hon kom tillbaka med en bricka, sa han:

"Jag skulle inte störa dig om det inte var absolut nödvändigt."

"Du stör inte", sa hon.

"Du förstår, jag träffade August i natt", fortsatte han, "och jag har tänkt på det om och om igen."

"Jaså?" sa hon undrande.

"Jag begrep det inte då", fortsatte han. "Men jag fick en känsla av att han ville säga oss något, och så här i efterhand tror jag att han ville rita. Han vevade så målmedvetet med handen över golvet."

"Han var besatt av det."

"Så han fortsatte här hemma?"

"Om han gjorde! Han satte igång så fort han kom hem. Han var helt manisk, och det var verkligen fantastiskt fint. Men han blev också alldeles rödflammig i ansiktet och andades tungt, och psykologen som var här sa att August genast måste sluta med det. Det var tvångsmässigt och destruktivt, menade han."

"Vad var det han ritade?"

"Inget speciellt, inte alls, jag gissar att det var inspirerat av hans pussel. Men det var väldigt skickligt gjort med skuggor och perspektiv och hela den biten."

"Men vad var det för något?"

"Det var rutor."

"Vad för slags rutor?"

"Schackrutor, tror jag", svarade hon, och kanske inbillade hon sig. Men hon tyckte sig uppfatta ett stråk av spänning i Mikael Blomkvists ögon.

"Bara schackrutor?" sa han. "Inget mer?"

"Speglar också", svarade hon. "Schackrutor som reflekterades i speglar."

"Har du varit hemma hos Frans", frågade han med en ny skärpa i rösten.

"Varför undrar du det?"

"För att golvet i hans sovrum där han dödades just består av schackrutor som reflekteras i klädskåpets speglar."

"Å nej!"

"Varför säger du så?"

"För att…"

En våg av skam svepte över henne.

"För att det sista jag såg innan jag ryckte teckningen ifrån honom var en hotfull skugga som växte fram ur de där rutorna", fortsatte hon.

"Har du teckningen här?"

"Jo, eller nej."

"Nej?"

"Jag slängde den är jag rädd."

"Oj då."

"Men kanske…"

"Vadå?"

"Ligger den fortfarande kvar i soporna."

MIKAEL BLOMKVIST HADE kaffesump och yoghurt på händerna när han drog upp ett hopknycklat papper ur soporna och försiktigt vecklade ut det på diskbänken. Han borstade av det med handryggen och betraktade det i ljuset av spotlamporna under köksskåpen. Det var ingen färdig teckning på långa vägar och precis som Hanna sagt bestod den mest av schackrutor, sedda uppifrån eller från sidan, och om man inte varit i Frans Balders sovrum var det säkert svårt att begripa att rutorna var ett golv. Men Mikael kände genast igen klädskåpets speglar på höger sida, och troligen kände han också igen mörkret, det speciella mörker som mött honom under natten.

Han tyckte sig till och med föras tillbaka till det ögonblick då han klivit in genom det sönderslagna fönstret, bortsett från en liten viktig detalj. Det rum han mött hade närmast varit helt mörkt. På teckningen syntes en tunn ljuskälla som kom snett uppifrån och som sträckte sig över rutorna, och gav konturer åt en skugga som inte var särskilt tydlig eller pregnant, men som kanske just därför kändes så kuslig.

Skuggan sträckte ut en arm och Mikael, som såg teckningen i ett helt annat perspektiv än Hanna, hade inga svårigheter att förstå vad den handen var för någonting. Det var en hand som ville döda, och ovanför schackrutorna och skuggan fanns ett ansikte som ännu inte blivit till.

"Var är August nu?" sa han. "Sover han?"

"Nej. Han…"

"Vad?"

"Jag lämnade bort honom tillfälligt. Jag klarade inte av honom, uppriktigt sagt."

"Var är han?"

"På Odens Barn- och ungdomsmottagning på Sveavägen."

"Vem vet att han är där?"

"Ingen."

"Bara du och personalen alltså."

"Ja."

"Det måste förbli på det viset också. Kan du ursäkta mig ett ögonblick."

Mikael tog fram sin mobil och ringde Jan Bublanski. I huvudet hade han redan formulerat ytterligare en fråga för *Lisbeths låda.*

JAN BUBLANSKI VAR frustrerad. Utredningen stod och stampade, och varken Frans Balders Blackphone eller hans laptop hade påträffats, och de hade därför inte, trots ingående samtal med operatören, kunnat kartlägga hans kontakter med omvärlden, eller ens få en klar uppfattning om hans juridiska processer.

Än så länge hade de inte mycket mer än dimridåer och klichéer, tyckte Bublanski, knappt mer än att en Ninjakrigare snabbt och effektivt dykt upp och försvunnit i mörkret. Överhuvudtaget fanns något alltför perfekt över operationen, som om den utförts av en person som inte led av de vanliga mänskliga brister och motsägelser som alltid brukar anas i den samlade bilden av ett mord. Här var det för rent och kliniskt, och Bublanski kunde inte släppa tanken på att det bara var ännu en dag på jobbet för gärningsmannen, och på det och annat stod han och grunnade när Mikael Blomkvist ringde.

"Hej du", sa han. "Vi pratade just om dig. Vi vill förhöra dig igen så fort som möjligt."

"Det går bra förstås. Men just nu har jag något mer angeläget att berätta. Vittnet, August Balder, är en savant", sa Mikael Blomkvist.

"Vadå?"

"En pojke som kanske är svårt handikappad, men som ändå

har en ytterst speciell begåvning. Han ritar som en mästare med en underlig matematisk skärpa. Såg ni teckningarna av trafikljuset som låg på köksbordet ute i Saltsjöbaden?"

"Jo, som hastigast. Var det inte Frans Balder som gjort dem, menar du?"

"Nej, nej. Det är pojken."

"Det såg ut som oerhört mogna arbeten."

"Men det är han som utfört dem, och i förmiddags satte han sig ner och ritade av schackrutorna på golvet i Balders sovrum, ja, inte bara dem. Han ritade en ljusstrimma också och en skugga. Jag tror personligen att det är gärningsmannens skugga och ljuset från hans pannlampa. Men inget går att säga med säkerhet än så länge. Pojken blev avbruten i sitt arbete."

"Driver du med mig?"

"Det är knappast läge för skämt."

"Hur kan du veta det här?"

"Jag är hemma hos modern, Hanna Balder, på Torsgatan och tittar på teckningen. Men pojken är inte här längre. Han är på..." Journalisten tycktes tveka.

"Jag vill inte berätta mer på telefon", lade han till.

"Du sa att pojken blev avbruten i sitt ritande?"

"En psykolog förbjöd honom att teckna mer."

"Hur kan man förbjuda något sådant?"

"Psykologen fattade nog inte vad teckningarna föreställde. Han såg det bara som något tvångsmässigt. Jag skulle rekommendera er att skicka hit folk på en gång. Ni har fått ert vittne."

"Vi kommer direkt. Då får vi ju tillfälle att prata lite mer med dig också."

"Jag är på väg härifrån, dessvärre. Jag måste tillbaka till redaktionen."

"Jag hade helst sett att du stannade kvar en stund, men jag förstår. Och du..."

"Ja?"

"Tack!"

Jan Bublanski lade på och gick ut och informerade hela gruppen, något som senare skulle visa sig vara ett misstag.

KAPITEL 15
DEN 21 NOVEMBER

LISBETH SALANDER BEFANN sig på Schackklubben Raucher på Hälsingegatan. Hon hade ingen vidare lust att spela. Huvudet värkte. Men hon hade varit på jakt hela dagen, och jakten hade lett henne hit. Ända sedan hon förstått att Frans Balder var förrådd av sina egna hade hon lovat honom att lämna hans förrädare i fred. Hon hade inte gillat strategin. Men hon hade hållit sitt ord, och först i och med mordet såg hon sig befriad från löftet.

Nu skulle hon gå vidare på sitt eget sätt. Men det var inte helt enkelt. Arvid Wrange hade inte varit hemma, och hon ville inte ringa honom utan snarare slå ner som en blixt i hans liv, och hon hade därför vandrat runt och spanat med munkjackan uppdragen över huvudet. Arvid levde ett drönarliv. Men precis som hos så många andra drönare fanns en regelbundenhet där bakom, och genom de bilder han lagt ut på Instagram och Facebook hade Lisbeth ändå fått en del hållpunkter: Riche på Birger Jarlsgatan och Teatergrillen på Nybrogatan, Schackklubben Raucher och Café Ritorno på Odengatan och en del annat, en skyttehall på Fridhemsgatan och adresser till två flickvänner. Arvid Wrange hade förändrats sedan hon sist haft honom på sin radar.

Han hade inte bara tvättat bort det nördiga från sitt utseende. Moralen hade också sjunkit. Lisbeth var visserligen inte mycket för psykologisk teori, men hon kunde ändå konstatera att den första stora överträdelsen lett till en rad nya. Arvid var inte längre en ambitiös och vetgirig student. Nu porrsurfade han på gränsen till missbruk och köpte sex via nätet, våldsamt sex. Två eller tre av kvinnorna hade efteråt hotat att anmäla honom.

I stället för datorspel och AI-forskning intresserade han sig för prostituerade och fyllor i city. Killen hade uppenbarligen en del pengar. Han hade uppenbarligen också en del problem. Så sent som i morse googlade han på "vittnesskydd, Sverige", och det var förstås oförsiktigt. Även om han inte hade kontakt med Solifon längre, åtminstone inte från sin dator, höll de honom säkert under uppsikt. Allt annat skulle vara oprofessionellt. Kanske höll han på att krackelera bakom den nya världsvana ytan, och det var förstås bra. Det passade hennes syfte, och när hon återigen ringde schackklubben – schack tycktes vara den enda förbindelsen med hans gamla liv – fick hon det oväntade beskedet att Arvid Wrange just anlänt.

Därför gick hon nu ner för den lilla trappan på Hälsingegatan och vidare längs en korridor till en grå, sliten lokal där en utspridd skara, mestadels äldre män, satt och hängde över schackbrädena. Stämningen var sömnig, och ingen lade märke till henne eller ifrågasatte hennes närvaro. Alla var upptagna med sitt, och det enda som hördes var klicken från schackklockor, och någon enstaka svordom. På väggarna fanns bilder av Kasparov, Magnus Carlsen och Bobby Fischer, och till och med av en tonårig, finnig Arvid Wrange som spelade mot schackstjärnan Judit Polgár.

I en annan och äldre version satt han vid ett bord längre in till höger och verkade pröva någon ny öppning. Intill stod ett par shoppingpåsar. Han bar en gul lammullströja med nystruken vit skjorta och ett par blänkande engelska skor. Han kändes lite för tjusig för sammanhanget, och med försiktiga, prövande steg gick Lisbeth fram och undrade om han ville spela. På det svarade han genom att syna henne uppifrån och ner.

"Okej", sa han sedan.

"Vänligt av dig", svarade hon som en väluppfostrad flicka, och slog sig ner utan ett ord, och då hon öppnade med e4 svarade han med b5, polsk gambit, och därefter slöt hon ögonen och lät honom spela på.

ARVID WRANGE FÖRSÖKTE koncentrera sig på spelet. Men det gick inget vidare. Dessbättre var den här punktjejen inte mycket till stjärna. Hon var inte dålig i och för sig. Hon var troligen en hängiven spelare. Men vad hjälpte det. Han lekte med henne, och säkert var hon imponerad, och vem vet, kanske kunde han få med henne hem efteråt. Visserligen såg hon sur ut, och Arvid gillade inte sura brudar. Men hon hade justa rattar, och han skulle kanske kunna få ut hela sin frustration på henne. Det hade varit en för jävlig morgon. Nyheten att Frans Balder var mördad hade så när golvat honom.

Men det var inte precis sorg han känt. Det var skräck. Inför sig själv envisades Arvid Wrange visserligen med att han handlat rätt. Vad kunde den förbannade professorn vänta sig när han behandlade honom som luft? Men det skulle givetvis inte se snyggt ut om det kom fram att Arvid sålt ut honom, och det värsta av allt var att det säkert fanns ett samband. Han förstod inte exakt hur det sambandet såg ut, och han försökte trösta sig med att en idiot som Balder säkert skaffat sig tusentals fiender. Men någonstans visste han; den ena händelsen hängde ihop med den andra, och det gjorde honom livrädd.

Ända sedan Frans tillträtt tjänsten på Solifon hade Arvid varit orolig för att dramat skulle ta en ny oroväckande vändning, och nu satt han här och önskade att allting skulle försvinna, och det var säkert därför han gett sig ut på stan i förmiddags och tvångsmässigt shoppat en massa märkeskläder, och till slut hamnat här på schackklubben. Schack skingrade ibland fortfarande hans tankar, och faktum var att han redan kände sig lite bättre. Han upplevde att han hade kontroll och var tillräckligt smart för att kunna fortsätta att lura dem alla. Se bara så han spelade, och då var den här bruden inte dålig.

Tvärtom fanns det något oortodoxt och kreativt i hennes spel, som förmodligen skulle läsa lusen av de flesta härinne. Det var bara det att *han*, Arvid Wrange, krossade henne. Så smart och sofistikerat spelade han att hon inte ens märkte att han höll på att stänga in hennes dam. Smygande flyttade han bara fram sina positioner, och nu klippte han hennes drottning utan att offra annat än en springare, och sa med en flirtig, cool ton som säkert impade på henne:

"Sorry baby. Your Queen is down!"

Men han fick ingenting tillbaka, inget leende, inte ett enda ord, ingenting. Tjejen bara höjde tempot som om hon snabbt ville få slut på sin förnedring, och varför inte? Han gjorde gärna processen kort med henne, och tog ut henne på ett par tre glas någonstans innan han drog över henne. Han kanske inte precis skulle vara snäll mot henne i sängen. Ändå skulle hon förmodligen tacka honom efteråt. En sådan surfitta hade säkert inte haft sex på länge, och troligen var hon helt ovan vid coola killar som han – som spelade på den här nivån. Han beslöt att showa för henne och förklara lite högre schackteori. Men det blev aldrig av. Något kändes inte helt rätt, trots allt. Han började möta ett motstånd i sitt spel som han inte begrep, en ny sorts tröghet, och länge intalade han sig att det bara var inbillning, eller resultatet av några oförsiktiga drag från hans sida. Säkert skulle han ställa det till rätta om han bara koncentrerade sig, och därför mobiliserade han hela sin killerinstinkt. Men det blev bara värre.

Han kände sig instängd, och hur han än ansträngde sig slog hon tillbaka, och till slut tvingades han acceptera att maktbalansen oåterkalleligt hade förskjutits, och hur sjukt var inte det? Han hade slagit hennes drottning, men i stället för att förstärka sitt överläge hade han hamnat i katastrofalt underläge. Vad hade hänt? Inte hade hon väl gjort ett damoffer? Inte så tidigt i partiet? Det vore omöjligt. Det var sådant man läser om i böckerna, inget som händer på lokala schackklubbar i Vasastan, och definitivt inget som punkiga piercade brudar med attitydproblem håller på med, särskilt inte mot storspelare som han. Ändå fanns ingen räddning längre.

Han skulle vara besegrad om fyra, fem drag, och därför såg han ingen annan utväg än att putta omkull sin kung med pekfingret och muttra fram ett grattis, och även om han ville dra några bortförklaringar var det något som sa honom att det bara skulle göra saken värre. Redan då anade han att förlusten inte var följden av några olyckliga omständigheter, och närmast mot sin vilja blev han rädd igen. Vem i helvete var hon?

Försiktigt tittade han henne i ögonen, och nu såg hon inte längre ut som en sur och lite osäker skitbrud. Nu tycktes hon honom iskall – som ett rovdjur som betraktade sitt byte, och han genomborrades av ett intensivt obehag, precis som om förlusten på brädet bara var inledningen till något långt värre. Han kastade en blick mot dörren.

"Du går ingenstans", sa hon.

"Vem är du?" svarade han.

"Ingen speciell."

"Så vi har inte setts förr?"

"Inte direkt."

"Men nästan, eller?"

"Vi har setts i dina mardrömmar, Arvid."

"Skämtar du?" försökte han.

"Inte särskilt."

"Vad menar du då?"

"Vad tror du att jag menar?"

"Hur ska jag kunna veta det?"

Han kunde inte fatta varför han var så rädd.

"Frans Balder blev mördad i natt", fortsatte hon entonigt.

"Jo… ja… jag läste det."

Han stammade fram orden.

"Hemskt va?"

"Verkligen."

"Särskilt för dig, eller hur?"

"Varför skulle det vara särskilt hemskt för mig?"

"För att du förrådde honom, Arvid. För att du gav honom en judaskyss."

Hans kropp frös till is.

"Skitsnack", spottade han fram.

"Inte alls faktiskt. Jag hackade din dator och knäckte din kryptering, och såg det mycket tydligt. Och vet du vad?" fortsatte hon.

Han fick svårt att andas.

"Jag är övertygad om att du vaknade upp i morse och undrade om hans död var ditt fel. Och jag kan hjälpa dig där. Det var ditt fel. Hade du inte varit så girig och bitter och ynklig och sålt ut hans teknik till Solifon hade Frans Balder varit vid liv i dag, och jag måste varna dig för att det gör mig rasande, Arvid. Jag kommer att göra dig väldigt illa. Till att börja med genom att utsätta dig för samma behandling som de där kvinnorna du hittar på nätet får utstå."

"Är du helt sjuk i huvudet?"

"Förmodligen ja, lite", svarade hon. "Empatistörd. Överdrivet våldsam. Någonting sådant."

Hon grep tag i hans hand med en kraft som skrämde honom från vettet.

"Så uppriktigt sagt, Arvid, det ser illa ut, och vet du vad jag gör just nu? Vet du varför jag verkar så tankspridd?" fortsatte hon.

"Nej."

"Jag sitter och försöker tänka ut vad jag ska göra med dig. Jag tänker på ett rent bibliskt lidande. Därför är jag lite distr ä."

"Vad vill du?"

"Jag vill hämnas – har det inte framgått ganska klart?"

"Du snackar skit."

"Inte det minsta, och det tror jag du vet också. Men faktum är att det finns en utväg."

"Vad ska jag göra?"

Han förstod inte varför han sa det. *Vad ska jag göra?* Det var så gott som ett medgivande, en kapitulation, och han funderade på att ta tillbaka det på en gång, och i stället pressa henne och se om hon överhuvudtaget hade några bevis eller om hon bara bluffade. Men han pallade inte, och först efteråt begrep han att det inte bara var hoten hon slängde ur sig eller ens den kusliga kraften i hennes händer.

Det var schackpartiet, och damoffret. Han befann sig i chock över det, och något i hans undermedvetna sa honom att en tjej som spelar på det viset också måste ha belägg för hans hemligheter.

"Vad ska jag göra?" upprepade han.

"Du ska följa med mig ut, och så ska du berätta, Arvid. Du ska berätta precis hur det gick till när du sålde ut Frans Balder."

"DET ÄR ETT MIRAKEL", sa Jan Bublanski där han stod i köket hemma hos Hanna Balder och betraktade den skrynkliga teckningen som Mikael Blomkvist hade plockat upp ur soporna.

"Ta inte i så du spricker", sa Sonja Modig som stod strax intill, och hon hade förstås rätt.

Det var inte mycket mer än några schackrutor på ett papper, trots allt, och precis som Mikael påpekat i telefon fanns det något märkligt matematiskt i verket, som om pojken mer var intresserad av rutornas geometri och fördubblingar i speglarna än av den hotfulla skuggan ovanför. Ändå förblev Bublanski upphetsad. Gång på gång hade han fått höra hur sinneslö August Balder var, och hur lite han skulle kunna hjälpa dem. Nu hade pojken ritat en teckning som gav Bublanski mer hopp än något annat i utredningen, och det grep honom och stärkte hans gamla uppfattning att man inte fick underskatta någon eller fastna i förutfattade meningar.

Visserligen visste de inte ens med säkerhet att det var mordögonblicket August Balder höll på att fånga. Skuggan kunde – åtminstone i teorin – härröra från ett annat tillfälle, och det fanns inga garantier för att pojken hade sett mördarens ansikte eller skulle kunna teckna det, och ändå… I djupet av sitt hjärta trodde Jan Bublanski på det, och då inte bara för att teckningen redan i sitt nuvarande skick var virtuos.

Han hade även studerat de andra teckningarna, och till och med kopierat dem och tagit med dem hit, och på dem syntes inte bara ett övergångsställe och ett trafikljus utan också en sliten man med tunna läppar som ur strikt polisiär synvinkel var tagen på bar gärning. Mannen gick uppenbart mot rött, och hans ansikte var inte bara skickligt fångat. Amanda Flod i hans grupp hade också ögonblickligen känt igen honom som den gamla arbetslösa skådisen Roger Winter som var dömd både för rattfylla och misshandel.

Den fotografiska skärpan i August Balders blick borde vara en dröm för vilken mordutredare som helst. Men visst, självklart, Bublanski insåg också att det var oprofessionellt att fara ut i alltför stora förhoppningar. Kanske hade mördaren varit maskerad vid mordet eller så hade hans ansikte redan bleknat bort i barnets minne. Det fanns en hel rad tänkbara scenarier och Bublanski såg med ett visst vemod på Sonja Modig.

"Du menar att jag bara önsketänker", sa han.

"För en man som börjat tvivla på Gud verkar du i alla fall ha ovanligt lätt att se mirakel."

"Jo, ja, kanske."

"Men det är definitivt värt att gå till botten med. Det håller jag med om", sa Sonja Modig.

"Bra, låt oss då träffa pojken."

Bublanski gick ut ur köket och nickade åt Hanna Balder som satt försjunken i vardagsrumssoffan och fipplade med några tabletter.

LISBETH OCH ARVID Wrange kom ut i Vasaparken, arm i arm, som ett par gamla bekanta. Men skenet bedrog förstås. Arvid var skräckslagen, och Lisbeth Salander styrde dem mot en bänk. Det var inte precis väder för att sitta ute och mata duvorna. Det blåste upp igen, och temperaturen kröp neråt, och Arvid Wrange frös. Men Lisbeth tyckte att bänken fick duga, och grep hårt om hans arm och såg till att han satte sig ner.

"Nå", sa hon. "Låt oss inte dra ut på det."

"Håller du mitt namn utanför det här?"

"Jag lovar ingenting, Arvid. Men dina chanser att få återgå till ditt miserabla liv ökar högst väsentligt om du berättar."

"Okej", sa han. "Känner du till Darknet?"

"Jag känner till det", sa hon.

Det var dagens understatement. Ingen kände till Darknet som Lisbeth Salander. Darknet var internets laglösa undervegetation. Till Darknet får ingen människa tillträde utan en särskild krypterad mjukvara. I Darknet är användarens anonymitet garanterad. Ingen kan googla fram dig eller spåra dina förehavanden. Darknet är därför fullt av knarklangare, terrorister, bedragare, gangsters, illegala vapenhandlare, bombmän, hallickar och Black hats. Ingenstans i det digitala sker så mycket smutsigt som där. Finns det ett nätets helvete så är det där.

Men Darknet är inte ont i sig. Det visste Lisbeth om någon. I dag, när spionorganisationerna och de stora mjukvaruföretagen följer varje steg vi tar på nätet, behöver även många hederliga människor en plats där ingen ser dem, och därför har Darknet också blivit ett ställe för dissidenter, visselblåsare och hemliga källor. På Darknet kan oppositionella tala och protestera utan att deras regering når dem, och på Darknet hade Lisbeth Salander företagit sina mest ljusskygga undersökningar och attacker.

Så ja, Lisbeth Salander kände till Darknet. Hon kunde dess sajter och sökmotorer och dess lite gammaldags, tröga organism långt bort från det kända, synliga nätet.

"Satte du ut Balders teknik till salu på Darknet?" frågade hon.

"Nej, nej, jag sökte mig bara planlöst runt. Jag var så förbannad. Du vet, Frans sa knappt hej till mig. Han behandlade mig som luft, och ärligt talat brydde han sig inte om sin teknik heller. Han ville enbart forska med den och inte se till att den kom till användning. Vi förstod ju alla att tekniken kunde dra in hur mycket som helst, och att vi kunde bli rika allihop. Men han struntade i det, han ville bara leka och experimentera med den som en barnunge, och en kväll när jag druckit lite slängde jag ur mig en fråga på en nördsajt: 'Vem kan betala bra för en revolutionerande AI-teknologi?'"

"Och då fick du svar?"

"Det dröjde. Jag hann glömma att jag ens frågat. Men till slut skrev någon som kallade sig Bogey tillbaka och ställde frågor, initierade frågor, och först svarade jag korkat oförsiktigt, precis som om jag höll på med en dum lek bara. Men så en dag insåg jag att jag trasslat in mig ordentligt, och då blev jag livrädd att Bogey skulle sno tekniken."

"Utan att du fått något för det."

"Jag fattade väl inte vilket vågspel jag gett mig in på. Det var en klassisk grej, gissar jag. För att sälja in Frans teknik var jag tvungen att berätta om den. Men om jag berättade för mycket hade jag redan förlorat den, och Bogey smickrade mig rent infernaliskt. Till sist visste han precis var vi satt och vad vi arbetade med för mjukvara."

"Han tänkte hacka er."

"Förmodligen, och bakvägen snokade han reda på vad jag hette, och det sänkte mig totalt. Jag blev helt paranoid, och förklarade att jag ville dra mig ur. Men då var det redan för sent. Inte så att Bogey hotade mig, inte direkt åtminstone. Han tjatade mest om att han och jag skulle göra stora saker tillsammans och tjäna en massa pengar, och till sist gick jag med på att träffa honom i Stockholm på en kinesisk båtrestaurang på Söder Mälarstrand. Det var kallt och blåsigt den dagen, minns jag, och jag stod där i god tid och frös. Men han kom inte, inte på en halvtimme åtminstone, och efteråt undrade jag om han haft någon sorts span på mig."

"Men sedan dök han upp?"

"Ja, och till en början var jag helt perplex. Jag kunde inte tro att det var han. Han såg ut som en pundare eller tiggare, och hade jag inte sett den där Patek Philippe-klockan på hans handled skulle jag typ stuckit till honom en tjugolapp. Han hade skumma ärr på armarna och hemmagjorda tatueringar, och hans armar flaxade när han gick, och hans trenchcoat såg hopplös ut. Han verkade ha levt på gatan mer eller mindre, och det märkligaste av allt: han var stolt över det. Det var egentligen bara klockan och de handsydda skorna som visade att han tagit sig upp ur skiten. I övrigt verkade han vilja hålla fast vid sina rötter, och när jag senare gett honom alltihop och vi firade uppgörelsen över ett par flaskor vin frågade jag om hans bakgrund."

"Och då får jag hoppas för din skull att han gav lite detaljer."

"Om du vill spåra honom måste jag varna dig…"

"Jag vill inte ha råd, Arvid. Jag vill ha fakta."

"Okej, han var försiktig förstås", fortsatte han. "Ändå fick jag lite grann. Förmodligen kunde han inte låta bli. Han var uppvuxen i en stor stad i Ryssland. Han sa aldrig var. Han hade haft allt emot sig, sa han. Allt! Hans mor var hora och heroinist, och hans farsa kunde vara vem som helst, och redan som liten hamnade han på ett barnhem från helvetet. Det fanns någon galning där, berättade han, som brukade lägga honom på en slaktbänk i köket och piska honom med en trasig käpp. När han var elva rymde han från hemmet och började leva på gatan. Han stal och bröt sig in i källare och trappuppgångar för att få lite värme, och han drack sig full på billig vodka och sniffade thinner och lim, och blev utnyttjad och slagen. Men han upptäckte också en sak."

"Vadå?"

"Han hade talang. Det som tog timmar för andra, gjorde han själv på några sekunder. Han var en mästare på att bryta sig in, och det blev hans första stolthet, hans första identitet. Före det var han bara en hemlös skitunge som alla föraktade och spottade på. Nu blev han killen som tog sig in i vad som helst, och ganska snart blev han besatt av det. Hela dagarna drömde han om att vara som Houdini, fast tvärtom. Han ville inte bryta sig ut. Han ville bryta sig in, och han tränade för att bli ännu bättre, ibland tio, tolv, fjorton timmar om dagen, och till slut var han en legend på gatorna, åtminstone sa han det, och han började göra större operationer och använda datorer som han stal och byggde om. Han hackade sig in överallt och tjänade massor. Men allt försvann till knark och skit och ofta blev han rånad och utnyttjad. Han kunde vara kristallklar när han gjorde sina stötar, men efteråt låg han i drogdimmor och då var det alltid någon som var framme och stampade på honom. Han var ett geni och en fullblodsidiot på en och samma gång, sa han. Men en dag förändrades allt. Han blev räddad, uppdragen ur sitt helvete."

"Vad hände?"

"Han hade legat i någon rivningskvart och sovit och sett värre ut än någonsin. Men när han slog upp ögonen och såg sig om i det gulaktiga ljuset stod en ängel framför honom."

"En ängel?"

"Han sa så, en ängel, och kanske var det delvis kontrasten till allt annat därinne, kanylerna, matresterna, kackerlackorna, fan vet vad. Han sa att hon var den vackraste kvinna han någonsin sett. Han klarade knappt av att se på henne, och han fick för sig att han skulle dö. Han kände en stor, ödesdiger högtidlighet. Men kvinnan förklarade, som den naturligaste sak i världen, att hon skulle göra honom rik och lycklig, och om jag fattade det rätt höll hon sitt löfte. Hon gav honom nya tänder och satte honom på ett behandlingshem. Hon såg till att han kunde utbilda sig till dataingenjör."

"Och sedan dess hackar han datorer och stjäl för kvinnan och hennes nätverk."

"Ungefär så. Han blev en ny människa, eller kanske inte helt och hållet, han är samma gamla tjuv och trashank på många vis. Men han tar inga droger längre, säger han, och han ägnar all sin lediga tid åt att hålla sig uppdaterad om ny teknik. Han hittar mycket på Darknet, och han säger sig vara stenrik."

"Och den här kvinnan – han sa inget mer om henne?"

"Nej, där var han oerhört försiktig. Han uttryckte sig så svävande och vördnadsfullt att jag ett tag undrade om hon inte var en ren fantasi eller en hallucination. Men jag tror ändå att hon finns. Jag kände en rent fysisk skräck i luften när han talade om henne. Han sa att han hellre skulle dö än att svika henne, och så visade han mig ett ryskt patriarkalkors i guld som hon gett honom. Ett sådant där kors, du vet, som har ett streck nere vid skaftet som ligger på snedden, och som därför pekar både uppåt och neråt. Han berättade att det syftade på Lukasevangeliet, och de två rövarna som hängde intill Jesus på korset. Den ena rövaren tror på honom och kommer till himlen. Den andra hånar honom och störtar ner i helvetet."

"Och det var vad som väntade er om ni svek henne."

"Ja, ungefär."

"Så hon såg sig som Jesus?"

"Korset hade nog inget med kristendomen att göra i det sammanhanget. Det var det här budskapet han ville framföra."

"Trohet eller helvetets plågor."

"Något i den stilen."

"Och ändå sitter du här, Arvid, och pratar bredvid mun."

"Jag såg inget annat alternativ."

"Hoppas du fick bra betalt."

"Jo, ja… ganska."

"Och sedan såldes Balders teknik vidare till Solifon och Truegames."

"Ja, men jag fattar inte… inte nu när jag tänker på det."

"Vad är det du inte förstår?"

"Hur kunde du veta?"

"Du var klantig nog, Arvid, att mejla Eckerwald på Solifon, minns du inte det?"

"Men jag skrev ju ingenting som tydde på att jag sålt ut tekniken. Jag var väldigt noga med formuleringarna."

"Det du sa räckte för mig", sa hon och reste sig upp, och då var det som om hela hans gestalt föll ihop.

"Hallå, hur blir det nu? Håller du mitt namn utanför det här?"

"Det kan du hoppas på", svarade hon, och gick med snabba, målmedvetna steg upp mot Odenplan.

PÅ VÄG NERFÖR trappan på Torsgatan ringde Bublanskis telefon. Det var professor Charles Edelman. Bublanski hade sökt honom sedan han insett att pojken var en savant. På nätet hade Bublanski noterat att det fanns två svenska auktoriteter som ständigt citerades i ämnet, professor Lena Ek vid Lunds universitet och så Charles Edelman på Karolinska Institutet. Han hade emellertid inte fått tag i någon av dem, och han hade därför släppt frågan och stuckit iväg till Hanna Balder. Nu ringde Charles Edelman tillbaka, och verkade uppriktigt skakad. Han befann sig i Budapest, sa han, på en konferens om förhöjd minneskapacitet. Han hade just anlänt, och inte sett nyheten om mordet förrän alldeles nyss på CNN.

"Annars skulle jag givetvis ha hört av mig direkt", förklarade han.

"Hur menar ni då?"

"Frans Balder ringde mig i går kväll."

Bublanski ryckte till, programmerad som han var att reagera på alla slumpmässiga samband.

"Varför gjorde han det?"

"Han ville tala om sin son och hans begåvning."

"Kände ni varandra?"

"Inte alls. Han hörde av sig för att han var orolig för sin pojke och det gjorde mig lite paff."

"Varför då?"

"För att han var just Frans Balder. För oss neurologer är han ju något av ett begrepp. Vi brukar säga att han vill förstå hjärnan precis som vi. Skillnaden är bara att han ville bygga en också, och göra förbättringar av den."

"Jag har hört något om det där."

"Men framför allt hade jag hört att han var en mycket sluten och svår person. Lite som en maskin själv, skämtades det ibland: idel logiska kretsar. Men med mig var han otroligt emotionell och det chockerade mig, uppriktigt sagt. Det var… inte vet jag, som om ni skulle höra er tuffaste polis gråta, och jag minns att jag tänkte att det måste ha hänt något annat också, något mer än det vi pratade om."

"Låter som en korrekt iakttagelse. Han hade insett att det fanns en allvarlig hotbild mot honom", sa Bublanski.

"Men han hade också skäl att vara upphetsad. Hans sons teckningar var tydligen förstklassiga, och det är verkligen inte vanligt i den åldern, ens hos savanter, framför allt inte när det kombineras med en färdighet i matematik."

"I matematik också?"

"Ja, enligt Balder var sonen matematiskt begåvad också, och om det skulle jag kunna prata länge."

"Hur menar ni?"

"För att det gjorde mig både extremt förvånad och samtidigt kanske inte fullt så förvånad. Vi vet ju i dag att det finns en ärftlig faktor också för savanter, och här har vi en far som är en legend tack vare sina avancerade algoritmer. Men samtidigt…"

"Ja?"

"Brukar konstnärlig och numerisk begåvning aldrig kombineras hos de här barnen."

"Är inte det fina med livet att vi då och då får anledning att häpna", sa Bublanski.

"Sant, kommissarien. Vad kan jag hjälpa er med?"

Bublanski erinrade sig allt som hänt ute i Saltsjöbaden, och det slog honom att det inte skulle skada att vara försiktig.

"Vi kan väl nöja oss med att vi behöver er hjälp och sakkunskap ganska akut."

"Pojken blev vittne till mordet, eller hur?"

"Ja."

"Och nu vill ni att jag ska försöka få honom att teckna det han sett?"

"Det vill jag inte kommentera."

CHARLES EDELMAN STOD nere i receptionen på konferenshotellet Boscolo i Budapest, inte långt från den glittrande Donau. Det såg ut lite som en opera därinne. Det var storslaget och högt i tak med gammaldags kupoler och pelare. Han hade sett fram emot veckan här nere med middagar och föreläsningar. Nu grimaserade han ändå och drog handen genom håret. Han hade rekommenderat sin unge docent Martin Wolgers.

"Jag kan tyvärr inte hjälpa till personligen. Jag har en viktig föreläsning i morgon", hade han sagt till kommissarie Bublanski, och det var utan tvivel sant.

Han hade förberett sig i veckor för föredraget, och han skulle gå i polemik mot flera ledande minnesforskare. Men när han lagt på och hastigt mött Lena Eks blick – Lena skyndade förbi med en sandwich i handen – började han ångra sig. Han blev till och med avundsjuk på den unge Martin, som inte ens hade fyllt trettiofem och som alltid gjorde sig oförskämt bra på bild, och som dessutom började bli ett namn han med.

Det var sant att Charles Edelman inte helt förstod vad som hänt. Kommissarien hade varit kryptisk. Förmodligen var han rädd för att vara avlyssnad, och ändå hade det inte varit svårt att begripa den större bilden. Pojken var en skicklig tecknare och han var vittne till ett mord. Det kunde bara betyda en sak, eller hur, och ju mer Edelman tänkte på det, desto mer grämde han sig. Viktiga föredrag skulle han hålla många gånger i sitt liv. Men att vara med i en mordutredning på den här nivån – en sådan chans skulle han aldrig få igen. Hur han än såg på det uppdrag han så lättvindigt överlåtit på Martin så var det säkert mycket intressantare än något han kunde få uppleva här i Budapest, och vem vet, kanske skulle det kunna leda till en viss berömmelse också.

Han såg rubriken framför sig: "Känd neurolog hjälpte polisen lösa mordet", eller ännu bättre: "Edelmans forskning ledde till genombrott i mordjakten". Hur kunde han vara så korkad att han tackat nej? Han var en idiot, eller hur? Han grep sin mobil och ringde Jan Bublanski.

JAN BUBLANSKI LADE på luren. Han och Sonja Modig hade hittat en parkeringsplats inte långt från Stockholms stadsbibliotek och hade precis korsat gatan. Det var återigen ett hopplöst väder, och Bublanski frös om händerna.

"Ångrade han sig?" frågade Sonja.

"Ja. Han struntar i sitt föredrag."

"När kan han vara här?"

"Han ska kolla upp det. Senast i morgon förmiddag."

De var på väg mot Odens Barn- och ungdomsmottagning på

Sveavägen för att träffa föreståndaren Torkel Lindén. Egentligen borde mötet enbart avhandla de praktiska omständigheterna kring August Balders vittnesmål – åtminstone enligt Bublanskis förmenande. Men även om Torkel Lindén ännu inget visste om deras verkliga ärende hade han varit märkligt avvisande i telefon och sagt att pojken inte borde störas nu "på något sätt". Bublanski hade känt en instinktiv fientlighet i telefon, och varit dum nog att inte vara särskilt trevlig tillbaka. Det var ingen lovande start.

Nu visade det sig att Torkel Lindén inte var någon stor och kraftig person som Bublanski förväntat sig. Lindén var tvärtom inte mycket mer än 150 centimeter lång och hade kortklippt, möjligen färgat, svart hår, och sammanbitna läppar som förstärkte det strama i hans karaktär. Han bar svarta jeans och en svart polotröja och ett litet kors i ett band runt halsen. Han såg prästerlig ut, och det var inget tvivel om att fientligheten var äkta.

Ögonen sken högdraget, och Bublanski blev medveten om sin judiskhet – han blev ofta det när han mötte den sortens illvilja. Förmodligen var mannens blick också en moralisk maktdemonstration. Torkel Lindén ville visa att han var finare eftersom han satte pojkens psykiska hälsa främst och inte utnyttjade honom i polisiära syften, och Bublanski såg ingen annan råd än att inleda på sitt mest älskvärda sätt.

"Angenämt", sa han.

"Jaså", sa Torkel Lindén.

"O ja, och mycket vänligt av er att ta emot oss med så kort varsel, och vi skulle verkligen inte klampa in så här om vi inte trodde att ärendet var av yttersta vikt."

"Jag antar att ni vill förhöra pojken på något vis."

"Inte riktigt så", fortsatte Bublanski, inte fullt lika älskvärt.

"Vi vill snarare… ja, jag måste först betona att det jag nu säger stannar mellan oss. Det är en viktig säkerhetsfråga."

"Sekretess är en självklarhet för oss. Här har vi inga läckor", sa Torkel Lindén, som om han antydde att Bublanski hade det.

"Jag vill bara förvissa mig om att pojken kan vara trygg", sa Bublanski stramt.

"Så det är er prioritet?"

"Ja, faktiskt", sa polismannen ännu mer stramt, "och därför menar jag det verkligen: inget av det jag berättar får spridas på något vis – allra minst på mejl eller telefon. Kan vi sätta oss avskilt?"

SONJA MODIG VAR inte vidare förtjust i stället. Men då påverkades hon säkert av gråten. Någonstans i närheten grät en liten flicka ihållande och förtvivlat. De satt i ett rum som luktade rengöringsmedel och också svagt av något annat, kanske en kvardröjande doft av rökelse. På väggen hängde ett kors, och på golvet låg en sliten brun nallebjörn. I övrigt fanns inte mycket till trivsel eller inredning, och den annars så godmodiga Bublanski höll på att explodera, och därför tog hon kommandot och berättade sakligt och lugnt om vad som hänt.

"Men nu har vi förstått", fortsatte hon, "att er medarbetare, psykolog Einar Forsberg, har sagt att August inte bör rita."

"Det var hans professionella bedömning, och jag delar den. Pojken mår inte bra av det", svarade Torkel Lindén.

"Nu skulle man ju kunna säga att han knappast mår bra under några som helst omständigheter. Han såg sin far mördas."

"Vi ska väl inte göra saken värre, eller hur?"

"Det är sant. Men den här teckningen som August inte fick avsluta kan leda oss till ett genombrott i utredningen, och därför måste vi nog insistera. Vi ska se till att sakkunnig personal är närvarande."

"Jag måste ändå säga nej."

Sonja trodde knappt sina öron.

"Va?" sa hon.

"Med all respekt för ert arbete", fortsatte Torkel Lindén

orubbligt. "Här på Oden hjälper vi utsatta barn. Det är vår uppgift och vårt kall. Vi är ingen förlängd arm till polisen. Så är det, och vi är stolta över det. Så länge barnen är här ska de känna sig trygga med att vi sätter deras intressen i främsta rummet."

Sonja Modig lade en hand på Bublanskis lår för att hindra honom från att brusa upp.

"Vi kan utan vidare få ett domstolsbeslut i frågan", sa hon. "Men vi vill ogärna gå den vägen."

"Klokt av er."

"Låt mig i stället fråga en sak", fortsatte hon. "Vet du och Einar Forsberg verkligen så tvärsäkert vad som är bäst för August, eller för flickan som gråter där borta för den delen? Kan det inte tvärtom vara så att vi alla behöver uttrycka oss? Du och jag kan prata eller skriva, eller till och med kontakta advokater. August Balder har inte de uttrycksmedlen. Men han kan teckna, och han verkar vilja säga oss något. Ska vi då hindra honom? Kan det inte vara lika inhumant att förvägra honom det som att hindra andra barn från att tala? Ska vi inte låta August få gestalta det som måste plåga honom mer än något annat?"

"Vår bedömning är…"

"Nej", högg hon av. "Prata inte om era bedömningar. Vi har varit i kontakt med den person som är bäst i hela landet på att bedöma den här sortens problematik. Han heter Charles Edelman och är professor i neurologi, och han är på väg upp från Ungern för att träffa pojken. Är det inte rimligt att vi låter honom bestämma?"

"Vi kan förstås lyssna på honom", sa Torkel Lindén motvilligt.

"Inte bara lyssna. Vi låter honom avgöra."

"Jag lovar att föra en konstruktiv dialog, sakkunniga emellan."

"Bra, vad gör August nu?"

"Han sover. Han var helt slut när han kom till oss."

Sonja förstod att det knappast skulle leda till något gott om hon propsade på att pojken skulle väckas.

"Då återkommer vi i morgon förmiddag med professor Edelman, och då hoppas jag att vi alla kan samarbeta i den här frågan."

KAPITEL 16
KVÄLLEN DEN 21 OCH MORGONEN
DEN 22 NOVEMBER

GABRIELLA GRANE DOLDE ansiktet i händerna. Hon hade inte sovit på fyrtio timmar och hon härjades av en djup skuld som förstärktes av den bultande sömnlösheten. Ändå hade hon slitit hårt hela dagen. Sedan i morse tillhörde hon en grupp på Säkerhetspolisen – en sorts skuggutredning – som också arbetade med mordet på Frans Balder, officiellt för att förstå den större inrikespolitiska bilden, men som i hemlighet var involverad i varje liten detalj.

Gruppen bestod av intendent Mårten Nielsen, som formellt var ansvarig och som nyligen var hemkommen från ett studieår på University of Maryland i USA, och som tveklöst var intelligent och påläst, men lite väl mycket höger för Gabriellas smak. Mårten var något så unikt som en välutbildad svensk som helhjärtat stödde republikanerna i USA, och till och med uttryckte en viss förståelse för Tea Party-rörelsen. Dessutom var han en lidelsefull krigshistoriker som höll föreläsningar på Militärhögskolan, och som trots att han ännu var ganska ung – trettionio år gammal – ansågs ha ett stort internationellt kontaktnät.

Ändå hade han ofta svårt att hävda sig i sammanhanget, och det egentliga ledarskapet låg hos Ragnar Olofsson som var äldre och kaxigare, och som kunde få tyst på Mårten med en vresig liten suck eller en enda missnöjd rynka ovanför sina buskiga ögonbryn. Inget blev heller bättre för Mårten av att kommissarie Lars Åke Grankvist ingick i gruppen.

Innan han kom till Säpo var Lars Åke en halvt legendarisk utredare på Rikskriminalens mordkommission, åtminstone i den meningen att han påstods kunna supa vem som helst under bordet, och med någon sorts bullrig charm sett till att ha en ny älskarinna i varje stad. Överhuvudtaget var det ingen lätt samling att hävda sig i, och även Gabriella höll under eftermiddagen en allt lägre profil. Men det berodde mindre på gubbarna och deras tuppande än på en tilltagande känsla av osäkerhet. Ibland tyckte hon sig till och med veta mindre nu än förut.

Hon insåg till exempel att bevisen i det gamla ärendet med det misstänkta dataintrånget var ytterst få eller till och med obefintliga. Egentligen fanns inte mer än ett uttalande från Stefan Molde på FRA, och han var inte ens säker på sin sak. I sin analys pratade han mest en massa skit, ansåg hon, och Frans Balder verkade främst ha fäst tilltro till den kvinnliga hacker han anlitat, hon som i utredningen inte ens hade ett namn, men som assistenten Linus Brandell gett en livfull beskrivning av. Rimligtvis hade Frans Balder dolt mycket för henne redan innan han stack till USA.

Var det till exempel en slump att han tog anställning just på Solifon?

Gabriella gnagdes av osäkerhet och var förbannad över att hon inte fick mer hjälp från Fort Meade. Alona Casales gick inte längre att nå, och NSA var återigen en stängd dörr. Därför levererade hon själv inte längre några nyheter. Hon hamnade, precis som Mårten och Lars Åke, i skuggan av Ragnar Olofsson som ständigt fick ny information från sin källa på våldsroteln, och genast förde den vidare till Säpochefen Helena Kraft.

Gabriella gillade det inte, och hon hade utan framgång påpekat att trafiken inte bara ökade risken för läckor. Det tycktes också få dem att förlora sin självständighet. I stället för att söka via egna kanaler följde de alltför slaviskt uppgifterna som strömmade in från Bublanskis gäng.

"Vi är som fuskare på en examensskrivning som i stället för att tänka själva bara väntar på att få svaren viskade till oss", hade hon sagt inför hela gruppen, och inte precis blivit populärare.

Nu satt hon ensam på sitt rum, fast besluten att arbeta på egen hand, och försökte se den större bilden och komma vidare. Kanske skulle det inte leda någon vart. Å andra sidan skulle det inte skada om hon gick sin egen väg och inte blickade in i samma tunnel som alla andra. Hon hörde steg i korridoren utanför, höga bestämda klackar som Gabriella bara alltför väl kände igen vid det här laget. Det var Helena Kraft, som nu steg in i hennes rum, klädd i sin grå Armanikavaj och håret uppsatt i en stram knut. Helena såg ömsint på henne. Det fanns stunder då Gabriella inte gillade den där favoriseringen.

"Hur är det?" sa hon. "Står du upp?"

"Knappt."

"Jag tänker skicka hem dig efter det här samtalet. Du måste få sova. Vi behöver en klartänkt analytiker."

"Låter klokt."

"Och vet du vad Erich Maria Remarque sa?"

"Att det inte är roligt i skyttegravarna eller något."

"Ha, nej, att det alltid är fel personer som har dåligt samvete. De som verkligen orsakar lidande i världen bryr sig inte. Men de som kämpar för det goda gnags av samvetskval. Du har inget att skämmas för, Gabriella. Du gjorde vad du kunde."

"Jag är inte så säker på det. Men tack ändå."

"Har du hört om Balders son?"

"Som hastigast av Ragnar."

"I morgon klockan tio träffar kommissarie Bublanski, kriminalinspektör Modig och en professor Charles Edelman pojken på Odens Barn- och ungdomsmottagning på Sveavägen. De ska försöka få honom att teckna mer."

"Då håller jag tummarna för det. Men jag gillar inte att jag vet det."

"Lugn, lugn, det är min uppgift att vara paranoid. Enbart folk som kan hålla käften känner till det."

"Då litar jag på det."

"Jag har något att visa dig."

"Vad är det för något?"

"Fotografier på killen som hackade Balders tjuvlarm."

"Jag har sett dem redan. Jag har till och med detaljstuderat dem."

"Har du verkligen det?" sa Helena Kraft, och räckte över en suddig förstoring av en handled.

"Vad är det med den?"

"Titta igen. Vad ser du?"

Gabriella tittade, och såg då två saker, den exklusiva klocka hon anat sig till tidigare och otydligt där under, i skarven mellan handskarna och jackan, ett par streck som såg ut som hemmagjorda tatueringar.

"Två kontraster", sa hon. "Några billiga tatueringar och en väldigt dyr klocka", sa hon sedan.

"Mer än så", sa Helena Kraft. "Det är en Patek Philippe från 1951, modell 2499, första serien, eller kanske andra serien."

"Säger mig ingenting."

"Det är ett av de finaste armbandsur som finns. En sådan klocka såldes på Christie's auktion i Genève för några år sedan för strax över två miljoner dollar."

"Skojar du?"

"Nej, och det var inte vem som helst som köpte den. Det var Jan van der Waal, advokat på Dackstone & Partner. Han ropade in den för en klients räkning."

"Dackstone & Partner som representerar Solifon?"

"Precis."

"Det var som fan."

"Vi vet förstås inte om klockan på övervakningsfotot är just den som såldes i Genève, och vi har heller inte lyckats ta reda på vem den här klienten var. Men det är en början, Gabriella. Nu har vi en mager typ som ser ut som en pundare och som bär en klocka av den här magnituden. Det bör begränsa sökgruppen."

"Känner Bublanski till det?"

"Det var hans tekniker Jerker Holmberg som upptäckte det. Men nu vill jag att du med din analytiska hjärna spinner vidare på det. Gå hem och sov, och sätt igång i morgon bitti."

MANNEN SOM KALLADE sig Jan Holtser satt hemma i sin lägenhet på Högbergsgatan i Helsingfors, inte långt från Esplanaden, och bläddrade i ett fotoalbum med bilder på hans dotter Olga som i dag var tjugotvå år och pluggade till läkare i Gdansk i Polen.

Olga var lång och mörk och intensiv, och det bästa i hans liv, som han brukade säga. Inte bara för att det lät bra, och gav en bild av honom som ansvarstagande far. Han ville tro det också. Men förmodligen var det inte längre sant. Olga hade anat vad han arbetade med.

"Skyddar du onda människor?" hade hon frågat en dag, och efter det blivit manisk i vad hon kallade sitt engagemang för "svaga och utsatta".

Det var ren och skär vänsteridioti, enligt Jans åsikt, och passade inte Olgas karaktär det minsta. Han såg det enbart som hennes frigörelse. Bakom allt uppblåst prat om tiggare och sjuka trodde han att hon fortfarande var lik honom. Olga hade en gång varit en lovande hundrameterslöpare. Hon var 186 centimeter lång och muskulös och explosiv, och förr i tiden hade hon älskat att titta på actionfilmer och lyssna på hans krigsminnen. I skolan hade alla vetat att det inte lönade sig att bråka med henne. Hon slog tillbaka, som en krigare. Olga var definitivt inte skapad för att syssla med degenererade och svaga.

Ändå påstod hon sig vilja arbeta för Läkare Utan Gränser eller sticka till Calcutta som en jävla Moder Teresa. Jan Holtser stod inte ut med det. Världen tillhör de starka, menade han. Men han älskade också sin dotter vad hon än slängde ur sig, och i morgon skulle hon för första gången på ett halvår komma hem för några dagars ledighet, och han bestämde sig högtidligt för att vara mer lyhörd den här gången, och inte orera om Stalin och stora ledare och allt sådant som hon hatade.

Tvärtom skulle han knyta henne till sig igen. Han var säker på att hon behövde honom. Han var ganska säker på att *han* behövde henne. Klockan var åtta på kvällen, och han gick ut i köket och pressade tre apelsiner i sin fruktpress, och hällde Smirnoff i ett glas och gjorde en Screwdriver. Det var hans tredje i dag. Efter att han avslutat ett jobb kunde han dra i sig sex, sju stycken, och kanske skulle han göra det nu också. Han var trött och tyngd av allt ansvar som lagts på hans axlar, och han behövde slappna av, och under några minuter stod han stilla med sin drink i handen och drömde om ett helt annat slags liv. Men mannen som kallade sig Jan Holtser hoppades på för mycket.

Friden tog slut strax efteråt när Jurij Bogdanov ringde på hans avlyssningssäkra mobil. Jan hoppades först att Jurij bara ville pladdra av sig lite av den upphetsning som varje uppdrag oundvikligen förde med sig. Men kollegan hade ett ytterst konkret ärende och han lät besvärad.

"Jag har talat med T.", sa han, och då kände Jan en rad saker på en gång, kanske främst svartsjuka.

Varför ringde Kira Jurij och inte honom? Även om det var Jurij som drog in de stora pengarna, och blev belönad med de fina gåvorna och större beloppen, hade han ändå alltid varit övertygad om att det var han som stod Kira närmast. Men Jan Holtser kände också oro. Hade något gått snett ändå?

"Har det uppstått problem?" sa han.

"Jobbet är inte slutfört."

"Var är du?"

"I stan."

"Kom upp hit då och förklara vad i helvete du menar."

"Jag har ordnat bord på Postres."

"Orkar inte med någon lyxkrog, eller några av din uppkom-
lingsfasoner. Du får pallra dig hit."

"Jag har inte ätit."

"Jag steker upp något åt dig."

"Okej. Vi har en lång natt framför oss."

JAN HOLTSER VILLE inte ha någon ny lång natt. Han ville än
mindre meddela sin dotter att han inte skulle vara hemma i
morgon. Men han hade inget val. Han visste det lika säkert
som han älskade Olga. Det gick inte att säga nej till Kira.

Hon ägde en osynlig makt över honom, och även om han
försökte förmådde han aldrig uppträda så värdigt som han
önskade inför henne. Hon förvandlade honom till en liten
pojke, och ofta slog han knut på sig själv för att få se henne le,
eller allra helst uppträda förföriskt.

Kira var hisnande vacker och visste att utnyttja det som ing-
en annan skönhet före henne. Hon var en lysande maktspe-
lare och hon behärskade hela registret. Hon kunde vara svag
och vädjande, men också okuvlig och hård och kylig som is,
och ibland rent ond. Ingen kunde som hon locka fram sadis-
men i honom.

Hon kanske inte var överdrivet intelligent i klassisk bemär-
kelse, och många påpekade det också, kanske för att de be-
hövde plocka ner henne på jorden. Men samma människor
blev ändå blåsta när de stod inför henne. Kira manipulerade
skjortan av dem likafullt, och kunde få även de tuffaste män
att rodna och fnittra som skolbarn.

NU VAR KLOCKAN nio på kvällen och Jurij satt bredvid honom och slevade i sig den lammfilé Jan stekt upp åt honom. Egendomligt nog var hans bordsskick nära på anständigt. Det var säkert också Kiras inflytande. På många vis hade det blivit folk av Jurij, och ändå förstås inte. Hur han än åbäkade sig tvättade han aldrig av sig känslan av småtjuv och tjackpundare. Trots att han sedan länge var avgiftad och diplomerad dataingenjör såg han härjad ut, och i hans rörelser och flaxande gång fanns ännu spår av gatans vårdslöshet.

"Var är din brackiga klocka?" sa Jan.

"Den är avlagd."

"Har du hamnat i onåd?"

"Vi är båda i onåd."

"Är det så illa?"

"Kanske inte."

"Men jobbet var inte avslutat, sa du?"

"Nej, det är den där pojken."

"Vilken pojke?"

Jan låtsades att han inte förstod.

"Han som du så ädelt skonade."

"Vad är det med honom? Han är ju idiot."

"Kanske det, men nu har han börjat teckna."

"Vadå teckna?"

"Han är en savant."

"En vadå?"

"Du borde läsa annat än dina jävla vapentidningar."

"Vad snackar du om?"

"En savant är en autistisk eller på annat sätt handikappad människa som har en speciell begåvning. Den här pojken kanske inte kan prata eller tänka något vettigt, men han har en fotografisk blick vad det verkar. Kommissarie Bublanski tror att grabben kommer att kunna rita ditt ansikte med någon sorts matematisk precision, och därefter hoppas han kunna köra teckningen i polisens program för ansiktsigenkänning, och då är du rökt, eller hur? Finns du inte där någonstans i Interpols register?"

"Jo, men inte menar Kira…"

"Hon menar precis det. Vi måste fixa killen."

En våg av upprördhet och förvirring drog genom Jan, och återigen såg han framför sig den där tomma glasartade blicken från dubbelsängen som berört honom så illa.

"I helvete heller", sa han utan att riktigt tro på det.

"Jag vet att du har problem med barn. Jag gillar det inte heller. Men vi kommer inte undan, är jag rädd. Dessutom bör du vara tacksam. Kira kunde lika gärna ha offrat dig."

"I och för sig."

"Då så! Jag har flygbiljetterna här i fickan. Vi tar första flyget 06.30 i morgon till Arlanda, och sedan ska vi vidare till något som heter Odens Barn- och ungdomsmottagning på Sveavägen."

"Så pojken är på ett hem."

"Ja, och därför kräver det en del planering. Jag ska bara få i mig maten, sedan sätter jag igång direkt."

Mannen som kallade sig Jan Holtser slöt ögonen och försökte komma på vad han skulle säga till Olga.

LISBETH SALANDER STEG upp klockan fem på morgonen nästa dag, och hackade sig in i superdatorn NSF MRI vid New Jersey Institute of Technology. Hon behövde all matematisk kapacitet hon kunde få tag i, och därefter plockade hon fram sitt eget program för faktorisering med elliptiska kurvor.

Sedan satte hon igång med att knäcka filen hon laddat ner från NSA. Men hur hon än försökte gick det inte, och egentligen hade hon inte förväntat sig det heller. Det var en sofistikerad RSA-kryptering. RSA – döpt efter upphovsmännen Rivest, Shamir och Adleman – har två nycklar, en offentlig och en hemlig, och bygger på Eulers fi-funktion och Fermats lilla sats, men framför allt på det enkla faktum att det är lätt att multiplicera två större primtal.

Blink, säger det bara, så ger räknemaskinen svaret. Ändå är det närmast omöjligt att gå bakvägen och utifrån svaret ta reda på vilka primtal som använts. Att primtalsfaktorisera är datorerna än så länge inte särskilt bra på, och det var något som både Lisbeth och världens underrättelseorganisationer svurit över många gånger tidigare.

Normalt anses GNFS-algoritmen mest effektiv för ändamålet. Men Lisbeth hade sedan något år tillbaka ändå trott att det skulle gå bättre att komma fram med ECM, Elliptic Curve Method. Därför hade hon under ändlösa nätter utarbetat ett eget datorprogram för faktorisering. Men nu under morgontimmarna insåg hon att hon måste förfina det ytterligare för att ens ha en chans att lyckas, och efter tre timmars arbete tog hon en paus, och gick ut i köket och halsade apelsinjuice ur ett tetrapack och åt två mikrade piroger.

Därefter återvände hon till sitt skrivbord och hackade sig in i Mikael Blomkvists dator för att se om han hittat något nytt. Han hade ställt två nya frågor till henne, och hon insåg direkt – han var inte så hopplös ändå.

Vem av hans assistenter svek Frans Balder? skrev han, och det var förstås en rimlig undran.

Ändå svarade hon inte. Inte för att hon brydde sig om Arvid Wrange. Men hon hade kommit vidare, och förstått vem den hålögda pundaren som Wrange fått kontakt med var. Killen hade kallat sig Bogey, och Trinity i Hackerrepubliken hade påmint sig att någon med just ett sådant handle figurerat på en del hackersajter för några år sedan. Det behövde givetvis inte betyda något.

Bogey var inget unikt eller särskilt originellt alias. Men Lisbeth hade spårat och läst inläggen och fått en känsla av att det kunde vara rätt, särskilt när signaturen i en oförsiktig passus sagt att han var dataingenjör från Moskvauniversitetet.

Lisbeth fick inte fram något examensår eller några år överhuvudtaget. Men hon hittade något bättre, ett par nördiga detaljer om att Bogey var torsk på fina klockor, och tokig i de gamla franska sjuttiotalsfilmerna med Arsène Lupin, gentlemannatjuven, trots att filmerna inte direkt tillhörde hans generation.

Lisbeth ställde därefter frågor på alla tänkbara webbsajter för gamla och nya studenter från Moskvauniversitetet om någon kände en mager, hålögd före detta pundare som varit gatubarn och mästertjuv, och som älskade Arsène Lupin-filmerna. Det dröjde inte länge förrän hon fick napp.

"Det låter som Jurij Bogdanov", skrev en tjej som presenterade sig som Galina.

Enligt Galina var Jurij en legendar på universitetet. Inte bara för att han hackat sig in i lärarnas datorer och hade hållhakar på dem alla. Han hade också ständigt slagit vad, och frågat folk: Sätter du hundra rubel på att jag inte kan ta mig in i huset där borta?

Många som inte kände honom såg det som lättförtjänta pengar. Men Jurij tog sig in överallt. Han dyrkade upp vilken dörr som helst, och om det händelsevis ändå inte gick klättrade han uppför fasader och väggar. Han var känd för att vara våghalsig och elak. En gång sades han ha sparkat ihjäl en hund som stört honom i arbetet, och ständigt och jämt stal han från folk, ofta på pin kiv. Möjligen led han av kleptomani, trodde Galina. Men han betraktades också som ett hackergeni och en analytisk begåvning, och efter examen låg världen öppen för honom. Ändå ville han inte ha något jobb. Han ville gå sin egen väg, sa han, och det tog förstås inte Lisbeth lång tid att ta reda på vad han hittat på efter universitetsåren – enligt den officiella versionen.

Jurij Bogdanov visade sig vara trettiofyra år i dag. Han hade lämnat Ryssland och bodde numera på Budapester Strasse 8 i Berlin, inte långt från gourmetrestaurangen Hugos. Han drev White hat-företaget Outcast Security med sju anställda, som senaste räkenskapsåret omsatt tjugotvå miljoner euro. Det var lite ironiskt – men kanske ändå logiskt – att hans fasad var ett företag som skulle skydda industrikoncerner mot personer som han själv. Han var inte dömd för något brott sedan han tagit sin examen 2009, och hans kontaktnät föreföll stort; i hans styrelse satt bland annat Ivan Gribanov, ledamot i ryska duman och storägare i oljeföretaget Gazprom, men något annat som kunde föra henne vidare hittade hon inte.

Mikael Blomkvists andra fråga löd:

Odens Barn- och ungdomsmottagning på Sveavägen. Är det tryggt? (Radera det här så fort du har läst det.)

Han förklarade inte varför han var intresserad av stället. Men så mycket visste hon om Mikael Blomkvist att han inte precis brukade kasta ur sig frågor på måfå. Han var inte heller mycket för otydlighet.

Var han kryptisk hade han skäl till det, och eftersom han skrev att han skulle radera meningen var det känslig information. Något var helt klart viktigt med Odens Barn- och ungdomsmottagning, och Lisbeth upptäckte också snart att Oden hade fått mycket klagomål på sig. Barn hade glömts bort eller ignorerats och kunnat skada sig själva. Oden drevs privat av föreståndaren Torkel Lindén och hans bolag Care Me, och tycktes – om man skulle tro tidigare anställda – drivas lite som ett eget maktcentrum där Torkel Lindéns ord förväntades tas emot som sanningar, och där inget köptes in i onödan och vinstmarginalen därför alltid var stor.

Torkel Lindén själv var en gammal stjärngymnast, svensk mästare i räck bland annat. Numera var han en lidelsefull jägare och medlem i församlingen Kristi Vänner som drev en oförsonlig linje mot homosexuella. Lisbeth gick in på Svenska Jägareförbundets och Kristi Vänners hemsidor och tittade om det var några lockande aktiviteter på gång. Därefter skickade hon Torkel Lindén två falska, men ytterst vänliga och inbjudande mejl som såg ut att komma från organisationerna. Mejlen innehöll PDF-filer med ett sofistikerat spionvirus som skulle öppna sig automatiskt om Torkel Lindén tog upp och läste meddelandena.

Klockan 08.23 var hon inne på servern och började då genast att arbeta koncentrerat, och det var precis som hon misstänkt. På Odens Barn- och ungdomsmottagning hade August Balder skrivits in i går eftermiddag. I journalanteckningarna under en redogörelse för de tragiska omständigheterna bakom omhändertagandet stod:

Infantil autism, gravt begåvningsnedsatt. Orolig. Svårt traumatiserad efter faderns död. Kräver ständig uppsyn. Svår att ha att göra med. Har fått med sig pussel. Får inte teckna! Bedöms som tvångsmässigt och destruktivt. Beslut av psykolog Forsberg, styrkt av TL.

Under detta var ditskrivet, uppenbarligen något senare:

Professor Charles Edelman och kommissarie Bublanski och kriminalinspektör Modig besöker pojken onsdag 22 november klockan 10.00. TL närvarar. Teckning under övervakning.

Ytterligare längre ner stod:

Mötesplats ändrad. Pojken förs av TL och professor Edelman till modern Hanna Balder på Torsgatan där kriminalpoliserna Bublanski och Modig möter upp. Pojken bedöms kunna teckna bättre i hemmiljö.

Lisbeth gjorde en snabb check på vem professor Charles Edelman var, och när hon såg att hans expertområde var savanttalanger förstod hon genast vad som var på gång. Det måste vara någon form av vittnesmål på papper som höll på att växa fram. Varför skulle Bublanski och Sonja Modig annars vara intresserade av pojkens tecknande, och varför skulle Mikael Blomkvist annars ha varit så försiktig i sin fråga?

Därför fick förstås heller inget om det komma ut. Ingen gärningsman skulle få veta att pojken möjligen kunde rita av honom, och Lisbeth beslöt därför att kolla hur försiktig Torkel Lindén varit i sin korrespondens. Det verkade okej dessbättre. Han hade inte skrivit något annat om pojkens tecknande. Han hade däremot fått ett mejl från Charles Edelman 23.10 i går kväll, med kopia till Sonja Modig och Jan Bublanski. Mejlet var uppenbarligen skälet till att mötesplatsen hade ändrats. Charles Edelman skrev:

Hej Torkel, vad vänligt av dig att ta emot mig på er mottagning. Jag uppskattar det mycket. Men jag är rädd att jag måste vara lite besvärlig. Jag tror att vi har de bästa chanserna att få fram ett gott resultat om vi ser till att pojken får teckna i en miljö där han känner sig trygg. Därmed inte ett ont ord sagt om er mottagning. Jag har hört mycket gott om den.

I helvete du har, tänkte Lisbeth och läste vidare:

Därför skulle jag vilja att vi flyttar pojken till modern, Hanna Balder på Torsgatan, i morgon förmiddag. Anledningen till det är att det är vedertaget i litteraturen att närvaron av modern har en positiv inverkan på barn med savanttalanger. Om du och pojken står utanför porten på Sveavägen klockan 09.15 kan jag hämta upp er på vägen. Då får vi chansen att tala lite, kollegor emellan.

Med vänlig hälsning
Charles Edelman

Klockan 07.01 och 07.14 hade Jan Bublanski respektive Sonja Modig svarat på mejlet. Det fanns skäl, skrev de, att lita på Edelmans sakkunskap, och att följa hans råd. Torkel Lindén hade nyligen, klockan 07.57, bekräftat att han skulle stå utanför porten på Sveavägen med pojken och invänta Charles Edelman. Lisbeth Salander satt en stund i tankar. Därefter gick hon ut i köket och ryckte åt sig några gamla skorpor från skafferiet medan hon såg ut mot Slussen och Riddarfjärden därute. Så mötet hade ändrats, tänkte hon.

I stället för att teckna inne på hemmet skulle pojken köras hem till sin mamma. Det skulle ha en **positiv inverkan,** skrev Edelman, **närvaron av modern har en positiv inverkan.** Det var något med den meningen som Lisbeth inte tyckte om. Den kändes lite gammaldags, gjorde den inte? Och själva inledningen var inte bättre: "**Anledningen till det är att det är vedertaget i litteraturen…**"

Det lät mossigt och tungfotat, och visserligen, det var sant, skrev många akademiker som krattor, och hon visste ingenting om Charles Edelmans sätt att uttrycka sig, men skulle en världsledande neurolog verkligen behöva luta sig mot det vedertagna i litteraturen. Borde han inte vara kaxigare än så?

Lisbeth gick till sin dator och skummade några uppsatser av Edelman på nätet; möjligen fanns där ett litet löjligt stråk av fåfänga som smög sig in även i de sakligaste delarna. Men hon hittade ingen överdriven språklig klumpighet eller något psykologiskt naivt. Gubben var tvärtom skarp, och efteråt gick hon tillbaka till mejlen och kollade SMTP-servern bakom, och då studsade hon till direkt. Servern hette Birdino och var okänd för henne, och det borde den inte vara, och då skickade hon en rad kommandon till den för att förstå vad den var för något, och i nästa ögonblick fick hon det svart på vitt. Servern stödde open mail relay. Avsändaren kunde därför skicka hälsningar från vilken adress han ville.

Mejlet från Edelman var med andra ord falskt, och själva kopiorna till Bublanski och Modig var bara en dimridå, upptäckte hon. De meddelandena hade blockerats och aldrig gått iväg, och därför behövde hon knappt ens titta efter, hon visste redan: polisernas svar och godkännande av den förändrade planeringen var också bluff, och det var ingen liten sak, det förstod hon direkt. Det betydde inte bara att någon låtsades vara Edelman. Det måste också finnas en läcka, och framför allt: någon ville få ut pojken på Sveavägen.

Någon ville ha honom skyddslös på gatan för att… vadå? Kidnappa eller undanröja honom? Lisbeth tittade på klockan, den var fem i nio redan. Om bara tjugo minuter skulle Torkel Lindén och August Balder ge sig ut och vänta på någon som inte var Charles Edelman, och som knappast var vänligt inställd. Vad skulle hon göra?

Ringa polisen? Lisbeth var inte mycket för att ringa polisen. Hon var särskilt lite för det om det fanns risk för läckor. Hon gick in på Odens hemsida och tog fram Torkel Lindéns telefonnummer. Men hon kom bara till växeln. Lindén satt i möte, och då letade hon upp hans mobilnummer och ringde det i stället, och möttes av en telefonsvarare, och då svor hon högt, och skrev både ett sms och ett mejl till honom om att han absolut inte skulle gå ut med pojken på gatan, inte på några villkor. Hon undertecknade med Wasp. Hon kom inte på något bättre.

Därefter slängde hon på sig sin läderjacka och gick ut. Hon vände direkt och sprang in i lägenheten igen och packade ner sin laptop med den krypterade filen och sin pistol, en Beretta 92, i sin svarta träningsväska. Sedan skyndade hon ut igen, och funderade på om hon skulle ta sin bil som stod och samlade damm i garaget, sin BMW M6 Convertible. Hon beslöt att ta taxi i stället. Hon trodde det skulle gå smidigare. Men hon ångrade det snart. Taxin dröjde, och när den väl kom visade det sig att rusningstrafiken inte släppt.

Trafiken kröp fram, och på Centralbron var det tjockt. Hade det hänt en olycka? Allt gick långsamt, allt förutom tiden som rusade fram. Klockan blev fem över, tio över nio. Det var bråttom, bråttom och i värsta fall var det redan för sent. Det rimliga var ju att Torkel Lindén och pojken gått ut på Sveavägen i förväg, och att gärningsmannen, eller vem det nu var, redan hunnit angripa dem.

Hon slog Lindéns nummer igen. Nu gick signalerna fram, men ingen svarade, och då svor hon igen, och tänkte på Mikael Blomkvist. Hon hade inte talat med honom på evigheter. Men nu ringde hon honom och han svarade och lät sur, och först när han förstod att det var hon piggnade han till och utbrast:

"Lisbeth, är det du?"

"Håll käften och lyssna", sa hon.

MIKAEL STOD PÅ redaktionen på Götgatan och var på uselt humör, och det var inte bara för att han sovit dåligt igen. Det var TT av alla. Seriösa, lågmälda, annars så korrekta nyhetsbyrån TT hade skickat ut en artikel som i korthet gick ut på att Mikael saboterade mordutredningen genom att undanhålla avgörande information som han först tänkte publicera i *Millennium*.

Syftet skulle vara att rädda tidningen från ekonomisk ruin och återupprätta hans eget "kvaddade renommé". Mikael hade vetat att artikeln var på gång. Han hade haft ett långt samtal med artikelförfattaren Harald Wallin i går kväll. Men han hade inte kunnat föreställa sig att resultatet skulle bli så förgörande, särskilt inte eftersom alltihop bara var idiotiska antydningar och substanslösa anklagelser.

Ändå hade Harald Wallin fått ihop något som nästintill kändes sakligt och trovärdigt. Killen hade uppenbarligen haft goda källor både inom Sernerkoncernen och polisen. Rubriken var visserligen inte värre än "Åklagarkritik mot Blomkvist", och inne i artikeln fick Mikael gott om utrymme att försvara sig. Om det bara varit telegrammet i sig hade skadan inte varit särskilt stor. Men den av hans fiender som planterat storyn visste hur medielogiken fungerade. Om en så seriös nyhetsförmedlare som TT publicerar en artikel av det här slaget, då är det inte bara legitimt för alla andra att haka på.

Det är också påbjudet att dra på hårdare. Om TT fräser, då får kvällstidningarna ryta och larma. Det är en gammal journalistisk grundprincip, och därför hade Mikael vaknat till nätrubriker som **"Blomkvist saboterar mordutredning"** och **"Blomkvist vill rädda sin tidning. Låter mördaren löpa"**. Tidningarna var visserligen vänliga nog att sätta citattecken runt rubrikerna. Men det samlade intrycket blev ändå att det var en ny sanning som presenterades med morgonkaffet, och en krönikör vid namn Gustav Lund som sa sig vara trött på hyckleriet skrev i sin ingress: "Mikael Blomkvist, som alltid velat framställa sig som lite finare än vi andra, har nu avslöjats som den största cynikern av oss allihop."

"Vi får hoppas att de inte börjar vifta med juridiska tvångsåtgärder", sa formgivaren och delägaren Christer Malm som stod precis intill Mikael och tuggade nervöst på ett tuggummi.

"Vi får hoppas att de inte kallar in marinsoldaterna", svarade Mikael.

"Va?"

"Jag försöker skämta. Det är bara larv."

"Klart det är. Men jag gillar inte stämningen", sa Christer.

"Ingen gillar den. Men det bästa vi kan göra är att bita ihop och jobba på som vanligt."

"Din telefon surrar."

"Den surrar hela tiden."

"Kan det inte vara vettigt att svara så att de inte hittar på något ännu värre?"

"Ja ja", muttrade Mikael och svarade inte helt vänligt.

Det var en tjej i luren. Han tyckte sig känna igen rösten, men eftersom han väntade sig något helt annat kunde han först inte placera den.

"Vem är det?" sa han.

"Salander", svarade rösten och då log han stort.

"Lisbeth, är det du?"

"Håll käften och lyssna", sa hon, och då gjorde han det.

TRAFIKEN HADE SLÄPPT och Lisbeth och taxichauffören, en ung man från Irak vid namn Ahmed som sett kriget på nära håll och som förlorat både sin mor och sina två bröder i terrordåd, hade nu kommit upp på Sveavägen och passerade Stockholms Konserthus på vänster sida. Lisbeth som inte gillade att enbart passivt föras framåt skickade iväg ännu ett sms till Torkel Lindén och prövade att ringa någon annan i personalen på Oden, någon som kunde springa ut och varna honom. Hon fick inte svar någonstans, och då svor hon högt, och hoppades att Mikael lyckades bättre.

"Är det panik?" sa Ahmed där framme.

"Ja", svarade hon, och då körde Ahmed mot rött och fick Lisbeth att le ett ögonblick.

Därefter koncentrerade hon sig helt och hållet på meterna som tillryggalades, och längre bort till vänster skymtade hon Handelshögskolan och Stockholms stadsbibliotek. Det var inte långt kvar nu och hon tittade efter gatunumren på höger sida, och nu såg hon adressen, och dessbättre, ingen låg död på trottoaren. Det var en vanlig dyster novemberdag, ingenting annat, och människor var på väg till jobbet. Men vänta nu... Lisbeth slängde fram några hundralappar till Ahmed och tittade bort mot den låga grönspräckliga muren på andra sidan gatan.

Där stod en kraftig man i mössa och mörka glasögon och stirrade intensivt mot porten på Sveavägen rakt framför honom, och det var något med hans kroppsspråk. Det gick inte att se hans högerhand. Men armen var spänd och beredd, och då tittade Lisbeth på nytt mot porten mitt emot, så mycket det nu gick att se ur den sneda vinkel hon än så länge befann sig i, och då märkte hon att porten öppnades.

Långsamt öppnades den, som om den som höll på att komma ut tvekade eller fann dörren alltför tung, och då skrek Lisbeth till Ahmed att stanna. Sedan hoppade hon ur bilen i farten mer eller mindre, samtidigt som mannen på andra sidan gatan höjde sin högerhand och riktade en pistol med kikarsikte mot porten som sakta gled upp.

KAPITEL 17
DEN 22 NOVEMBER

MANNEN SOM KALLADE sig Jan Holtser gillade inte situationen. Platsen var för öppen, och det var fel tid på dygnet. Det var för mycket folk i omlopp, och även om han maskerat sig så gott det gick berördes han illa av dagsljuset och av flanörer bakom honom i parken, och mer än någonsin kände han att han hatade att döda barn.

Men nu var det som det var, och någonstans tvingades han acceptera att det var han som ställt till det.

Han hade underskattat pojken och nu måste han reparera misstaget, och den här gången fick han inte falla offer för önskekalkyler, eller egna demoner. Han skulle enbart koncentrera sig på uppdraget och bli det fullblodsproffs han egentligen var, och framför allt inte tänka på Olga, eller än mindre påminna sig den där glasartade blicken som stirrat på honom i Balders sovrum.

Han måste fokusera på porten på andra sidan gatan och på sin Remingtonpistol som han höll dold under vindtygsjackan, och som han när som helst skulle dra fram. Men varför hände inget? Han kände sig torr i munnen. Vinden var snål och råkall. Det låg snö längs gatan och på trottoaren, och överallt skyndade folk fram och tillbaka till sina arbeten, och han grep hårdare om pistolen och kastade en blick på sitt armbandsur.

Klockan var 09.16, och blev 09.17. Men fortfarande steg ingen ut genom porten där borta och han svor för sig själv: var något fel? Nu hade han i och för sig inga andra garantier än Jurijs ord. Men normalt räckte det mer än väl. Jurij var en trollkarl med datorer och i går kväll hade han suttit djupt försjunken i arbete och skrivit falska mejl, och tagit hjälp av sina kontakter i Sverige med det språkliga medan Jan hade fördjupat sig i allt det andra; i bilderna av platsen de fått fram, i valet av vapen, och framför allt i flykten därifrån med den hyrbil som Dennis Wilton från Svavelsjö Motorcykelklubb hade ordnat åt dem under falskt namn, och som nu stod startklar några kvarter längre bort med Jurij vid ratten.

Jan kände en rörelse strax bakom sig och ryckte till. Men det var inget, bara två unga män som gick förbi och kom lite för nära. Överhuvudtaget tycktes folklivet tätna runt honom, och han gillade det inte. Han gillade situationen mindre än någonsin, och längre bort skällde en hund och det luktade något, kanske stekos från McDonald's. Men så... bakom porten på andra sidan gatan syntes till sist en kort man i grå rock, och intill honom en pojke i röd täckjacka och vildvuxet hår, och då gjorde Jan som alltid korstecken med vänsterhanden, och kramade avtryckaren på sitt vapen. Men vad hände?

Porten öppnades inte. Mannen bakom glasdörren tvekade och tittade på sin telefon. Kom igen nu, tänkte Jan: Öppna då! och till sist, trots allt; sakta, sakta sköts dörren upp och nu var de på väg ut, och Jan höjde sin pistol och fixerade pojkens ansikte i kikarsiktet, och såg återigen de där glasartade ögonen, och kände en oväntat våldsam upphetsning. Plötsligt ville han verkligen döda grabben. Plötsligt ville han verkligen släcka den där oroande blicken för gott. Men då skedde något.

En ung kvinna kom rusande från ingenstans och kastade sig över pojken, och då sköt han, och träffade. Han träffade åtminstone något, och sköt igen och igen. Men pojken och den unga kvinnan hade blixtsnabbt rullat bakom en bil, och

Jan Holtser drog efter andan och såg sig om åt höger och vänster. Sedan rusade han över gatan i vad han betraktade som en snabb kommandoinsats.

Han tänkte inte misslyckas igen.

TORKEL LINDÉN HADE inget bra förhållande till sina telefoner. I motsats till sin fru Saga, som alltid förväntansfullt ryckte till vid varje samtal i hopp om att det var ett nytt jobb eller ett nytt erbjudande, kände han bara obehag när telefonen ringde, och det hängde förstås ihop med alla anklagelser.

Han och mottagningen fick ständigt skäll, och visserligen låg det i sakens natur, menade han. Oden var en krismottagning och därför tog känslorna lätt överhanden. Men någonstans visste han också att det fanns skäl till klagomålen. Han hade drivit sina sparkrav lite väl långt, och ibland flydde han från alltihop och gav sig ut i skogen, och lät de andra klara sig själva. Men det var sant, han fick beröm också, nu senast av ingen mindre än professor Edelman.

Ursprungligen hade han varit irriterad på professorn. Han gillade inte när utomstående lade sig i hur de skötte verksamheten. Men efter berömmet i mejlet i morse kände han sig mer försonligt inställd, och vem vet, kanske skulle han kunna få professorn att tillstyrka att pojken blev kvar på Oden en tid. Det skulle lysa upp hans liv, även om han inte riktigt förstod varför. Han brukade som regel hålla sig på avstånd från barnen.

Men August Balder hade en sorts gåtfullhet i sitt väsen som drog honom till sig, och från första stund hade han blivit irriterad på polisen och deras krav. Han ville ha August för sig själv, och kanske smittas lite av hans mystik eller åtminstone klura ut vad det var för ändlösa sifferrader han skrivit på den där Bamsetidningen i lekrummet. Men ingenting var lätt. August Balder tycktes ogilla alla former av kontakt, och nu vägrade han följa med ut på gatan. Han var hopplöst trilsk igen, och Torkel fick dra honom framåt.

"Kom igen nu", muttrade han.

Då surrade telefonen. Någon hade försökt få tag i honom rätt envetet.

Men han brydde sig inte om att svara. Det var säkert något tjafs, något nytt klagomål. Ändå tittade han efter precis vid porten. Det var flera sms från ett dolt nummer, och det stod något underligt där som han uppfattade som ett skämt eller ett hån; han skulle inte gå ut, stod det. Han skulle absolut inte gå ut på gatan.

Det var obegripligt, och just då verkade August vilja smita. Torkel grep hårt i hans arm igen, och öppnade tvekande porten och drog ut pojken, och en liten stund var allting normalt. Människor passerade som om ingenting hänt eller stod i begrepp att hända, och återigen undrade han över sms:en, men innan han hann fullfölja tanken kom någon rusande från vänster och kastade sig över pojken. I samma ögonblick hörde han skott.

Han förstod att han befann sig i fara, och då tittade han skräckslaget över gatan och såg en man där borta, en storvuxen, vältränad man som sprang över Sveavägen rakt emot honom, och vad i helvete höll han i handen? Var det inte ett vapen?

Utan att ens tänka på August försökte Torkel ta sig in genom porten igen, och ett kort ögonblick trodde han att det skulle lyckas. Men Torkel Lindén kom aldrig in i tryggheten.

LISBETH HADE REAGERAT instinktivt och kastat sig över pojken för att skydda honom. Hon slog sig illa när hon törnade mot trottoaren, åtminstone kändes det så. Axeln och bröstet smärtade till. Men hon hann inte tänka på det. Hon bara slet till sig barnet och tog skydd bakom en bil, och där låg de och andades tungt medan någon sköt på dem. Därefter blev det tyst, oroväckande tyst, och när Lisbeth kikade ut mot gatan under bilens underrede såg hon benen på skytten; kraftiga ben som var på väg över gatan i hög fart, och då övervägde hon en sekund att rycka åt sig Berettan från sin väska och skjuta tillbaka.

Men hon förstod att hon knappast skulle hinna – däremot... En stor Volvo körde krypande förbi, och då flög hon upp. Hon ryckte tag i pojken, och rusade mot bilen och slet upp dörren där bak och kastade sig in med honom i en enda vanvettig villervalla.

"Kör!" skrek hon, och upptäckte i samma sekund att det forsade blod ut på sätet, antingen från henne eller pojken.

JACOB CHARRO VAR tjugotvå år gammal och stolt ägare till en Volvo XC6o som han köpt på avbetalning med sin far som borgensman. Nu var han på väg till Uppsala för att äta lunch med sina kusiner och sin farbror och hans fru, och han såg fram emot det. Han längtade efter att berätta att han tagit plats i Syrianska FC:s A-lag.

Radion spelade *Wake me up* med Avicii och han trummade med fingrarna mot ratten medan han passerade Konserthuset och Handelshögskolan. Längre ner på gatan pågick något. Folk sprang åt olika håll. En man skrek, och bilarna körde ryckigt, och därför saktade han ner utan att oroa sig särskilt mycket för det. Om det hänt en olycka kunde han kanske göra en insats. Jacob Charro var en person som ständigt drömde om att bli hjälte.

Men den här gången blev han rädd på allvar, och förmodligen berodde det på mannen till vänster som rusade rakt över körfältet, och som såg ut som en anfallande soldat. Det fanns en oerhörd brutalitet i hans rörelser, och Jacob skulle just trycka gasen i botten när han kände ett våldsamt ryck i bilens bakdörr. Någon höll på att ta sig in, och han vrålade något. Han visste inte vad. Det kanske inte ens var på svenska. Men personen – det var en ung tjej med ett barn – bara skrek tillbaka:

"Kör!"

Han tvekade ett ögonblick. Vilka var de här människorna? De kanske ville råna honom och sno bilen. Han kunde inte tänka klart. Hela situationen var galen. Sedan blev han så illa tvungen att agera. Fönstret där bak krossades. Någon sköt på dem och då gasade han på vilt, och med bultande hjärta körde han mot rött i korsningen mot Odengatan.

"Vad är det frågan om?" skrek han. "Vad händer?"

"Tyst!" fräste tjejen tillbaka, och i backspegeln såg han hur hon hastigt med vana händer, som en sjuksköterska, undersökte en liten pojke med stora skrämda ögon, och då först upptäckte han att det inte bara var glassplitter överallt där bak. Det var blod också.

"Är han skjuten?"

"Jag vet inte. Kör bara, kör. Eller nej, ta vänster där… Nu!"

"Okej, okej ", sa han livrädd, och svängde tvärt upp till vänster längs Vanadisvägen och körde i hög fart in mot Vasastan medan han undrade om de var förföljda och om någon skulle skjuta på dem igen.

Han drog ner huvudet mot ratten, och kände vinddraget från den krossade rutan. Vad i helvete hade han blivit indragen i, och vem var tjejen? Han tittade på henne i backspegeln. Hon var svarthårig och piercad, och mörk i blicken, och ett ögonblick fick han en känsla av att han överhuvudtaget inte fanns för henne. Men så muttrade hon något som lät nästan glatt.

"Goda nyheter?" frågade han.

Hon svarade inte. Hon slet i stället av sig sin läderjacka, och tog tag i sin vita T-shirt, och så… vad i helvete? Hon rev sönder sin T-shirt med ett plötsligt ryck och satt där helt naken på överkroppen, utan behå eller något, och en kort sekund tittade han perplext på hennes bröst som stod rakt ut, och framför allt på blodet som rann över dem som en liten flod ner mot magen och jeansen.

Tjejen var träffad någonstans nedanför axeln, inte långt från hjärtat, och hon blödde svårt, och T-shirten – han förstod det nu – tänkte hon använda som förband. Hårt, hårt lindade hon såret för att stoppa blodflödet, och därefter satte hon på sig sin läderjacka igen och såg helt löjligt kaxig ut, särskilt när en del av blodet hamnat på hennes kind och panna, som en krigsmålning.

"Så de goda nyheterna är att det var du som var skjuten och inte pojken", sa han.

"Något sådant", svarade hon.

"Ska jag köra dig till Karolinska?"

"Nej", svarade hon.

LISBETH HADE UPPTÄCKT både ett ingångs- och utgångshål. Kulan måste ha gått rakt igenom framsidan av hennes axel. Det blödde våldsamt, och bultade hela vägen upp till tinningarna. Men hon trodde inte att någon pulsåder hade brustit. Då hade det varit värre. Hon hoppades åtminstone det, och tittade bakåt igen. Rimligtvis hade mördaren haft en flyktbil i närheten. Men ingen verkade jaga dem. Förhoppningsvis hade de kommit iväg tillräckligt snabbt, och hastigt tittade hon ner mot pojken – August.

August satt med händerna korslagda över bröstet och vaggade överkroppen fram och tillbaka, och det slog Lisbeth att hon borde göra något. Det hon kom på var att borsta bort glassplitter från pojkens hår och ben, och då blev August stilla ett ögonblick. Men Lisbeth var inte säker på att det var ett bra tecken. Augusts blick var alltför stel och blank, och hon nickade tillbaka och försökte se ut som om hon hade läget under kontroll. Förmodligen lyckades hon inget vidare. Hon kände sig illamående och yr, och redan nu var den lindade T-shirten blodröd. Höll hon på att förlora medvetandet? Hon blev rädd för det, och försökte därför snabbt göra upp någon sorts plan, och så mycket stod klart på en gång: polisen var inget alternativ. Polisen hade lett pojken rakt i händerna på gärningsmännen och verkade inte ha koll på läget. Så vad skulle hon göra?

Hon kunde knappast fortsätta med den här bilen. Den hade setts på brottsplatsen, och med sin krossade ruta skulle den dra till sig folks uppmärksamhet. Hon borde se till att killen körde henne hem till Fiskargatan så att hon kunde ta sin BMW som var skriven på hennes andra identitet Irene Nesser. Men skulle hon orka köra den?

Hon mådde skit.

"Kör mot Västerbron!" befallde hon.

"Okej, okej", sa killen i förarsätet.

"Har du något att dricka?"

"Jag har en flaska whisky som jag tänkte ge till min farbror."

"Ge mig den", sa hon och fick en flaska Grant's som hon öppnade med stor möda.

Hon slet av det provisoriska bandaget och hällde whisky på skottsåret och tog en, två, tre rejäla klunkar, och hann precis erbjuda August lite när hon insåg att det inte var någon bra idé. Barn dricker inte whisky. Inte ens chockade barn gör det. Hennes tankar började bli virriga, var det så?

"Du får ta av dig skjortan", sa hon till killen där framme.

"Va?"

"Jag behöver linda min axel med något nytt."

"Okej, men…"

"Inget tjafs."

"Om jag ska hjälpa er måste jag åtminstone få veta varför man sköt efter er. Är ni brottslingar?"

"Jag försöker skydda den här pojken, det är inte svårare än så. Några svin är ute efter honom."

"Varför det?"

"Det har du inte med att göra."

"Så han är inte din son."

"Jag känner honom inte."

"Varför hjälper du honom då?"

Lisbeth tvekade.

"Vi har gemensamma fiender", sa hon, och då började killen motvilligt och med vissa svårigheter dra av sig sin V-ringade tröja medan han styrde bilen med vänsterhanden.

Sedan knäppte han upp skjortan och drog av sig den och räckte den till Lisbeth, som omsorgsfullt började linda den runt axeln medan hon kastade ännu en blick på August. August var egendomligt orörlig nu, och såg ner på sina smala ben med ett stelnat uttryck och då undrade Lisbeth återigen vad hon borde ta sig till.

De kunde förstås gömma sig hemma hos henne på Fiskargatan. Ingen förutom Mikael Blomkvist kände till adressen, och lägenheten gick inte att spåra genom några offentliga register via hennes namn. Men hon ville inte ta några risker. Det hade funnits en tid då hon var en riksbekant galning, och fienden här var uppenbart skicklig på att få fram information.

Det var inte heller osannolikt att någon på Sveavägen känt igen henne, och att polisen redan nu vände upp och ner på allt för att spåra henne. Hon behövde ett nytt gömställe, som inte var kopplat till någon av hennes identiteter, och därför måste hon få hjälp. Men av vem? Av Holger?

Hennes före detta gode man Holger Palmgren hade så gott som helt återhämtat sig från sin stroke och bodde nu i en tvåa på Liljeholmstorget. Holger var den enda som verkligen kände henne. Han skulle vara obrottsligt lojal, och göra allt som stod i hans makt för att hjälpa henne. Men han var också gammal och ängslig, och hon ville inte dra in honom i onödan.

Sedan var det förstås Mikael Blomkvist, och egentligen var det inget fel på honom. Ändå drog hon sig för att kontakta honom igen – kanske just på grund av att det inte var något fel på honom. Han var alldeles förbaskat god och korrekt och hela skiten. Men vad tusan… det kunde han inte lastas för, inte överdrivet mycket i alla fall. Hon ringde honom. Han svarade efter bara en signal och lät uppjagad.

"Hallå, så skönt att höra din röst. Vad har hänt?"

"Jag kan inte berätta nu."

"De säger att ni är skottskadade. Det finns blodfläckar här."

"Pojken mår bra."

"Och du?"

"Jag är okej."

"Så du är skjuten."

"Du får vänta, Blomkvist."

Hon såg ut mot staden, och konstaterade att de redan befann sig precis intill Västerbron. Hon vände sig till killen som körde:

"Du får stanna där på busshållplatsen."

"Ska ni stiga ur?"

"*Du* ska stiga ur. Du ska ge mig din telefon och vänta utanför medan jag pratar vidare. Är det uppfattat?"

"Ja, ja."

Han såg skrämt på henne och gav henne sin mobil, och stannade och klev ur. Lisbeth återupptog samtalet.

"Vad händer?" frågade Mikael.

"Bry dig inte om det", sa hon. "Jag vill att du alltid från och med nu bär med dig en androidtelefon, en Samsung till exempel. Ni har väl någon sådan på redaktionen?"

"Jo, det ska finnas ett par."

"Bra, och gå sedan genast in på Google Play och ladda ner en Redphoneapp och dessutom en Threemaapplikation för sms. Vi måste kunna kommunicera säkert."

"Okej."

"Och om du är lika mycket idiot som jag tror att du är, måste den person som hjälper dig med det hållas anonym. Jag vill inte ha några sårbara punkter."

"Visst."

"Dessutom…"

"Ja?"

"Ska telefonen bara användas i nödfall. I övrigt ska vår kommunikation ske via en speciell länk på din dator. Jag vill därför att du eller den person som inte är en idiot går in på www. pgpi.org och laddar ner ett krypteringsprogram för din mejl. Jag vill att ni gör det nu och jag vill att ni därefter hittar ett bra och tryggt gömställe för pojken och mig som inte är kopplat till *Millennium* eller dig, och meddelar mig adressen i ett krypterat mejl."

"Lisbeth, det är inte ditt jobb att hålla pojken säker."

"Jag litar inte på polisen."

"Då får vi hitta någon annan du litar på. Killen är autistisk och har speciella behov, jag tror inte att du bör ansvara för honom, särskilt inte om du är skottskadad…"

"Ska du snacka skit eller ska du hjälpa mig?"

"Jag ska hjälpa dig förstås."

"Bra. Kolla i *Lisbeths låda* om fem minuter. Jag ger mer information där. Radera det sedan."

"Lisbeth, lyssna på mig, du måste till sjukhus. Du måste få vård. Jag hör på din röst…"

Hon lade på och ropade in killen på busshållplatsen, och tog upp sin laptop och hackade sig med hjälp av sin mobiltelefon in i Mikaels dator. Därefter skrev hon ner instruktioner till hur nedladdningen och installationen av krypteringsprogrammet skulle gå till.

Hon sa sedan åt killen att köra henne till Mosebacke torg. Det var en risk. Men hon såg ingen annan lösning. Staden därute blev alltmer dimmig.

MIKAEL BLOMKVIST SVOR tyst för sig själv. Han stod på Sveavägen, inte långt från den döda kroppen och den avspärrning som just då upprättades av ordningspoliserna som varit först på plats. Sedan Lisbeth ringt första gången hade han varit febrilt aktiv. Han hade kastat sig i en taxi hit och under resan gjort allt han kunde för att förhindra att pojken och föreståndaren gick ut på gatan.

Han hade inte lyckats med mer än att få tag i en annan anställd på Odens Barn- och ungdomsmottagning vid namn Birgitta Lindgren, som rusade ut i trapphallen bara för att få se sin kollega falla mot porten med en dödlig skottskada i huvudet. När Mikael anlänt tio minuter senare hade Birgitta Lindgren varit helt ifrån sig, och ändå hade hon och en annan kvinna som hette Ulrika Franzén, och som varit på väg till Albert Bonniers förlag längre upp på gatan, gett Mikael en hygglig bild av händelseförloppet.

Redan innan telefonen ringde igen hade Mikael därför förstått att Lisbeth räddat livet på August Balder. Han hade insett att hon och pojken nu satt i en bil med en förare som knappast borde vara alltför benägen att hjälpa dem, inte sedan han själv blivit beskjuten. Men framför allt hade Mikael sett blodfläckarna på trottoaren och gatan, och även om han nu efter samtalet var något lugnare var han fortfarande djupt orolig. Lisbeth hade låtit medtagen och ändå – inte för att det egentligen förvånade honom – hade hon varit helt obstinat.

Trots att hon troligen var skottskadad ville hon själv gömma undan pojken, och det gick möjligen att förstå med tanke på hennes bakgrund, men skulle han och tidningen verkligen hjälpa henne i den hanteringen? Hur hjältemodigt hon än agerat på Sveavägen skulle det i strikt juridisk mening säkert betraktas som kidnappning. Han kunde inte hjälpa henne med det. Han var redan i trubbel med medierna och åklagaren.

Men det handlade ju ändå om Lisbeth, och han hade lovat henne. Klart i helvete att han skulle hjälpa henne, även om Erika skulle få spel och gud vet vad skulle hända, och därför tog han ett djupt andetag och plockade upp sin telefon. Men han hann inte slå något nummer. En bekant röst ropade bakom honom. Det var Jan Bublanski. Jan skyndade framåt längs trottoaren i något som borde betraktas som upplösningstillstånd, och intill honom gick kriminalinspektör Sonja Modig och en lång vältränad man i femtioårsåldern som rimligtvis var den professor som Lisbeth nämnt i telefon.

"Var är pojken?" flåsade Bublanski.

"Han försvann norrut i en stor röd Volvo, det var någon som räddade honom."

"Vem då?"

"Jag ska berätta vad jag vet", sa Mikael och visste inte på en gång vad han skulle eller borde berätta. "Men först måste jag ringa ett samtal."

"Nej, nej, först ska du tala med oss. Vi måste sända ut rikslarm."

"Prata med kvinnan där borta. Ulrika Franzén heter hon. Hon vet mer. Hon såg det hända, och har till och med någon sorts signalement på gärningsmannen. Själv kom jag först tio minuter senare."

"Och han som räddade pojken?"

"*Hon* som räddade honom. Ulrika Franzén har ett signalement på henne också. Men nu måste ni ursäkta mig…"

"Hur kommer det sig att du överhuvudtaget visste att något skulle inträffa här", fräste Sonja Modig med en oväntad ilska. "De sa på radion att du ringt larmcentralen redan innan några skott avlossats."

"Jag fick ett tips."

"Av vem?"

Mikael tog ett nytt djupt andetag och tittade Sonja rakt i ögonen med all sin orubblighet.

"Oavsett vilken skit som står i tidningarna i dag vill jag verkligen samarbeta med er på alla vis jag kan, det hoppas jag ni vet."

"Jag har alltid litat på dig, Mikael. Men för första gången börjar jag faktiskt tvivla", svarade Sonja.

"Okej, jag respekterar det. Men då får ni faktiskt också respektera att *jag* inte heller litar på *er*. Det finns en allvarlig läcka, det har ni fattat, eller hur? Annars skulle det här inte ha hänt", sa han och pekade mot Torkel Lindéns döda kropp.

"Det är sant. Det är för jävligt", inflikade Bublanski.

"Då så, nu ska jag ringa", sa Mikael och gick en bit längre upp på gatan så att han skulle få tala ostört.

Men han ringde aldrig. Han tänkte att det nu var dags att bli säkerhetsmedveten på allvar, och därför meddelade han Bublanski och Modig att han tyvärr genast måste åka till redaktionen, men att han självfallet stod till deras förfogande när helst de behövde honom, och då grep Sonja till sin egen förvåning Mikael om armen.

"Du måste först berätta hur du visste att något skulle ske", sa hon skarpt.

"Jag tvingas tyvärr hänvisa till meddelarskyddet", svarade Mikael och log plågat.

Därefter vinkade han till sig en taxi och åkte till redaktionen, djupt försjunken i tankar. För mer komplexa IT-lösningar hade *Millennium* sedan en tid tillbaka anlitat konsultföretaget Tech Source, ett gäng unga tjejer som snabbt och effektivt brukade hjälpa redaktionen. Men han ville inte blanda in dem nu. Han ville inte heller engagera Christer Malm, trots att han var den mest IT-kunniga på redaktionen. I stället tänkte han på Andrei. Andrei var redan involverad i storyn, och dessutom otroligt skicklig med datorer. Mikael beslöt att fråga honom, och lovade sig själv att han skulle slåss för att killen fick anställning om han och Erika bara redde ut den här soppan.

ERIKAS MORGON HADE varit en mardröm redan före skotten på Sveavägen, och det berodde förstås på det förbaskade TT-telegrammet, det som i någon mån var en fortsättning på det gamla drevet mot Mikael. Återigen kröp alla avundsjuka och förkrympta själar upp till ytan och spydde ut sin galla på twitter och på mejlen och i kommentarsfälten på webben, och den här gången hängde även rasistpöbeln på, givetvis för att *Millennium* sedan flera år engagerat sig mot all form av främlingsfientlighet och rasism.

Det värsta var ändå att det blev så mycket svårare för alla på redaktionen att utföra sitt arbete. Folk tycktes plötsligt mindre benägna att lämna ut information till tidningen. Dessutom florerade ett rykte om att chefsåklagare Richard Ekström förberedde en husrannsakan på redaktionen. Erika Berger trodde inte mycket på det. En husrannsakan på en tidning var en allvarlig sak, framför allt med tanke på källskyddet.

Men hon höll med Christer Malm om att stämningen blivit så pass obehaglig att även jurister och sansat folk kunde få för sig att hitta på dumheter, och hon stod precis och funderade på vilken typ av moteld hon skulle kunna åstadkomma när Mikael steg in på redaktionen. Till hennes förvåning ville han inte tala med henne. Han gick i stället direkt fram till Andrei Zander och drog in honom på hennes rum, och efter ett litet tag följde hon efter.

När hon kom in såg Andrei spänd och koncentrerad ut, och hon uppfattade ordet PGP. Hon visste vad det var sedan en kurs hon gått om IT-säkerhet, och hon noterade hur Andrei skrev ner anteckningar i ett block. Sedan, utan ens en blick på henne, försvann han iväg och gick fram till Mikaels laptop som stod ute på redaktionen.

"Vad var det där om?" sa hon.

Mikael berättade för henne med viskande röst, och hon tog det inte precis med något vidare lugn. Hon kunde knappt ta in det. Mikael fick upprepa sig flera gånger.

"Så du vill att jag hittar ett gömställe åt dem?" sa hon.

"Ledsen att dra in dig i det här, Erika", svarade han. "Men jag vet ingen som känner så många människor med sommarställen som du."

"Jag vet inte, Mikael. Jag vet faktiskt inte."

"Vi kan inte svika dem, Erika. Lisbeth är skottskadad. Det är en desperat situation."

"Är hon skottskadad ska hon till sjukhus."

"Men hon vägrar. Hon vill till varje pris skydda pojken."

"Så att han får teckna mördaren i lugn och ro."

"Ja."

"Det är för stort ansvar, Mikael, och för stor risk. Om något händer dem faller det på oss, och det skulle krossa tidningen. Vi ska inte ägna oss åt vittnesskydd, det är inte vår uppgift. Det här är en polisiär angelägenhet – tänk bara så många utredningstekniska och psykologiska frågor de där teckningarna kan ge upphov till. Saken måste kunna lösas på ett annat sätt."

"Det skulle den säkert – om vi bara hade att göra med en annan person än Lisbeth Salander."

"Ibland blir jag så trött på att du alltid försvarar henne."

"Jag försöker bara se realistiskt på situationen. Myndigheterna har grovt svikit August Balder och utsatt honom för livsfara, och jag vet att det gör Lisbeth rasande."

"Och då måste vi finna oss i det, menar du?"

"Vi är så illa tvungna. Hon är förbannad och ute där någonstans och har ingenstans att ta vägen."

"Ta dem till Sandhamn då."

"Lisbeth och jag är för sammankopplade. Om det kommer ut att det är hon skulle de söka på mina adresser direkt."

"Okej då."

"Vadå?"

"Jag ska hitta något."

Hon trodde knappt själv att hon sa det. Men det var så med Mikael – när han bad om något kunde hon inte neka, och hon visste att det skulle ha varit likadant för honom. Han skulle ha gjort vad som helst för henne.

"Underbart, Ricky. Var?"

Hon försökte tänka men kom inte på något. Det stod helt stilla i huvudet. Inte ett namn, inte en person dök upp, precis som om hon plötsligt inte alls hade något kontaktnät.

"Jag måste fundera", sa hon.

"Fundera fort, och ge sedan adressen och en vägbeskrivning till Andrei. Han vet vad han ska göra."

Erika kände att hon behövde komma ut och tog därför trapporna ner och gick ut på Götgatan, och vandrade mot Medborgarplatsen medan det ena namnet efter det andra fladdrade förbi i hennes tankar utan att ett enda av dem kändes rätt. För mycket stod på spel och hon såg fel och brister hos alla hon tänkte på, och även om hon inte gjorde det ville hon inte utsätta dem för risken eller besvära dem med frågan, kanske för att hon hela tiden själv besvärades av den. Å andra sidan… det var en liten pojke och man sköt efter honom, och hon hade lovat. Hon måste komma på något.

Längre bort tjöt en polisbil, och hon tittade bort mot parken och tunnelbanestationen och upp mot moskén på höjden. En ung man gick förbi, smusslande med några papper, precis som om han fått med sig något hemligt, och då plötsligt – Gabriella Grane. Namnet förvånade henne först. Gabriella var ingen nära väninna, och hon arbetade på ett ställe där man definitivt inte borde trotsa några lagrum. Så nej, det var en idiotisk idé. Gabriella skulle äventyra sitt arbete bara genom att överväga förslaget, och ändå… tanken släppte inte Erika.

Gabriella var inte bara en sällsynt bra och ansvarsfull person. Ett minne trängde sig på. Det var i somras fram på småtimmarna eller till och med i gryningen på en kräftskiva ute på Gabriellas lantställe på Ingarö. Hon och Gabriella hade suttit i en hammock ute på en liten altan, och tittat ut mot vattnet i en glipa mellan träden.

"Hit vill jag fly när hyenorna jagar mig", hade Erika sagt utan att riktigt veta vilken sorts hyenor hon syftade på, men förmodligen hade hon känt sig trött och utsatt i sitt arbete, och det var något med det där huset som tycktes henne som en fin reträttpost.

Det låg uppe på ett litet berg och var skyddat av träden och sluttningen från all insyn och hon mindes mycket väl att Gabriella svarade att hon skulle ta det som ett löfte:

"När hyenorna anfaller, är du välkommen hit, Erika", och nu tänkte hon på det, och undrade om hon inte skulle höra av sig i alla fall.

Kanske var det fräckt bara att ställa frågan. Men hon beslöt att pröva, trots allt, och därför tittade hon efter i sina kontakter och gick upp på redaktionen igen och ringde från den krypterade Redphoneapplikation som Andrei ordnat också åt henne.

KAPITEL 18

DEN 22 NOVEMBER

GABRIELLA GRANE SKULLE just in till ett blixtinkallat möte med Helena Kraft och arbetsgruppen på Säpo om det plötsliga dramat på Sveavägen när hennes privata mobil surrade, och trots att hon var rasande, eller kanske just därför, svarade hon hastigt:

"Ja?"

"Det är Erika."

"Hej du. Jag hinner inte prata nu. Vi får höras senare."

"Jag hade en…", fortsatte Erika.

Men då hade Gabriella redan lagt på. Det var ingen tid för vänsamtal, och med en min som om hon ville starta ett mindre krig gick hon in i sammanträdesrummet. Avgörande information hade läckt ut, och nu var ännu en person död och sannolikt ytterligare en människa allvarligt skadad, och mer än någonsin ville hon be allihop därinne fara och flyga. De hade varit så vårdslösa, och så ivriga att få ny information att de tappat huvudet. Under någon halvminut hörde hon inte ett ord vad gruppen sa. Hon satt bara försjunken i sin ilska. Men plötsligt lystrade hon till.

Det sades att Mikael Blomkvist hade ringt larmcentralen redan innan skotten avlossats på Sveavägen. Det var ganska märkligt, var det inte, och nu hade Erika Berger ringt, som verkligen inte brukade höra av sig i onödan, särskilt inte under arbetstid. Kunde hon ha velat något viktigt, eller till och med avgörande? Gabriella reste sig och ursäktade sig.

"Gabriella, jag tror att det är mycket viktigt att du lyssnar", sa Helena Kraft ovanligt skarpt.

"Jag måste ta ett samtal", svarade hon, plötsligt inte alls mån om att vara Säpochefen till lags.

"Vad för samtal?"

"Ett samtal", sa hon, och lämnade dem och gick in i sitt rum där hon omedelbart ringde upp Erika Berger igen.

ERIKA BAD GENAST Gabriella lägga på och i stället ringa upp henne på Samsungtelefonen. När hon återigen hade väninnan på tråden uppfattade hon direkt att något var annorlunda med henne. Ingenting av den vanliga vänskapliga entusiasmen fanns i rösten. Tvärtom lät Gabriella orolig och stram, som om hon redan från början anat att Erika hade något allvarligt att framföra.

"Hej", sa hon bara. "Jag sitter fortfarande förbaskat tajt. Men gäller det August Balder?"

Erika kände ett intensivt obehag.

"Hur kan du veta det?" sa hon.

"Jag jobbar med utredningen och hörde precis att Mikael fått någon sorts förhandstips om vad som skulle hända på Sveavägen."

"Så ni har fått information om det redan?"

"Ja, och nu är vi förstås väldigt intresserade av hur det kunde gå till."

"Sorry. Måste hänvisa till källskyddet."

"Okej. Men vad var det du ville? Varför ringde du?"

Erika slöt ögonen och tog ett djupt andetag. Hur kunde hon ha varit en sådan idiot?

"Jag är rädd att jag måste vända mig till någon annan", sa hon. "Jag vill inte utsätta dig för en etisk konflikt."

"Jag tar gärna vilken etisk konflikt som helst, Erika. Men jag står inte ut med att du undanhåller något för mig. Den här utredningen är viktigare för mig än du ens kan ana."

"Är det så?"

"Så är det, och faktum är att jag också fick ett förhandstips. Jag fick veta att det fanns en allvarlig hotbild mot Balder. Men jag lyckades inte förhindra mordet för det, och det är något jag tvingas leva med resten av livet. Så kom igen, mörka inget för mig."

"Jag måste nog ändå det, Gabriella. Jag är ledsen. Jag vill inte att du råkar illa ut på grund av oss."

"Jag träffade Mikael i Saltsjöbaden under mordnatten."

"Det sa han inget om."

"Jag ansåg inte att jag hade något att vinna på att ge mig till känna."

"Kanske klokt."

"Vi skulle kunna hjälpa varandra i den här soppan."

"Det låter bra. Jag kan be Mikael ringa dig senare. Men nu måste jag ta tag i det här."

"Och jag vet precis som ni att det finns en läcka i polishuset. Jag förstår att man måste söka udda allianser i det här skedet."

"Absolut. Men jag är ledsen. Nu måste jag jaga vidare."

"Okej", sa Gabriella besviket. "Jag låtsas att det här samtalet inte ägt rum. Lycka till nu."

"Tack", sa Erika och fortsatte att söka bland sina kontakter.

GABRIELLA GICK IN till mötet igen, full av tankar. Vad hade Erika velat? Hon förstod inte och ändå tycktes hon ana något, men ingenting hann klarna i hennes tankar. Så fort hon steg in i mötesrummet igen tystnade konversationen och alla tittade på henne.

"Vad var det där om?" sa Helena Kraft.

"Något privat bara."

"Som du var tvungen att ta nu."

"Som jag var tvungen att ta. Var var ni någonstans?"

"Vi talade om vad som hänt på Sveavägen, men som jag påpekade: vi har bara bristfällig information än så länge", sa byråchef Ragnar Olofsson. "Situationen är kaotisk just nu. Men vi ser också ut att mista vår källa i Bublanskis grupp. Kommissarien verkar helt paranoid efter vad som hänt."

"Med all rätt", sa Gabriella skarpt.

"Jo... ja, vi har talat om det också. Vi kommer förstås inte att ge oss förrän vi förstått hur skytten kände till att pojken befann sig på mottagningen, eller hur han visste att han skulle komma ut från porten just då. Här kommer ingen möda att sparas, det behöver jag väl knappast säga. Men jag måste också inskärpa att läckan inte nödvändigtvis måste komma från någon inom polisen. Uppgiften tycks ha varit känd på många håll, på mottagningen förstås, och så hos modern och hennes opålitlige fästman Lasse Westman, och på *Millenniums* redaktion. Dessutom går det förstås inte att utesluta hackerattacker. Jag återkommer till det. Men om jag får fortsätta min redogörelse?"

"Visst."

"Vi har precis diskuterat Mikael Blomkvists roll, och här är vi väldigt bekymrade. Hur kan han känna till ett skottdrama innan det sker? Som jag ser det måste han ha en källa som befinner sig nära de kriminella själva, och här finns inget skäl att överdrivet respektera källskyddet. Vi måste få veta var han fick sin information ifrån."

"Särskilt som han tycks desperat och gör vad som helst för att få ett scoop", sköt intendent Mårten Nielsen in.

"Mårten har tydligen också fina källor. Han läser kvällstidningarna", sa Gabriella syrligt.

"Inte kvällstidningarna, lilla gumman. TT. En instans som även vi på Säk fäster en viss tilltro till ibland."

"Det var en planterad förtalsartikel, och det vet du lika väl som jag", kontrade Gabriella.

"Inte visste jag att du var så betuttad i Blomkvist."

"Idiot."

"Sluta genast", inflikade Helena. "Vad är det för larv? Fortsätt nu, Ragnar. Vad vet vi om själva händelseförloppet?"

"Först på plats var ordningspoliserna Erik Sandström och Tord Landgren", fortsatte Ragnar Olofsson. "För närvarande får jag min information från dem. De var där 09.24 exakt, och då var allt redan över. Torkel Lindén var död, skjuten i bakhuvudet, och pojken, ja, där vet vi inte. Det finns vittnesuppgifter om att han också träffats. Vi har blodfläckar på trottoaren och gatan. Men inget är säkert. Pojken försvann i en röd Volvo – vi har åtminstone delar av registreringsnumret plus bilmodellen. Jag gissar att vi kommer att få fram ägaren till fordonet ganska snart."

Gabriella lade märke till att Helena Kraft antecknade noggrant, precis som hon gjort vid deras tidigare möten.

"Men vad hände?" sa hon.

"Enligt två unga män, två studenter från Handelshögskolan som stod på andra sidan Sveavägen, såg det ut som en uppgörelse mellan två kriminella grupperingar som båda var ute efter pojken, August Balder."

"Låter långsökt."

"Jag är inte så säker på det", fortsatte Ragnar Olofsson.

"Vad får dig att säga så?" frågade Helena Kraft.

"Det var proffs på båda sidor. Skytten tycks ha stått och bevakat porten från den låga gröna muren på andra sidan Sveavägen, precis framför parken. Mycket talar för att det var samme man som sköt Balder. Inte för att någon verkar ha sett hans ansikte särskilt tydligt; möjligen bar han någon form av maskering. Men han verkar ha rört sig med samma effektivitet och snabbhet. Och i det andra lägret var det den här kvinnan."

"Vad vi vet om henne?"

"Inte mycket. Hon bar en svart läderjacka, tror vi, och mörka jeans. Hon var ung, och svarthårig, piercad, sa någon, lite rockig eller punkig, och så kort, och explosiv på något vis. Hon kom som från ingenstans och kastade sig över pojken och skyddade honom. Samtliga vittnen är överens om att det knappast bara var en vanlig person ur allmänheten. Kvinnan rusade fram som om hon var tränad för det, eller som om hon i vart fall befunnit sig i liknande situationer förut. Hon agerade extremt målmedvetet. Sedan är det bilen, Volvon, och där har vi motstridiga uppgifter. Någon säger att den bara råkade köra förbi, och att kvinnan och pojken kastade sig in i farten mer eller mindre. Andra – framför allt de här Handelskillarna – tror att bilen var en del av operationen. Jag är i alla händelser rädd att vi har fått en kidnappning på halsen."

"Vad skulle det vara för mening med det?"

"Det ska ni inte fråga mig."

"Så den här kvinnan ska alltså inte bara ha räddat pojken utan också rövat bort honom", sa Gabriella.

"Det ser ut så, gör det inte? Annars hade vi väl rimligtvis hört av henne redan."

"Hur kom hon till platsen?"

"Det vet vi inte än. Men ett vittne, en gammal chefredaktör för en fackförbundstidning, säger att kvinnan såg bekant, eller rent av känd ut", fortsatte Ragnar Olofsson, och lade till något ytterligare.

Men då hade Gabriella redan slutat lyssna. Hon hade till och med stelnat till, och tänkt "Zalachenkos dotter, det måste vara Zalachenkos dotter", och visserligen visste hon att det var ett ytterst orättvist epitet. Dottern hade ingenting med fadern att göra. Tvärtom hade hon hatat pappan. Men det var som Zalachenkos dotter Gabriella kommit att betrakta henne sedan hon några år tidigare läst allt hon kunde komma över om Zalachenkoaffären, och medan Ragnar Olofsson nu drog sina spekulationer tyckte hon att bitarna föll på plats. Hon hade redan i går sett ett par beröringspunkter mellan faderns gamla nätverk och gruppen som kallade sig Spiders. Men då hade hon avfärdat det eftersom hon ansåg att det fanns gränser för hur mycket brottslingar kan kompetensutveckla sig.

Att gå från sjaviga typer som sitter och häckar i lädervästar och läser porrtidningar på mc-klubbar till att stjäla spjutspetsteknik lät inte rimligt någonstans. Ändå hade tanken funnits där, och Gabriella hade till och med undrat om inte tjejen som hjälpte Linus Brandell att spåra intrånget i Balders datorer kunde vara Zalachenkos dotter. I ett dokument hos Säkerhetspolisen rörande kvinnan hade det stått "hacker? datorkunnig?", och även om det mest verkade vara en förflugen fråga föranlåten av att kvinnan fått förvånansvärt goda vitsord för sitt arbete på Milton Security, stod det klart att hon ägnat mycket tid åt att forska om faderns brottssyndikat.

Men det mest flagranta i sammanhanget var ändå att det fanns ett känt samband mellan kvinnan och Mikael Blomkvist. Exakt hur det sambandet såg ut var oklart, och Gabriella trodde inte ett dugg på alla illvilliga spekulationer om att det handlade om hållhakar eller sadomasochistiskt sex. Men sambandet fanns där, och både Mikael Blomkvist och kvinnan som stämde in på signalementet av Zalachenkos dotter, och som enligt ett vittne såg bekant ut, tycks ha vetat något om skotten på Sveavägen i förväg, och efteråt hade Erika Berger ringt Gabriella och velat tala om något viktigt apropå händelsen. Pekade inte det åt samma håll?

"Jag tänkte på en sak", sa Gabriella, kanske alltför högt, och avbröt Ragnar Olofsson.

"Ja", svarade han irriterat.

"Jag undrade…" fortsatte hon, och skulle just dra sin teori när hon lade märke till något som fick henne att tveka.

Det var inget märkvärdigt, inte alls. Det var bara Helena Kraft som återigen med stor möda antecknade vad Ragnar Olofsson nyss sagt, och egentligen borde det väl bara vara bra med en hög chef som var så pass intresserad. Men något överdrivet nitiskt i pennans raspande fick ändå Gabriella att undra om en hög chef vars jobb var att se till den större bilden verkligen borde vara så noggrann med varje liten detalj, och utan att riktigt veta varför greps hon av ett djupt obehag.

Det kunde förstås ha att göra med att hon själv stod i färd att på lösa grunder peka ut en människa, men förmodligen handlade det snarare om att Helena Kraft blev medveten om att hon var betraktad och då skamset tittade bort, eller till och med rodnade, och då beslöt Gabriella att inte fullfölja meningen.

"Eller rättare sagt…"

"Ja, Gabriella?"

"Så var det inget", sa hon, och kände ett plötsligt behov av att komma ut därifrån, och trots att hon visste att det inte skulle se bra ut lämnade hon mötesrummet ännu en gång, och gick ut på toaletten.

Efteråt skulle hon minnas hur hon stirrade på sitt ansikte i spegeln därinne och försökte förstå vad det var hon sett. Hade Helena Kraft rodnat, och vad betydde i så fall det? Säkert inget, avgjorde hon, absolut ingenting, och även om det verkligen var skam eller skuld Gabriella anat i hennes ansikte kunde det ha handlat om vad som helst, något pinsamt som flimrat förbi i tankarna, och hon tänkte att hon faktiskt inte kände Helena Kraft särskilt ingående. Men så mycket visste hon väl ändå att Helena inte skulle skicka ett barn i döden för någon form av ekonomisk eller annan fördel, nej, det var omöjligt.

Gabriella hade bara blivit paranoid, en klassisk nojig spion kanske som såg mullvadar överallt, till och med i den egna spegelbilden. "Idiot", muttrade hon och log uppgivet mot sig själv som för att avfärda hela dumheten och återvända till verkligheten. Men ingenting var slut med det. I den stunden tyckte hon sig se en ny sorts sanning i sina egna ögon.

Hon anade att hon var lik Helena Kraft. Hon var lik henne

i den bemärkelsen att hon ville vara duktig och ambitiös och få en klapp på axeln av sina överordnade, och det var givetvis inte bara ett trevligt drag. Är kulturen du verkar i osund riskerar du med en sådan läggning att bli lika osund själv, och vem vet, kanske var det lika ofta viljan att vara till lags som ondska eller girighet som ledde människor till brott och moraliska övertramp.

Folk vill passa in och vara duktiga, och begår obeskrivliga dumheter på grund av det, och plötsligt undrade hon: var det så det hade gått till här? Åtminstone hade Hans Faste – för han var väl deras källa i Bublanskis grupp? – läckt till dem för att det var hans uppdrag och för att han ville få pluspoäng hos Säkerhetspolisen, och åtminstone hade Ragnar Olofsson sett till att Helena Kraft fått ta del av varenda liten detalj eftersom hon var hans chef och han ville ligga bra till, och sedan... ja, sedan hade kanske Helena Kraft läckt vidare för att också hon ville vara duktig och visa framfötterna. Men till vem skulle det vara? Rikspolischefen, regeringen, eller till en utländsk underrättelsetjänst, företrädesvis då en amerikansk eller engelsk, som kanske i sin tur...

Gabriella fortsatte inte tankegången, och undrade återigen om hon inte bara spårat ur, men även om hon nog trodde det stod hon kvar med en känsla av att hon inte litade på sin grupp, och hon tänkte att det nog var sant att hon också ville vara duktig, men inte nödvändigtvis på Säkerhetspolisens vis. Hon ville bara att August Balder skulle klara sig, och i stället för Helena Krafts ansikte såg hon Erika Bergers ögon framför sig, och då gick hon hastigt in på sitt rum och tog fram sin Blackphone, samma telefon som hon brukade använda i sina samtal med Frans Balder.

ERIKA HADE GÅTT ut igen för att kunna tala ostört, och nu stod hon utanför Söderbokhandeln på Götgatan och undrade om hon gjort något dumt. Men Gabriella Grane hade argumenterat så att Erika inte haft en chans att värja sig, och det var förmodligen nackdelen med att ha för intelligenta väninnor. De ser rakt igenom en.

Gabriella hade inte bara räknat ut vad Erika haft för ärende. Hon hade också övertygat henne om att hon kände ett moraliskt ansvar, och aldrig i livet skulle avslöja gömstället, hur mycket det än kunde tänkas bryta mot hennes yrkesetik. Hon bar på en skuld, sa hon, och ville därför hjälpa till, och nu skulle hon buda över nycklarna till sin stuga på Ingarö och se till att en vägbeskrivning kom in på den krypterade länk Andrei Zander ordnat enligt Lisbeth Salanders anvisningar.

Längre upp på Götgatan föll en tiggare ihop, och två kassar med petflaskor for ut över trottoaren och Erika skyndade sig fram för att hjälpa. Men mannen som snart kom på fötter ville inte ha någon hjälp, och då log Erika vemodigt mot honom och fortsatte upp mot tidningen.

När hon kom in på redaktionen igen såg Mikael uppriven och slutkörd ut. Håret stod på ända, och skjortan hängde utanför byxorna. Det var länge sedan hon sett honom så sliten. Ändå kände hon sig inte orolig. När hans ögon strålade på det viset gick han inte att stoppa längre. Då hade han trätt in i den där absoluta koncentrationen som inte skulle upphöra förrän han gått till botten med historien.

"Har du hittat ett gömställe?" frågade han.

Hon nickade.

"Kanske lika bra att du inte säger mer. Vi får hålla det i en så liten krets som möjligt", fortsatte han.

"Det låter vettigt. Men vi får hoppas att det blir en kortsiktig lösning. Jag gillar inte att Lisbeth ansvarar för pojken."

"De kanske kan vara bra för varandra, vem vet."

"Vad sa du till polisen?"

"Alltför lite."

"Inget bra läge att mörka saker."

"Nej inte direkt."

"Lisbeth kanske är villig att gå ut med något så att du kan få lite lugn och ro."

"Jag vill inte pressa henne med något just nu. Jag är orolig för henne. Kan du be Andrei fråga henne om vi ska ta dit en läkare?"

"Det ska jag göra. Men du…"

"Ja…"

"Jag börjar faktiskt tro att hon gör rätt", sa Erika.

"Varför säger du det plötsligt?"

"För att jag också har mina källor. Det känns inte som om polishuset är ett särskilt säkert ställe just nu", sa hon och gick med beslutsamma steg fram till Andrei Zander.

KAPITEL 19
KVÄLLEN DEN 22 NOVEMBER

JAN BUBLANSKI STOD ensam på sitt tjänsterum. Hans Faste
hade då till slut erkänt att han hela tiden informerat Säker-
hetspolisen, och utan att ens lyssna på hans försvar hade Bu-
blanski avlägsnat honom från utredningen. Men även om han
därmed fått ytterligare bevis på att Hans Faste var en opålitlig
karriärist hade han mycket svårt att tro att killen också hade
läckt till kriminella. Bublanski hade överhuvudtaget svårt att
tro att någon gjort det.

Det fanns förstås korrupta och fördärvade personer även
inom polisen. Men att lämna ut en liten handikappad poj-
ke till en kallblodig mördare, det var något annat, och han
vägrade tro att någon i kåren var i stånd till det. Kanske hade
informationen sipprat ut på annat vis. De kunde ha blivit av-
lyssnade eller hackade, inte för att han visste om de skrivit in
i någon dator att August Balder kunde rita gärningsmannen,
eller än mindre att han befunnit sig på Odens Barn- och ung-
domsmottagning. Han hade sökt Säpochefen Helena Kraft
för att diskutera saken. Men trots att han betonat att det var
viktigt hade hon inte ringt tillbaka.

Han hade också fått oroande samtal från Exportrådet och
Näringsdepartementet, och även om ingen sa det rent ut ver-
kade den främsta oron där inte gälla pojken eller den fortsatta

utvecklingen av dramat på Sveavägen utan det forskningsprogram Frans Balder hållit på med, och som verkligen tycktes ha stulits under mordnatten.

Trots att flera av polisens skickligaste datatekniker samt tre datavetare från Linköpings universitet och Tekniska Högskolan i Stockholm varit ute i huset i Saltsjöbaden hade inte ett spår av hans forskning hittats, vare sig i datorerna eller bland hans efterlämnade papper.

"Så nu är en artificiell intelligens på rymmen till råga på allt", muttrade Bublanski för sig själv, och kom av någon anledning att tänka på en gammal gåta som hans spjuveraktiga kusin Samuel brukade dra för att förvirra sina jämnåriga i synagogan.

Det var en paradox som gick ut på att om Gud nu är allsmäktig, kan han då skapa något som är klokare än han själv? Gåtan ansågs, mindes han, respektlös eller till och med blasfemisk, för den hade den sortens undflyende kvalitet att det blev fel hur man än svarade. Men Bublanski hann inte fördjupa sig mer i problematiken. Det knackade på dörren. Det var Sonja Modig som med en viss högtidlighet överräckte ännu en bit schweizisk apelsinchoklad.

"Tack", sa han. "Vad har du att rapportera?"

"Vi tror vi vet hur gärningsmännen fick ut Torkel Lindén och pojken på gatan. De skickade falska mejl i vårt och Charles Edelmans namn, och bestämde möte därutanför."

"Så sådant kan man göra också?"

"Det är inte ens särskilt svårt."

"Obehagligt."

"Jo, men det säger fortfarande ingenting om hur gärningsmännen visste att det var just Odens dator de skulle ge sig på, och hur de fått veta att professor Edelman var inblandad."

"Jag gissar att vi måste låta undersöka våra egna datorer också."

"Det är redan på gång."

"Var det så här det skulle bli, Sonja?"

"Hur menar du?"

"Att man inte vågar skriva eller säga någonting utan att riskera att bli avlyssnad."

"Jag vet inte. Jag hoppas inte det. Vi har en Jacob Charro därute som väntar på att bli förhörd."

"Vem är det?"

"En duktig fotbollsspelare i Syrianska. Men också den kille som körde kvinnan och August Balder från Sveavägen."

SONJA MODIG SATT i förhörsrummet med en ung och muskulös man med kort mörkt hår och markerade kindben. Mannen bar en ockrafärgad V-ringad tröja utan skjorta, och verkade på en gång uppriven och lite stolt.

"Förhör påbörjat 18.35, den 22 november, upplysningsvis med vittnet Jacob Charro, tjugotvå år, hemmahörande i Norsborg. Berätta vad som hände nu på förmiddagen", inledde hon.

"Ja, alltså…", började Jacob Charro. "Jag körde längs Sveavägen och märkte att det var något ståhej på gatan, och trodde att det skett en olycka. Därför saktade jag ner. Men då såg jag en man på vänster sida springa över gatan. Han jagade fram utan att ens titta åt trafiken, och jag minns att jag tänkte att det var en terrorist."

"Varför gjorde du det?"

"Därför att han verkade uppfylld av en helig vrede."

"Hann du se hans utseende?"

"Det kan jag inte säga, men efteråt har jag tänkt att det var något onaturligt med det."

"Hur menar du då?"

"Som om det inte var hans riktiga ansikte. Han hade runda solglasögon som måste ha suttit fastsurrade runt öronen. Sedan var det hans kinder. Det var som om han hade något i munnen, jag vet inte, och så var det mustaschen och ögonbrynen, och ansiktsfärgen."

"Du tror att han var maskerad?"

"Något var det. Men jag hann inte tänka så mycket på det. I nästa ögonblick slets bakdörren upp och så... vad ska jag säga? Det var ett av de där ögonblicken då det händer för mycket på en gång – som om hela världen faller ner i huvudet på en. Plötsligt var det främmande människor i min bil, och hela fönsterrutan där bak splittrades. Jag var i chock."

"Vad gjorde du?"

"Jag gasade på som en idiot. Jag tror att tjejen som hoppade in skrek åt mig att göra det, och jag var så uppskrämd att jag knappt visste vad jag gjorde. Jag bara lydde order."

"Order säger du?"

"Det kändes så. Jag trodde att vi var förföljda, och jag såg ingen annan utväg än att lyda. Jag svängde hit och dit, precis som tjejen sa, och dessutom..."

"Ja?"

"Var det något med hennes röst. Den var så kylig och koncentrerad att jag klamrade mig fast vid den. Det var som om hennes röst var det enda kontrollerade i hela vansinnet."

"Du sa att du trodde dig veta vem kvinnan var?"

"Jo, men inte då, inte alls. Då var jag mest fokuserad på hela det sjuka i grejen, och jag var livrädd. Dessutom forsade det ut blod där bak."

"Från pojken eller kvinnan?"

"Jag visste inte först, och ingen av dem verkade göra det heller. Men så plötsligt hörde jag ett 'Yes!', ett utrop, precis som om det hade hänt något bra."

"Vad handlade det om?"

"Tjejen förstod att det var hon och inte pojken som var skjuten, och jag minns att jag tänkte på det där. Det var liksom hurra, jag är skjuten, och då ska ni veta att det verkligen inte var något litet sår. Hur hon än lindade det fick hon inte stopp på blodflödet. Det bara vällde ut, och tjejen blev allt blekare. Hon mådde skit."

"Och ändå var hon glad att det var hon och inte pojken som träffats."

"Exakt. Precis som en morsa skulle kunna vara."

"Men hon var inte barnets mor."

"Inte på något vis. De kände inte varandra, sa hon, och för övrigt blev det alltmer uppenbart. Tjejen verkade inte ha någon vidare koll på barn. Det var inte tal om att ge pojken en kram eller komma med några tröstande ord. Hon behandlade honom snarare som en vuxen, och pratade på i samma tonfall som till mig. Ett tag såg det ut som om hon tänkte ge killen whisky."

"Whisky?" frågade Bublanski.

"Jag hade en flaska i bilen som jag skulle ha gett till min farbror, men jag gav den till henne för att hon skulle desinficera sitt sår, och dricka lite. Hon drack rätt rejält."

"Hur tyckte du på det stora hela att hon behandlade pojken", frågade Sonja Modig.

"Vet inte riktigt vad jag ska svara på det, uppriktigt sagt. Hon var inget socialt underverk precis. Hon behandlade mig som en jävla betjänt, och hon fattade inte ett skit om hur hon skulle umgås med barn, som jag sa, men ändå…"

"Ja?"

"Tror jag att hon var en bra person. Jag skulle inte ha anlitat henne som barnflicka, om ni fattar vad jag menar. Men hon var okej."

"Så du tror att barnet är tryggt hos henne?"

"Jag skulle säga att tjejen säkert kan vara livsfarlig eller skogstokig. Men den där lilla pojken, August heter han, eller hur?"

"Just det."

"August kommer hon att skydda med sitt liv om det så krävs. Så uppfattade jag det."

"Hur skildes ni?"

"Hon bad mig köra dem till Mosebacke torg."

"Bodde hon där?"

"Det vet jag inte. Hon kom inte med några förklaringar överhuvudtaget. Hon ville bara dit – jag fick en känsla av att hon hade en egen bil där någonstans. Men i övrigt sa hon inte ett onödigt ord. Hon bad mig bara skriva ner mina uppgifter. Hon skulle ersätta mig för skadorna på bilen, sa hon, plus lite till."

"Verkade hon ha pengar?"

"Alltså… om jag bara bedömt det efter hennes utseende, skulle jag ha sagt att hon levde i ett kyffe. Men sättet hon betedde sig på… jag vet inte. Skulle inte förvåna mig om hon var tät. Det kändes som om hon var van att göra som hon ville."

"Vad hände?"

"Hon sa åt pojken att stiga ur."

"Och gjorde han det?"

"Han var helt paralyserad. Han bara vaggade fram och tillbaka med kroppen och rörde sig inte ur fläcken. Men då blev hon hårdare i tonen. Sa att det var livsviktigt eller något, och då lommade han ut med armarna helt stela, som om han gick i sömnen."

"Såg du vart de gick?"

"Inte mer än att det var åt vänster – åt Slussen till. Men tjejen…"

"Ja?"

"Mådde helt klart för jävligt. Hon tog ett snedsteg och verkade kunna falla ihop när som helst."

"Låter inget bra. Och pojken?"

"Mådde nog inget vidare han heller. Hans blick var helskum, och under hela resan hade jag varit orolig för att han skulle få ett psykbryt eller något. Men när han steg av verkade han ändå acceptera läget. I alla fall frågade han 'vart' flera gånger, 'vart'."

Sonja Modig och Bublanski tittade på varandra.

"Är du säker på det?" frågade Sonja.

"Varför skulle jag inte vara det?"

"Jag menade att du kan ha trott att du hörde honom säga det för att han såg frågande ut till exempel."

"Varför skulle jag ha gjort det?"

"För att August Balders mor säger att pojken inte pratar överhuvudtaget", fortsatte Sonja Modig.

"Skojar du?"

"Nej, och det låter väldigt underligt att han under de här betingelserna skulle ha sagt sina första ord."

"Jag hörde vad jag hörde."

"Okej, och vad svarade kvinnan på det?"

"'Bort', tror jag. 'Iväg.' Något sådant. Sedan höll hon på att falla ihop, som jag sa. Dessutom sa hon åt mig att köra därifrån."

"Och det gjorde du?"

"Fort som tusan. Jag bara brände iväg."

"Men sedan kom du på vem du hade kört."

"Jag hade ju redan fattat att killen var det där geniets son som det stått om på nätet. Men tjejen… henne kände jag bara vagt igen. Hon påminde mig om något, och till slut kunde jag inte köra mer. Jag var helt skakig och stannade på Ringvägen, vid Skanstull ungefär, och sprang in på hotell Clarion och tog en öl och försökte lugna ner mig lite, och det var då jag kom på det. Det var den där tjejen som var efterlyst för mord för några år sedan, men som senare friades från alltihop, och det i stället kom fram att hon varit utsatt för en massa övergrepp på psyket när hon var liten. Jag minns det rätt väl, för jag hade en kompis på den tiden vars farsa blivit torterad i Syrien, och som precis då råkade ut för ungefär samma sak, en massa elchocker och skit, bara för att han inte orkade med sina minnen. Det var som om han skulle torteras här också."

"Är du säker på det?"

"Att han torterades…"

"Nej, att det är hon, Lisbeth Salander."

"Jag tittade på alla bilder på nätet på min telefon, och det är ingen tvekan om det. Annat stämmer också, ni vet…"

Jacob tvekade, som om han var generad.

"Hon tog av sig på överkroppen för att hon behövde använda sin T-shirt som bandage, och när hon vände sig om lite grann för att linda axeln såg jag att hon hade en stor tatuering av en drake på ryggen hela vägen upp till skulderbladen. Den tatueringen var omnämnd i en av de gamla tidningsartiklarna."

ERIKA BERGER VAR ute i Gabriellas stuga på Ingarö med två kassar mat, kritor och papper och ett par avancerade pussel och en del annat. Men någon August och Lisbeth syntes inte till, och gick inte heller att nå på något sätt. Lisbeth svarade varken på Redphoneappen eller på den krypterade länken, och det gjorde Erika sjuk av oro.

Hur hon än betraktade saken kunde hon inte se det som något annat än djupt illavarslande. Det var sant att Lisbeth Salander inte var mycket för onödiga fraser eller lugnande ord. Men nu hade hon själv bett om ett säkert gömställe. Dessutom ansvarade hon för ett barn, och om hon då inte svarade på deras anrop måste det vara väldigt illa däran, eller hur? I värsta fall låg Lisbeth dödligt skadad någonstans.

Erika svor till och gick ut på altanen, samma altan där hon och Gabriella suttit och pratat om att gömma sig från världen. Det var bara några månader sedan. Ändå kändes det så avlägset. Nu fanns inget bord därute, inga stolar, inga flaskor, inget stoj bakom dem, bara snö, kvistar och skräp som ovädret drivit fram. Själva livet föreföll ha lämnat platsen, och någonstans verkade minnet av den gamla kräftskivan förstärka det ödsliga i huset. Festen låg kvar som en vålnad över väggarna.

Erika gick ut i köket igen och lade in mat i kylskåpet som gick att mikra – köttbullar, lådor med spaghetti och köttfärssås, korv stroganoff, fiskgratänger, potatisbullar samt en binge ännu värre skräpmat som Mikael rått henne att köpa: Billys Pan Pizza, piroger, pommes frites, Coca-Cola, en flaska Tullamore Dew, en limpa cigaretter och tre påsar med chips, små-godis, tre chokladkakor, stänger med färsk lakrits. På det stora runda köksbordet ställde hon fram ritpapper, kritor, pennor, suddgummi och en linjal och en passare. På det översta pap-peret ritade hon en sol och en blomma och ordet *Välkommen* i fyra varma färger.

Huset som låg högst upp på ett berg inte långt från Ingarö-strand hade ingen insyn från utsidan. Det låg skyddat bakom barrträd och bestod av fyra rum där det stora köket framför al-tanen och glasdörrarna var själva hjärtat, och där det förutom det runda matbordet fanns en gammal gungstol och två slitna och nedsuttna soffor som med hjälp av ett par röda, nyköpta plädar ändå kändes fräscha och trivsamma. Det var ett trevligt hem.

Det var förmodligen också ett bra gömställe. Erika lät dörren stå öppen, lade nycklarna som överenskommet i den översta lådan i skåpet i hallen, och vandrade ner den långa trätrappan längs bergssluttningen, den enda vägen upp till huset för den som kom med bil.

Himlen var mörk och orolig och det blåste hårt igen, och hon kände sig illa till mods, och ingenting blev bättre av att hon under bilresan hem började tänka på modern, Hanna. Erika hade aldrig träffat Hanna Balder, och förr om åren hade hon inte precis hört till fanklubben. På den tiden spelade Hanna ofta kvinnor som alla män trodde sig kunna förföra, på en gång sexig och lite korkat oskuldsfull, och Erika hade sett det som typiskt för filmbranschen att just den sortens karaktär lyftes fram. Men inget av det var sant längre, och Erika skäm-des för sin avighet då. Hon hade dömt Hanna Balder för hårt, så lätt att göra med söta flickor som tidigt får stort genomslag.

Numera – de få gånger Hanna syntes till i större produktio-ner – lyste hennes ögon snarare med en återhållen sorg som gav djup åt hennes roller, och kanske, vad visste Erika, var den där sorgen på riktigt. Hanna Balder hade uppenbarligen inte haft det lätt. Hon hade definitivt inte haft det lätt det senaste dygnet, och ända sedan i morse hade Erika propsat på att Hanna skulle informeras och föras till August. Det kändes som en situation då ett barn behöver sin mor.

Men Lisbeth som då ännu kommunicerade med dem hade motsatt sig idén. Ännu visste ingen var läckan kom ifrån, skrev hon, och det var åtminstone inte omöjligt att den fanns i kretsen kring modern, och Lasse Westman som ingen litade på, och som för närvarande tycktes befinna sig hemma dygnet runt för att slippa journalisterna där utanför. Det var en hopplös sits, och Erika gillade det inte, och hon hoppades vid Gud att de skulle kunna skildra den här historien värdigt och på djupet, utan att vare sig tidningen eller någon annan råkade illa ut.

Hon tvivlade åtminstone inte på Mikaels förmåga, inte när han såg ut på det viset. Dessutom hade han hjälp av Andrei Zander. Erika var svag för Andrei. Andrei var en vacker pojke som ibland misstogs för att vara gay. För inte så länge sedan över en middag hemma hos henne och Greger i Saltsjöbaden hade han berättat sin livshistoria, och den hade inte precis gjort henne mindre sympatiskt inställd.

När Andrei var elva år förlorade han sina föräldrar i en bombexplosion i Sarajevo, och han bodde efter det hos en moster i Tensta utanför Stockholm som ingenting begrep av hans intellektuella läggning, eller ens vilka sår han bar på. Andrei var inte närvarande när hans föräldrar dog. Ändå reagerade hans kropp som om han led av posttraumatisk stress, och än i dag hatade han höga ljud och plötsliga rörelser. Han tyckte inte om väskor som stod för sig själva på restauranger eller allmänna utrymmen, och han hatade våld och krig med en lidelse Erika aldrig sett maken till.

I barndomen hade han flytt in i sina egna världar. Han drunknade i fantasylitteratur, läste poesi, biografier, älskade Sylvia Plath, Borges och Tolkien och lärde sig allt om datorer, och drömde om att bli en författare som skrev hjärtslitande romaner om kärlek och tragedier. Han var en obotlig romantiker som hoppades kunna läka sina sår med stora passioner och inte brydde sig det minsta om vad som pågick ute i samhället eller i världen. En kväll i de sena tonåren gick han emellertid på en öppen föreläsning av Mikael Blomkvist på Journalisthögskolan i Stockholm, och det förändrade hans liv.

Något i Mikaels patos fick honom att höja blicken, och se en värld som blödde av orättvisor och intolerans och mygel, och i stället för tårdrypande romaner började han fantisera om att skriva samhällskritiska reportage, och inte långt därefter knackade han på hos *Millennium* och bad om att få göra vad som helst, koka kaffe, läsa korrektur, springa ärenden. Han ville till varje pris vara med. Han ville tillhöra redaktionen, och Erika som redan från början såg glöden i hans ögon lät honom göra en del mindre jobb: notiser, researcharbete och korta porträtt. Men framför allt sa hon åt honom att studera, och det gjorde han med samma energi som allt annat han företog sig. Han läste statsvetenskap, massmediekommunikation, ekonomi, freds- och konfliktforskning och under tiden hoppade han in som vikarie på *Millennium*, och givetvis ville han bli en tung undersökande journalist, precis som Mikael.

Men till skillnad från så många andra grävande reportrar var han ingen tuffing. Han förblev en romantiker. Han drömde alltjämt om den stora kärleken, och både Mikael och Erika hade ägnat mycket tid åt hans kärleksbekymmer. Kvinnor drogs till Andrei, men lika ofta lämnade de honom. Kanske fanns det något alltför desperat i hans längtan, och kanske skrämdes många av intensiteten i hans känslor, och förmodligen berättade han alldeles för lättvindigt om sina brister och svagheter. Han var för öppen och genomskinlig, för god som Mikael brukade säga.

Men Erika trodde att Andrei höll på att tvätta bort den där ungdomliga sårbarheten. Hon hade sett det åtminstone i hans journalistisk. Den där krampaktiga ambitionen att vilja beröra som fått hans prosa att bli överlastad hade ersatts av en ny och effektivare saklighet, och hon visste att han skulle ge allt han hade nu när han fått chansen att hjälpa Mikael med Balderstoryn.

Enligt upplägget skulle Mikael skriva den stora, bärande berättelsen. Andrei skulle hjälpa honom med researchen, men också författa en del förklarande sidoartiklar och porträtt, och Erika tyckte det såg lovande ut. När hon parkerade på Hökens gata och steg in på redaktionen satt Mikael och Andrei också, precis som hon trott, djupt försjunkna i koncentration.

Mikael muttrade visserligen då och då för sig själv, och i hans ögon såg hon inte bara den där gnistrande målmedvetenheten. Hon noterade något plågat också, och det förvånade henne inte. Mikael hade sovit uruselt. Medierna gick hårt åt honom, och han hade suttit i polisförhör där han tvingats göra precis det som pressen anklagade honom för, undanhålla sanningen, och Mikael gillade det inte.

Mikael Blomkvist var helt och hållet laglydig, en mönstermedborgare på sätt och vis. Men om det fanns någon som kunde få honom att gå över gränsen till det förbjudna så var det Lisbeth Salander. Mikael skulle hellre störta i vanära än att förråda henne på en enda punkt, och därför hade han bara suttit hos polisen och svarat: "Jag måste hänvisa till meddelarskyddet", och det var inte konstigt om det störde honom och gjorde honom orolig för följderna, men ändå... Först och främst var han koncentrerad på sin story, och precis som hon oroade han sig långt mer för Lisbeth och pojken än för deras egen situation, och efter att ha betraktat honom en stund gick hon fram och frågade.

"Hur går det?"

"Va... jo... bra. Hur var det därute?"

"Jag bäddade och lade in mat i kylen."

"Fint. Och inga grannar fick syn på dig?"

"Såg inte röken av en människa."

"Varför dröjer de så?" frågade han.

"Vet inte. Det gör mig sjuk av oro."

"Vi får hoppas att de vilar ut hos Lisbeth."

"Vi får hoppas på det. Vad har du fått fram annars?"

"En del."

"Låter bra."

"Men…"

"Ja?"

"Det är bara det…"

"Vadå?"

"Det känns som om jag kastats tillbaka i tiden, eller som om jag närmar mig platser där jag varit förr."

"Det där får du nog förklara närmare", sa hon.

"Jag ska…"

Mikael kastade ett öga på sin datorskärm.

"Men först måste jag gräva vidare. Vi får talas vid senare", sa han, och då lämnade hon honom i fred och förberedde sig för att åka hem, även om hon givetvis i varje sekund skulle vara beredd att rycka ut.

KAPITEL 20
DEN 23 NOVEMBER

NATTEN BLEV LUGN, oroväckande lugn, och klockan åtta på morgonen stod en grubblande Jan Bublanski inför sin grupp i sammanträdesrummet. Efter att ha kickat ut Hans Faste kände han sig hyggligt säker på att kunna tala fritt igen. Åtminstone kände han sig säkrare här inne med sina kollegor än framför datorn eller med sin mobiltelefon.

"Ni inser alla allvaret i situationen", inledde han. "Hemliga uppgifter har läckt ut. En människa är död på grund av det. En liten pojke svävar i livsfara. Trots febrilt arbete vet vi ännu inte hur det gått till. Läckan kan ha funnits hos oss eller på Säk eller på ungdomsmottagningen Oden, eller i kretsen kring professor Edelman, eller hos modern och hennes fästman, Lasse Westman. Vi vet ingenting med säkerhet, och vi måste därför vara extremt försiktiga, rent paranoida."

"Vi kan också ha blivit hackade eller avlyssnade. Vi tycks ha att göra med kriminella som behärskar den nya tekniken på ett helt annat sätt än vi är vana vid", fyllde Sonja Modig i.

"Precis, och det är inte mindre obehagligt", fortsatte Bublanski. "Vi måste vara försiktiga på alla nivåer, inte säga något viktigt på telefon hur mycket våra överordnade än prisar vårt nya mobilsystem."

"De prisar det för att det var dyrt att installera", sa Jerker Holmberg.

"Kanske bör vi också fundera lite över vår egen roll", fortsatte Bublanski. "Jag talade just med en ung begåvad analytiker på Säpo, Gabriella Grane om namnet är bekant. Hon påpekade för mig att lojalitetsbegreppet för oss poliser inte är så enkelt som man kan tro. Vi har många olika lojaliteter, eller hur? Det finns den uppenbara mot lagen. Det finns en lojalitet mot allmänheten, och så en mot kollegorna, men också en mot våra överordnade och en annan mot oss själva och vår karriär, och ibland, det vet ni alla, kolliderar de här sakerna med varandra. Ibland skyddar man en arbetskompis och brister i sin lojalitet mot allmänheten, och ibland har man fått order uppifrån, som Hans Faste, och då krockar den lojaliteten med den som han borde ha haft mot oss. Men i fortsättningen – och nu är jag väldigt allvarlig – vill jag bara höra talas om en enda lojalitet, och det är den mot själva utredningen. Vi ska gripa de skyldiga och vi ska se till att ingen mer faller offer för gärningsmännen. Kan ni hålla med om det? Att det inte spelar någon roll om självaste statsministern eller chefen för CIA ringer och talar om patriotism och enorma karriärmöjligheter, ni säger inte ett knyst i alla fall, eller hur?"

"Nej", svarade de allihop unisont.

"Utmärkt! Som alla vet var det ingen mindre än Lisbeth Salander som ingrep på Sveavägen, och vi arbetar intensivt med att lokalisera henne", fortsatte Jan Bublanski.

"Och därför måste vi gå ut med hennes namn till medierna!" ropade Curt Svensson med en viss hetsighet. "Vi behöver hjälp från allmänheten."

"Jag vet att det råder delade meningar om den saken, och därför vill jag återigen diskutera frågan. Till att börja med behöver jag väl inte påpeka att Salander tidigare blivit väldigt illa behandlad både av oss och av medierna."

"Spelar ingen roll just nu", sa Curt Svensson.

"Nu är det inte omöjligt att fler personer kände igen henne på Sveavägen, och att hennes namn när som helst kommer ut i vilket fall som helst, och då är det här ingen fråga längre. Men innan det vill jag påminna om att Lisbeth Salander räddade pojkens liv och att det förtjänar vår respekt."

"Ingen tvekan om det", gick Curt Svensson på. "Men sedan kidnappade hon honom mer eller mindre."

"Vi har snarare uppgifter som tyder på att hon till varje pris ville skydda pojken", sköt Sonja Modig in. "Lisbeth Salander är en person som har haft väldigt dålig erfarenhet av myndigheter. Hela hennes barndom var ett enda stort övergrepp från Förmyndarsverige, och misstänker hon, precis som vi, att det finns en läcka inom polisen kommer hon inte att kontakta oss frivilligt, det kan vi vara säkra på."

"Det har ännu mindre med saken att göra", envisades Curt Svensson.

"Sant på sätt och vis", fortsatte Sonja. "Både Jan och jag är förstås överens med dig om att det enda verkligt väsentliga i sammanhanget är om det är utredningstekniskt motiverat att gå ut med hennes namn eller inte. Pojkens säkerhet är den helt överskuggande frågan, och det är också här vi är väldigt osäkra."

"Jag förstår tankegången", sa Jerker Holmberg med en lågmäld eftertänksamhet som genast fick alla att lyssna. "Om folk får syn på Salander exponeras också pojken. Ändå återstår en hel rad frågor – först och främst den lite högtidliga frågan: Vad är rätt? Och där måste jag faktiskt påpeka, att även om vi har en läcka kan vi inte acceptera att Salander gömmer undan August Balder. Pojken är en viktig del i utredningen, och med eller utan läcka är vi bättre på att skydda ett barn än vad en ung kvinna med ett stört känsloliv är."

"Absolut, självklart", muttrade Bublanski.

"Precis", fortsatte Jerker. "Och även om det inte handlar om en kidnappning i vanlig bemärkelse, ja, även om allt bara har de bästa syften, kan skadorna på barnet bli lika stora ändå. Psykologiskt måste det vara extremt skadligt för pojken att vara på flykt efter allt som hänt honom."

"Sant, sant", muttrade Bublanski. "Men frågan är ändå hur vi ska behandla informationen."

"Och där håller jag faktiskt med Curt. Vi måste gå ut med namn och bild på en gång. Det kan ge ovärderliga tips."

"Det är nog sant", fortsatte Bublanski. "Men det kan också ge ovärderliga tips till gärningsmännen. Vi måste utgå ifrån att mördarna inte gett upp sin jakt på pojken, tvärtom, och eftersom vi inte heller vet något om kopplingen mellan pojken och Salander vet vi inte heller vilka ledtrådar hennes namn skulle kunna ge gärningsmännen. Jag är inte alls säker på att vi gagnar pojkens säkerhet genom att gå ut till medierna med de här uppgifterna."

"Men vi vet inte heller om vi skyddar honom genom att inte göra det", kontrade Jerker Holmberg. "Det fattas för många pusselbitar för att kunna dra sådana slutsatser. Arbetar till exempel Salander för någon, och har hon en egen plan för barnet annat än att skydda honom?"

"Och hur kunde hon veta att pojken och Torkel Lindén skulle komma ut ur porten på Sveavägen just då", fyllde Curt Svensson i.

"Hon kan ha befunnit sig på platsen av en slump."

"Låter inte sannolikt."

"Sanningen är ofta osannolik", fortsatte Bublanski. "Det är till och med det som utmärker den. Men det är sant, det känns inte som om hon var där av en tillfällighet, inte med tanke på omständigheterna."

"Som att Mikael Blomkvist också visste att något skulle hända", sköt Amanda Flod in.

"Och att det finns något slags samband mellan Blomkvist och Salander", fortsatte Jerker Holmberg.

"Sant."

"Mikael Blomkvist visste att pojken befann sig på Odens Barn- och ungdomsmottagning, eller hur?"

"Modern Hanna Balder hade berättat det för honom", sa Bublanski. "Modern som ni ju kan förstå inte mår särskilt bra nu. Jag har just haft ett långt samtal med henne. Men Blomkvist borde inte haft en aning om att pojken och Torkel Lindén skulle bli utlurade på gatan."

"Kan han ha haft tillgång till Odens datorer?" frågade Amanda Flod eftertänksamt.

"Kan inte tänka mig att Mikael Blomkvist ägnar sig åt hacking", sa Sonja Modig.

"Men Salander?" undrade Jerker Holmberg. "Vad vet vi om henne egentligen? Vi har en diger akt om tjejen. Men sist vi hade med henne att göra överraskade hon oss på alla punkter. Kanske bedrar skenet nu också."

"Precis", instämde Curt Svensson. "Vi har alldeles för många frågetecken."

"Vi har inte så mycket annat än frågetecken. Och just där- för bör vi agera enligt regelboken", fortsatte Jerker Holm- berg.

"Visste inte att regelboken var så heltäckande", sa Bublanski med en sarkasm som han egentligen inte gillade.

"Jag menar bara att vi ska ta det för vad det är: en kidnapp- ning av ett barn. Det har snart gått ett dygn sedan de försvann, och vi har inte hört ett ord från dem. Vi går ut med namn och bild på Salander, och sedan bearbetar vi noggrant alla tips vi får in", sa Jerker Holmberg med stor auktoritet, och tycktes få med sig hela gruppen, och då slöt Bublanski ögonen, och tänkte att han älskade sin grupp.

Han kände större samhörighet med dem än med sina sys- kon och sina föräldrar. Men nu kände han sig likafullt tvung- en att gå emot kollegorna.

"Vi försöker hitta dem med alla medel vi kan. Men vi avvak- tar med att gå ut med namn och bild. Det skulle bara jaga upp stämningen, och jag vill inte ge gärningsmännen några som helst ledtrådar."

"Dessutom känner du en skuld", sa Jerker inte utan värme.

"Dessutom känner jag en stor skuld", sa Jan Bublanski och tänkte återigen på sin rabbin.

MIKAEL BLOMKVIST VAR djupt oroad för pojken och Lisbeth, och hade därför inte sovit många timmar. Gång på gång hade han försökt ringa Lisbeth på sin Redphoneapp. Men hon hade inte svarat. Inte ett ord hade han hört från henne sedan i går eftermiddag. Nu satt han på redaktionen och försökte fly in i sitt arbete, och begripa vad han missat. Han hade sedan en tid en krypande känsla av att något grundläggande saknades i bilden, något som kunde skänka historien nytt ljus. Men kanske lurade han sig själv. Kanske önsketänkte han bara, och ville se något större där bakom. Det sista Lisbeth skrivit till honom på den krypterade länken var:

Jurij Bogdanov, Blomkvist. Kolla upp honom. Det var han som sålde Balders teknik till Eckerwald på Solifon.

Det fanns några bilder på Bogdanov på nätet. Han bar kritstrecksrandiga kostymer på dem, men hur perfekt kostymerna än satt tycktes de inte höra hemma på honom. Det kändes som om han stulit dem på väg till plåtningen. Bogdanov hade långt stripigt hår, ärrig hy, mörka skuggor under ögonen och hemmagjorda, taffliga tatueringar som anades under skjortärmarna. Blicken var svart och intensiv och föreföll se rakt igenom en. Han var lång, men vägde säkert inte mer än sextio kilo.

Han såg ut som en gammal kåkfarare, men framför allt: det var något i hans kroppsspråk som Mikael kände igen från de övervakningsbilder han fått se ute hos Balder i Saltsjöbaden. Mannen hade samma trasiga, kantiga utstrålning. I de få intervjuer han gjort med anledning av sina framgångar som företagare i Berlin hade han antytt att han var född på gatan mer eller mindre.

"Jag var dömd att gå under och hittas död i en gränd med en kanyl i armvecket. Men jag tog mig upp ur dyn. Jag är intelligent och jag är en fruktansvärd fighter", sa han skrytsamt.

Å andra sidan motsade inget i hans liv den saken, bortsett då möjligtvis från känslan av att han inte bara tagit sig upp av egen kraft. Det fanns en del indikationer på att han fått hjälp av mäktiga personer som insett hans begåvning. I en tysk tekniktidning uttalade sig en säkerhetschef på kreditinstitutet Horst och sa att "Bogdanov har en magisk blick. Han ser sårbarheter i säkerhetssystem som ingen annan. Han är ett geni."

Bogdanov var uppenbart en stjärnhacker, även om han enligt den officiella bilden enbart verkade som White hat, en person som tjänade den goda, lagliga sidan, och som mot god ersättning hjälpte företag att hitta brister i deras IT-säkerhet. Inte heller fanns det förstås något i hans bolag Outcast Security som verkade suspekt, eller ens gav minsta misstanke om att det skulle vara en fasad för något annat. Styrelseledamöterna var alla gedigna personer med god utbildning och utan prickar i registren. Men Mikael nöjde sig förstås inte med det. Han och Andrei granskade varenda person som ens snuddat vid bolaget, kompanjoner till kompanjoner, och då upptäckte de att en person vid namn Orlov ett kort tag varit suppleant i styrelsen, och det tycktes redan vid en första granskning lite märkligt. Vladimir Orlov var ingen IT-kille utan en småhandlare i byggbranschen. En gång i tiden hade han varit en lovande tungviktsboxare på Krim, och enligt de få bilder Mikael hittade på nätet såg han härjad och brutal ut, ingen som unga flickor utan vidare bjöd hem på en kopp te.

Det fanns obekräftade uppgifter om att han dömts för grov misshandel och koppleri. Han hade varit gift två gånger – båda fruarna var döda, utan att Mikael hittade någon dödsorsak. Men det verkligt intressanta i sammanhanget var att han också varit suppleant i det oansenliga och sedan länge avvecklade bolaget Bodin Bygg & Export, som sysslat med "försäljning av byggmaterial".

Ägare hade varit Karl Axel Bodin, alias Alexander Zalachenko, och det namnet väckte inte bara till liv en hel ond värld och fick honom att minnas sitt stora scoop. Zalachenko var ju också Lisbeths far, och mannen som dödat hennes mor och förstört hennes barndom. Zalachenko var hennes mörka skugga, det svarta hjärtat bakom hennes bultande vilja att slå tillbaka.

Var det en slump att han dök upp i materialet? Mikael visste bättre än någon, att gräver man bara tillräckligt djupt i vilken story som helst så hittar man alla möjliga samband. Livet erbjuder ständigt illusoriska korrespondenser. Det var bara det... när det kom till Lisbeth Salander trodde han inte mycket på slumpen.

Om hon bröt fingrarna på en kirurg eller engagerade sig i en stöld av avancerad AI-teknologi hade hon inte bara tänkt över det noga. Hon hade också en anledning, ett motiv. Lisbeth glömde inga oförrätter eller kränkningar. Hon gav igen, och ställde till rätta. Kunde hela hennes agerande i den här historien kopplas samman med hennes egen bakgrund? Det var i alla fall inte omöjligt.

Mikael lyfte blicken från datorn och tittade på Andrei. Andrei nickade tillbaka. Utanför i korridoren luktade det svagt av matos. På Götgatan hördes ljudet från dunkande rockmusik. Stormen ven därute, och himlen var fortfarande mörk och orolig. Mikael gick in på den krypterade länken mer som en ny rutin, och han förväntade sig ingenting. Men så lyste han upp. Han brast till och med ut i ett litet glädjetjut.

På länken stod:

Okej nu. Vi sticker till gömstället inom kort.

Han svarade genast:

Underbart att höra. Kör försiktigt.

Sedan kunde han inte låta bli att lägga till:

Lisbeth, vem är det vi jagar egentligen?
Hon svarade direkt:
Det räknar du snart ut, smartass!

OKEJ VAR EN ÖVERDRIFT. Lisbeth kände sig bättre. Men hon var fortfarande i obegripligt dålig form. Under halva dagen i går hade hon knappt varit medveten om tid och rum, och bara med största möda släpat sig upp och gett August mat och dryck och sett till att han fått pennor och kritor och A4-papper så att han kunde teckna sin mördare. Men när hon nu återigen närmade sig honom såg hon redan på långt håll att han fortfarande inte ritat något överhuvudtaget.

Det låg visserligen papper överallt på soffbordet framför honom. Men det var inga teckningar, snarare långa rader av klotter, och mer förstrött än nyfiket tittade hon efter vad det var. Det var siffror, såg hon, ändlösa sifferserier, och även om hon först inte förstod någonting blev hon alltmer intresserad, och plötsligt visslade hon till.

"Det var som fan", muttrade hon.

Hon hade precis stirrat på några svindlande stora tal, som visserligen inte heller sa henne något särskilt, men som ändå i kombination med siffrorna intill bildade ett bekant mönster, och när hon bläddrade vidare och till och med stötte på den enkla talserien 641, 647, 653 och 659 rådde det inget tvivel längre; det var sexy prime quadruplets, som man sa på engelska, sexiga tal i den meningen att det var serier av fyra primtal på rad som alla har sex enheter mellan sig.

Det var primtalstvillingar också, det var alla möjliga kombinationer av primtal, och då kunde hon inte låta bli att le.

"Kaxigt", sa hon. "Coolt."

Men August varken svarade eller tittade upp på henne. Han bara satt kvar på knä vid soffbordet, som om han inget hellre ville än att fortsätta skriva ner sina siffror, och då påminde hon sig vagt att hon läst något om savanter och primtal. Men hon tänkte inte mer på det. Hon var i för dåligt skick för alla former av avancerade tankar, och gick i stället in i badrummet och tog två nya Vibramycintabletter som hon haft hemma sedan flera år tillbaka.

Hon hade självmedicinerat sig med antibiotika ända sedan hon kraschlandat här hemma. Därefter packade hon ner sin pistol och sin dator, och lite ombyte, och sa åt pojken att resa sig. Han ville inte. Han bara höll krampaktigt i sin penna, och ett ögonblick stod hon helt handfallen framför honom. Därefter sa hon strängt:

"Res på dig!" och då gjorde han det, och själv satte hon för säkerhets skull på sig en peruk och ett par mörka glasögon.

Sedan tog de på sig ytterkläderna och tog hissen ner i garaget och for ut mot Ingarö i hennes BMW. Hon styrde med högerhanden. Det vänstra axeln var hårt lindad och värkte. Också ovansidan av bröstet värkte. Hon hade fortfarande feber, och ett par gånger var hon tvungen att stanna och vila vid vägrenen. När de till slut kom fram till stranden och båtbryggan vid Stora Barnvik på Ingarö, och enligt anvisningarna tog sig upp för den långa trätrappan längs sluttningen och gick in i huset, föll hon utmattad ihop på sängen i rummet, strax intill det stora köket. Hon huttrade och frös.

Ändå gick hon upp strax därefter och satte sig vid sin laptop vid det runda köksbordet och andades tungt, och försökte återigen knäcka filen hon laddat ner från NSA. Självklart gick det inte nu heller. Hon var inte ens i närheten. Intill satt August och tittade stelt på alla de papper och kritor som Erika Berger lagt fram i högar. Men nu förmådde han inte skriva några primtalsserier, eller än mindre teckna någon mördare. Kanske var han alltför chockad.

HAN SOM KALLADE sig Jan Holtser satt i ett hotellrum på Clarion Hotel Arlanda och talade i telefon med sin dotter Olga, och precis som han förväntat sig trodde hon inte på honom.

"Är du rädd för mig?" sa hon. "Är du rädd för att jag ska ställa dig mot väggen?"

"Nej, nej, verkligen inte", försökte han. "Jag var bara tvungen…"

Han hade svårt att finna orden. Han visste att Olga fattade att han dolde något, och han avslutade samtalet snabbare än han egentligen ville. Bredvid honom på hotellsängen satt Jurij och svor. Han hade säkert hundra gånger gått igenom Frans Balders dator utan att hitta "ett skit" som han sa. "Inte ett förbannat dugg!"

"Så jag snodde en dator som inte innehöll något", sa Jan Holtser.

"Precis så."

"Vad hade professorn den då till?"

"Till något väldigt speciellt helt klart. Jag kan se att en stor fil som förmodligen var sammankopplad med andra datorer nyligen har raderats. Men hur jag än gör kan jag inte återskapa den. Han kunde sina saker den gubben."

"Hopplöst", sa Jan Holtser.

"Helvetes jävla hopplöst", lade Jurij till.

"Och telefonen, Blackphonen?"

"Där finns en del samtal jag inte lyckats spåra, som förmodligen var från svenska säkerhetspolisen eller FRA. Men det som egentligen oroar mig mest är en annan sak."

"Vadå?"

"Ett långt samtal som professorn hade precis innan du stormade in i huset, han pratade med någon medarbetare på MIRI, Machine Intelligence Research Institute."

"Och vad är det för oroande med det?"

"Det är tidpunkten givetvis – jag får en känsla av någon sorts krissamtal. Men det är också själva MIRI. Institutet arbetar för att intelligenta datorer inte ska bli farliga för människan i framtiden, och jag vet inte, det känns inte bra. Det känns som om Balder antingen gett MIRI något av sin forskning, eller också…"

"Ja?"

"Läckte ut hela skiten om oss, eller vad han nu visste."

"Det vore illa."

Jurij nickade och Jan Holtser svor tyst för sig själv. Inget hade gått som de hoppats och ingen av dem var van vid att misslyckas. Nu hade de misslyckats två gånger i rad, och då på grund av ett barn, ett efterblivet barn, och det var tillräckligt jobbigt i sig. Men det var inte det värsta.

Det värsta var att Kira var på väg hit, helt obalanserad till råga på allt, och ingen av dem var van vid det heller. Tvärtom var de bortskämda med hennes kyliga elegans som gav deras verksamhet en sådan air av oövervinnlighet. Nu hade hon varit rasande, bortom all kontroll, och vrålat att de var usla, inkompetenta idioter. Men orsaken var egentligen inte missen, skotten som kanske eller kanske inte träffat den efterblivna pojken. Orsaken var kvinnan som dykt upp från ingenstans och skyddat August Balder. Det var hon som fått Kira att tappa fattningen.

När Jan började beskriva henne – så mycket han nu hunnit se – hade Kira kommit med en störtskur av frågor. När hon fått fel eller rätt svar, beroende på hur man betraktade det, hade hon blivit vansinnig och skrikit och gormat om att de borde ha dödat henne och att allting var typiskt och hopplöst. Varken Jan eller Jurij förstod varför hon reagerade så starkt. Ingen av dem hade hört henne skrika på det viset tidigare.

Å andra sidan var det mycket de inte kände till om henne. Jan Holtser skulle aldrig glömma när han i en svit på hotell D'Angleterre i Köpenhamn haft sex med henne för tredje eller fjärde gången, och då de efteråt legat i dubbelsängen och druckit champagne och som så ofta småpratat om hans krig och hans mord. Då hade han strukit henne över axeln och armen, och upptäckt ett tredelat ärr på hennes handled.

"Hur har du fått det där, min sköna?" hade han frågat, och fått en förgörande blick av hat tillbaka.

Han hade aldrig fått ligga med henne efter det. Han uppfattade det som ett straff för frågan. Kira tog hand om dem och gav dem massor av pengar. Men varken han eller Jurij eller någon annan i kretsen fick fråga om hennes förflutna. Det var en del av de oskrivna reglerna, och ingen av dem skulle längre ens komma på tanken att försöka. Hon var deras välgörare på gott och ont, mest gott trodde de, och de fick rätta sig efter hennes nycker, och leva i ständig ovisshet om hon skulle behandla dem ömt eller kyligt eller till och med läxa upp dem och ge dem en plötslig, svidande örfil.

Framför honom slog Jurij ihop datorn och tog en klunk av sin drink. De försökte bägge två hålla igen på alkoholen så gott det gick, så att inte Kira skulle vända det emot dem också. Men det var närmast hopplöst. Alltför mycket frustration och adrenalin drev dem till att dricka. Jan fingrade nervöst på sin telefon.

"Trodde inte Olga på dig?" sa Jurij.

"Inte det minsta, och snart får hon väl se en barnteckning av mig på alla löpsedlar."

"Tror inte så mycket på den där teckningen. Det känns mest som ett polisiärt önskespår."

"Så vi försöker döda ett barn i onödan."

"Skulle inte förvåna mig. Borde inte Kira vara här nu?"

"När som helst."

"Vem tror du att det var?"

"Vem?"

"Bruden som dök upp från ingenstans."

"Ingen aning", sa Jan. "Inte så säker på att Kira vet det heller. Det är mer som om hon oroar sig för något."

"Gissar att vi får se till att döda dem båda två."

"Vi får nog göra mer än så, är jag rädd för."

AUGUST MÅDDE INTE bra. Så mycket stod klart. Röda fläckar flammade upp på hans hals, och nävarna knöts. Lisbeth Salander som satt intill honom vid det runda köksbordet ute på Ingarö och arbetade med sin RSA-kryptering blev rädd att han skulle få något slags anfall. Men inget annat hände än att August grep en krita, en svart.

I samma ögonblick skakade en stormby de stora fönsterrutorna framför dem, och August tvekade och drog vänsterhanden fram och tillbaka över bordet. Men så började han teckna ändå, ett streck här och ett där, och så små ringar, knappar trodde Lisbeth, och så en hand, detaljer av en haka, ett uppknäppt skjortbröst. Därefter gick det fortare och efter hand släppte spänningen i pojkens rygg och axlar. Det var som ett sår som sprack upp och började läka. Inte för att pojken verkade harmonisk för det.

Ögonen brann av ett plågat sken, och då och då skakade han till. Men något inom honom hade tvekslöst släppt, och nu bytte han kritor och ritade ett golv, ett ekfärgat golv, och på det ett myller av pusselbitar som möjligtvis skulle forma en glittrande stad i nattljus. Ändå stod det klart redan nu att det inte skulle bli någon snäll teckning.

Handen och det uppknäppta skjortbröstet visade sig tillhöra en kraftig man med utskjutande kulmage. Mannen stod böjd som en fällkniv och slog en liten person på golvet, en människa som inte fanns med i blickfånget av den enkla anledningen att det var den personen som betraktade scenen, och mottog slagen. Det var ett otäckt verk, inget tvivel om det.

Men det tycktes inte ha någonting med mordet att göra, även om också den här bilden avslöjade en gärningsman. I själva dess mitt och epicentrum trädde ett rasande och svettigt ansikte fram där varje liten bitter och förgrämd rynka var exakt fångad. Lisbeth kände igen det ansiktet. Inte för att hon tittade särskilt mycket på teve eller gick på bio.

Men hon förstod ändå att det tillhörde skådespelaren Lasse

Westman, Augusts styvfar, och därför lutade hon sig fram mot pojken och sa med en helig, vibrerande vrede:

"Det där ska han aldrig få göra mot dig igen, aldrig!"

KAPITEL 21
DEN 23 NOVEMBER

ALONA CASALES FÖRSTOD att något var allvarligt fel när commander Jonny Ingrams gängliga gestalt närmade sig Ed the Ned. Det gick att se redan på hans tvekande kroppsspråk att han kom med dåliga nyheter, och normalt gjorde det honom förstås ingenting.

Jonny Ingram såg ofta skadeglad ut när han satte dolken i ryggen på folk. Men med Ed var det annorlunda. Även höjdarna var rädda för Ed. Ed ställde till ett helvete om någon jävlades med honom, och Jonny Ingram var ingen som gillade scener, eller än mindre att se ynklig ut, men tänkte han bråka med Ed var det precis vad som väntade.

Han skulle se ut som om han blåste bort. Medan Ed var kraftig och explosiv, var Jonny Ingram en finlemmad överklasspojke med spinkiga ben och något tillgjort i kroppsspråket. Jonny Ingram var en maktspelare av rang, och saknade inte inflytande i någon viktig krets, vare sig i Washington eller näringslivet. Han satt i direktionen strax under NSA-chefen Charles O'Connor, och även om han log ofta och var skicklig på att dela ut komplimanger nådde hans leende aldrig ögonen. Han var fruktad som få.

Han hade hållhakar på folk, och ansvarade bland annat för "övervakningen av strategiska teknologier", mer krasst uttryckt industrispionaget – den del av NSA som hjälper den amerikanska hightechindustrin i den globala konkurrensen.

Men när han nu stod framför Ed i sin sprättiga kostym sjönk hans kropp ihop, och trots att Alona satt trettio meter därifrån anade hon precis vad som var på väg att hända: Ed höll på att explodera. Hans bleka, utarbetade ansikte hade fått en rödfärgad ton, och plötsligt ställde han sig upp med sin sneda, vinda rygg och sin stora mage, och vrålade högt med rasande stämma.

"Din oljiga skit!"

Ingen annan än Ed skulle kalla Jonny Ingram "en oljig skit", och Alona kände att hon älskade honom för det.

AUGUST PÅBÖRJADE EN ny teckning.

Han drog några hastiga streck på papperet. Han drog så hårt att den svarta kritan gick sönder, och precis som förra gången tecknade han hastigt, med en detalj här och en annan där, disparata bitar som närmade sig varandra och bildade en helhet. Det var samma rum igen. Men pusslet på golvet var ett annat nu, och lättare att urskilja. Det förestললde en röd, framrusande sportbil och ett skrikande publikhav på en läktare, och ovanför det stod inte en, utan två män.

Den ena var Lasse Westman igen. Han var klädd i T-shirt och shorts nu, och hade en blodröd, lite vindande blick. Han såg vinglig och full ut. Men han var inte mindre rasande för det. Hans mun dreglade. Ändå var han inte den mest skrämmande gestalten på teckningen. Det var den andre mannen. Hans simmiga ögon lyste av ren sadism. Han var orakad och berusad han med och hade tunna, närmast obefintliga läppar och tycktes sparka August, trots att pojken precis som förra gången inte syntes i bild, bara var oerhört närvarande genom sin frånvaro.

"Vem är den andre?" sa Lisbeth.

August svarade inte. Men hans axlar skakade, och benen knöt sig i en knut under bordet.

"Vem är den andre?" upprepade Lisbeth något strängare, och då skrev August dit på teckningen med barnslig, lite darrande handstil:

ROGER

Roger – det sa inte Lisbeth någonting.

ETT PAR TIMMAR senare i Fort Meade, när hans hackerkillar städat upp efter sig och lufsat iväg, kom Ed fram till Alona. Men det egendomliga var: Ed såg inte alls arg eller kränkt ut längre. Snarare sken han lite trotsigt, och verkade inte ens särskilt plågad av sin rygg. Han hade en anteckningsbok i handen. Ena remmen till hängslena hade släppt.

"Gamle man", sa hon. "Nu är jag väldigt nyfiken. Vad har hänt?"

"Jag har fått semester", svarade han. "Ska precis åka till Stockholm."

"Av alla platser. Är det inte kallt där så här års?"

"Värre än någonsin tydligen."

"Men du ska egentligen inte dit på semester."

"Oss emellan sagt ska jag ju inte det."

"Nu blir jag ännu mer nyfiken."

"Jonny Ingram beordrade oss att lägga ner vår utredning. Hackern får löpa, och vi får nöja oss med att täppa till några säkerhetshål. Sedan ska saken glömmas."

"Hur i helvete kan han beordra något sådant?"

"För att inte väcka den björn som sover, säger han, och riskera att något kommer ut om attacken. Det vore förödande om det blev känt att vi blivit hackade, för att nu inte tala om skadeglädjen det skulle väcka, och alla personer med mig i spetsen som ledningen skulle tvingas sparka för att rädda ansiktet."

"Så han hotade dig också?"

"Han hotade mig så in i helvete. Pratade om hur jag skulle förnedras offentligt, och stämmas och kölhalas."

"Men du verkar inte särskilt rädd för det."

"Jag tänker knäcka honom."

"Hur skulle det gå till? Den där sprätten har ju mäktiga kontakter överallt."

"Jag känner en och annan jag också. Dessutom är Ingram inte den enda som har hållhakar på folk. Den förbannade hackern hade ju vänligheten att samköra våra register och undervisa oss lite om vår egen byk."

"En smula ironiskt, är det inte?"

"Jovars, det krävs en skurk för att avslöja en annan. Men först verkade det inte så märkvärdigt, trots allt, inte jämfört med allt annat vi håller på med. Men när vi sedan började undersöka det närmare, då…"

"Ja?"

"Visade det sig vara rent sprängstoff."

"På vilket sätt?"

"Jonny Ingrams närmaste män samlar inte bara in information om företagshemligheter för att hjälpa våra egna stora koncerner. Ibland säljer de den dyrt också, och de pengarna, Alona, hamnar inte alltid i organisationens egen kassa…"

"Utan i deras egna fickor."

"Precis, och här har jag redan bevis nog för att skicka Joacim Barclay och Brian Abbot i fängelse."

"Jösses!"

"Det tråkiga är bara att det är lite mer komplicerat med Ingram. Jag är övertygad om att han är hjärnan bakom hela cirkusen. Annars går den här historien inte ihop. Men jag har ingen smoking gun än, och det grämer mig, och gör hela operationen riskabel. Det är inte omöjligt visserligen – även om jag tvivlar på det – att det finns något konkret på honom på den fil som hackern laddade ner. Men den kommer vi inte att kunna knäcka. Det är en hopplös jävla RSA-kryptering."

"Så vad ska du göra?"

"Dra åt nätet kring honom. Visa för alla och envar att hans egna medarbetare är lierade med grovt kriminella."

"Som Spiders."

"Som Spiders. De sitter i samma båt som en del riktigt fula fiskar. Det skulle inte ens förvåna mig om de var delaktiga i mordet på din professor i Stockholm. Åtminstone hade de ett klart intresse av att se honom död."

"Du måste skoja."

"Inte det minsta. Din professor satt på kunskap som kunde ha exploderat i ansiktet på dem."

"Helvetes skit!"

"Ungefär så."

"Och nu ska du åka till Stockholm som en liten privatdeckare och undersöka alltihop."

"Inte som en privatdeckare, Alona. Jag kommer att ha full uppbackning, och när jag ändå håller på tänker jag tvåla till vår hacker så att hon knappt kommer att kunna stå på benen."

"Nu måste jag ha hört fel, Ed. Sa du hon?"

"Jag sa hon, min vän. Hon!"

AUGUSTS TECKNINGAR FÖRDE Lisbeth tillbaka i tiden, och återigen erinrade hon sig knytnäven som rytmiskt och ihållande slog mot madrassen.

Hon mindes dunkarna och grymtningarna och gråten inifrån sängkammaren. Hon mindes tiden på Lundagatan när hon inte hade någon annan tillflykt än sina serietidningar och sina fantasier om hämnd. Men hon skakade det av sig. Hon tog hand om sitt sår och bytte bandage, och kontrollerade sin pistol och såg till att den var laddad. Hon gick in på PGP-länken.

Andrei Zander undrade hur de hade det, och hon svarade kort. Utanför skakade stormen i träden och buskarna. Hon tog en whisky och en bit choklad och gick sedan ut på altanen och vidare ut på sluttningen, och rekognoscerade noggrant terrängen, framför allt en liten bergsskreva längre ner i branten. Hon till och med räknade sina steg dit, och memorerade varje liten skiftning i landskapet.

När hon kom in igen hade August ritat en ny teckning på Lasse Westman och Roger. Lisbeth gissade att han behövde få ur sig det. Men fortfarande hade han inte tecknat något från mordögonblicket, inte ens ett streck. Var upplevelsen blockerad i hans tankar?

Lisbeth greps av en obehaglig känsla av att tiden höll på att rinna ifrån dem, och hon tittade bekymrat på August och hans nya teckning och på de svindlande talen han skrivit ner bredvid, och en minut eller så försjönk hon i dem och studerade deras uppbyggnad när hon plötsligt såg en sifferserie som inte tycktes höra hemma bland de andra.

Den var relativt kort. Den löd 2305843008139952128, och det såg hon direkt. Det var inget primtal utan snarare – hon lyste upp – ett tal som enligt en perfekt harmoni utgörs av summan av alla sina positiva delare. Det var med andra ord ett fullkomligt tal, precis som 6 är det eftersom 6 kan delas med 3, 2 och 1 och 3+2+1 just blir 6, och då log hon, och slogs av en egendomlig tanke.

"NU MÅSTE DU förklara dig", sa Alona.

"Jag ska", svarade Ed. "Men även om jag vet att det är onödigt vill jag att du lovar mig dyrt och heligt att inte säga något om det till någon."

"Jag lovar, din drummel."

"Bra, för så här är det: när jag hade vrålat en och annan sanning till Jonny Ingram, mest för syns skull, gav jag honom rätt. Jag låtsades till och med vara tacksam för att han satt stopp för vår undersökning. Vi skulle inte komma längre i alla fall, sa jag, och i viss mening var det helt sant. Rent tekniskt hade vi uttömt våra möjligheter. Vi hade gjort allt och lite till. Men det tjänade ingenting till. Hackern hade lagt ut villospår i varenda vrå, och ledde oss bara in i nya irrgångar och labyrinter. En av mina killar sa att även om vi mot alla odds skulle nå ända fram skulle vi ändå inte tro på det. Vi skulle bara inbilla oss att det var en ny fälla. Vi förväntade oss vad som helst av den här hackern, vad som helst förutom blottor och svagheter. Så ja, den vanliga vägen var vi körda."

"Men du brukar ju inte ge så mycket för den vanliga vägen."

"Nej, jag tror mer på bakvägen. I själva verket hade vi inte alls gett upp. Vi hade pratat med våra hackerkontakter därute, och med våra vänner i mjukvaruföretagen. Vi hade utfört avancerade sökningar, avlyssningar och egna intrång. Du förstår, vid en så komplicerad attack som den här har det alltid gjorts research. Vissa specifika frågor har ställts. Vissa speciella sajter har besökts, och det är oundvikligt att något av det blir känt för oss. Men framför allt, Alona, fanns en faktor som talade till vår fördel. Det var hackerns begåvning. Den var så stor att den begränsade antalet misstänkta. Det är som om en kriminell plötsligt gör 9,7 på hundra meter på brottsplatsen. Då vet man ganska säkert att det är Bolt eller någon av hans konkurrenter som är skyldig, eller hur?"

"Så det är på den nivån."

"Alltså, det finns delar i den här attacken som bara får mig att gapa, och då har jag ändå sett mycket. Därför lade vi ner oerhört mycket arbete på att tala med hackers och initierade människor i branschen, och fråga dem: Vem har förmåga att göra något riktigt, riktigt stort? Vilka är de verkligt stora stjärnorna i dag? Vi var förstås tvungna att ställa frågorna lite smart så att ingen anade vad som verkligen hänt. Länge kom vi ingen vart. Det var som att skjuta rakt ut i intet – som att skrika i den tomma natten. Ingen visste något, eller låtsades veta något, eller jo: självklart nämndes en massa namn, men inget som kändes rätt. En tid höll vi på med en ryss, Jurij Bogdanov. Det är en gammal knarkare och tjuv med magiska fingrar. Han tar sig igenom vad som helst. Hackar vad fan han vill. Redan när han var en trasig uteliggare i Sankt Petersburg som tjuvkopplade bilar och vägde fyrtio kilo skinn och ben försökte säkerhetsföretagen rekrytera honom. Till och med folk från polisen eller underrättelsetjänsten ville knyta honom till sig så att inte de kriminella organisationerna hann före. Men givetvis, det slaget förlorade man, och i dag är Bogdanov avgiftad och framgångsrik och har gått upp till åtminstone femtio kilo skinn och ben. Vi är ganska säkra på att han är en av skurkarna i ditt gäng, Alona, och det var också en av anledningarna till att han intresserade oss. Vi förstod ju att det fanns en koppling till Spiders med tanke på de sökningar som gjordes, men sedan…"

"Kunde ni inte förstå varför en av deras egna skulle ge oss nya ledtrådar och samband?"

"Precis, och då spanade vi vidare, och efter ett tag dök ett annat gäng upp i samtalen."

"Vilka då?"

"De kallar sig Hackerrepubliken. Hackerrepubliken är högstatus därute. Består av idel toppförmågor som alla är vaksamma och noga med sina krypteringar. Med all rätt får man väl tillägga. Vi och många andra försöker ständigt infiltrera de här grupperna, inte bara för att ta reda på vad de håller på med. Vi vill också rekrytera folk. Det är slagsmål numera om de hackers som är vassast."

"Nu när vi blivit kriminella allihop."

"Ha, ja, kanske det. Hur som helst, Hackerrepubliken satt på en stor förmåga. Om det fick vi in många vittnesmål. Men det var inte bara det. Det hade också ryktats om att de hade något stort på gång, och så framför allt, att en signatur vid namn Bob The Dog, som vi tror kan knytas till gänget, verkar ha gjort sökningar och ställt frågor om en kille hos oss som heter Richard Fuller, känner du honom?"

"Nej."

"En manodepressiv och självgod kille som jag länge oroat mig för. En klassisk säkerhetsrisk som blir högmodig och slarvig när han får sina maniska skov. För ett gäng hackers är han precis rätt person att ge sig på, och det krävs kvalificerad information för att känna till det. Hans psykiska hälsa är inte precis allmängods. Knappt att hans morsa ens har koll på den. Nu är jag ganska övertygad om att de ändå inte tog sig in via Fuller. Vi har granskat varenda fil Richard tagit emot på sistone, och det finns inget där. Vi har synat honom uppifrån och ner. Men jag tror att Richard Fuller var en del av Hackerrepublikens ursprungliga planering. Inte så att jag har några bevis mot gruppen, inte alls, men min magkänsla säger mig ändå att det här gänget ligger bakom intrånget, särskilt sedan vi i dag tror oss kunna utesluta främmande makt."

"Du sa att det var en tjej."

"Exakt, när vi väl ringat in den här gruppen tog vi reda på så mycket som möjligt om den, även om det inte var helt lätt att skilja rykten och myter från fakta. Men en sak återkom så regelbundet att jag till slut inte såg någon anledning att tvivla på det."

"Och vad är det?"

"Att Hackerrepublikens största stjärna är någon som kallar sig Wasp."

"Wasp?"

"Precis, och jag ska inte trötta ut dig med några tekniska detaljer. Men Wasp är lite av en legend i vissa kretsar, bland annat på grund av förmågan att vända upp och ner på etablerade metoder. Någon sa att man kan ana Wasp i en hackerattack precis som man kan ana Mozart i en melodislinga. Wasp har sin egen omisskännliga stil, och det var faktiskt det första en av mina grabbar sa efter att han studerat intrånget: Det här skiljer sig från allt vi stött på hittills, det har en helt ny verkshöjd, något på en gång bakvänt och överraskande, men ändå rakt och effektivt."

"Ett geni alltså."

"Tveklöst, och därför började vi söka på allt som fanns om den här Wasp på nätet för att försöka slå hål på signaturen. Men ingen blev speciellt förvånad när det inte gick. Det skulle inte ha varit likt den här personen att ge några sådana öppningar. Men vet du vad jag gjorde då?" sa Ed stolt.

"Nej."

"Jag började kolla upp vad själva ordet står för."

"Annat än dess bokstavliga betydelse, geting."

"Ja, precis, och inte för att jag eller någon annan trodde att det skulle leda någon vart. Men som jag sa, når man inte fram längs huvudvägen, söker man sig ut på kringelikrokarna. Man vet aldrig vad man hittar, och det visade sig förstås att Wasp kunde betyda allt möjligt. Wasp är ett brittiskt stridsflygplan från andra världskriget. Det är en komedi av Aristofanes, en känd kortfilm från 1915, ett satiriskt magasin från 1800-talets San Francisco, och så förstås en förkortning av Vit Anglosaxisk Protestant plus en del annat. Fast allt det där kändes som för präktiga referenser för ett hackergeni; det stämde inte alls in i kulturen. Men vet du vad som stämde in?"

"Nej."

"Den som Wasp oftast syftar på därute på nätet, superhjältinnan Wasp i Marvel Comics, hon som är en av grundarna av Avengers."

"Som man gjort film på."

"Exakt, gänget med Tor, Iron Man, Captain America och allihop. Ett tag i de ursprungliga seriealbumen är hon till och med deras ledare. Wasp är en rätt cool seriefigur, måste jag säga, ser lite rockig och rebellisk ut, klädd i svart och gult med insektsvingar, och kort svart hår och kaxig attityd; en tjej som slår ur underläge och har förmåga att både växa och krympa i storlek. Alla källor vi har korresponderat med tror att det handlar om den Wasp. Nu behöver förstås inte personen bakom signaturen vara något Marvel Comics-fan för det, framför allt inte nu längre. Den där signaturen har funnits med länge. Kanske är det inget annat än en grej från barndomen som hängt med, eller en liten ironisk blinkning bara, något som inte betyder mer än att jag en gång döpte min katt till Peter

Pan utan att ens gilla den där självgoda figuren som aldrig vill växa upp. Men ändå…"

"Ja?"

"Kunde jag inte låta bli att konstatera att även det här kriminella nätverket som Wasp gjorde sökningar på använder kodord från Marvel Comics, eller mer än det egentligen. Ibland kallar de ju sig *The Spider Society*, eller hur?"

"Jo, men det är bara en lek som jag ser det, för att driva med oss som avlyssnar dem."

"Visst, visst, jag är med på det, men även lekar kan ge ledtrådar eller dölja något allvarligt bakom. Vet du vad som utmärker The Spider Society i Marvel Comics?"

"Nej?"

"Det är att man krigar mot 'Sisterhood of the Wasp'."

"Okej, jag fattar, det är en detalj att tänka på, men jag kan inte begripa hur det kunde föra er vidare."

"Vänta bara, ska du få höra. Vad säger du, har du lust att följa mig ner till min bil? Jag måsta sticka till flygplatsen ganska snart."

MIKAEL BLOMKVISTS ÖGON började klippa. Det var inte särskilt sent. Men han kände i hela kroppen att han inte orkade längre. Han måste hem och sova några timmar, och sätta fart i natt eller i morgon bitti igen. Kanske skulle det förresten hjälpa om han tog några öl på vägen. Sömnlösheten bultade i pannan, och han behövde jaga en del minnen och farhågor på flykten, och kanske kunde han få med sig Andrei. Han tittade bort mot kollegan.

Andrei såg så ung och energisk ut att hälften kunde vara nog. Han satt och skrev på sin dator som om han precis kommit hit, och då och då bläddrade han hetsigt i sina anteckningar. Ändå hade han varit på redaktionen sedan klockan fem i morse. Nu var den kvart i sex på eftermiddagen, och särskilt många pauser hade han inte haft.

"Vad säger du, Andrei? Ska vi gå ut och ta en öl och en matbit och diskutera historien?"

Andrei verkade först inte uppfatta frågan. Men så lyfte han sitt huvud och såg plötsligt inte alls så energisk ut längre. Med en liten grimas masserade han sin axel.

"Va… jo… kanske", sa han dröjande.

"Det tar jag som ett ja", sa Mikael. "Vad sägs om Folkoperan?"

Folkoperan var en bar och restaurang på Hornsgatan, inte långt därifrån, som lockade till sig en del journalister och konstnärligt lagda.

"Det är bara det…", svarade han.

"Vadå?"

"Att jag har det där porträttet av en konsthandlare på Bukowskis som steg på ett tåg på Malmö Central och aldrig kom tillbaka. Erika tyckte att det skulle passa i mixen."

"Jösses, vad hon kör med dig, den kvinnan."

"Det tycker jag verkligen inte. Men jag får liksom inte ihop det. Det känns så tillkrånglat och stelt."

"Vill du att jag tittar på det?"

"Gärna, men jag vill komma lite längre först. Jag skulle skämmas livet ur mig om du såg det i det här skicket."

"Då väntar vi. Men kom igen nu, Andrei, så går vi ut och äter lite åtminstone. Du kan gå tillbaka och jobba efteråt om du måste", sa Mikael och såg på Andrei.

Han skulle minnas det länge. Andrei bar en brunrutig kavaj och en vit skjorta som var knäppt upp till halsen. Han såg ut som en filmstjärna, eller i alla fall ännu mer än vanligt som en ung Antonio Banderas, en villrådig Banderas.

"Får nog stanna ändå och få ordning på det", sa han tvekande. "Jag har lite mikromat i kylskåpet."

Mikael funderade på om han i kraft av sin seniora ställning skulle beordra Andrei att hänga med och ta en öl. I stället sa han:

"Okej, då ses vi i morgon. Hur går det för dem därute? Ingen teckning på mördaren än?"

"Verkar inte så."

"I morgon får vi hitta en annan lösning. Sköt om dig nu", sa Mikael och reste sig upp och satte på sig ytterrocken.

LISBETH HADE PÅMINT sig något hon läst om savanter för länge sedan i tidskriften *Science*. Det var talteoretikern Enrico Bombieri som i en artikel refererat till en episod i Oliver Sacks bok *Mannen som förväxlade sin hustru med en hatt,* där två autistiska och förståndshandikappade tvillingar suttit tillbakalutade och dragit svindlande höga primtal för varandra, precis som om de sett dem framför sig i ett inre matematiskt landskap, eller som om de till och med funnit en gåtfull genväg till talens mysterium.

Det var sant att det som tvillingarna lyckades med och det som Lisbeth ville åstadkomma var två olika saker. Men det fanns ändå ett släktskap, tyckte hon, och hon beslöt att pröva, hur lite hon än trodde på det. Därför tog hon upp den krypterade NSA-filen igen och sitt program för faktorisering med elliptiska kurvor. Sedan vände hon sig mot August igen. August svarade genom att vagga överkroppen fram och tillbaka.

"Primtal. Du gillar primtal", sa hon.

August såg inte på henne och slutade än mindre att vagga.

"Jag gillar dem också", fortsatte hon. "Men det finns en sak jag är särskilt intresserad av just nu. Det kallas faktorisering. Vet du vad det är?"

August stirrade vaggande ner i bordet, och såg inte ut att förstå något.

"Primtalsfaktorisering är när vi skriver om en siffra till en produkt av primtal. Med en produkt menar jag här ett resultat av en multiplikation. Är du med?"

August rörde inte en min, och Lisbeth funderade på om hon inte helt enkelt borde hålla käften.

"Enligt aritmetikens fundamentalsats har varje heltal en unik primtalsfaktorisering, och det är rätt häftigt faktiskt. Ett så enkelt tal som 24 kan vi få fram på alla möjliga sätt, till exempel genom att multiplicera 12 och 2 eller 3 och 8, eller 4 och 6. Ändå finns det bara ett sätt att faktorisera det med primtal och det är 2 x 2 x 2 x 3. Är du med? Alla tal har en unik faktorisering. Problemet är bara att det är enkelt att multiplicera primtal och få fram stora tal. Men det är ofta hopplöst att gå den andra vägen, att från svaret ta sig tillbaka till primtalen, och det är något som en väldigt dum person utnyttjat i ett hemligt meddelande. Fattar du? Det är lite som att blanda saft eller en drink, lätt att göra men svårare att blanda tillbaka igen."

August varken nickade eller sa ett ord. Men han vaggade åtminstone inte längre med kroppen.

"Ska vi se om du är bra på primtalsfaktorisering, August. Ska vi det?"

August rörde sig inte ur fläcken.

"Jag tolkar det som ett ja. Ska vi börja med talet 456."

Augusts ögon blev blanka och frånvarande, och Lisbeth trodde mer än någonsin att hela idén var befängd.

DET VAR KALLT och blåsigt ute. Men Mikael tyckte ändå att kylan gjorde honom gott, och att han vaknade till lite grann. Det var förhållandevis få människor ute, och han tänkte på sin dotter Pernilla, och hennes ord om att skriva "på riktigt", och på Lisbeth förstås, och på pojken. Vad gjorde de nu? På väg upp mot Hornsgatspuckeln stirrade han lite på en tavla i ett skyltfönster.

Tavlan föreställde glada, sorgfria människor på ett cocktailparty, och det var säkert en felaktig slutsats, men det kändes i den stunden som evigheter sedan han själv stått där bekymmerslös med en drink. Han längtade ett litet ögonblick långt bort. Sedan riste han till, drabbad av en känsla av att vara förföljd. Men när han vände sig om förstod han att det var falskt alarm, kanske en följd av allt han varit med om de senaste dagarna.

Den enda som stod bakom honom var en bedårande vacker kvinna i klarröd rock och utsläppt mörkblont hår som log lite osäkert och blygt mot honom. Han log försiktigt tillbaka, och skulle precis fortsätta framåt igen. Ändå dröjde han kvar med blicken, kanske till och med förundrad, som om han förväntade sig att kvinnan när som helst skulle förvandlas till något annat, mer vardagligt.

Men hon blev snarare mer bländande för varje sekund, som en kunglighet nästan, en stor stjärna som av misstag irrat sig ut bland vanligt folk, och faktum var att Mikael i den stunden, i det första ögonblicket av förvåning, knappt skulle ha kunnat beskriva henne, eller ge en enda liten signifikativ detalj om hennes utseende. Hon framstod som en kliché, en sinnebild av något tjusigt från ett modemagasin.

"Kan jag hjälpa dig med något?" sa han.

"Nej, nej", svarade hon och verkade generad igen, och det gick inte att komma ifrån: det var en charmerande osäkerhet.

Hon var ingen kvinna man trodde skulle vara blyg. Hon såg ut som om hon borde äga världen.

"Då så, ha en trevlig kväll", sa han och vände sig om, men hon avbröt honom med en liten nervös harkling.

"Är det inte du som är Mikael Blomkvist?" fortsatte hon, ännu mer osäker, och såg ner i gatans kullerstenar.

"Det är jag", sa han, och log artigt.

Han ansträngde sig för att le artigt på samma sätt som han skulle ha gjort mot vem som helst.

"Jag vill bara säga att jag alltid beundrat dig", fortsatte hon, och lyfte försiktigt huvudet och såg in i hans ögon med en mörk blick.

"Det gör mig glad. Men nu var det länge sedan jag skrev något vettigt. Vem är du?"

"Jag heter Rebecka Svensson", sa hon. "Jag bor i Schweiz numera."

"Och nu är du hemma och hälsar på."

"Helt kort bara, tråkigt nog. Jag saknar Sverige. Jag saknar till och med november i Stockholm."

"Då har det gått långt."

"Ha, ja! Men det är väl så det är med hemlängtan, är det inte?"

"Hur då?"

"Att man saknar till och med det dåliga."

"Sant."

"Men vet du hur jag botar alltsammans? Jag följer den svenska journalistiken. Jag tror inte jag missat en enda artikel i *Millennium* de senaste åren", fortsatte hon, och då tittade han på henne igen, och lade märke till att vartenda klädesplagg, från de svarta högklackade skorna upp till den blårutiga kashmirsjalen, var dyra och exklusiva.

Rebecka Svensson såg inte ut som den typiska Millenniumläsaren precis. Men det fanns ingen anledning att ha fördomar ens mot rika utlandssvenskar.

"Jobbar du därnere?" sa han.

"Jag är änka."

"Jag förstår."

"Ibland blir jag så uttråkad. Var du på väg någonstans?"

"Jag tänkte ta ett glas, och en matbit", sa han och kände genast att han inte gillade repliken. Den var för inbjudande, för väntad, men den var åtminstone sann. Han hade verkligen varit på väg att ta ett glas och en matbit.

"Får jag göra dig sällskap?" undrade hon.

"Gärna", sa han tvekande, och då rörde hon hastigt vid hans hand – förmodligen oavsiktligt, han ville åtminstone tro det. Hon verkade fortfarande blyg. De gick långsamt uppför Hornsgatspuckeln, förbi raden av gallerier.

"Vad trevligt att promenera här med dig", sa hon.

"Det var lite oväntat."

"Inte precis vad jag trott när jag vaknade upp i morse."

"Vad hade du trott då?"

"Att det skulle bli lika trist som vanligt."

"Jag vet inte om jag är så roligt sällskap i dag", sa han. "Jag är rätt uppslukad av en story."

"Jobbar du för mycket?"

"Förmodligen."

"Då kan du behöva en liten paus", sa hon och log ett förtrollande leende, plötsligt fyllt av längtan eller någon sorts löfte, och i den stunden tyckte han sig känna igen något hos henne, precis som om han sett det där leendet förut, men då i en annan form, i en förvrängd spegel.

"Har vi träffats förut?" sa han.

"Jag tror inte det. Inte mer än att jag sett dig tusentals gånger på bild och i teve förstås."

"Så du har aldrig bott i Stockholm?"

"När jag var en liten flicka, ett barn bara."

"Var bodde du då?"

Hon pekade obestämt längre bortåt Hornsgatan.

"Det var en fin tid", sa hon. "Vår pappa tog hand om oss. Jag tänker på det ibland. Jag saknar honom."

"Lever han inte längre?"

"Han dog alltför ung."

"Jag beklagar."

"Ja, jag kan fortfarande sakna honom ibland. Vart är vi på väg?"

"Jag vet inte riktigt", sa han. "Det finns en pub precis här, lite längre upp på Bellmansgatan, Bishops Arms. Jag känner ägaren. Det är ett rätt bra ställe."

"Säkert…"

Hennes ansikte fick återigen det där generade, skygga draget, och än en gång råkade hennes hand snudda vid hans fingrar; han var inte lika säker på att det var oavsiktligt den här gången.

"Eller är det inte tillräckligt fancy?"

"Jo, jo, säkert", sa hon urskuldande. "Men jag känner mig lätt uttittad på pubar. Jag har stött på så många svin."

"Kan tänka mig det."

"Skulle inte du…?"

"Vadå?"

Hon tittade ner i marken igen och rodnade – ja, först trodde han att han såg fel. Vuxna människor rodnar väl inte på det viset? Men Rebecka Svensson från Schweiz, som såg ut som sju miljoner dollar ungefär, blev verkligen röd som en liten skolflicka.

"Skulle du inte vilja bjuda hem mig i stället på ett glas vin eller två?" fortsatte hon. "Det skulle kännas trevligare."

"Jo…"

Han tvekade.

Han behövde sova, och vara i god form i morgon bitti. Ändå svarade han dröjande:

"Visst, självklart. Jag har en flaska Barolo i vinstället", och trodde ett ögonblick att han skulle bli upprymd, trots allt, som om han stod inför ett litet hisnande äventyr.

Men hans osäkerhet försvann inte. Han begrep det inte först. Han brukade inte vara svår i sådana här avseenden, och ärligt talat, han var bortskämd med uppvaktande kvinnor. Det var sant att hela förloppet gått svindlande fort. Men han var inte helt ovan vid det heller, och personligen hade han en väldigt osentimental inställning i frågan. Så nej, det var inte själva hastigheten i skeendet, eller åtminstone inte bara det. Det var något med Rebecka Svensson, var det inte?

Inte bara det att hon var ung och hisnande vacker och borde ha annat att göra än att jaga svettiga och slutarbetade medelålders journalister. Det var något med hennes ögonkast, och det där pendlandet mellan det vågade och det blyga, och det till synes slumpmässiga vidrörandet av hans händer. Allt det som han först upplevt som så oemotståndligt framstod i den stunden som alltmer beräknande.

"Vad trevligt, och jag ska inte bli sen, jag vill ju inte förstöra något reportage för dig", sa hon.

"Jag tar fullt ansvar för alla reportage som förstörs", svarade han, och försökte le tillbaka.

Men det var knappast något naturligt leende, och i det ögonblicket uppsnappade han något märkligt i hennes blick, en plötslig iskyla som på en sekund förvandlades till sin motsats, ömhet, värme igen, som hos en stor skådespelare som visade upp sina färdigheter, och då blev han alltmer övertygad om att något var fel. Det var bara det; han förstod inte vad, och han ville inte avslöja sina misstankar, inte än åtminstone. Han ville förstå. Vad var det som pågick? Han fick för sig att det var viktigt att begripa.

De fortsatte uppför Bellmansgatan, inte så att han längre tänkte ta hem henne. Men han behövde tid att begripa, och han tittade återigen på henne. Hon var verkligen påfallande vacker. Ändå slog det honom att det egentligen inte var hennes skönhet som först gripit honom så. Det var snarare något annat, mer undanglidande som förde tankarna till en helt annan värld än veckotidningsglamoren. Rebecka Svensson tycktes honom i den stunden som en gåta han borde veta svaret på.

"Trevliga kvarter det här", sa hon.

"Inte så dumt", svarade han tankfullt och såg uppåt mot Bishops Arms.

Snett ovanför puben i korsningen mot Tavastgatan stod en mager, gänglig man i svart keps och mörka glasögon och studerade en karta. Det gick lätt att ta honom för en turist. Han hade en brun resväska i handen, och vita sneakers och en svart läderjacka med stor, uppfälld pälskrage, och normalt skulle Mikael säkert inte ha lagt märke till honom.

Men nu var han inte längre en oskuldsfull betraktare, och därför tyckte han att mannens rörelsemönster var nervöst och ansträngt. Det kunde förstås bero på att Mikael redan från början var misstänksam. Men han tyckte verkligen att den lätt förströdda hanteringen av kartan kändes spelad, och nu lyfte killen dessutom på huvudet och såg mot Mikael och kvinnan.

En kort sekund studerade han dem noggrant. Sedan tittade han ner på sin karta igen, och det gjorde han inte särskilt bra. Han verkade besvärad, och tycktes vilja dölja sitt ansikte under kepsen, och det var något med det – med det böjda, liksom skygga huvudet – som påminde Mikael om något, och återigen tittade han in i Rebecka Svenssons mörka ögon.

Han tittade länge och intensivt, och fick en öm blick tillbaka. Men han besvarade den inte utan såg bara hårt och koncentrerat på henne, och då frös hennes ansikte och först i det ögonblicket log Mikael Blomkvist tillbaka.

Han log för att han plötsligt förstod hela sammanhanget.

KAPITEL 22
KVÄLLEN DEN 23 NOVEMBER (SVENSK TID)

LISBETH RESTE SIG upp från köksbordet. Hon ville inte störa August längre. Pojken hade nog med press på sina axlar, och hela hennes idé hade varit vrickad från första stund.

Det var så typiskt att hoppas alldeles för mycket på de stackars savanterna. Det August hade gjort var imponerande nog, och hon gick ut mot altanen igen, och tog sig försiktigt om skottsåret som fortfarande värkte. Något hördes bakom henne, ett hastigt raspande mot papperet, och då vände hon sig om och gick tillbaka till köksbordet. I nästa ögonblick log hon.

August hade skrivit:

$$2^3 \times 3 \times 19$$

Lisbeth slog sig ner på sin stol och sa åt pojken utan att titta på honom den här gången:

"Okej! Jag är impad. Men låt oss göra det lite svårare. Ta 18 206 927."

August kröp ihop över bordet och Lisbeth tänkte att det nog var fräckt att genast slänga fram ett åttasiffrigt tal. Men skulle de ens ha en chans att lyckas måste de långt högre än så, och det förvånade henne inte att August återigen började vagga nervöst med överkroppen. Ändå lutade han sig fram efter ett par sekunder, och skrev ner på sitt papper:

$$94^{19} \times 1933$$

"Fint, vad säger du om 971 230 541?"

983 x 991 x 997, skrev August.

"Fint", sa Lisbeth, och fortsatte och fortsatte.

UTANFÖR DET SVARTA kubliknande huvudkontoret i Fort Meade med sina speglande glasväggar, på den myllrande parkeringsplatsen inte långt från den stora radomen med alla sina satellitantenner, stod Alona och Ed. Ed snurrade nervöst på sina bilnycklar och tittade bortom elstängslet mot den omgivande skogen. Ed var på väg till flygplatsen, och sa sig redan vara sen. Men Alona ville inte låta honom åka. Hon höll sin hand på hans axel och skakade på huvudet.

"Det är ju helt sjukt."

"Ganska anmärkningsvärt är det, det är sant", sa han.

"Så vartenda ett av alla de kodord vi snappat upp i Spidergruppen, Thanos, Enchantress, Zemo, Alkhema, Cyclone och allt vad det var, alla utmärker sig för att vara…"

"Fiender till Wasp i de ursprungliga seriealbumen, ja."

"Sanslöst."

"En psykolog skulle säkert kunna göra något intressant av det."

"Det måste vara en fixering som går djupt."

"Utan tvivel. Jag får en känsla av hat", sa han.

"Du är väl rädd om dig."

"Glöm inte att jag är en gammal gängkille i botten."

"Det är länge sedan, Ed, många kilo sedan."

"Det är inte vikten det kommer an på. Vad är det nu man brukar säga: Man kan ta killen från ghettot…"

"Men aldrig ghettot från killen."

"Man blir inte av med det. Dessutom får jag hjälp av FRA i Stockholm. De har samma intresse som jag av att en gång för alla oskadliggöra den här hackern."

"Men om Jonny Ingram får reda på det?"

"Då är det inte bra. Men som du förstår har jag krattat lite i manegen. Till och med bytt ett och annat ord med O'Connor."

"Jag anade det. Är det något jag kan göra för dig?"

"Japp."

"Shoot."

"Jonny Ingrams gäng verkar ha haft total insyn i den svenska polisutredningen."

"Så du misstänker att de avlyssnar polisen på något vis?"

"Eller också har de en källa någonstans, förslagsvis någon streber på svenska Säkerhetspolisen. Om jag kopplar ihop dig med två av mina bästa hackers skulle du kunna gräva i det."

"Låter riskabelt."

"Okej, glöm det."

"Nej, jag gillar det."

"Tack Alona. Jag skickar mer information."

"Ha en fin resa nu", sa hon, och då log Ed lite trotsigt och satte sig i bilen och körde iväg.

EFTERÅT SKULLE MIKAEL inte helt kunna förklara hur han förstått. Men förmodligen var det något i Rebecka Svenssons ansikte, något på en gång främmande och bekant, och som kanske just på grund av den totala harmonin i anletsdragen påminde om sin egen motsats, och som tillsammans med andra aningar och misstankar han haft under arbetet med sin artikel gav honom svaret. Det var sant att han än så länge var långt ifrån säker. Men han tvivlade inte på att något var väldigt fel.

Mannen där uppe i korsningen, som nu strosade iväg med sin karta och sin bruna väska, var tveklöst samma gestalt som han sett på övervakningskameran ute i Saltsjöbaden, och det sammanträffandet var alltför osannolikt för att inte betyda något, och därför stod Mikael under några sekunder helt stilla och tänkte. Därefter vände han sig mot kvinnan som kallade sig Rebecka Svensson och försökte låta självsäker:

"Din vän går sin väg."

"Min vän?" sa hon uppriktigt förvånad. "Vad menar du?"

"Han däruppe", fortsatte han och pekade på mannens mag-ra rygg som något flaxande försvann bort längs Tavastgatan.

"Skojar du med mig? Jag känner ingen i Stockholm."

"Vad vill ni mig?"

"Jag ville bara lära känna dig, Mikael", sa hon och gjorde en gest ner mot sin blus, som ville hon knäppa upp en knapp.

"Lägg av!" sa han skarpt, och tänkte precis berätta vad han trodde när hon såg på honom så sårbart och ömkligt att han helt kom av sig, och ett ögonblick trodde han att han faktiskt misstagit sig.

"Är du arg på mig?" sa hon sårat.

"Nej, men…"

"Vadå?"

"Jag litar inte på dig", sa han hårdare än han egentligen vil-le, och då log hon vemodigt och sa:

"Det känns som att du inte riktigt är dig själv i dag, eller hur, Mikael? Vi får ta och ses en annan gång i stället."

Hon kysste honom på kinden så diskret och snabbt att han inte hann hindra henne. Sedan vinkade hon kokett med fing-rarna och försvann uppåt i backen med sina höga klackar, så utstuderat självmedveten, som om inget i världen oroade henne, och en kort sekund undrade han om han inte borde hindra henne, och utsätta henne för något slags korsförhör. Men han förstod inte hur det skulle kunna leda till något kon-struktivt. I stället beslöt han att följa efter.

Han begrep att det var vansinnigt. Men han såg ingen annan lösning, och han lät henne därför försvinna över krönet. Däref-ter satte han efter. Han skyndade fram mot korsningen, överty-gad om att hon inte kunde ha hunnit långt. Men däruppe såg han inte en skymt av henne. Han såg varken skymten av henne eller mannen. De var som uppslukade av jorden. Gatan var så gott som helt tom, bortsett från en svart BMW som höll på att fickparkera lite längre bort, och en kille med bockskägg och en gammaldags Afghanpäls som kom emot honom på andra sidan gatan.

Vart hade de tagit vägen? Det fanns inga bakgator att smita in på, inga undanskymda gränder. Hade de gått in i en port? Han fortsatte neråt mot Torkel Knutssonsgatan, och spanade åt höger och vänster. Han såg ingenting. Han passerade det som en gång varit Samirs gryta, deras gamla stamlokus, men som nu hette Tabbouli och var en libanesisk krog, och som givetvis kunde ha varit en tillflyktsort.

Men han förstod inte hur hon skulle ha hunnit dit. Han hade varit henne hack i häl. Var i helvete var hon? Stod hon och mannen någonstans och betraktade honom? Två gånger vände han sig hastigt om i tron att de dykt upp bakom honom, och ytterligare en gång ryckte han till med den isande känslan av att någon tittade på honom med kikarsikte. Men det var falskt alarm, åtminstone såvitt han kunde förstå.

Mannen och kvinnan syntes inte till någonstans, och när han till slut gav upp och vandrade hemåt kändes det som om han undkommit en stor fara. Han hade ingen aning om hur realistisk den känslan var. Men hans hjärta bultade, och han var torr i strupen. Han brukade inte vara särskilt lättskrämd. Men nu hade han blivit uppskrämd av en så gott som tom gata. Han begrep det inte.

Han förstod bara precis vem det var han måste tala med. Han måste få tag i Holger Palmgren, Lisbeths gamla förmyndare. Men först skulle han utföra sin medborgerliga plikt. Om mannen han sett verkligen var samma person som synts på Frans Balders övervakningskamera, och det åtminstone fanns en minimal chans att hitta honom, måste polisen få veta det, och därför ringde han Jan Bublanski. Han hade inte helt lätt att övertyga kommissarien.

Han hade inte helt lätt att övertyga sig själv. Men förmodligen hade han ett gammalt förtroendekapital att falla tillbaka på, hur mycket han än slirat med sanningen på sistone. Bublanski sa att han skulle skicka en styrka.

"Varför skulle han befinna sig i dina kvarter?"

"Det vet jag inte, men jag gissar att det inte skadar att söka efter honom."

"Det gör väl inte det."

"Då får jag önska er lycka till."

"Det är fortfarande förbaskat obehagligt att August Balder befinner sig därute någonstans", lade Bublanski till med något förebrående i rösten.

"Det är fortfarande förbaskat obehagligt att det läckt ifrån er", svarade Mikael.

"Jag kan meddela dig att vi har identifierat *vår* läcka."

"Har ni? Det är ju fantastiskt."

"Det är inte så fantastiskt är jag rädd. Vi tror att det kan ha funnits flera läckor, varav alla är förhållandevis oskyldiga utom möjligen den sista."

"Då får ni väl se till att hitta den."

"Vi gör allt vi kan. Men vi börjar misstänka…"

"Vadå?"

"Inget…"

"Okej, du behöver inte berätta."

"Vi lever i en sjuk värld, Mikael."

"Gör vi?"

"En värld där den paranoida är den friska."

"Det kan du nog ha rätt i. God kväll, kommissarien."

"God kväll, Mikael. Gör inga nya dumheter nu bara."

"Jag ska försöka", svarade han.

MIKAEL KORSADE RINGVÄGEN och gick ner i tunnelbanan. Han tog röda linjen mot Norsborg, och steg av vid Liljeholmen där Holger Palmgren sedan något år tillbaka bodde i en liten, modern lägenhet utan trösklar. Holger Palmgren hade låtit rädd när han hört Mikaels röst i telefonen. Men så fort

Mikael försäkrat att Lisbeth var okej – han hoppades att han inte talade osanning på den punkten – hade han känt sig mer än välkommen.

Holger Palmgren var en pensionerad advokat som hade varit Lisbeths förmyndare under flera år, ända sedan flickan var tretton och suttit inspärrad på S:t Stefans psykiatriska klinik i Uppsala. Holger var i dag gammal och eländig, drabbad av två eller tre strokeanfall. Sedan en tid tog han sig fram med rullator, och ibland knappt ens med den.

Hans vänstra ansiktshalva hängde ner, och vänsterhanden var så gott som orörlig. Men hans hjärna var klar, och hans minne enastående om det bara handlade om sådant som låg långt tillbaka i tiden, och framför allt om det handlade om Lisbeth Salander. Ingen kunde Lisbeth som han.

Holger Palmgren hade lyckats där alla psykiatriker och psykologer hade felat, eller kanske inte ens velat lyckas. Efter en barndom från helvetet, då flickan misstrott alla vuxna och myndighetsrepresentanter, hade Holger Palmgren dyrkat upp henne och fått henne att tala. Mikael såg det som ett litet mirakel. Lisbeth var alla terapeuters mardröm. Men för Holger hade hon berättat om det mest smärtsamma i barndomen, och det var också anledningen till att Mikael nu slog in koden till porten på Liljeholmstorget 96 och tog hissen upp till femte våningen och ringde på.

"Gamle vän", sa Holger i dörröppningen. "Så underbart roligt att se dig. Men du ser blek ut."

"Jag har sovit lite dåligt."

"Lätt hänt då folk skjuter på en. Jag läste om det i tidningen. En förskräcklig historia."

"Det kan man lugnt säga."

"Har det hänt något mer?"

"Jag ska berätta", sa Mikael och satte sig i en vacker gul tygsoffa, strax intill balkongen, och inväntade Holger som med stor möda slog sig ner i en rullstol intill.

Därefter drog Mikael storyn i stora drag. Men när han hunnit till sin insikt eller aning på kullerstenarna på Bellmansgatan blev han genast avbruten:

"Vad säger du?"

"Jag tror det var Camilla."

Holger såg helt paralyserad ut.

"Den Camilla?"

"Precis den."

"Jösses", sa Holger. "Vad hände?"

"Hon försvann. Men efteråt var det som om hjärnan kokade."

"Jag kan förstå det. Jag hade trott att Camilla en gång för alla var uppslukad av jorden."

"Själv hade jag nästan glömt att de var två."

"De var i högsta grad två, två tvillingsystrar som hatade varandra."

"Jag visste ju det förstås", fortsatte Mikael. "Men det krävdes att jag blev påmind om det för att jag skulle börja fundera på allvar. Jag hade ju grubblat, som jag sa, på varför Lisbeth engagerade sig i den här historien. Varför hon, den gamla superhackern, skulle intressera sig för ett simpelt dataintrång."

"Och nu vill du att jag ska hjälpa dig att förstå."

"Ungefär så."

"Okej", började Holger. "Du kan ju grundhistorien, eller hur? Modern, Agneta Salander, var kassabiträde på Konsum Zinken och levde ensam med sina två döttrar på Lundagatan. Kanske kunde de ha fått ett ganska fint liv ihop. Det fanns inte mycket pengar i hushållet, och Agneta var väldigt ung, och hade inte haft möjligheter att utbilda sig. Men hon var kärleksfull och uppmärksam. Hon ville verkligen ge sina flickor en bra uppväxt. Det var bara det…"

"Att fadern ibland kom på besök."

"Ja, ibland kom pappan, Alexander Zalachenko, och besöken slutade nästan alltid på samma sätt. Fadern våldtog och misshandlade Agneta medan döttrarna satt i rummet intill och hörde alltsammans. En dag hittade Lisbeth modern medvetslös på golvet."

"Och det var då hon hämnades för första gången."

"För andra gången – vid det första tillfället hade hon huggit Zalachenko med en kniv i axeln."

"Precis, men den här gången slängde hon in ett mjölkpaket med bensin i hans bil och tände på."

"Exakt. Zalachenko brann som en fackla och fick svåra brännskador och tvingades amputera en fot. Själv spärrades Lisbeth in på en barnpsykiatrisk mottagning."

"Och modern hamnade på Äppelvikens vårdhem."

"Ja, och det var för Lisbeth det mest smärtsamma i hela historien. Modern var bara tjugonio då. Men hon blev aldrig sig själv igen. I fjorton år levde hon på hemmet svårt hjärnskadad och djupt plågad. Ofta kunde hon inte kommunicera med omgivningen alls. Lisbeth besökte henne så ofta hon kunde, och jag vet att hon drömde om att modern en dag skulle bli frisk, så att de kunde börja prata och sköta om varandra igen. Men det hände aldrig. Det om något är Lisbeths stora mörker. Hon såg sin mamma förtvina och långsamt dö."

"Jag vet, det är fruktansvärt, men jag har aldrig riktigt förstått Camillas del i historien."

"Den är mer komplicerad, och i någon mening tycker jag man måste förlåta flickan. Hon var ju också bara ett barn, och innan hon ens var medveten om det blev hon en bricka i spelet."

"Vad hände?"

"De valde olika sidor i striden skulle man kunna säga. Döttrarna är visserligen tvåäggstvillingar, men har aldrig varit lika, vare sig i utseende eller till sättet. Lisbeth föddes först. Camilla kom tjugo minuter senare, och var tydligen redan som liten en fröjd att titta på. Medan Lisbeth var en ilsken varelse, fick Camilla alla att utbrista 'Å, vilken söt flicka', och det var säkert

ingen slump att Zalachenko från första stund hade mer för-
dragsamhet med henne. Fördragsamhet säger jag, för något
annat var det förstås aldrig tal om de första åren. Agneta var
bara en hora för honom, så hennes barn var logiskt sett inget
annat än horungar, kräk som var i vägen bara. Men ändå…"

"Ja?"

"Ändå konstaterade även Zalachenko att en av ungarna i
alla fall var riktigt vacker. Lisbeth brukade ibland säga att det
finns ett genetiskt misstag i hennes familj, och även om utta-
landet förstås rent medicinskt är tveksamt får man nog hålla
med om att Zala lämnade extrema barn efter sig. Lisbeths
halvbror Ronald stötte du ju på, eller hur? Han var blond och
jättelik och led av congenital analgesia, oförmågan att känna
smärta, och var därför en idealisk torped och mördare, med-
an Camilla… ja, i hennes fall var det genetiska misstaget helt
enkelt att hon var enastående, rent löjligt vacker, och det blev
bara värre ju äldre hon blev. Värre säger jag för att jag är gans-
ka övertygad om att det var en sorts olycka, och kanske blev
det extra tydligt när hennes tvillingsyster alltid såg sur och
arg ut. Vuxna kunde grimasera när de såg henne. Men sedan
upptäckte de Camilla och då lyste de upp och blev alldeles
kollriga. Kan du förstå hur det påverkade henne?"

"Det måste ha varit jobbigt."

"Nu tänkte jag inte på Lisbeth, och jag tror aldrig jag har
sett något missunnsamt hos henne. Om det bara varit för
skönheten hade hon nog gärna unnat sin syster den. Nej, jag
syftar på Camilla. Kan du föreställa dig hur det påverkar ett
barn som inte är särskilt empatiskt utvecklat att hela tiden få
höra att hon är underbar och gudomlig?"

"Det stiger henne åt huvudet."

"Det ger henne en känsla av makt. När hon ler smälter vi.
När hon inte gör det känner vi oss utestängda, och gör vad
som helst för att få se henne stråla igen. Camilla lärde sig ti-
digt att utnyttja det där. Hon blev en mästare på det, en mäs-

tare på manipulation. Hon hade stora uttrycksfulla rådjurs-
ögon."

"Det har hon fortfarande."

"Lisbeth har berättat hur Camilla satt i timmar framför spe-
geln bara för att träna sin blick. Hennes ögon var ett fantas-
tiskt vapen. De kunde både förtrolla och frysa ut – få barn
och vuxna att känna sig utvalda och speciella ena dagen och
helt förkastade och avvisade nästa. Det var en ond gåva, och
som du kan ana blev hon genast otroligt populär i skolan. Alla
ville vara med henne, och det utnyttjade hon på alla tänkbara
sätt. Varje dag såg hon till att klasskamraterna gav henne små
gåvor: spelkulor, godis, småpengar, pärlor, broscher – och de
som inte gjorde det, eller som rent allmänt inte uppförde sig
som hon önskade, fick vare sig ett hej eller ens en blick nästa
dag, och alla som en gång befunnit sig i hennes strålkastarljus
visste hur ont det gjorde. Klasskamraterna gjorde allt för att
ställa sig in hos henne. De kröp för henne – alla utom en för-
stås."

"Hennes syster."

"Precis, och därför hetsade Camilla klasskamraterna mot
Lisbeth. Hon drog igång infernaliska mobbningsattacker då
man körde ner Lisbeths huvud i toaletten och kallade henne
miffo och ufo och allt vad det var. Man höll på så där ända tills
man upptäckte vem det var man bråkade med. Men det är en
annan historia, och den känner du ju."

"Lisbeth vänder inte precis andra kinden till."

"Inte direkt, men det intressanta i den här historien rent
psykologiskt är att Camilla lärde sig att behärska och manipu-
lera sin omgivning. Hon lärde sig att kontrollera alla, bortsett
från två viktiga personer i hennes liv, Lisbeth och fadern, och
det retade henne. Hon lade ner en massa energi på att vinna
de fighterna också, och givetvis krävdes det helt olika strate-
gier i de slagen. Lisbeth kunde hon aldrig vinna över på sin
sida, och jag tror inte heller hon var intresserad av det. I hen-

nes ögon var Lisbeth bara konstig, en sur, tvär unge bara. Men fadern däremot…"

"Han var genomond."

"Han var ond, men han var också själva kraftfältet i familjen. Han var den som allt egentligen handlade om, trots att han sällan var där. Han var den frånvarande fadern, och sådana kan ju även i normala fall få en rent mytisk betydelse för ett barn. Men här var det långt mer än så."

"Vad menar du?"

"Jag menar nog att Camilla och Zalachenko var en olycklig kombination ihop. Utan att Camilla knappt förstod det själv tror jag att hon egentligen bara var intresserad av en enda sak redan då: makt. Och hennes far, ja, om honom kan sägas mycket, men han saknade inte makt. Det är många som vittnat om det, inte minst de stackarna på Säkerhetspolisen. De kunde vara hur beslutsamma som helst med att säga ifrån och ställa krav. Ändå krympte de till en skock rädda får när de stod öga mot öga med honom. Zalachenko utstrålade en otäck grandiositet som förstås bara förstärktes av det faktum att han inte gick att komma åt, och att det knappast spelade någon roll hur många gånger han anmäldes till de sociala myndigheterna. Säpo höll honom alltid om ryggen, och det var givetvis det Lisbeth kände och som övertygade henne om att hon måste ta saken i egna händer. Men för Camilla var det något helt annat."

"Hon ville bli likadan själv."

"Ja, jag tror det. Fadern var idealet – hon ville utstråla samma immunitet och styrka hon också. Men kanske ville hon allra mest bli sedd av honom. Bli betraktad som en värdig dotter."

"Hon måste veta hur fruktansvärt han behandlade hennes mor."

"Hon visste förstås. Ändå tog hon ställning för fadern. Hon tog ställning för styrkan och makten, skulle man kunna säga.

Redan som liten sa hon flera gånger att hon föraktade svaga människor."

"Så hon föraktade sin mor också, menar du?"

"Jag tror dessvärre att det var så. En gång berättade Lisbeth något för mig som jag aldrig har kunnat glömma."

"Och vad är det?"

"Jag har aldrig berättat det för någon."

"Är det inte dags då?"

"Jo, kanske, men då behöver jag ha något starkt först. Vad sägs om en bättre konjak?"

"Det skulle nog inte vara så dumt. Men sitt du, så hämtar jag glas och flaskan", sa Mikael och gick mot barskåpet i mahognyträ som stod i hörnet vid köksdörren.

Han hade precis börjat sondera bland flaskorna när hans Iphone ringde, det var Andrei Zander, åtminstone stod hans namn på displayen. Men när Mikael svarade fanns ingen där, förmodligen en fickringning, tänkte han, och något tankfull hällde han upp två glas Remy Martin och satte sig intill Holger Palmgren igen.

"Låt höra nu", sa han.

"Jag vet inte riktigt var jag ska börja. Men det var en vacker sommardag som jag förstått det, och Camilla och Lisbeth satt instängda i sitt flickrum."

KAPITEL 23
KVÄLLEN DEN 23 NOVEMBER

AUGUST STELNADE TILL igen. Han kunde inte svara längre. Talen hade blivit för stora, och i stället för att gripa efter sin penna knöt han sina händer så att handryggen vitnade. Han till och med bankade sitt huvud mot bordsskivan, och Lisbeth borde givetvis ha försökt trösta honom, eller åtminstone sett till att han inte skadade sig själv.

Men hon var inte helt medveten om vad som skedde. Hon tänkte på sin krypterade fil, och insåg att hon inte skulle komma vidare den här vägen heller, och det var givetvis inget att förvånas över. Varför skulle August lyckas där superdatorerna gick bet? Det hade varit idiotiska förhoppningar från början, och det han klarat var imponerande nog. Men hon kände sig ändå besviken, och gick i stället ut i mörkret och betraktade det karga, vildvuxna landskapet därute. Nedanför den branta sluttningen låg stranden och ett snötäckt fält med en övergiven dansloge.

Vackra sommardagar vimlade det säkert av människor därnere. Nu var allt öde. Båtarna var uppdragna och inte en själ syntes till, och inga lampor lyste i husen på andra sidan sjön, och återigen blåste det hårt. Lisbeth gillade platsen. Hon gillade den åtminstone som gömställe nu i slutet av november.

Det var sant att hon knappast skulle förvarnas av motorljud

om någon kom på besök. Den enda tänkbara parkeringen låg nere vid badplatsen, och för att ta sig till huset måste man klättra upp för trätrappan längs sluttningen. I skydd av nattmörkret gick det säkert att smyga sig på dem. Men hon trodde att hon skulle få sova i natt. Hon behövde det. Hon led fortfarande av sitt skottsår, och det var säkert därför hon reagerade så starkt på något hon ändå aldrig trott på. Men när hon kom in igen insåg hon att det också var något annat.

"NORMALT ÄR JU Lisbeth ingen som bryr sig om vädret eller vad som pågår i periferin", fortsatte Holger Palmgren. "Hennes blick skär bort det oviktiga. Men den här gången nämnde hon faktiskt att solen sken på Lundagatan och i Skinnarviksparken. Hon hörde barn som skrattade. På andra sidan fönsterrutan var folk lyckliga – kanske var det det hon ville säga. Hon ville peka på kontrasten. Vanliga människor åt glass och lekte med drakar och bollar. Camilla och Lisbeth satt instängda i sitt flickrum och hörde hur fadern våldtog och misshandlade deras mor. Jag tror att det här var strax innan Lisbeth slog tillbaka på allvar mot Zalachenko. Men jag har ingen riktig ordning på kronologin. Det var många våldtäkter, och de följde alla samma mönster. Zala dök upp på eftermiddagarna eller på kvällarna, och var rejält berusad, och ibland rufsade han Camilla i håret och sa saker som: 'Hur kan en så vacker flicka ha en så avskyvärd syster?' Sedan låste han in döttrarna i deras rum och slog sig ner i köket för att supa mer. Han drack sin vodka ren, och ofta satt han tyst till en början och bara smackade, som ett hungrigt djur. Sedan mumlade han något i stil med: 'Hur mår min lilla hora i dag då?' och lät på gränsen till kärleksfull. Men sedan gjorde Agneta något fel, eller rättare sagt, sedan bestämde sig Zalachenko för att se något fel, och då kom det första slaget, i regel en örfil följd av orden: 'Jag trodde min lilla hora skulle vara snäll i dag.' Därefter föste han in henne i sovrummet, och där fortsatte han att slå, och efter ett litet tag knöt han nävarna. Lisbeth hörde det på ljuden. Hon hörde precis vad för sorts slag det var och var de träffade. Hon kände det lika tydligt som om det var hon själv som misshandlades. Efter slagen kom sparkarna. Zala sparkade och dunkade mamman mot väggen, och skrek 'slyna' och 'luder' och 'hora', och av det blev han upphetsad. Han gick igång på att se henne lida. Först när modern var blåslagen och blödde våldtog han henne, och när det gick för honom skrek han än värre elakheter, och så blev det tyst en liten stund. Inget hördes bortsett från Agnetas kvävda snyftningar, och hans egna tunga andetag. Sedan gick han upp och tog en sup till och muttrade och svor lite grann, och spottade på golvet. Ibland låste han upp dörren till Camilla och Lisbeth, och hävde ur sig något i stil med 'nu är mamma snäll igen'. Därefter stack han sin väg och smällde igen dörren efter sig. Det var det vanliga mönstret. Men den här dagen hände något."

"Vad?"

"Flickornas rum var ganska litet. Hur mycket de än försökte komma ifrån varandra stod sängarna rätt tätt ändå, och medan misshandeln och våldtäkten pågick satt de i regel på var sin madrass, mitt emot varandra. Det var sällan de sa någonting, och oftast undvek de ögonkontakt. Den här dagen stirrade Lisbeth mest ut genom fönstret mot Lundagatan, och det var väl därför hon kunde berätta om sommaren och barnen därute. Men så vände hon sig om mot systern, och det var då hon såg det."

"Såg vad?"

"Systerns högerhand. Den slog målmedvetet mot madrassen, och givetvis, det behövde inte vara något särskilt med det. Kanske var det inget annat än ett nervöst eller tvångsmässigt drag. Lisbeth uppfattade det också så först. Men så märkte hon att handen slog i takt med dunsarna från sovrummet, och då såg hon upp mot Camillas ansikte. Systerns ögon glödde av upphetsning, och det kusligaste av allt: Camilla liknade i den stunden Zala själv, och även om Lisbeth först inte ville tro det var det ingen tvekan om att Camilla log. Hon undertryckte ett hånflin, och i det ögonblicket insåg Lisbeth att Camilla inte bara försökte ställa sig in hos pappan och efterlikna hans grandiosa stil. Hon stod bakom hans slag också. Hon hejade på honom."

"Låter sinnessjukt."

"Men så var det, och vet du vad Lisbeth gjorde?"

"Nej."

"Hon förblev alldeles lugn, och satte sig intill Camilla och grep närmast ömt om hennes hand. Jag gissar att Camilla inte alls förstod vad som hände. Kanske trodde hon att systern sökte lite tröst eller närhet. Underligare saker har ju hänt. Lisbeth kavlade upp hennes blusärm, och i nästa ögonblick…"

"Ja?"

"Borrade hon in sina naglar i handleden ända in till benet och slet upp ett fasansfullt sår. Blodet forsade ut över sängen, och Lisbeth drog ner Camilla på golvet och svor att döda både henne och fadern om inte misshandeln och våldtäkterna upphörde. Efteråt såg det ut som om Camilla var riven av en tiger."

"Jösses!"

"Du kan föreställa dig hatet mellan systrarna. Både Agneta och de sociala myndigheterna var oroliga att något riktigt allvarligt skulle ske. Man höll dem åtskilda. Man ordnade till och med ett tillfälligt hem på annan ort för Camilla under en tid. Ändå skulle det förstås inte ha räckt. Förr eller senare skulle de ha drabbat samman igen. Men som du vet blev det trots allt inte så. Det hände något annat i stället. Agneta ådrog sig sin hjärnskada. Zalachenko brann som en fackla, och Lisbeth spärrades in. Om jag fattat det rätt har syskonen bara setts en enda gång sedan dess, flera år senare, och då höll det på att gå riktigt illa, även om jag inte känner till några detaljer. I dag har Camilla varit försvunnen sedan länge. Det sista spåret är den fosterfamilj hon bodde hos i Uppsala – Dahlgren heter de. Jag kan ordna numret till dig om du vill. Men sedan Camilla var arton eller nitton och packade en väska och lämnade landet har hon inte hörts av överhuvudtaget, och det var därför jag höll på att trilla av pinn när du sa att du träffat henne. Inte ens Lisbeth med sin förmåga att spåra folk har lyckats få tag i henne."

"Så hon har försökt?"

"O ja, senast vad jag vet när arvet fördelades efter fadern."

"Det visste jag inte."

"Lisbeth nämnde det bara i förbifarten. Hon ville givetvis inte ha ett öre av arvet. Hon såg det som blodspengar. Men hon fattade direkt att det var något konstigt med det. Totalt rörde det sig om tillgångar på fyra miljoner kronor; det var gården i Gosseberga, en del värdepapper, och så en fallfärdig industrilokal i Norrtälje bland annat, och något torp. Inte lite, inte alls, men ändå…"

"Borde han ha haft mycket mer."

"Ja, Lisbeth visste ju om någon att han kontrollerade ett helt brottsimperium. Fyra miljoner borde bara ha varit kaffepengar i sammanhanget."

"Så du menar att hon undrade om inte Camilla ärvde den riktiga, stora delen."

"Jag tror att det är det hon försökt ta reda på. Bara tanken på att faderns pengar fortsatte att göra skada efter hans död plågade henne. Men länge kom hon ingen vart."

"Camilla måste ha dolt sin identitet väl."

"Jag antar det."

"Tror du att Camilla kan ha övertagit sin fars traffickingverksamhet?"

"Kanske, kanske inte. Eller också har hon slagit sig på något helt nytt."

"Som vadå?"

Holger Palmgren slöt ögonen och tog en stor klunk av sin konjak.

"Det vet jag förstås inte, Mikael. Men när du berättade om Frans Balder fick jag faktiskt en tanke. Har du någon aning om varför Lisbeth är så skicklig på datorer? Vet du hur allt började?"

"Nej, inte alls."

"Då ska jag berätta det för dig, och jag undrar om inte en nyckel till din historia finns där."

DET LISBETH INSÅG när hon kom in från altanen, och fick se August sitta frusen i en krampaktig och onaturlig ställning vid köksbordet, var att pojken påminde om henne själv som barn.

Precis så där hade hon känt sig på Lundagatan ända tills hon en dag insåg att hon var tvungen att växa upp alldeles för tidigt och hämnas på sin far. Det hade inte precis gjort saker och ting lättare. Det var en börda som inget barn skulle behöva bära. Men det hade ändå varit början till ett riktigt och värdigt liv. Inget förbannat kräk skulle få göra sådant som Zalachenko eller Frans Balders mördare hade gjort ostraffat. Ingen med den sortens ondska skulle få komma undan, och därför steg hon fram till August, och sa högtidligt till honom som om hon uttalade en viktig order:

"Nu går du och lägger dig. När du vaknar ska du rita den där teckningen som nitar din pappas mördare. Fattar du det!" och då nickade pojken och hasade sig in i sovrummet medan Lisbeth slog upp sin laptop och började söka information om skådespelaren Lasse Westman och hans vänner.

"JAG TROR INTE Zalachenko själv var så mycket för datorer", fortsatte Holger Palmgren. "Han tillhörde knappast den generationen. Men kanske växte hans smutsiga verksamhet så pass att han var tvungen att föra in sina uppgifter i ett dataprogram, och kanske behövde han hålla den där bokföringen borta från sina kumpaner. Han kom en dag till Lundagatan med en IBM-maskin som han ställde på skrivbordet intill fönstret. På den tiden tror jag knappt någon av de andra i familjen ens hade sett en dator förr. Agneta hade ju inte precis möjligheter att göra några extravaganta inköp, och jag vet att Zalachenko förklarade att han skulle flå alla levande som så mycket som rörde vid maskinen. Rent pedagogiskt var det kanske ett bra drag, inte vet jag. Det förstärkte lockelsen."

"Förbjuden frukt."

"Lisbeth var elva då, tror jag. Det här var innan hon rev Camillas högerarm, och innan hon gav sig på sin far med knivar och brandbomber. Det här var, skulle man kunna säga, strax innan hon blev den Lisbeth vi känner i dag. På den tiden gick hon inte bara och funderade på hur hon skulle kunna oskadliggöra Zalachenko. Hon var också understimulerad. Hon hade inga kompisar att tala om, dels förstås för att Camilla förtalade henne och såg till att ingen kom i närheten av henne i skolan, men dels för att hon också var annorlunda. Jag vet inte om hon själv förstod det än. Hennes lärare och hennes omgivning förstod det definitivt inte. Men hon var ett extremt begåvat barn. Hon skilde ut sig bara på grund av sin begåvning. Skolan var dötrist för henne. Allt var självklart och enkelt. Hon behövde bara kasta en blick på saker och ting så fattade hon, och för det mesta satt hon och drömde sig bort på lektionerna. Jag tror visserligen att hon redan då hade hittat en del på sin fritid som roade henne – matteböcker för äldre och sådant. Men i grunden var hon uttråkad. Mest satt hon med sina serier, sina Marvel Comics-album, grejer som egentligen låg långt under hennes nivå men som kanske fyllde en annan, terapeutisk funktion."

"Hur menar du då?"

"Jag ogillar i och för sig att psykologisera Lisbeth. Hon skulle hata mig om hon hörde det. Men i de där serierna finns en massa superhjältar som strider mot genomonda fiender, och som tar saken i egna händer och hämnas och skapar rättvisa. Någonstans var det kanske en passande läsning, vad vet jag. De där berättelserna med alla sina övertydligheter hjälpte henne kanske att komma till insikt."

"Du menar att hon förstod att hon måste växa upp och bli en superhjälte själv."

"På något vis, kanske, i sin egen lilla värld. På den tiden visste hon förstås inte att Zalachenko var en gammal sovjetisk toppspion, och att hans hemligheter gett honom en unik särställning i det svenska samhället. Hon hade helt säkert ingen aning om att det fanns en särskild avdelning inom Säkerhetspolisen som skyddade honom. Men precis som Camilla anade hon att fadern omgavs av någon sorts immunitet. En herre i grå rock dök till och med upp hos dem en dag och antydde något i den stilen: att fadern inte fick råka illa ut, att han rent av inte kunde det. Lisbeth anade tidigt att det inte lönade sig att anmäla Zalachenko till polisen eller de sociala myndigheterna. Inget annat skulle hända än att en ny sådan där gubbe i grå rock dök upp.

Nej, Lisbeth kände inte till bakgrunden. Hon visste ännu inget om underrättelsetjänster och mörkläggningsaktioner. Men hon upplevde i djupet av sitt hjärta familjens maktlöshet, och det gjorde fruktansvärt ont. Maktlöshet, Mikael, kan vara en förgörande kraft, och innan Lisbeth var stor nog att göra något åt det behövde hon tillflyktsorter och platser där hon kunde hämta kraft. En sådan plats var superhjältevärlden. Många i min generation föraktar förstås allt sådant där. Men jag om någon vet att litteraturen, oavsett om det är serier eller fina gamla romaner, kan ha stor betydelse, och jag vet att Lisbeth särskilt fäste sig vid en ung hjältinna som hette Janet van Dyne."

"Van Dyne."

"Precis, en tjej vars far var en rik vetenskapsman. Fadern blir mördad – av aliens, om jag minns rätt, och för att kunna hämnas söker Janet van Dyne upp en av pappans kollegor och får i hans laboratorium superkrafter. Hon får vingar och förmågan att krympa och växa i storlek och en del annat. Hon blir en stentuff brud helt enkelt, klädd i svart och gult, som en geting, och därför kallade hon sig just Wasp, en person som ingen kunde sätta sig på, vare sig bokstavligt eller bildligt."

"Ha, det visste jag inte. Så det är därifrån hennes signatur kommer?"

"Inte bara signaturen, tror jag. Jag kunde ju ingenting om sådant där – jag var en mossig gammal gubbe som fortfarande kallade Fantomen för Dragos. Men första gången jag såg en bild på Wasp hajade jag till. Det var väldigt mycket Lisbeth över henne. Det är det fortfarande på sätt och vis. Jag tror hon hämtade en del av sin stil från den karaktären, även om jag inte vill göra överdrivet mycket av det. Det var bara en seriefigur, och Lisbeth levde i högsta grad i verkligheten. Men jag vet att Lisbeth tänkte en hel del på den där förvandlingen Janet van Dyne genomgick när hon blev Wasp. Någonstans förstod hon att hon var tvungen att själv förändras på samma drastiska vis: från ett barn och ett offer till någon som kunde slå tillbaka mot en toppränad spion och en alltigenom hänsynslös människa.

Sådana tankar upptog henne dag och natt, och därför blev Wasp i ett övergångsskede en viktig gestalt för henne, en fiktiv inspirationskälla, och det upptäckte Camilla. Den tjejen nosade sig till folks svagheter med en rent kuslig förmåga. Med sina tentakler spårade hon upp den ömma punkten hos människor och satte in sin stöt, och därför började hon på alla sätt att förlöjliga Wasp, eller egentligen mer än det faktiskt. Hon tog reda på vilka som var Wasps fiender i serien och började själv att kalla sig för deras namn, Thanos och allt vad det var."

"Sa du Thanos?" sa Mikael, plötsligt alert.

"Jag tror han hette så, en manlig karaktär, en förgörare som en gång förälskade sig i döden själv som uppenbarat sig för honom som kvinna, och som därefter vill visa sig henne värdig, eller något i den stilen. Camilla tog ställning för honom för att provocera Lisbeth. Hon till och med kallade sitt kompisgäng för The Spider Society för att den gruppen i någon serie är dödliga fiender till Sisterhood of the Wasp."

"Verkligen?" sa Mikael full av tankar.

"Ja, det var barnsligt förstås, men det var inte oskyldigt för det. Fiendskapen mellan systrarna var så stor redan då att de där namnen fick en otäck laddning. Det var som i ett krig, du vet, där även symbolerna blåses upp och får något dödligt över sig."

"Kan det fortfarande ha betydelse?"

"Namnen menar du?"

"Ja, jag antar det."

Mikael visste inte riktigt vad han menade. Han hade bara en dunkel känsla av att ha kommit något viktigt på spåren.

"Det vet jag inte", fortsatte Holger Palmgren. "De är vuxna människor nu, men man ska inte glömma att det här var en tid i deras liv då allt avgjordes och förändrades. I efterhand kunde säkert även små detaljer få en ödesdiger betydelse. Det var ju inte bara Lisbeth som förlorade en mor, och sedan spärrades in på barnpsyk. Också Camillas tillvaro slogs i bitar. Hon miste sitt hem, och den far hon beundrade så djupt brännskadades svårt. Zalachenko blev aldrig sig själv igen efter Lisbeths brandbombsattack som du vet, och själv placerades Camilla på ett fosterhem långt bort från den värld där hon varit ett sådant självklart centrum. Det måste ha gjort fruktansvärt ont också för henne, och jag tvivlar inte en sekund på att hon hatar Lisbeth med hela sin själ sedan dess."

"Det verkar onekligen så", sa Mikael.

Holger Palmgren tog ännu en klunk konjak.

"Som sagt, det går inte att underskatta den här perioden i deras liv. Systrarna befann sig i ett fullskaligt krig, och någonstans visste de nog bägge två att alltsammans höll på att explodera. Jag tror till och med att de förberedde sig för det."

"Men på olika sätt."

"O ja, Lisbeth var blixtrande intelligent, och i hennes huvud tickade hela tiden infernaliska planer och strategier. Men hon stod ensam. Camilla var inte särskilt skärpt, inte i traditionell mening. Hon hade aldrig något läshuvud, och hon förstod inte abstrakta resonemang. Men hon kunde manipulera. Hon kunde utnyttja och trollbinda folk som ingen annan, och därför var hon till skillnad från Lisbeth aldrig ensam. Hon hade alltid folk som gick hennes ärenden. Om Camilla upptäckte att Lisbeth var bra på något som kunde bli farligt för henne försökte hon aldrig bli bra på det själv, av den enkla anledningen att hon visste att hon inte skulle ha en chans att konkurrera med systern."

"Vad gjorde hon i stället?"

"I stället spårade hon upp någon, eller allra helst några, som kunde den grejen, vad det nu än var, och slog tillbaka med hjälp av dem. Hon hade alltid hantlangare, kompisar som gjorde vad som helst för henne. Men förlåt, jag går händelserna i förväg."

"Ja, vad hände med Zalachenkos dator?"

"Lisbeth var understimulerad, som jag sa. Dessutom sov hon dåligt. Hon låg vaken om nätterna och oroade sig för sin mamma. Agneta hade svåra blödningar efter våldtäkterna, och ändå gick hon inte till en läkare. Förmodligen skämdes hon, och periodvis sjönk hon in i djupa depressioner. Hon orkade varken gå till arbetet eller ta hand om flickorna, och Camilla föraktade henne ännu mer. Morsan är svag, sa hon. I hennes värld var svag det värsta man kunde vara som jag sa. Lisbeth däremot… "

"Ja?"

"Hon såg en människa hon älskade, den enda människa hon någonsin älskat, och hon såg en fruktansvärd orättvisa, och hon låg vaken om nätterna och tänkte på det. Hon var bara ett barn, det är sant. I någon mening var hon fortfarande det. Men hon blev också alltmer övertygad om att hon var den enda person i världen som kunde skydda sin mor från att bli ihjälslagen, och det tänkte hon på, och på en massa annat, och till slut steg hon upp – försiktigt förstås för att inte väcka Camilla. Kanske skulle hon hämta något att läsa? Kanske stod hon inte ut med sina tankar. Det spelar mindre roll. Det viktiga är att hon fick syn på datorn som stod i fönstret mot Lundagatan.

På den tiden visste hon knappt hur man satte på en datamaskin. Men hon räknade ut det förstås, och kände en feber i kroppen. Datorn tycktes viska till henne: 'Klura ut mina hemligheter.' Men givetvis… hon kom inte långt, inte först. Det krävdes ett lösenord, och gång på gång försökte hon. Fadern kallades ju för Zala, och hon försökte med det och med Zala 666 och liknande kombinationer, och med allt möjligt. Men ingenting fungerade, och jag tror att det gick två, tre nätter, och sov hon någonstans var det i skolbänken eller på eftermiddagarna hemma.

Men så en natt påminde hon sig en rad som fadern skrivit ner på tyska på ett litet papper i köket – *Was mich nicht umbringt, macht mich stärker. Det som inte dödar mig gör mig starkare.* På den tiden betydde det inget för henne. Men hon förstod att frasen var viktig för fadern, och därför prövade hon med den. Men det fungerade inte heller. Det var för många bokstäver, och då testade hon med Nietzsche, själva upphovsmannen till citatet, och då plötsligt var hon inne, och en helt ny hemlig värld öppnade sig för henne. Efteråt skulle hon beskriva det som ett ögonblick som förändrade henne för alltid. Hon växte när hon krossade barriären som satts upp för henne och hon kunde utforska det som var menat att hållas dolt, och ändå…"

"Ja?"

"Begrep hon ingenting först. Allt var på ryska. Det var olika sammanställningar på ryska, och en del siffror. Jag gissar att det var beskrivningar av hur mycket Zalachenkos trafficking-verksamhet drog in. Men jag vet än i dag inte hur mycket hon förstod då och vad hon tog reda på senare. Men så mycket insåg hon att det inte bara var hennes mamma som Zalachenko gjorde illa. Han förstörde andra kvinnors liv också, och det gjorde henne rasande förstås, det formade henne på sätt och vis till den Lisbeth vi känner i dag, den som hatar män som…"

"…hatar kvinnor."

"Precis. Men det gjorde henne också starkare, och hon förstod att det inte fanns någon återvändo längre. Hon var tvungen att sätta stopp för sin far, och hon fortsatte att forska vidare på andra datorer, i skolan bland annat. Hon smög in i lärarnas rum, och några gånger låtsades hon till och med sova över hos några av de vänner hon inte hade medan hon stannade i smyg över natten i skolan och satt vid datorerna fram till morgontimmarna. Hon började lära sig allt om att hacka och programmera, och jag gissar att det var som när andra underbarn hittar sin grej. Hon blev förhäxad. Hon kände att hon var född till det, och många som hon fick kontakt med i den digitala världen började engagera sig i henne, precis så där som den äldre generationen alltid kastat sig över yngre talanger, antingen för att uppmuntra eller trycka ner. Hon mötte mycket motstånd och skitsnack, och många irriterade sig på att hon gjorde saker och ting bakvänt, eller helt enkelt på ett nytt sätt. Men andra imponerades också, och hon fick vänner, den där Plague bland annat. Sina första egentliga vänner fick hon via datorerna och framför allt, för första gången i sitt liv kände hon sig fri. I cyberrymden flög hon fram, precis som Wasp. Hon var inte bunden av något."

"Förstod Camilla hur duktig hon blev?"

"Åtminstone anade hon det, och jag vet inte, jag vill ogärna spekulera. Men ibland tänker jag mig Camilla just som Lisbeths svarta sida, hennes skuggestalt."

"The bad twin."

"Lite så! Jag tycker inte om att kalla folk onda, framför allt inte unga kvinnor. Ändå är det så jag ofta tänker på henne. Men jag har aldrig orkat forska vidare i saken, inte på djupet i alla fall, och vill du själv gräva i det rekommenderar jag dig att ringa Margareta Dahlgren, Camillas fostermor efter katastroferna på Lundagatan. Margareta bor i Stockholm numera, i Solna, tror jag. Hon är änka och har haft ett väldigt tragiskt liv."

"På vilket sätt?"

"Det är också intressant förstås. Hennes man Kjell som var datorprogrammerare på Ericsson hängde sig strax innan Camilla lämnade dem. Ett år senare tog också deras nittonåriga dotter livet av sig genom att hoppa från en Finlandsfärja, åtminstone var det vad man kom fram till. Flickan hade haft personliga problem och känt sig ful och överviktig. Men Margareta har aldrig riktigt trott på det där, och en tid anlitade hon till och med en privatdetektiv. Margareta är helt fixerad vid Camilla, och ska jag vara ärlig har jag aldrig riktigt orkat med henne. Jag skäms lite för det. Margareta tog kontakt med mig strax efter att du publicerat din Zalachenkostory, och då var jag som du vet precis utskriven från Ersta rehabiliteringshem. Jag var helt utsliten i nerverna och i kroppen, och Margareta pratade sönder huvudet på mig i stort sett. Hon var helt besatt. Jag blev trött bara jag såg hennes nummer på displayen, och jag lade ner rätt mycket tid på att undvika henne. Men när jag nu tänker på det förstår jag henne alltmer. Jag tror hon skulle bli glad att få tala med dig, Mikael."

"Har du hennes uppgifter?"

"Jag ska hämta dem åt dig. Vänta lite bara. Så du är säker på att Lisbeth och pojken är i tryggt förvar?"

"Det är jag", sa han. Det hoppas jag åtminstone, tänkte han, och reste sig upp och kramade om Holger.

Ute på Liljeholmstorget slet stormen i honom igen, och

han drog rocken tätare intill kroppen och tänkte på Camilla och Lisbeth, och av någon anledning också på Andrei Zander.

Han beslöt att ringa honom och höra hur det gick med historien om konsthandlaren som försvann. Men Andrei svarade aldrig.

KAPITEL 24
KVÄLLEN DEN 23 NOVEMBER

ANDREI ZANDER HADE ringt Mikael för att han givetvis ång-
rade sig. Han ville visst ta en öl med honom. Han kunde inte
ens fatta att han tackat nej. Mikael Blomkvist var hans idol,
och själva orsaken till att han sökt sig till journalistiken. Men
när Andrei väl ringt upp blev han generad och lade på. Kan-
ske hade Mikael hittat på något trevligare att göra? Andrei var
ingen person som ville störa folk i onödan, framför allt ville
han inte störa Mikael Blomkvist.

Han arbetade vidare i stället. Men hur han än ansträngde
sig gick det inte. Formuleringarna låste sig, och efter någon
timme beslöt han att ta en paus och gå ut, och därför städade
han sitt skrivbord, och kontrollerade ännu en gång att vart-
enda ord på den krypterade länken var raderat. Därefter sa
han hej till Emil Grandén, den enda förutom Andrei som var
kvar på redaktionen.

Det var inget direkt fel på Emil Grandén. Emil var trettiosex
år och hade arbetat både på TV4:s Kalla fakta och *Svenska Mor-
gonposten* och fick förra året Stora Journalistpriset som Årets
avslöjare. Men Andrei tyckte ändå – även om han försökte
förtränga känslan – att Emil var mallig och dryg, åtminstone
mot en ung vikarie som Andrei.

"Går ut ett tag", sa Andrei.

Emil tittade på honom som om det var något han glömt att säga. Sedan sa han något avvaktande:

"Okej."

Andrei kände sig i den stunden rätt eländig. Han förstod inte riktigt varför. Kanske var det bara Emils överlägsna attityd, men förmodligen var det mest artikeln om konsthandlaren. Varför hade han så svårt för den? Säkerligen för att han mest ville hjälpa Mikael med Balderstoryn. Allt annat kändes sekundärt. Men han var också en feg idiot, eller hur? Varför hade han inte låtit Mikael titta på det han skrivit?

Ingen kunde som Mikael med några lätta penndrag eller strykningar lyfta ett reportage. Strunt samma. I morgon såg han säkert historien med klarare ögon, och då skulle Mikael få läsa, hur dålig artikeln än var. Andrei stängde dörren till redaktionen och gick ut mot hissen. I nästa ögonblick ryckte han till. Längre ner i trappan pågick ett drama. Han hade svårt att tolka det först. Men det var en mager och hålögd figur som antastade en ung vacker kvinna, och då stod Andrei som frusen. Han hade alltid haft svårt för våld. Ända sedan hans föräldrar mördades i Sarajevo hade han varit löjligt lättskrämd, och hatat bråk. Men nu insåg han också: hans självrespekt stod på spel. Det var en sak att fly själv. Det var något annat att lämna en medmänniska i fara, och därför rusade han ner och skrek "Sluta, släpp henne!" och det verkade vara ett fatalt misstag.

Den hålögda killen drog fram en kniv och muttrade något hotfullt på engelska, och då ville benen vika sig under Andrei. Ändå samlade han ihop de sista resterna av sitt mod och fräste tillbaka, som i en dålig actionfilm:

"Get lost! You will only make yourself miserable", och faktiskt, efter några sekunders maktkamp drog mannen därifrån med svansen mellan benen, och Andrei och kvinnan blev ensamma med varandra; det var så det började. Det var också som i en film.

Det var trevande först. Kvinnan var uppskakad och blyg. Hon

pratade så tyst att Andrei fick luta sig tätt intill henne för att höra vad hon sa, och det dröjde därför innan han förstod vad som hänt. Men tydligen hade kvinnan levt i ett äktenskap från helvetet, och trots att hon nu var skild och levde med skyddad identitet hade exmannen lyckats spåra henne, och skickat ut någon hantlangare för att trakassera henne.

"Det var andra gången i dag den här figuren kastade sig över mig", sa hon.

"Varför var ni här uppe?"

"Jag försökte fly och sprang in här, men det hjälpte inte."

"Så hemskt."

"Jag kan inte tacka dig nog."

"Det var så lite."

"Jag är så trött på elaka män", sa hon.

"Jag är en snäll man", sa han lite väl fort och kände sig patetisk, och det förvånade honom inte det minsta att kvinnan inte svarade utan bara generat såg ner i stentrappan.

Han skämdes för att han försökt sälja in sig själv med en sådan billig replik. Men så plötsligt – när han precis trodde sig ha blivit avvisad – lyfte hon på huvudet och gav honom ett försiktigt småleende.

"Jag tror faktiskt att du är det. Jag heter Linda."

"Jag heter Andrei."

"Vad trevligt, Andrei, och tack ännu en gång."

"Tack själv."

"För vadå?"

"För att du…"

Han avslutade inte meningen. Han kände hur hjärtat slog. Han var torr i munnen och såg ner längs trappan.

"Ja, Andrei?" sa hon.

"Vill du att jag följer dig hem?"

Han ångrade den frasen också.

Han blev rädd att den skulle missuppfattas. Men hon log bara på nytt samma bedårande och osäkra leende, och sa att det skulle kännas tryggt att ha honom vid sin sida, och så gick de ut på gatan och ner mot Slussen, och då berättade hon hur hon levt mer eller mindre instängd i ett stort hus i Djursholm. Han svarade att han förstod, att han åtminstone förstod till en del. Han hade skrivit en artikelserie om kvinnomisshandel.

"Är du journalist?" frågade hon.

"Jag arbetar på *Millennium*."

"Å", sa hon. "Är det sant? Jag beundrar den tidningen."

"Den har gjort en del nytta", försökte han blygsamt.

"Verkligen", sa hon. "För en tid sedan läste jag en underbar artikel om en krigsskadad irakier som fick sparken som städare på en krog i city. Han stod helt utblottad. I dag äger han en hel restaurangkedja. Jag grät när jag läste den. Den var så vackert skriven. Den gav ett sådant hopp om att det alltid går att komma tillbaka."

"Det var jag som skrev den", sa han.

"Skojar du?" svarade hon. "Den var ju helt fantastisk."

Andrei var inte bortskämd med komplimanger för sin journalistik, allra minst från okända kvinnor. Så fort *Millennium* kom på tal ville folk prata om Mikael Blomkvist, och Andrei hade egentligen inget emot det. Men i hemlighet drömde han om att bli sedd också han, och nu hade denna vackra Linda hyllat honom utan att ens ha avsett det.

Han blev så glad och stolt att han vågade föreslå ett glas på kvarterskrogen Papagallo som de precis passerade, och till hans glädje svarade hon: "Vilken bra idé!" och därför gick de in på restaurangen medan Andreis hjärta bultade, och han i möjligaste mån försökte undvika hennes ögon.

Hennes ögon fick honom att tappa fotfästet, och han kunde knappt tro att det var sant då de slog sig ner vid ett bord inte långt från baren och Linda osäkert sträckte fram sin hand, och han tog den och log och mumlade något, och överhuvudtaget knappt visste vad han sa. Han visste bara att Emil Grandén ringde, och att han till sin egen förvåning struntade i samtalet och satte telefonen på ljudlös. För en gångs skull fick tidningen vänta.

Han ville bara se in i Lindas ansikte, drunkna i det. Hon var så attraktiv att det kändes som ett slag i magen, och ändå tycktes hon så skör och ömtålig, som en skadad liten fågel.

"Jag förstår inte att någon velat göra dig illa", sa han.

"Ändå är det precis vad som händer hela tiden", svarade hon, och då tänkte han att han kanske trots allt kunde förstå det.

Han tänkte att en kvinna som hon säkert lockar till sig psykopater. Inga andra vågar gå fram och bjuda ut henne. Alla andra krymper ihop i mindervärdeskänslor. Bara de grandiosa skitstövlarna har mod nog att slå klorna i henne.

"Vad fint att sitta här med dig", sa han.

"Vad fint att sitta här med *dig*", upprepade hon och smekte försiktigt hans hand, och därefter beställde de in varsitt glas rödvin och började babbla i mun på varandra, och därför märkte han knappt att telefonen ringde igen, både en och två gånger, och det var så det kom sig att han för första gången i sitt liv ignorerade ett samtal från Mikael Blomkvist.

Strax efteråt reste hon sig och tog honom i handen och ledde honom ut. Han frågade inte vart de skulle. Det kändes som om han skulle kunna följa henne vart som helst. Hon var den mest underbara varelse han mött, och då och då log hon på en gång osäkert och förföriskt mot honom, och fick varje gatsten därute i stormen, varje andetag, att sända ut ett löfte om att något stort och omvälvande höll på att ske. Det går att leva ett helt liv för en promenad som den här, tänkte han, och lade knappt märke till kylan och staden omkring honom.

Han var som berusad av hennes närvaro och det som väntade. Men kanske – han visste inte – var det något med just det som också gjorde honom misstänksam, även om han först bara avfärdade det som sin sedvanliga skepsis mot all form av lycka. Ändå dök frågan oundvikligen upp i hans tankar: Är det inte för bra för att vara sant?

Han studerade Linda med en ny uppmärksamhet, och såg då inte längre bara sympatiska drag. När de passerade Katarinahissen tyckte han sig till och med uppfatta något isande kallt i hennes ögon och han tittade oroligt ner mot det stormtyngda vattnet.

"Vart ska vi?" frågade han.

"Jag har en väninna", svarade hon. "Hon har en liten lägenhet på Mårten Trotzigs gränd jag kan få låna. Kanske kan vi ta ett glas där också?" fortsatte hon, och då log han som om det var den mest underbara idé han hört.

Ändå kände han sig alltmer förvirrad. Nyss var det han som tog hand om henne. Nu hade hon övertagit initiativet, och han tittade hastigt på sin mobil och såg att Mikael Blomkvist ringt två gånger, och då ville han genast ringa tillbaka. Vad som än hände fick han inte svika tidningen.

"Gärna", sa han. "Men jag måste först ringa ett samtal i jobbet. Jag håller på med en story."

"Nej Andrei", sa hon förvånansvärt bestämt. "Du ska inte ringa någon. I kväll är det bara du och jag."

"Okej", sa han, något olustig till mods.

De kom ut på Järntorget. Där var ganska mycket folk, trots ovädret, och Linda stirrade ner i marken, som om hon inte ville bli iakttagen. Själv tittade han åt höger mot Österlånggatan, och statyn av Evert Taube. Skalden stod orubblig med ett notblad i högerhanden och såg upp mot himlen i mörka glasögon. Borde han föreslå att de skulle ses i morgon i stället?

"Kanske…", började han.

Längre kom han inte, för hon drog honom intill sig och kysste honom. Hon kysste honom med en kraft som fick honom att glömma allt han tänkt, och efteråt ökade hon tempot igen. Hon höll i hans hand, och drog honom åt vänster in på Västerlånggatan, och plötsligt vek de av till höger in i den mörka gränden. Var det någon bakom dem? Nej, nej, stegen och rösterna han hörde kom längre bort ifrån. Det var bara han och Linda, var det inte? De passerade ett fönster med röda ramar och svarta fönsterluckor, och kom till en grå dörr som Linda med en viss möda öppnade med en nyckel hon tog fram ur handväskan. Han noterade att hennes händer darrade och han undrade över det. Var hon fortfarande rädd för exmaken och hans hantlangare?

De fortsatte uppför en mörk stentrappa. Deras steg ekade, och han kände en svag lukt av något ruttet. På ett trappsteg på tredje våningen låg ett spelkort, spader dam, och han tyckte inte om det, han förstod inte varför, men det var säkert någon sorts idiotiskt skrock. Han försökte tränga undan det, och tänka på hur fint det ändå var att de träffats. Linda andades tungt. Hennes högerhand var knuten. Utanför i gränden skrattade en mansröst. Inte åt honom väl? Dumheter! Han var bara uppjagad. Men han tyckte att de bara gick och gick utan att någonsin komma fram. Kunde huset verkligen vara så högt? Nej, nu var de framme. Väninnan bodde högst upp i vindslägenheten.

Det stod *Orlov* på dörren, och Linda tog återigen fram sin nyckelknippa. Men den här gången darrade inte hennes hand.

MIKAEL BLOMKVIST SATT i en gammaldags möblerad lägenhet på Prostvägen i Solna, strax intill den stora kyrkogården. Precis som Holger Palmgren förutspått hade Margareta Dahlgren utan minsta tvekan tagit emot honom på en gång, och även om hon låtit lätt manisk i telefon visade hon sig vara en elegant och mager dam i sextioårsåldern. Hon var klädd i en vacker gul jumper och svarta byxor med tydliga pressveck. Kanske hade hon hunnit klä upp sig för hans skull. Hon bar högklackade skor, och om det inte varit för hennes flackande blick skulle han ha kunnat ta henne för en välmående kvinna, trots allt.

"Du vill höra om Camilla", sa hon.

"Framför allt om hennes liv de senaste åren – om du vet något om dem", svarade han.

"Jag minns när vi fick henne", sa hon som om hon inte hört på. "Min man Kjell tyckte att vi på en och samma gång kunde göra en samhällsinsats och få vår lilla familj att växa. Vi hade ju bara ett barn, vår stackars Moa. Hon var fjorton år då, och ganska ensam. Vi tänkte att det skulle göra henne gott om vi tog emot en fosterdotter i hennes egen ålder."

"Visste ni vad som hänt i familjen Salander?"

"Vi kände inte till allt förstås, men vi visste att det varit hemskt och traumatiskt och att modern var sjuk, och pappan svårt brännskadad. Vi var djupt gripna av det, och vi förväntade oss att möta en flicka i spillror, någon som skulle kräva oerhört mycket omsorg och kärlek från oss. Men vet du vad som kom?"

"Nej?"

"Den mest bedårande flicka vi någonsin sett. Det var inte bara det att hon var så vacker. Å, du skulle ha hört henne på den tiden. Hon var så klok och mogen och berättade sådana hjärtskärande historier om hur hennes sinnessjuka syster terroriserat familjen. Ja, ja, jag vet ju nu att det hade mycket lite med sanningen att göra. Men hur skulle vi ha kunnat tvivla på henne då? Hennes ögon lyste av övertygelse, och när vi sa 'vad hemskt, stackars dig' svarade hon: 'Det var inte lätt, men jag älskar ändå min syster, hon är sjuk bara och får vård nu.' Det lät så vuxet och empatiskt och ett tag kändes det nästan som om det var hon som tog hand om oss. Hela vår familj lyste upp, precis som om något glamoröst dragit in i vår tillvaro och gjorde allting vackrare och större, och vi blommade ut, framför allt Moa blommade. Hon började bry sig om hur hon såg ut, och blev i ett slag mer populär i skolan. Jag kunde ha gjort vad som helst för Camilla då, och Kjell, min man, vad ska jag säga? Han blev som en annan människa. Han log och skrattade ständigt den första tiden, och började älska med mig igen, förlåt min uppriktighet, och kanske borde jag blivit bekymrad redan då. Men jag trodde bara det var glädjen över att allt fallit på plats för vår familj till sist. En tid var vi lyckliga, precis som alla som träffar Camilla. De är lyckliga i början. Sedan… vill de bara dö. Efter en tid med henne vill man inte leva längre."

"Är det så illa?"

"Så illa är det."

"Vad hände?"

"Efter en tid spreds ett gift bland oss. Camilla tog långsamt över makten i vår familj. Efteråt är det nästan omöjligt att veta när festen tog slut och mardrömmen började. Det hade skett så omärkligt och successivt att vi plötsligt bara vaknade upp och insåg att allt var förstört: vår tillit, vår trygghet, hela grunden för vår familj. Moas självkänsla, som blåsts upp i början, var körd i botten. Hon låg vaken om nätterna och grät och sa att hon var ful och hemsk och inte förtjänade att leva. Först senare förstod vi att hennes sparkonto tömts. Jag vet fortfarande inte vad som hände. Men jag är övertygad om att Camilla utpressade henne. Utpressning kom lika naturligt som andning för henne. Hon samlade hållhakar på folk. Jag trodde länge att hon förde dagbok. Men det var all skit hon fått reda på om människor i hennes närhet som hon skrev ner och katalogiserade. Och Kjell… förbannade jävla Kjell… du vet, jag trodde på honom då han sa att han fått sömnproblem och behövde sova i gästrummet i källaren. Men det var förstås för att kunna ta emot Camilla. Från och med det att hon var sexton smet hon in till honom om nätterna och hade sjukt sex med honom. Jag säger sjukt, för jag kom dem på spåren när jag undrade över Kjells skärsår på bröstet. Han sa ingenting då förstås. Kom bara med någon dum och konstig förklaring, och jag lyckades på något vis förtränga mina misstankar. Men vet du vad som hänt? Kjell erkände det mot slutet: Camilla band honom och skar honom med en kniv. Han sa att hon njöt av det. Ibland hoppades jag nästan att det var sant. Det kan låta underligt. Men ibland hoppades jag att hon fick ut något av det och inte bara ville plåga honom, och förstöra hans liv."

"Utpressade hon honom också?"

"O ja, men också här har jag frågetecken. Camilla förnedrade honom så djupt att han inte ens då allt var förlorat kunde berätta hela sanningen för mig. Kjell hade varit den stabila klippan i vår familj. Körde vi vilse, fick vi översvämning, blev någon av oss sjuk, var han den lugna och rådiga. Det ordnar sig, brukade han säga med en underbar röst som jag fortfarande fantiserar om. Men efter några år med Camilla var han ett vrak. Vågade knappt gå över gatan. Tittade sig om hundra gånger, och på jobbet förlorade han all motivation. Satt bara och hängde med huvudet. En av hans närmaste medarbetare, Mats Hedlund, ringde mig och sa i förtroende att det tillsatts en utredning om huruvida Kjell sålt ut företagshemligheter. Det lät helt sinnessjukt. Kjell var den hederligaste man jag känt. Och hade han sålt ut något, var fanns i så fall alla pengarna? Vi hade mindre än någonsin. Hans konto var barskrapat, vårt gemensamma konto var det så gott som också."

"Hur dog han?"

"Han hängde sig utan ett ord till förklaring. Jag fann honom bara hängande i taket i gästrummet i källaren, ja, samma rum där Camilla förlustat sig med honom, en dag när jag kom hem från arbetet. Jag var högavlönad chefsekonom på den tiden, och jag gissar att jag hade haft en fin karriär framför mig. Men efter det rasade allt för Moa och mig. Jag ska inte fördjupa mig i det. Du ville veta vad som hände med Camilla. Men det var bottenlöst. Moa började skära sig och slutade så gott som att äta. En dag frågade hon mig om jag tyckte att hon var ett avskum. Herregud hjärtat, sa jag. Hur kan du säga något sådant? Då sa hon att Camilla sagt det. Att Camilla sagt att alla tyckte att Moa var ett vidrigt avskum, varenda en som någonsin träffat henne. Jag tog all hjälp jag kunde få, psykologer, läkare, kloka väninnor, Prozac. Men ingenting hjälpte. En underbart vacker vårdag då hela det övriga Sverige firade någon löjlig triumf i Eurovision Song Contest hoppade Moa från en Finlandsfärja, och mitt liv tog slut med henne, så kändes det. Jag förlorade all livslust och låg länge inskriven för djup depression. Men sedan… jag vet inte… på något sätt förvandlades förlamningen och sorgen till ilska, och jag kände att jag behövde förstå. Vad hade egentligen hänt vår familj? Vad för slags ondska hade sipprat in? Jag började göra efterforskningar om Camilla, inte för att jag ville träffa henne igen, inte på några villkor. Men jag ville begripa henne, kanske precis som en förälder till ett mordoffer till sist vill begripa mördaren och förstå hans motiv."

"Vad fick du reda på?"

"Ingenting till att börja med. Hon hade helt sopat igen spåren efter sig. Det var som att jaga en skugga, en vålnad, och jag vet inte hur många tiotusentals kronor jag lade ner på privatdetektiver och andra opålitliga personer som lovade att hjälpa mig. Jag kom ingen vart och det gjorde mig vansinnig. Jag blev som besatt. Jag sov knappt, och ingen av mina vänner orkade med mig längre. Det var en hemsk tid. Jag sågs som en rättshaverist, det kanske är så fortfarande, jag vet inte vad Holger Palmgren sa till dig. Men så…"

"Ja?"

"Publicerades ditt reportage om Zalachenko, och naturligtvis sa mig namnet ingenting. Men jag började lägga ihop ett och annat. Jag läste om hans svenska identitet, Karl Axel Bodin, och om hans samarbete med Svavelsjö MC, och då mindes jag alla de hemska kvällarna mot slutet då Camilla för länge sedan vänt oss ryggen. På den tiden väcktes jag ofta av ljudet av motorcyklar, och från mitt sovrumsfönster kunde jag se de där lädervästarna med det otäcka emblemet. Det förvånade mig inte särskilt mycket att hon umgicks med den sortens människor. Jag hade inga som helst illusioner om henne längre. Men jag kunde inte ana att det handlade om hennes ursprung – om hennes fars affärsverksamhet som hon aspirerade på att ta över."

"Gjorde hon?"

"O ja, i hennes smutsiga värld slogs hon för kvinnans rättigheter, åtminstone för sina egna rättigheter, och jag vet att det betydde mycket för många av tjejerna i klubben, framför allt för Kajsa Falk."

"Vem?"

"En snygg, kaxig brud som var ihop med en av ledarna. Hon var hemma hos oss en del under det sista året, och jag kommer ihåg att jag gillade henne. Hon hade stora blå ögon och vindade lite. Bakom den där tuffa ytan hade hon ett mänskligt, sårbart ansikte, och efter att ha läst ditt reportage sökte jag upp henne igen. Hon sa givetvis inte ett ord om Camilla. Hon var inte otrevlig, inte alls, och jag lade märke till att hon bytt stil. Mc-tjejen hade blivit en affärskvinna. Men hon teg, och jag trodde att det var ännu en återvändsgränd."

"Men det var det inte?"

"Nej, för bara något år sedan sökte Kajsa upp mig på eget initiativ och då var hon förändrad ännu en gång. Det fanns inget kyligt eller coolt kvar hos henne längre. Snarare var hon jagad och nervös. Inte långt därefter hittades hon död, skjuten på Stora Mossens idrottsplats i Bromma. Men då när vi träffades berättade hon att det varit en arvstvist efter Zalachenkos död. Camillas tvillingsyster, Lisbeth, blev mer eller mindre lottlös – ja, tydligen ville hon inte ens ha det lilla hon fick. De verkliga tillgångarna tillföll Zalachenkos två överlevande söner i Berlin, och så en del till Camilla. Camilla ärvde en del av själva traffickingrörelsen som du skrev om i ditt reportage så att hjärtat vreds om i bröstet på mig. Jag tvivlar på att Camilla brydde sig om kvinnorna, eller ömmade det allra minsta för dem. Men hon ville ändå inte ha något med verksamheten att göra. Det var bara losers som höll på med sådan skit, sa hon till Kajsa. Hon hade en helt annan, modern vision om vad organisationen borde göra, och efter hårda förhandlingar fick hon en av halvbrorsorna att köpa ut henne. Därefter försvann hon till Moskva med sitt kapital och en del medarbetare hon knutit till sig, Kajsa Falk bland annat."

"Vet du vad det var hon tänkte slå sig på?"

"Kajsa fick aldrig tillräcklig insyn för att förstå det helt och hållet, men vi hade våra aningar. Jag tror att det hade med de där företagshemligheterna på Ericsson att göra. I dag är jag ganska säker på att Camilla verkligen fick Kjell att sälja ut något värdefullt, förmodligen genom utpressning. Jag har också fått reda på att hon redan de första åren hos oss tog kontakt med några datanördar i skolan och bad dem ta sig in i min dator. Enligt Kajsa var hon mer eller mindre besatt av datorhacking, inte så att hon lärde sig något om det själv, inte alls. Men hon pratade ständigt och jämt om vad man kunde tjäna på att kapa konton och hacka servrar och stjäla information, och allt vad det nu var. Därför tror jag att hon fortsatt med något i den stilen."

"Det stämmer nog också."

"Ja, och förmodligen är det på en väldigt hög nivå. Camilla skulle aldrig nöja sig med mindre. Enligt Kajsa tog hon sig snabbt in i inflytelserika kretsar i Moskva, och blev bland annat älskarinna till en ledamot i duman, någon rik och mäktig typ, och med honom började hon knyta till sig en underlig skara av toppingenjörer och kriminella. Camilla lindade dem tydligen kring sitt finger som ingenting, och hon visste precis var den ömma punkten fanns hos den ekonomiska makten."

"Och var fanns den?"

"I det faktum att Ryssland inte är mycket mer än en bensinstation med en flagga på. Man exporterar olja och naturgas, men man tillverkar ingenting värt namnet. Ryssland behöver avancerad teknologi."

"Och det ville hon ge dem?"

"Det var åtminstone vad hon låtsades. Men hon hade förstås sin egen agenda, och jag vet att Kajsa var oerhört imponerad av hur hon knöt folk till sig och skaffade sig politiskt skydd. Hon skulle säkert ha varit Camilla evigt lojal om hon inte blivit skrämd."

"Vad hände?"

"Kajsa lärde känna en gammal elitsoldat, en major tror jag, och efter det var det som om hon tappade fotfästet. Mannen hade, enligt konfidentiella uppgifter som Camillas älskare satt på, utfört en del ljusskygga uppdrag åt ryska regeringen – mord helt enkelt. Han hade bland annat dödat en känd kvinnlig journalist, jag antar att du känner till henne, Irina Azarova. Hon hade häcklat regimen i en rad reportage och böcker."

"O ja, en riktig hjältinna. En förfärlig historia."

"Precis. Något gick fel i planeringen. Irina Azarova skulle träffa en regimkritiker i en lägenhet på en undanskymd gata i en förort sydöst om Moskva, och enligt planen skulle majoren skjuta henne när hon kom ut. Men utan att någon visste om det hade journalistens syster blivit sjuk i lunginflammation, och Irina hade plötsligt fått ansvara för två systerdöttrar som var åtta och tio år gamla, och när hon och flickorna steg ut ur porten sköt majoren dem alla tre. Han sköt dem i ansiktet och efter det hamnade han i onåd, inte för att jag tror att någon brydde sig om barnen. Men den allmänna opinionen gick inte längre att styra, och hela operationen riskerade att avslöjas och vändas mot regeringen. Jag tror majoren blev rädd för att bli uthängd. Jag tror överhuvudtaget att han fick en massa personliga problem i den vevan. Hans fru lämnade honom och han blev ensam med en tonårig dotter, och jag tror att han till och med riskerade att vräkas från sin lägenhet, och ur Camillas perspektiv var det förstås ett perfekt upplägg: en hänsynslös människa som hon kunde använda sig av och som befann sig i en utsatt situation."

"Så hon knöt honom till sig också."

"Ja, de träffades. Kajsa var med, och det underliga var att hon direkt blev fäst vid mannen. Han var inte alls som hon förväntat sig, inte det minsta lik de människor hon kände i Svavelsjö MC som dödat. Han var vältränad förstås och såg brutal ut. Men han var också kultiverad och artig, sa hon, och på något sätt sårbar och känslig. Kajsa upplevde att han verkligen mådde dåligt över att ha tvingats skjuta de där barnen. Han var helt klart en mördare, en man som varit specialiserad på tortyr under kriget i Tjetjenien, men som ändå hade sina moraliska gränser, sa hon, och därför blev hon också så illa berörd när Camilla satte sina klor i honom. Ja, närmast bokstavligt tydligen. Hon sägs ha dragit sina naglar över hans bröst och väst som en katt: 'Jag vill att du dödar för mig.' Hon laddade sina ord med sex, med erotisk makt. Med en infernalisk skicklighet väckte hon mannens sadism, och ju hemskare detaljer han berättade om sina mord, desto mer upphetsad ska hon ha sett ut, och jag vet inte om jag förstod det helt. Men det var det och ingenting annat som fick Kajsa att bli livrädd. Det var inte mördaren i sig. Det var Camilla; hur hon med sin skönhet och attraktion lockade fram vilddjuret i honom, och fick hans lite sorgsna blick att lysa som hos ett galet rovdjur."

"Du gick aldrig till polisen med de här uppgifterna."

"Jag frågade Kajsa om det gång på gång. Jag sa åt henne att hon verkade rädd och borde ha beskydd. Hon sa att hon redan hade beskydd. Dessutom förbjöd hon mig att tala med polisen, och jag var dum nog att lyda. Efter hennes död berättade jag för utredarna vad jag hört, men om de trodde mig eller inte vet jag inte, förmodligen gjorde de inte det. Jag hade trots allt bara hörsägen om en man utan namn från ett annat land, och Camilla gick ju inte att hitta i några register längre, och jag hade aldrig fått veta något om hennes nya identitet. I alla fall ledde inte min berättelse till något. Mordet på Kajsa är fortfarande ouppklarat."

"Jag förstår", sa Mikael.

"Gör du det?"

"Jag tror det", sa han och skulle just lägga en hand på Margareta Dahlgrens arm för att visa sin sympati.

Han blev avbruten av sin telefon som surrade i fickan. Han hoppades att det var Andrei. Men det var en Stefan Molde. Först efter några sekunder identifierade Mikael honom som den person på Försvarets Radioanstalt som haft kontakt med Linus Brandell.

"Vad gäller saken?" sa han.

"Det gäller ett möte med en högt uppsatt tjänsteman som är på väg till Sverige, och som vill träffa dig så tidigt som möjligt i morgon på Grand Hôtel."

Mikael gjorde en ursäktande gest mot Margareta Dahlgren.

"Jag har ett tajt schema", sa han, "och ska jag träffa någon överhuvudtaget vill jag åtminstone ha ett namn och ett ärende."

"Personen heter Edwin Needham, och ärendet gäller signaturen Wasp som är misstänkt för allvarlig brottslighet."

Mikael kände en våg av panik.

"Okej", sa han. "Vilken tid?"

"Klockan fem i morgon bitti skulle passa bra."

"Du måste skämta!"

"Det finns tyvärr inget alls att skämta om i den här historien. Jag skulle rekommendera dig att vara punktlig. Mr Needham tar emot i sitt rum. Din mobiltelefon får du lämna in i receptionen. Du kommer att visiteras."

"Jag förstår", sa han med växande obehag.

Därefter reste sig Mikael Blomkvist upp och tog avsked av Margareta Dahlgren på Prostvägen i Solna.

DEL 3

ASYMMETRISKA PROBLEM

24 NOVEMBER–3 DECEMBER

Ibland är det lättare att slå ihop än att slå isär.

Datorerna kan idag enkelt multiplicera primtal med miljontals siffror. Ändå är det extremt komplicerat att göra samma procedur baklänges. Tal med bara hundra siffror bjuder på stora problem.

Svårigheterna att primtalsfaktorisera utnyttjas av krypteringsalgoritmer som RSA. Primtalen har blivit hemligheternas vän.

KAPITEL 25
NATTEN OCH MORGONEN DEN 24 NOVEMBER

DET HADE INTE tagit lång tid för Lisbeth att hitta den Roger som August tecknat. På en hemsida för gamla skådespelare på den så kallade Revolutionsteatern i Vasastan hade hon sett en yngre upplaga av mannen. Han hette Roger Winter, och sades vara våldsam och avundsjuk. I sin ungdom hade han haft ett par betydande roller på filmduken. Men på senare tid hade han hamnat i bakvattnet, och var numera långt mindre känd än sin rullstolsbundne bror Tobias, en frispråkig professor i biologi som i dag sades helt ha tagit avstånd från Roger.

Lisbeth antecknade Roger Winters adress och hackade sig sedan in i superdatorn NSF MRI. Hon tog också upp sitt datorprogram där hon försökte konstruera ett dynamiskt system som skulle hitta de elliptiska kurvor som bäst kunde lyckas med uppgiften, och då förstås med så få iterationer som möjligt. Men hur hon än höll på kom hon inte ett enda steg närmare en lösning. NSA-filen förblev ogenomtränglig, och till slut reste hon sig upp och kastade en blick in mot sovrummet och August. Hon svor till. Pojken var vaken och satt upp i sängen och skrev något på ett papper på nattduksbordet, och när hon gick närmare såg hon att det var nya primtalsfaktoriseringar, och då muttrade hon lite och sa strängt med sin entoniga röst:

"Det är ingen idé. Vi kommer inte vidare den vägen i alla fall", och när August återigen började vagga hysteriskt med överkroppen sa hon åt honom att skärpa sig och somna om.

Klockan var alltför mycket, och hon beslöt sig för att själv vila lite grann, och därför lade hon sig i sängen intill och försökte komma till ro. Men det var stört omöjligt. August vred sig och gnydde och till slut beslöt Lisbeth att säga något ytterligare, trots allt. Det bästa hon kom på var:

"Kan du något om elliptiska kurvor?"

Hon fick naturligtvis inget svar på det. Ändå började hon förklara så enkelt och överskådligt hon kunde.

"Fattar du?" sa hon.

August svarade förstås inte.

"Nåväl", gick hon på. "Ta till exempel talet 3034267. Jag vet att du lätt kan hitta primtalsfaktorerna till det. Men det går också att få fram dem genom att använda elliptiska kurvor. Låt oss till exempel välja kurvan $y^2 = x^3 - x + 4$, och punkten $P = (1,2)$ på kurvan."

Hon plitade ner ekvationen på ett papper på nattduksbordet. Men August verkade inte hänga med överhuvudtaget, och då mindes hon återigen de där autistiska tvillingarna hon läst om. De kunde på något gåtfullt sätt hitta stora primtal. Ändå förmådde de inte ens utföra de enklaste ekvationer. Det kanske var likadant med August. Han kanske mer var en räknemaskin än en riktig matematisk begåvning, och för övrigt spelade det ingen roll just nu. Hennes skottsår hade börjat värka och hon behövde sova. Hon behövde driva bort alla gamla demoner från barndomen som vaknat inom henne på grund av pojken.

KLOCKAN VAR ÖVER midnatt då Mikael Blomkvist kom hem, och trots att han var slutkörd och skulle upp i ottan satte han sig genast vid sin dator och googlade Edwin Needham. Det fanns en del Edwin Needham i världen, bland annat en framgångsrik rugbyspelare som gjort en fantastisk comeback efter att ha varit sjuk i leukemi.

Det fanns en Edwin Needham som tycktes vara expert på vattenrening, och en annan som var duktig på att hamna på mingelbilder och se fånig ut. Men ingen av dem passade in på någon som kunde ha varit med och knäckt Wasps identitet och anklagat henne för brott. Däremot existerade en Edwin Needham som var dataingenjör och doktor från MIT, och det var åtminstone rätt bransch. Men inte heller han kändes rätt. Visserligen var han i dag hög chef på Safeline, ett ledande företag för virusskydd för datorer, och det bolaget intresserade sig säkert för hackers. Men det Ed, som han kallades, sa i intervjuer handlade enbart om marknadsandelar och nya produkter. Inte ett ord höjde sig över det vanliga klichémässiga försäljarsnacket, inte ens när han fick chansen att berätta om sina fritidsintressen bowling och flugfiske. Han älskade naturen, sa han, han älskade tävlingsmomentet… Det farligaste han verkade kunna göra var att tråka ut folk till döds.

Det fanns en bild av honom när han flinande och med bar överkropp höll upp en stor lax, en sådan bild som det i fiskesammanhang går tretton på dussinet av. Det var lika trist som allt annat, och ändå; långsamt började Mikael undra om inte det trista och intetsägande just var själva poängen. Han läste om materialet, och greps då av en känsla av konstruktion, av fasad, och sakta men säkert blev han tvärtom övertygad: det var rätt kille. Det luktade underrättelse, gjorde det inte? Det kändes som NSA eller CIA, och återigen tittade han på bilden med laxen, och då trodde han sig se något helt annat.

Han trodde sig se en tuffing som bara låtsades. Det fanns något orubbligt i hans sätt att stå med benen och spefullt flina åt kameran, åtminstone fick Mikael för sig det, och återigen tänkte han på Lisbeth. Han undrade om han borde säga något till henne. Men det fanns ingen anledning att oroa henne nu, särskilt inte när han egentligen ingenting visste, och i stället beslöt han att komma i säng. Han behövde sova ett par timmar och ha ett hyggligt klart huvud när han träffade Ed Needham i morgon bitti. Tankfullt borstade han tänderna och tog av sig kläderna och lade sig i sängen, och då insåg han att han var trött bortom allt förstånd. Han sögs in i sömnen på nolltid, och drömde om att han drogs ner och höll på att dränkas i floden Ed Needham stått i. Efteråt hade han en svag minnesbild av att ha krälat på flodbotten med flaxande, piskande laxar. Men han kan inte ha sovit särskilt länge. Han vaknade med ett ryck och fick för sig att han förbisett något. På nattduksbordet låg hans telefon, och då tänkte han på Andrei. Han hade hela tiden omedvetet tänkt på Andrei.

LINDA HADE LÅST dörren med dubbla lås, och det var förstås inget konstigt med det. En kvinna med hennes bakgrund måste givetvis vara noga med säkerheten. Ändå hade Andrei blivit olustig till mods. Men det var förmodligen lägenheten, intalade han sig. Den såg inte alls ut som han förväntat sig. Var det verkligen en väninnas hem?

Sängen var bred, men inte särskilt lång, och försedd med en blank gallerformad stålgavel både fram och bak. Överkastet var svart och gav honom associationer till en bår eller en grav, och han tyckte illa om konsten på väggarna. Den bestod mest av inramade fotografier av män med vapen, och överhuvudtaget fanns det något sterilt och kyligt över hela lägenheten. Det kändes inte som om det var någon snäll människa som bodde här.

Å andra sidan var han säkert nervös och överdrev alltihop. Kanske försökte han bara hitta en ursäkt för att fly. En man vill alltid fly från det han älskar – hade inte Oscar Wilde sagt något liknande? Han såg på Linda. Han hade fortfarande aldrig sett en så förtrollande vacker kvinna, och det var skrämmande nog, var det inte, och nu kom hon emot honom i sin tajta blå klänning som framhävde hennes former, och sa precis som om hon läst hans tankar:

"Vill du gå hem, Andrei?"

"Jag har ganska mycket att göra."

"Förstår det", sa hon och kysste honom. "Och då ska du givetvis gå hem och sköta ditt arbete."

"Det kanske är bäst", muttrade han medan hon tryckte sig emot honom och kysste honom igen med en sådan kraft att han inte förmådde värja sig.

Han kysste henne tillbaka och grep om hennes höfter och då puttade hon till honom. Hon puttade honom så hårt att han vacklade och föll på rygg mot sängen, och en kort sekund blev han rädd. Men så såg han på henne. Hon log lika ömt nu som förut och då insåg han: det var inget annat än kärlekens lekfulla aggressivitet. Hon ville verkligen ha honom, eller hur? Hon ville älska med honom här och nu, och han lät henne sätta sig grensle över hans kropp, och knäppa upp hans skjorta, och dra sina naglar över hans mage medan hennes ögon lyste med ett intensivt, glödande sken och de stora brösten hävdes under klänningen. Munnen var öppen. En sträng saliv rann ner mot hakan, och hon viskade något åt honom. Han hörde inte först. Men det var "Nu, Andrei".

"Nu!"

"Nu", upprepade han osäkert, och kände hur hon slet av honom byxorna. Hon var mer förslagen än han väntat sig, mer fullfjädrad och vild i sin utlevelse än någon han träffat.

"Blunda och ligg alldeles stilla", sa hon.

Han blundade och låg stilla och märkte hur hon prasslade med något, han förstod inte med vad. Han hörde ett klickljud och kände något metalliskt runt sina handleder, och tittade upp och insåg att han hade fått handklovar på sig, och då ville han protestera. Han var inte mycket för sådant. Men nu gick det fort. Blixtsnabbt, som om hon hade stor erfarenhet på området, låste hon fast hans händer i sänggaveln. Sedan surrade hon hans ben med ett rep. Hon drog åt hårt.

"Försiktigt", sa han.

"O ja."

"Bra", svarade han, och då tittade hon på honom med en ny sorts blick, ett inte helt trevligt ögonkast, tyckte han. Sedan sa hon något med högtidlig röst. Men han måste ha hört fel.

"Va?" sa han.

"Nu ska jag skära dig med en kniv, Andrei", sa hon, och fäste en stor tejpbit över hans mun.

MIKAEL FÖRSÖKTE INTALA sig att han kunde vara lugn. Varför skulle något ha hänt Andrei? Ingen – förutom han och Erika – visste att Andrei var inblandad i skyddandet av Lisbeth och pojken. De hade varit extremt försiktiga med informationen, mer försiktiga än någonsin. Men ändå... varför gick inte killen att få tag i?

Andrei var inte en person som struntade i telefonen. Tvärtom brukade han svara på en signal då Mikael ringde. Men nu var han stört omöjlig att nå, och det var konstigt, var det inte? Eller också... Mikael försökte på nytt övertala sig själv att Andrei bara satt och jobbade och hade glömt tid och rum eller att han i värsta fall tappat bort mobilen. Det var säkert inte mer än så. Men likt förbannat... Camilla hade dykt upp som från ingenstans efter alla år. Något var i görningen, eller hur, och vad var det kommissarie Bublanski hade sagt?

Vi lever i en värld där den paranoida är den friska.

Mikael sträckte sig efter telefonen på nattduksbordet och ringde Andrei igen. Han fick inget svar nu heller, och beslöt då att väcka nytillskottet Emil Grandén som bodde nära Andrei i Röda bergen i Vasastan. Emil lät möjligtvis lite besvärad, men lovade ändå att springa över till Andrei på en gång och se om han var hemma. Tjugo minuter senare ringde Emil tillbaka. Han hade bultat länge på Andreis dörr, sa han.

"Han är helt säkert inte där."

Mikael lade på och drog på sig kläderna och stack ut, och jagade genom ett folktomt och stormpiskat Söder upp till tidningen på Götgatan. Med lite tur, tänkte han, låg Andrei och sov på redaktionssoffan. Det skulle inte ha varit första gången Andrei slocknat på jobbet och inte hörde telefonen. Förhoppningsvis var det hela förklaringen. Ändå blev Mikael alltmer obehaglig till mods, och när han öppnade dörren och stängde av larmet rös han till precis som om han förväntade sig att möta någon sorts förödelse. Men hur han än gick runt därinne såg han inte ett spår av något ovanligt, och på hans krypterade mejlprogram var alla uppgifter omsorgsfullt raderade, precis som de kommit överens om. Allt såg ut som det skulle, men någon Andrei låg inte och sov på redaktionssoffan.

Redaktionssoffan såg lika luggsliten och tom ut som vanligt, och ett kort ögonblick satt Mikael försjunken i tankar. Därefter ringde han upp Emil Grandén igen.

"Emil", sa han. "Jag är ledsen att terrorisera dig så här mitt i natten. Men hela den här historien har gjort mig paranoid."

"Jag förstår det."

"Och därför kunde jag inte låta bli att höra att du lät besvärad när jag talade om Andrei. Är det något du inte har berättat för mig?"

"Ingenting som du inte redan vet", svarade Emil.

"Vad menar du med det?"

"Jag menar att jag också har talat med Datainspektionen."

"Vadå också?"

"Så du menar att du inte…"

"Nej!" högg Mikael av och hörde hur andningen blev tung på andra sidan linjen. Han förstod att det skett ett fruktansvärt misstag.

"Fram med det, Emil, och det fort", sa han.

"Alltså…"

"Ja?"

"En mycket trevlig och professionell dam från Datainspektionen som hette Lina Robertsson ringde och sa att ni varit i kontakt med varandra, och kommit överens om att höja säkerhetsnivån på din dator med tanke på omständigheterna. Det gällde vissa känsliga personuppgifter."

"Och…"

"Och tydligen hade hon gett dig felaktiga rekommendationer, och det gjorde henne alldeles olycklig. Hon sa att hon skämdes för sin okunskap och att hon var orolig att skyddet inte skulle räcka, och därför ville hon snabbt få tag på den som ordnat krypteringen åt dig."

"Och då sa du vadå?"

"Att jag ingenting visste om det, inte mer än att jag sett Andrei sitta med din dator och hålla på med något."

"Så du rekommenderade henne att ta kontakt med Andrei."

"Jag var tillfälligt ute på stan då och sa åt henne att Andrei helt säkert satt kvar på redaktionen. Hon kunde ringa honom, sa jag. Det var allt."

"Helvete, Emil."

"Men hon lät verkligen…"

"Jag struntar i hur hon lät. Men jag hoppas att du informerade Andrei om samtalet efteråt."

"Kanske inte ögonblickligen. Jag sitter ju rätt tajt som vi alla just nu."

"Men sedan berättade du."

"Alltså, han stack ut innan jag hann säga något."

"Så du ringde honom i stället."

"Absolut, flera gånger. Men…"

"Ja?"

"Han svarade inte."

"Okej", svarade Mikael med iskyla i rösten.

Därefter lade han på och slog numret till Jan Bublanski. Två gånger fick han ringa innan den nyvakna kommissarien kom till luren, och då såg Mikael ingen annan utväg än att berätta hela historien för honom. Han berättade allt förutom var Lisbeth och August befann sig.

Sedan informerade han också Erika.

LISBETH SALANDER HADE verkligen somnat. Ändå var hon någonstans beredd. Hon sov med kläderna på, både med läderjackan och sina boots. Dessutom väcktes hon lätt, antingen det nu var av stormen eller av August som kved och gnydde även i sömnen. Men för det mesta somnade hon om igen, eller föll åtminstone i dvala, och ibland drömde hon korta, egendomligt realistiska drömsekvenser.

Nu drömde hon om fadern som slog hennes mor, och då kände hon även i drömmen den där vilda gamla ilskan från barndomen. Hon kände den så tydligt att hon vaknade igen. Klockan var då kvart i fyra på morgonen och på nattduksbordet låg precis som förut de där papperen hon och August skrivit sina siffror på. Utanför föll snön. Men stormen tycktes ha lugnat sig något, och inget ovanligt hördes, bara vinden som tjöt och rasslade i träden.

Ändå kände hon sig olustig till mods, och först trodde hon att det var drömmen som låg kvar som ett raster över rummet. Sedan rös hon till. Sängen intill henne var tom. August var försvunnen, och då reste sig Lisbeth blixtsnabbt och ljudlöst, och ryckte till sig sin Beretta från väskan på golvet och smög ut i det stora rummet mot altanen.

I nästa ögonblick andades hon ut. August satt vid det runda matbordet och sysslade med något, och diskret för att inte störa honom lutade hon sig över hans axel, och upptäckte då att August varken skrev nya primtalsfaktorer eller tecknade något nytt från Lasse Westmans och Roger Winters misshandel. Nu ritade pojken schackrutor som reflekterades i klädskåpens speglar, och över dem anades en hotfull gestalt med framsträckt hand. Det var äntligen gärningsmannen som höll på att ta form, och då log Lisbeth. Därefter drog hon sig tillbaka.

Hon gick in i sovrummet igen och satte sig på sängen, och tog av sig sin tröja och sitt bandage och inspekterade sitt skottsår. Det såg fortfarande inte bra ut, och hon kände sig alltjämt matt och yr. Hon tog två nya antibiotikatabletter och försökte vila lite till, och möjligen somnade hon om. Efteråt hade hon en svag förnimmelse av att hon sett både Zala och Camilla i drömmen. Men strax därpå blev hon varse något. Hon förstod inte vad. Inte mer än att hon fick en känsla av närvaro. En fågel flaxade till därute. Från stora rummet hörde hon hur August andades tungt och plågat. Lisbeth skulle just resa sig igen då ett isande skrik skar genom luften.

NÄR MIKAEL STEG ut från redaktionen i tidiga morgontimmen för att ta en taxi till Grand Hôtel hade han fortfarande inte hört något från Andrei, och återigen försökte han intala sig att han överreagerat och att kollegan när som helst skulle ringa från någon tjej eller kompis. Men oron lämnade honom inte och på Götgatan, medan han noterade att snön föll igen och att någon glömt kvar en ensam damsko på trottoaren, tog han fram sin Samsung och ringde Lisbeth på sin Redphone-app.

Lisbeth svarade inte, och det gjorde honom inte lugnare. Han försökte en gång till och skickade till sist ett textmeddelande från sin Threemaapp: **Camilla jagar er. Ni bör lämna gömstället!** Därefter fick han syn på taxin som kom ner från Hökens gata, och ett ögonblick förvånades han över att taxichauffören ryckte till vid åsynen av honom. Men Mikael såg verkligen livsfarligt beslutsam ut i den stunden, och ingenting blev väl bättre av att han inte svarade då chauffören försökte konversera honom utan bara satt där bak i mörkret med sina oroliga lysande ögon. Stockholm låg mer eller mindre öde.

Stormen hade bedarrat något. Men ännu syntes vita gäss på vattnet, och Mikael tittade mot Grand Hôtel på andra sidan viken och undrade om han borde strunta i mötet med mr Needham och i stället köra ut till Lisbeth, eller åtminstone se till att en polispatrull svängde förbi. Nej, han kunde inte göra det utan att informera henne. Fanns det en läcka kunde det vara katastrofalt att sprida uppgiften. Han öppnade sin Threema-app igen och skrev:

Ska jag skaffa hjälp?

Han fick inget svar. Givetvis fick han inget svar, och kort därefter betalade han och klev tankfull ur taxin och gick in genom hotellets svängdörrar. Klockan var då tjugo över fyra på morgonen, han var fyrtio minuter för tidig. Han hade förmodligen aldrig varit fyrtio minuter för tidig till något. Men det var som om det brann i honom, och innan han som avtalat gick fram till receptionen och lämnade in sina telefoner ringde han Erika igen, och sa åt henne att försöka få tag på Lisbeth och hålla kontakt med polisen och ta de beslut hon ansåg nödvändiga.

"Så fort du hör något nytt, ring till Grand Hôtel och fråga efter mr Needham."

"Och vem är det?"

"En person som vill träffa mig."

"Så här dags?"

"Så här dags", upprepade han och gick fram till receptionen.

EDWIN NEEDHAM BODDE på rum 654, och Mikael knackade på. Dörren öppnades, och på tröskeln stod en man som osade av svett och ursinne. Han liknade gestalten på fiskebilden på nätet ungefär som en nyuppstigen bakfull diktator liknar sin stiliserade staty. Ed Needham höll en grogg i handen och var bister och rufsig och påminde om en bulldogg.

"Mr Needham", sa Mikael.

"Ed", sa Needham. "Jag är ledsen att besvära dig vid den här okristliga tiden, men jag har ett angeläget ärende."

"Det verkar så", sa Mikael torrt.

"Har du någon aning om vad det är?"

Mikael skakade på huvudet och slog sig ner i en fåtölj precis intill ett skrivbord där det stod en flaska gin och en Schweppes tonic.

"Nej, varför skulle du ha det?" fortsatte Ed. "Å andra sidan kan man aldrig så noga veta med killar som du. Jag har förstås kollat upp dig, och egentligen hatar jag att smickra folk. Det ger mig en falsk smak på tungan. Men du är rätt enastående i ditt yrke, är du inte?"

Mikael log ansträngt.

"Glad om du kommer till saken", sa han.

"Lugn, lugn, jag ska vara glasklar. Jag antar att du vet var jag arbetar."

"Jag är inte helt säker", svarade han ärligt.

"I Puzzle Palace, i SIGINT city. Jag arbetar för hela världens spottkopp."

"NSA."

"Precis, och kan du ens ana vilken satans dårskap det är att jävlas med oss, kan du det, Mikael Blomkvist?"

"Jag tror jag kan föreställa mig", sa han.

"Och kan du fatta var jag egentligen tycker att din väninna hör hemma?"

"Nej."

"Hon hör hemma i fängelset. På livstid!"

Mikael log vad han hoppades var ett lugnt, samlat småleende. Men i själva verket jagade tankarna i honom, och även om han insåg att vad som helst kunde ha hänt och att han inte borde dra några förhastade slutsatser än, tänkte han omedelbart: Har Lisbeth hackat NSA? Bara tanken gjorde honom intensivt orolig. Inte nog med att hon satt ute på sitt gömställe och var eftersökt av mördare. Skulle hon få USA:s alla underrättelsetjänster på sig dessutom? Det lät… ja vad lät det? Det lät orimligt.

Var det något som utmärkte Lisbeth var det att hon aldrig gjorde något utan en noggrann konsekvensanalys. Ingenting av det hon hittade på var impulsstyrt och oöverlagt, och därför kunde han inte tänka sig att hon skulle göra något så idiotiskt som att hacka NSA om det fanns minsta risk för att bli upptäckt. Ibland gjorde hon farliga saker, det var sant. Men då stod alltid riskerna i proportion till nyttan, och han vägrade tro att hon tagit sig in bara för att låta sig överlistas av den här gallsprängda bulldoggen framför honom.

"Jag tror att ni dragit förhastade slutsatser", sa han.

"Det kan du drömma om, grabben. Men jag gissar att du hörde att jag använde ordet 'egentligen'."

"Jag hörde det."

"Ett jävla ord, eller hur? Kan användas till vad som helst. Egentligen dricker jag inte på morgonen och ändå sitter jag här med min drink, he, he! Vad jag vill säga är att du kanske kan rädda din väninna om du lovar att hjälpa mig med vissa saker."

"Jag lyssnar", sa han.

"Hyggligt av dig. Och då vill jag till att börja med få garantier om att jag talar under källskydd."

Mikael såg förvånat på honom. Det hade han inte väntat sig.

"Är du något slags visselblåsare?"

"Gud hjälpe mig, nej. Jag är en lojal gammal blodhund."

"Men du agerar inte officiellt för NSA."

"Man kan säga att jag för stunden har min egen agenda. Att jag positionerar mig lite grann. Nå, hur blir det?"

"Du talar under källskydd."

"Bra, och jag vill också försäkra mig om att det jag berättar nu stannar mellan dig och mig, och det kan förstås låta underligt. Varför i helvete berättar jag en fantastisk historia för en undersökande journalist bara för att be honom hålla käften?"

"Det kan man fråga sig."

"Jag har mina skäl, och det märkliga är att jag tror att jag inte ens behöver be om det. Jag har skäl att anta att du vill skydda din väninna, och den intressanta storyn för din del finns helt klart någon annanstans. Det är inte omöjligt att jag kommer att hjälpa dig på den punkten om du är beredd att samarbeta."

"Det återstår att se", sa Mikael stramt.

"Nåväl, för några dagar sedan hade vi intrång på vårt intranät, populärt kallat NSANet, det känner du till va?"

"Någorlunda."

"NSANet finslipades efter 11 september för att få en bättre samordning mellan våra nationella underrättelsetjänster å ena sidan och spionorganisationerna i de anglosaxiska länderna, de så kallade Five Eyes, å den andra. Det är ett slutet system, med sina egna routrar, portar och broar, som är helt skilt från det övriga internet. Det är därifrån vi via satelliter och fiberkablar administrerar vår signalspaning, och det är också där vi har våra stora databanker, och förstås våra säkerhetsklassade analyser och rapporter – oavsett om de nu betecknas Moray, för att nämna det minst hemliga, upp till Umbra Ultra Top Secret som inte ens presidenten får se. Systemet administreras från Texas, vilket är ren idioti för övrigt. Men efter de senaste uppdateringarna och genomgångarna betraktar jag det ändå som min baby. Du ska veta, Mikael, att jag har slitit häcken av mig. Jobbat mig sönder och samman för att ingen jävel ska kunna missbruka det igen, eller än mindre hacka det, och i dag får varenda liten anomali, varje ynka överträdelse därinne mina varningsklockor att ringa, och tro inte för ett ögonblick att jag är ensam. Vi har en hel stab av oberoende specialister som övervakar systemet, och numera går det inte att göra minsta lilla sak på nätet utan att lämna fotspår efter sig. Åtminstone ska det inte gå. Allt registreras och analyseras. Du ska inte kunna slinta på en enda tangent därinne utan att det märks. Men ändå…"

"Gick det."

"Ja, och någonstans kunde jag ha köpt det. Det finns alltid blottor. Blottor är till för att vi ska leta upp dem och förbättra oss. Blottor håller oss vakna och alerta. Men det var inte bara *att* hon tog sig in. Det var sättet hon gjorde det på. Hon forcerade vår server på nätet och skapade en avancerad brygga, och kom via en av våra systemadministratörer in på intranätet. Bara den delen av operationen var ett mästerstycke. Men det var inte slut än, inte på långa vägar. Den jäveln förvandlade sig till en ghost user."

"En vadå?"

"En vålnad, ett spöke som flög omkring därinne utan att vi märkte det."

"Utan att dina varningsklockor ringde."

"Det satans geniet förde in ett spionvirus som måste ha varit olikt allt annat vi kände till för annars skulle våra system genast ha identifierat det, och det viruset uppgraderade hela tiden hennes status. Hon fick större och större befogenheter därinne och sög till sig toppklassade lösenord och koder, och började samköra register och databanker och plötsligt, bingo!"

"Bingo vadå?"

"Hittade hon det hon letade efter, och i det ögonblicket ville hon inte vara ghost user längre. Då ville hon i stället visa oss vad hon hittat, och det var först då mina varningsklockor ringde. De ringde precis när hon ville att de skulle göra det."

"Och vad var det hon hittat?"

"Hon hittade vår dubbelmoral, Mikael, vårt falskspel, och det är också därför jag sitter här med dig, och inte på mitt feta arsle i Maryland och skickar marinkåren på henne. Hon var som en inbrottstjuv som bröt sig in bara för att avslöja att det redan fanns stöldgods i huset, och i samma ögonblick som vi upptäckte det blev hon farlig på riktigt. Såpass farlig att några av våra höjdare ville låta henne löpa."

"Men inte du."

"Nej, inte jag. Jag ville tjudra fast henne vid en lyktstolpe och hudflänga henne. Men jag var så illa tvungen att ge upp min jakt, och det, Mikael, gjorde mig rasande. Jag kanske ser hyggligt samlad ut nu, men egentligen, som sagt... egentligen!"

"Är du fly förbannad."

"Precis, och det är därför jag kallat hit dig i ottan. Jag ville få tag i din Wasp innan hon flyr landet."

"Varför skulle hon fly?"

"För att hon hittat på den ena vansinnigheten efter den andra, är det inte så?"

"Det vet jag inte."

"Det gör du nog."

"Och vad får dig att överhuvudtaget tro att hon skulle vara din hacker?"

"Det, Mikael, tänkte jag precis berätta för dig."

Men han kom inte längre.

HOTELLETS FASTA TELEFON ringde och Ed svarade snabbt. Det var killen i receptionen som sökte Mikael Blomkvist, och då lämnade Ed över luren och förstod ganska snart att journalisten fick besked om något alarmerande, och därför förvånade det honom inte att svensken bara muttrade fram en oklar ursäkt och rusade ut ur rummet. Det förvånade honom inte. Men han accepterade det inte heller och därför grep han sin rock på hängaren och jagade efter.

Längre bort i korridoren rusade Blomkvist fram som en sprinterlöpare, och även om Ed inte visste vad som hänt anade han att det hade med den här historien att göra och beslöt att följa efter. Handlade det om Wasp och Balder tänkte han vara på plats. Men eftersom journalisten inte ens hade ro att ta hissen utan bara störtade nerför trapporna hade han svårt att hänga med, och när Ed flåsande kom ner på bottenvåningen hade Mikael Blomkvist precis hämtat ut sina telefoner och var ingripen i ett nytt samtal medan han sprang vidare mot svängdörrarna och ut på gatan.

"Vad har hänt?" sa Ed då reportern lagt på och försökte få tag i en taxi längre ner vid vattnet.

"Problem!" svarade Mikael.

"Jag kan köra dig dit."

"Du kan inte köra ett skit. Du har druckit."

"Men vi kan ta min bil."

Mikael saktade för ett ögonblick ner sina steg, och stirrade på Ed.

"Vad är det du vill?" sa han.

"Jag vill att vi hjälper varandra."

"Din hacker får du gripa själv."

"Jag har inget mandat att gripa någon längre."

"Okej, var står din bil?"

Därefter sprang de mot Eds hyrbil som stod parkerad borta vid Nationalmuseum, och mycket kort förklarade Mikael Blomkvist att de skulle ut i skärgården, mot Ingarö. Han skulle få en vägbeskrivning medan han körde, sa han, och han tänkte inte bry sig om några hastighetsbegränsningar.

KAPITEL 26
MORGONEN DEN 24 NOVEMBER

AUGUST SKREK, OCH i samma stund hörde Lisbeth steg, snabba steg längs kortsidan av huset och då grep hon sin pistol igen och reste sig hastigt. Hon mådde skit. Men hon tog sig inte tid att känna efter. Hon rusade fram till dörröppningen och såg en storvuxen man dyka upp på verandan, och trodde ett ögonblick att hon hade en fördel, en sekund till godo. Men scenförändringen var dramatisk.

Gestalten stannade inte upp eller lät sig ens hindras av glasdörrarna. Han bara sprang rakt igenom med draget vapen och sköt mot pojken med blixtsnabb självklarhet, och då besvarade Lisbeth elden, eller kanske hade hon redan gjort det. Hon visste inte. Hon förstod inte ens i vilket ögonblick hon börjat rusa mot mannen. Hon begrep bara att hon smällde ihop med honom med en bedövande kraft och att hon efteråt låg ovanpå honom på golvet precis framför det runda köksbordet där pojken nyss suttit. Utan ett ögonblicks tvekan skallade hon mannen.

Hon skallade honom så våldsamt att det ringde i huvudet på henne, och svajig kom hon upp på fötter. Hela rummet snurrade. Hon hade blod på skjortan. Var hon träffad igen? Hon hade inte tid att tänka på det. Var fanns August? Det var tomt vid bordet, bara pennorna låg där och teckningarna, kritorna, primtalsuträkningarna. Var i helvete var han? Hon hörde ett kvidande borta vid kylskåpet och visst, där satt han och skakade med knäna uppdragna mot bröstet. Han måste ha hunnit kasta sig undan.

Lisbeth skulle just rusa fram till honom när hon hörde nya oroande ljud längre bort, dämpade röster, kvistar som bröts. Fler människor var på väg, och då förstod hon att det var fruktansvärt bråttom. De måste härifrån. Var det systern så hade hon folk i släptåg. Det var så det alltid hade varit. Lisbeth var ensam medan Camilla samlade ihop hela gäng, och därför gällde det precis som förr i tiden att vara smartare och snabbare. Framför sig som i blixtbelysning såg hon terrängen därute och i nästa ögonblick störtade hon fram till August. "Kom!" sa hon. August rörde sig inte ur fläcken. Han var som fastfrusen på golvet, och då lyfte Lisbeth upp honom med ett hastigt ryck och grimaserade illa. Varje rörelse smärtade. Men det fanns inte längre någon tid att förlora, och troligen förstod August det ändå. Han signalerade att han kunde springa själv, och därefter störtade hon fram mot köksbordet, ryckte åt sig sin dator och fortsatte ut mot altanen, förbi mannen på golvet som omtöcknat reste på sig och försökte gripa tag i Augusts ben.

Lisbeth övervägde att döda honom. I stället sparkade hon honom våldsamt i halsen och magen, och slängde iväg hans vapen. Därefter sprang hon med August ut på altanen mot klipporna och sluttningen. Men plötsligt stannade hon. Hon tänkte på teckningen. Hon hade inte sett hur långt August hunnit med den. Borde hon vända om? Nej, de skulle vara här när som helst. De måste fly. Men ändå… teckningen var också ett vapen, var den inte, och själva orsaken till hela vansinnet, och därför placerade hon August och sin dator på den klipphäll hon valt ut redan kvällen innan. Sedan störtade hon uppför berget igen och in i huset och såg ut över bordet, och först hittade hon den inte. Det var förbannade Lasse Westman-skisser överallt, och primtalssiffror.

Men där – det var den, och ovanför schackrutorna och speglarna syntes nu en blek gestalt med ett skarpt ärr i pannan som Lisbeth bara alltför väl kände igen vid det här laget. Det var samma man som låg på golvet framför henne och kved, och då tog hon blixtsnabbt fram sin mobil och skannade teckningen och mejlade den till Jan Bublanski och Sonja Modig på polisen. Hon till och med kladdade ner en rad överst på papperet. Men ögonblicket därpå insåg hon att det var ett misstag.

Hon höll på att bli inringad.

PÅ HANS SAMSUNGTELEFON hade Lisbeth skrivit samma ord som till Erika. Ordet var **KRIS**, och det kunde knappast missförstås. Inte när det kom från Lisbeth. Hur än Mikael tänkte på det kunde han inte tolka det som något annat än att gärningsmännen hade spårat henne, och i värsta fall överföll henne i samma stund som hon skrev, och därför tryckte han gasen i botten så fort han passerade Stadsgårdskajen och kom ut på Värmdöleden.

Han körde en silverfärgad ny Audi A8 och bredvid honom satt Ed Needham. Ed såg bister ut. Då och då skrev han på sin telefon. Varför Mikael hade låtit honom följa med visste han inte säkert – kanske ville han veta vad killen hade på Lisbeth, eller nej, det var något annat också. Kanske kunde Ed vara till nytta. I alla fall skulle han inte gärna kunna förvärra läget. Det var tillräckligt mycket kris ändå. Polisen var larmad. Men polisen skulle knappast hinna samla ihop en styrka särskilt fort – speciellt inte som de varit skeptiska till den knapphändiga informationen. Det var Erika som skött kontakterna. Det var hon som kunde vägen, och han behövde hjälp. Han behövde all hjälp han kunde få.

Han kom ut mot Danviksbron. Ed Needham sa något. Han hörde inte vad. Hans tankar var på annat håll. Han tänkte på Andrei – vad hade de gjort med Andrei? Mikael såg honom framför sig där han suttit tankfull och villrådig på redaktionen och sett ut som en ung Antonio Banderas. Varför i helvete hade han inte följt med på en pilsner? Mikael ringde honom igen. Han prövade att ringa Lisbeth också. Men han fick inget svar någonstans, och då hörde han Ed ännu en gång.

"Vill du att jag berättar vad vi har?" sa Ed.

"Ja… kanske… gör det", sa han.

Men de kom ingenstans den här gången heller. Mikaels telefon ringde. Det var Jan Bublanski.

"Du och jag kommer att ha en del att prata om sedan, det begriper du va, och ni kan kallt räkna med något slags rättsligt efterspel."

"Jag begriper det."

"Men nu ringde jag faktiskt för att ge dig lite information. Vi vet att Lisbeth Salander levde 04.22. Var det före eller efter hon slagit larm till dig?"

"Före, strax före."

"Okej."

"Vad kommer det klockslaget ifrån?"

"Salander skickade något till oss, något oerhört intressant."

"Vadå?"

"En teckning, och jag måste säga, Mikael, att den överträffade alla våra förväntningar."

"Så Lisbeth fick killen att rita."

"O ja, och jag vet förstås inte vad för sorts bevistekniska frågor som kan väckas eller vad en skicklig försvarsadvokat kan ha att invända mot teckningen. Men för mig är det inget tvivel om att det här är mördaren. Det är otroligt skickligt gjort med den där underliga matematiska precisionen igen. Ja, faktum är att det också står någon ekvation längst ner med x och y-koordinater. Jag har ingen aning om ifall det har med saken att göra. Men jag har skickat teckningen till Interpol för en körning i deras program för ansiktsigenkänning. Finns mannen bara någonstans i deras databanker är han rökt."

"Går ni ut med den till pressen också?"

"Vi överväger det."

"När kommer ni att kunna vara på plats?"

"Så fort vi kan… vänta lite!"

Mikael hörde en annan telefon ringa i bakgrunden, och i någon minut var Bublanski försvunnen i ett annat samtal. När han kom tillbaka sa han kort:

"Vi har fått in uppgifter om skottlossning därute. Det ser inte bra ut är jag rädd."

Mikael tog ett djupt andetag.

"Och inget nytt om Andrei?" frågade han.

"Vi har spårat hans telefon till en basstation i Gamla stan, men inte kommit längre. Sedan en tid får vi inga signaler alls, precis som om mobilen gått sönder eller slutat fungera."

Mikael lade på och ökade farten ytterligare. Ett tag var han uppe i hundraåttio kilometer i timmen, och till en början sa han mycket lite. Han berättade kortfattat för Ed Needham vad som pågick. Men till slut stod han inte ut. Han behövde annat att tänka på.

"Nå, vad är det ni fått fram?"

"Om Wasp?"

"Ja."

"Länge inte ett skit. Vi var övertygade om att vi nått vägs ände", fortsatte Needham. "Vi hade gjort allt som stod i vår makt och lite till. Vi hade vänt på varenda sten, och ändå kom vi ingenstans, och någonstans såg jag det bara som logiskt."

"Hur då?"

"En hacker som var kapabel till ett sådant intrång borde också ha förmågan att sopa igen alla spår efter sig. Jag förstod tidigt att vi knappast skulle komma någon vart den vanliga vägen. Men jag gav mig inte för det, och till slut struntade jag i alla våra brottsplatsundersökningar. Jag gick direkt till den stora frågan i stället: Vem är kapabel till en sådan operation? Jag visste redan då att den frågan var vår bästa chans. Nivån på intrånget var så hög att det knappast fanns många som skulle kunna utföra det. I den meningen hade hackern sin begåvning emot sig. Dessutom hade vi analyserat själva spion-viruset, och det…"

Ed Needham såg ner på sin telefon igen.

"Ja?"

"Det hade sina konstnärliga egenheter, och egenheter är ur vårt perspektiv något bra förstås. Vi hade, skulle man kunna säga, ett verk på hög nivå med en särskild sorts personlig stil, och nu skulle vi bara hitta upphovsmannen, och därför bör-jade vi skicka ut frågor till hackerkollektiven därute, och re-dan tidigt var det ett namn, ett handle, som dök upp gång på gång. Kan du gissa vilket?"

"Kanske."

"Det var Wasp! Det var i och för sig många andra namn också, men Wasp blev alltmer intressant, ja, faktiskt också i kraft av själva namnet… ja, det är en lång historia som jag inte behöver trötta dig med. Men namnet…"

"…kom från samma serietidningsmytologi som organisatio-nen som ligger bakom mordet på Frans Balder använder sig av."

"Precis, så du känner till det?"

"Ja, och jag vet också att sambanden kan vara illusoriska och förledande. Söker man bara tillräckligt ihärdigt hittar man korrespondenser mellan vad som helst."

"Sant, det vet vi om några. Vi hetsar upp oss över samband som ingenting betyder, och så missar vi dem som verkligen innebär något. Så nej, jag gav egentligen inte mycket för det. Wasp kunde också betyda en massa saker. Men jag hade vid den tidpunkten inte mycket annat att gå efter. Dessutom hade jag hört så mycket mytisk skit om den där personen att jag ville knäcka identiteten under alla omständigheter, och vi gick långt tillbaka i tiden. Vi rekonstruerade gamla dialoger på hackersajter. Vi läste vartenda ord vi kunde hitta som Wasp skrivit på nätet, och studerade varenda operation vi visste att signaturen låg bakom, och ganska snart kände vi Wasp lite grann. Vi blev säkra på att det var en kvinna, även om hon inte precis uttryckte sig klassiskt kvinnligt, och vi förstod att hon var svensk. Flera tidiga inlägg var skrivna på svenska, och det var i och för sig inte heller mycket att gå efter. Men eftersom det fanns en svensk koppling i den organisation hon undersökte, och eftersom Frans Balder också var svensk, gjorde det i alla fall inte spåret mindre hett. Jag kontaktade folk hos FRA, och de började söka i sina register, och då faktiskt…"

"Vadå?"

"Hittade de något som ledde till ett genombrott. För många år sedan hade myndigheten undersökt ett hackerärende med just signaturen Wasp. Det är så länge sedan att Wasp på den tiden inte ens var särskilt skicklig på att kryptera."

"Vad hade hänt?"

"FRA hade blivit uppmärksam på att signaturen Wasp försökt skaffa sig kunskap om personer som hoppat av från andra länders underrättelsetjänster, och det hade räckt för att sätta igång FRA:s varningssystem. Myndigheten hade företagit en undersökning som ledde till en dator på en barnpsykiatrisk klinik i Uppsala, en maskin som tillhörde en överläkare där som hette Teleborian. Av någon anledning – förmodligen för att Teleborian gjorde den svenska säkerhetspolisen vissa tjänster – ansågs han höjd över alla misstankar. I stället koncentrerade sig FRA på ett par mentalskötare som ansågs suspekta för att de var… ja, invandrare helt enkelt. Det var så ofattbart korkat och stereotypt tänkt, och ingenting kom ut av det."

"Kan tänka mig det."

"Ja, men nu långt senare bad jag en kille på FRA att skicka över hela det gamla materialet, och då gick vi igenom det på ett helt annat vis. Du vet, för att vara bra på hacking behöver du inte vara stor och tjock och raka dig på morgonen. Jag har mött tolv-trettonåringar som är helt sanslösa på det, och därför var det en självklarhet för mig att titta på vartenda barn som var intaget på kliniken den tiden. Hela listan fanns i materialet, och jag satte tre av mina grabbar på att undersöka dem allihop, utifrån och in, och vet du vad vi hittade? Ett av barnen var dotter till den gamle spionen och storskurken Zalachenko som så intensivt intresserade våra kollegor på CIA vid den här tiden, och då blev allt plötsligt väldigt intressant. Som du kanske vet finns det beröringspunkter mellan det nätverk som hackern undersökte och Zalachenkos gamla brottssyndikat."

"Det behöver inte betyda att Wasp hackat er för det."

"Absolut inte. Men vi tittade närmare på den här flickan, och vad ska jag säga? Hon har en spännande bakgrund, eller hur? Visserligen har en hel del information om henne i offentliga källor blivit mystiskt raderade. Ändå hittade vi mer än nog, och jag vet inte, jag kanske har fel. Men jag har en känsla av att det finns en urhändelse här, ett grundtrauma. Vi har en liten lägenhet i Stockholm och en ensamstående mor som jobbar i kassan i ett snabbköp, och som kämpar för att få tillvaron med sina två tvillingdöttrar att gå ihop. På ett plan befinner vi oss långt borta från den stora världen. Men ändå…"

"…är den stora världen närvarande."

"Ja, ändå drar en iskall vind från storpolitiken in när fadern kommer på sina besök. Mikael, du vet inte ett skit om mig."

"Nej."

"Men jag vet ganska väl hur det är för en unge att uppleva grovt våld på nära håll."

"Så det gör du?"

"Ja, och jag vet ännu mer hur det känns när samhället inte gör ett skit för att straffa de skyldiga. Det gör ont, grabben, fruktansvärt ont, och det förvånar mig inte det minsta att de flesta barn som är med om det går under. De blir destruktiva jävlar själva när de blir stora."

"Jo, tyvärr."

"Men några få, Mikael, blir starka som björnar och ställer sig upp och slår tillbaks. Wasp var en sådan person, eller hur?"

Mikael nickade tankfullt, och gasade på lite ytterligare.

"Man spärrade in henne på dårhus och försökte knäcka henne gång på gång. Men hela tiden kom hon igen, och vet du vad jag tror?" fortsatte Ed.

"Nej."

"Att hon blev starkare för varje gång. Att hon tog spjärn mot sina helveten, och växte. Jag tror hon blev helt livsfarlig, uppriktigt sagt, och jag tror inte att hon glömt något av det som hänt. Allt har etsat sig fast i henne, eller hur? Kanske är det till och med hela vansinnet i hennes barndom som satte den här stenen i rullning."

"Det är möjligt."

"Precis, vi har två systrar som påverkades helt olika av något fruktansvärt och blev bittra fiender, och framför allt: vi har ett arv efter ett stort kriminellt imperium."

"Lisbeth har ingen del i det. Hon hatar allt som har med hennes far att göra."

"Jag vet det om någon, Mikael. Men vad hände med arvet? Och är det inte det hon söker efter? Är det inte det hon vill förgöra precis som hon ville förgöra ursprunget till det?"

"Vad är det du vill?" sa Mikael skarpt.

"Kanske lite samma sak som Wasp. Jag vill ställa saker och ting till rätta."

"Och gripa din hacker."

"Jag vill träffa henne och läsa lusen av henne och täppa till vartenda förbannat litet säkerhetshål. Men framför allt vill jag tvåla till vissa personer som inte lät mig fullfölja mitt jobb bara för att Wasp drog ner byxorna på dem, och jag har skäl att tro att du kommer att hjälpa mig på den punkten."

"Varför då?"

"För att du är en god reporter. Goda reportrar vill inte att smutsiga hemligheter ska förbli hemliga."

"Och Wasp?"

"Wasp ska sjunga ut – hon ska sjunga ut mer än hon gjort i hela sitt liv, och faktum är att du ska hjälpa mig med det också."

"Annars?"

"Annars ska jag hitta ett sätt att bura in henne, och göra hennes liv till ett helvete igen, det lovar jag."

"Men för närvarande vill du bara prata med henne."

"Ingen jävel ska få hacka mitt system igen, Mikael, och därför behöver jag begripa precis hur hon gjorde. Så det vill jag att du framför. Jag är beredd att låta din väninna gå fri om hon bara sätter sig ner med mig och berättar hur hennes intrång gick till."

"Jag ska framföra det. Vi får bara hoppas…", började Mikael.

"Att hon lever", fyllde Ed i, och därefter svängde de i hög fart till vänster in mot Ingaröstrand.

Klockan var då 04.48. Det var tjugo minuter sedan Lisbeth Salander slagit larm.

DET VAR SÄLLAN Jan Holtser haft så fel.

Jan Holtser led av en romantisk föreställning om att det redan på håll gick att avgöra om en man skulle klara av en närstrid eller en stor fysisk prövning, och det var också därför han till skillnad från Orlov och Bogdanov inte hade blivit förvånad när planen misslyckats med Mikael Blomkvist. Själva hade de varit helt säkra: den man är inte född som inte genast faller för Kira. Men Holtser hade – efter att bara ha sett journalisten på avstånd under en svindlande sekund i Saltsjöbaden – haft sina tvivel. Mikael Blomkvist såg ut som problem. Han såg ut som en man som varken gick att lura eller knäcka så lätt, och inget av det Jan sett eller hört sedan dess hade fått honom att ändra uppfattning.

Men det var annorlunda med den yngre journalisten. Han

hade sett ut som urtypen för den veke, blödige mannen. Ändå var ingenting mer fel. Andrei Zander hade kämpat längre än någon Jan torterat. Trots alla fasansfulla smärtor hade han vägrat bryta samman. En sorts orubblighet som tycktes ta spjärn mot en högre princip lyste ur hans ögon, och länge hade Jan trott att de skulle få ge upp, att Andrei Zander hellre utstod vilket lidande som helst än berättade, och det var inte förrän Kira dyrt och heligt lovade att också Erika och Mikael på *Millennium* skulle plågas lika mycket som Andrei till slut bröt ihop.

Klockan hade då blivit halv fyra på morgonen. Det var ett av de där ögonblicken Jan trodde att han skulle bära med sig. Snö föll över takfönstren. Den unge mannens ansikte var uttorkat och hålögt. Blodet hade stänkt upp från bröstet och fläckade ner hans mun och kinder. Läpparna som länge haft tejp över sig var spruckna och såriga. Han var en spillra. Ändå syntes det att han var en vacker ung man, och Jan tänkte på Olga. Vad skulle hon ha tyckt om honom?

Var inte journalisten just en sådan bildad kille som kämpade mot orättvisor och tog parti för tiggare och utstötta som hon gillade? Han tänkte på det, och på annat i sitt eget liv. Därefter gjorde han korstecknet, det ryska, där en väg leder till himmelriket och den andra till helvetet, och så sneglade han mot Kira. Hon var vackrare än någonsin.

Ögonen lyste med ett brinnande sken. Hon satt på en pall intill sängen i en dyr blå klänning som så gott som helt klarat sig från blodstänk, och sa något på svenska till Andrei, något som lät riktigt ömt. Sedan grep hon om hans hand. Han grep hennes tillbaka. Han hade väl inget annat att söka tröst i. Vinden tjöt utanför i gränden. Kira nickade och log åt Jan. Nya snöflingor föll på fönsterblecket.

EFTERÅT SATT DE allihop i en Land Rover på väg ut till Ingarö. Jan kände sig tom, och han gillade inte händelseutvecklingen. Men han kom inte ifrån att det var hans eget misstag som drivit dem hit, och därför satt han tyst för det mesta, och lyssnade på Kira som var så underligt uppjagad och med ett glödande hat talade om kvinnan de var på väg mot. Jan trodde inte att det var ett bra tecken, och om han haft makt till det skulle han ha rått henne att vända om och lämna landet.

Men han höll tyst medan snön föll därute och de färdades framåt i mörkret. Ibland när han såg på Kira och hennes gnistrande, iskalla ögon skrämde hon honom. Men han stötte bort tanken, och det slog honom att han åtminstone måste ge henne rätt i en sak. Hon hade förbluffande snabbt gissat rätt.

Inte bara hade hon räknat ut vem som kastat sig fram på Sveavägen och räddat August Balder. Hon hade också anat vem som kunde veta vart pojken och kvinnan tagit vägen, och det namn hon nämnde var ingen mindre än Mikael Blomkvist. Ingen av dem hade förstått logiken i resonemanget. Varför skulle en välrenommerad svensk journalist gömma en person som dök upp från ingenstans och förde bort ett barn från en brottsplats? Men ju mer de undersökte teorin, desto mer verkade det ligga något i den. Det visade sig inte bara att kvinnan – som hette Lisbeth Salander – hade nära band till reportern. Något hade också skett på *Millenniums* redaktion.

Morgonen efter mordet i Saltsjöbaden hade Jurij hackat Mikael Blomkvists dator för att försöka förstå varför Frans Balder kallat ut honom mitt i natten, och då hade han inte haft några större problem med uppgiften. Sedan i går förmiddag gick det inte längre att komma åt journalistens kommunikation, och när hade det hänt senast? När hade det varit omöjligt för Jurij att läsa en reporters mejl? Aldrig, såvitt Jan visste. Mikael Blomkvist hade plötsligt blivit mycket försiktigare, och det hade skett i anslutning till att kvinnan och pojken försvunnit från Sveavägen.

Det var i och för sig ingen garanti för att journalisten visste var Salander och barnet befann sig. Men ju längre tiden gick, desto fler indikationer dök upp på att teorin kunde stämma, och hur som helst verkade Kira inte behöva några absoluta bevis. Hon ville ge sig på Blomkvist. Hon ville i brist på honom ge sig på någon annan på tidningen, och framför allt ville hon med en närmast besatt ambition spåra kvinnan och barnet, och bara det borde ha fått dem att ana oråd. Men det är sant, Jan fick ändå vara tacksam.

Han kanske inte begrep sig på Kiras motiv i alla delar. Men i första hand var det för hans räkning de skulle döda barnet, och det var vackert så. Kira kunde lika gärna ha offrat honom. Men hon valde att ta betydande risker för att kunna behålla honom, och det gladde honom, det gjorde det, även om han just nu i bilen mest kände sig obehaglig till mods.

Han försökte hämta kraft från Olga. Vad som än hände fick hon inte vakna upp och se en teckning av sin far på alla löpsedlar, och gång på gång intalade han sig att de varit lyckosamma så här långt, och att det svåraste låg bakom dem. Om nu Andrei Zander bara lämnat rätt adress borde uppdraget vara lätt. De var tre tungt beväpnade män, fyra om man räknade med Jurij, som förstås som vanligt mest satt med sin dator.

Det var Jan, Jurij, Orlov och Dennis Wilton, en gangster som tidigare tillhört Svavelsjö MC men som nu regelbundet gjorde Kira tjänster och som hjälpt dem med planeringen i Sverige. De var tre eller fyra tränade män plus Kira, och emot sig hade de bara en enda kvinna som troligen sov och som dessutom skulle skydda ett barn. Det borde inte vara något problem, inte alls. De borde snabbt kunna slå till och avsluta arbetet och lämna landet. Men Kira gick på likafullt. Hon var halvt manisk:

"Ni får inte underskatta Salander!"

Hon sa det så många gånger att till och med Jurij, som annars alltid höll med henne, började bli irriterad. Visserligen hade också Jan på Sveavägen sett att den där tjejen verkade tränad och snabb och orädd. Men enligt Kira skulle hon nästintill vara en sorts superkvinna. Det var löjligt. Jan hade aldrig träffat en kvinna som i strid på något sätt kunde mäta sig med honom eller ens med Orlov. Ändå lovade han att vara försiktig. Han lovade att först gå upp och rekognoscera terrängen och lägga upp en strategi, en plan. De skulle inte förhasta sig, inte lockas in i någon fälla. Han intygade det gång på gång, och när de till sist parkerade vid en liten vik intill en bergssluttning och en övergiven båtbrygga tog han omedelbart kommandot. Han beordrade de andra att göra sig i ordning i skydd av bilen medan han själv gick i förväg för att ta reda på var huset låg. Det skulle tydligen inte vara helt lätt att hitta.

JAN HOLTSER GILLADE tidiga morgnar. Han gillade tystnaden och känslan av övergång i luften, och nu gick han framåt med överkroppen lätt böjd, och lyssnade. Det var betryggande mörkt omkring honom och ingen människa syntes till, inga lampor lyste. Han passerade båtbryggan och bergssluttningen, och kom till ett trästaket och en skranglig grind, precis intill en gran och en vildvuxen taggbuske. Han öppnade grinden och fortsatte uppför en brant trätrappa med ett räcke på högersidan, och efter ett litet tag anade han huset däruppe.

Det låg dolt bakom tallar och aspar och var helt nedsläckt, och hade en altan i söderläge, och framför altanen fanns glasdörrar som borde vara lätta att forcera. Vid en första anblick såg han inga större svårigheter. De skulle lätt kunna rusa in genom glasdörrarna och oskadliggöra fienden. Det borde inte vara några problem. Han noterade att han rörde sig närmast ljudlöst, och ett ögonblick funderade han på om han inte borde avsluta jobbet själv. Det kanske till och med var hans moraliska ansvar. Han hade ensam försatt dem i den här situationen. Han borde ensam reda ut det också. Jobbet skulle inte vara svårare än något annat han gjort, tvärtom.

Här fanns uppenbart inga poliser som hos Balder, inga vakter eller ens några tecken på larm. Det var sant att han inte hade med sig sitt automatgevär. Men det fanns inget behov av det heller. Gevären var en total överdrift, en produkt av Kiras upphettade tankar. Han hade sin pistol, sin Remington, och det räckte gott, och plötsligt – utan sin vanliga noggranna planläggning – satte han fart med samma effektivitet som alltid.

Snabbt, snabbt förflyttade han sig längs husets kortsida fram mot altanen och glasdörrarna. Men plötsligt stelnade han till. Han förstod inte varför först. Det kunde vara vad som helst, ett ljud, en rörelse, en fara som han bara blivit halvt medveten om, och hastigt såg han upp mot det rektangulära fönstret däruppe. Han såg inte in härifrån. Ändå förblev han stilla, alltmer osäker. Kunde det vara fel hus?

Han beslöt att gå närmare och kika in, för säkerhets skull, och då... naglades han fast i mörkret. Han var iakttagen. Ögonen som sett på honom en gång tidigare stirrade glasartat i hans riktning från ett runt bord därinne, och då borde han ha agerat. Han borde ha rusat runt till altanen, tagit sig in blixtsnabbt och skjutit. Han borde ha känt all sin killerinstinkt. Men han tvekade igen. Han förmådde inte dra sitt vapen. Han var som förlorad inför den där blicken, och kanske skulle han ha förblivit i samma position ytterligare några ögonblick om inte pojken gjort något Jan inte trott han var förmögen till.

Pojken utstötte ett gällt skrik som tycktes få fönstret att skallra, och då först slet sig Jan loss ur sin förlamning och rusade upp mot altanen, och utan en sekunds eftertanke störtade han rakt genom glasdörrarna och sköt. Han sköt med vad han trodde var stor precision. Men han hann aldrig se om han träffade.

En skugglik, explosiv gestalt rörde sig emot honom med sådan hastighet att han knappt hann vända sig om eller ställa sig i en vettig position. Han vet att han sköt igen och att någon sköt tillbaka. Men mer hann han inte tänka, för i nästa ögonblick smällde han mot golvet med hela sin tyngd, och över honom tumlade en ung kvinna med ett raseri i ögonen som var bortom allt han någonsin sett, och då reagerade han instinktivt med samma sorts vrede. Han försökte skjuta igen. Men kvinnan var som ett vilddjur, och nu satt hon på honom och höjde sitt huvud… Bang. Jan hann aldrig förstå vad som hände. Han måste ha tuppat av.

När han kom till sans igen smakade det blod i munnen, och det var kladdigt och vått under tröjan. Han måste ha blivit träffad, och precis då passerade pojken och kvinnan honom, och i det ögonblicket försökte han gripa tag i pojkens ben. Åtminstone trodde han det. Men han måste ha blivit attackerad igen. Plötsligt kippade han akut efter luft.

Han begrep inte längre vad som hände. Inte mer än att han var körd och besegrad, och av vem? Av en tjej, och den insikten blev en del av hans smärta där han låg på golvet bland glassplitter och sitt eget blod, med slutna ögon och tunga andetag, och hoppades att allt skulle vara över snart. Men då uppfattade han något igen, röster längre bort, och när han öppnade ögonen såg han till sin förvåning kvinnan. Hon var kvar. Hade hon inte nyss gått? Nej, hon stod precis vid köksbordet med sina smala pojkben och sysslade med något, och då gjorde han sitt yttersta för att resa sig. Han hittade inte sitt vapen. Men han kom upp i sittande ställning, och uppfattade samtidigt en skymt av Orlov i fönstret, och då försökte han återigen ge sig på henne. Men mer blev det inte.

Kvinnan exploderade; han upplevde det så. Hon ryckte åt sig några papper och störtade ut med en våldsam kraft, och från altanen kastade hon sig raklång ut i skogen, och strax därefter smattrade skotten i mörkret, och han mumlade för sig själv som för att hjälpa till: "Döda de jävlarna!" Men i själva verket kunde han inte längre bidra med något. Det var knappt han lyckades ta sig upp på fötter eller ens orkade bry sig om kaoset därute. Han bara stod och svajade och utgick från att Orlov och Wilton mejade ner kvinnan och barnet, och han försökte glädja sig åt det och se det som en upprättelse. Men i själva verket var han fullt upptagen med att hålla sig på benen, och han sneglade bara slött på bordet framför sig.

Det låg en massa kritor och papper där, och han tittade på dem utan att helt förstå. Sedan var det som om en klo grep tag om hans hjärta. Han såg sig själv, eller rättare sagt – först såg han bara en ond människa, en demon med blekt ansikte som höjde sin hand för att döda. Inte förrän efter någon sekund begrep han att demonen var han själv, och då skakade han till, närmast skräckslagen.

Ändå kunde han inte släppa blicken från teckningen. Han sögs hypnotiskt till den, och upptäckte då att det inte bara stod någon sorts ekvation längst ner utan att det överst på papperet var skrivet något med slarvig, slängig stil.

Det stod:

Mailed to police 04.22!

KAPITEL 27
MORGONEN DEN 24 NOVEMBER

DÅ ARAM BARZANI från svenska insatsstyrkan steg in i Gabriella Granes hus klockan 04.52 på morgonen såg han en storvuxen, svartklädd man ligga på golvet strax intill det runda middagsbordet.

Aram närmade sig vaksamt. Huset tycktes övergivet. Men han ville inte ta några risker. För inte så länge sedan hade det rapporterats om intensiv skottlossning häruppe, och utanför på klipphällarna ropade hans kollegor upphetsat.

"Här!" skrek de. "Här!"

Aram förstod inte vad det gällde, och ett ögonblick tvekade han. Skulle han rusa ut till dem? Han beslöt att stanna härinne och se i vilket skick mannen på golvet befann sig. Det var glassplitter och blod omkring honom. På bordet hade någon rivit sönder ett papper och mosat några kritor. Mannen låg på rygg och gjorde korstecknet med en matt rörelse. Nu mumlade han något. En bön gissningsvis. Det lät som ryska, Aram uppfattade ordet "Olga", och han sa till mannen att sjukvårdspersonal var på väg.

"They were sisters", svarade mannen.

Men det uttalades så förvirrat att Aram inte fäste någon vikt vid det. I stället sökte han igenom hans kläder och konstaterade att mannen var obeväpnad, och sannolikt skjuten i magen.

Tröjan var våt av blod, och han såg oroväckande blek ut. Aram frågade vad som hänt. Han fick inget svar, inte först. Sedan väste mannen fram ännu en egendomlig mening på engelska.

"My soul was captured in a drawing", sa han och tycktes på väg att förlora medvetandet.

Aram stannade några minuter för att försäkra sig om att mannen inte skulle kunna orsaka några problem för dem. Men när han till slut hörde att ambulanspersonal var på väg lämnade han honom och gick ut på klipphällarna. Han ville få veta vad kollegorna ropat om. Snön föll ännu och det var halt och fruset. Längre ner i dalgången hördes röster och motor-ljudet från nya bilar som kom. Det var fortfarande mörkt och svårt att se, och det var mycket stenar och spretiga barrträd. Det var ett dramatiskt landskap, och berget sluttade brant ner. Det kunde inte ha varit någon lätt terräng att strida i, och Aram greps av onda aningar. Han tyckte att det blivit märkligt tyst, och han begrep inte vart hans kollegor tagit vägen.

Ändå stod de inte långt bort, precis intill branten, bakom en stor vildvuxen asp, och när han upptäckte dem ryckte han till. Det var inte likt honom. Men han blev rädd när han såg dem stirra ner i marken med allvarliga blickar. Vad var det som fanns där borta? Var den autistiska pojken död?

Han gick bara långsamt fram och tänkte på sina egna grab-bar; de var sex och nio vid det här laget, och tokiga i fotboll. De gjorde inget annat, talade inte om något annat. De hette Björn och Anders. Han och Dilvan hade gett dem svenska namn för att de trodde att det skulle hjälpa dem i livet. Vad var det för människor som ger sig ut hit för att döda ett barn? Han greps av ett plötsligt raseri, och ropade på sina kollegor. I nästa ögonblick drog han en suck av lättnad.

Det var ingen pojke utan två män som låg på marken, up-penbarligen också skjutna i magtrakten. En av dem – en kraf-tig brutal typ med kopparrig hy och trubbig boxarnäsa – för-sökte resa sig. Men han blev snabbt nedmotad igen. Det fanns

434

drag av förödmjukelse i hans ansikte. Hans högerhand darrade av smärta eller av vrede. Den andre mannen, som bar läderjacka och hade håret i hästsvans, tycktes värre däran. Han låg stilla och stirrade chockad uppåt mot den mörka himlen.

"Inga spår av barnet?" sa Aram.

"Ingenting", svarade hans kollega Klas Lind.

"Och av kvinnan?"

"Nej."

Aram var inte säker på om det var ett gott tecken, och han ställde ytterligare några frågor. Men ingen av kollegorna hade någon klar uppfattning om vad som hänt. Det enda säkra var att man påträffat två automatgevär av märket Barrett REC7 en trettio, fyrtio meter längre ner längs sluttningen. Vapnen antogs tillhöra männen. Men varför gevären hamnat där var oklart. Den koppärriga mannen hade bara spottat fram ett obegripligt svar på frågan.

Under påföljande femton minuter sökte Aram och hans kollegor igenom terrängen utan att finna något annat än nya tecken på strid. Under tiden anlände allt fler människor till platsen: sjukvårdare, kriminalinspektör Sonja Modig, ett par tre kriminaltekniker, en hel rad ordningspoliser samt journalisten Mikael Blomkvist och en amerikansk man med stubbat hår och grov kroppsbyggnad som genast väckte en obestämd respekt hos alla. Klockan 05.25 kom beskedet att det fanns ett vittne som väntade på att bli förhört nere vid stranden och parkeringsplatsen. Mannen ville bli kallad KG. Han hette egentligen Karl-Gustaf Matzon, och hade nyligen förvärvat en nybyggd fastighet på andra sidan vattnet. Enligt Klas Lind borde man ta honom med en nypa salt:

"Gubben drar rövarhistorier."

SONJA MODIG OCH Jerker Holmberg stod redan på parkeringsplatsen och försökte förstå vad som hänt. Ännu så länge var den samlade bilden emellertid alltför fragmentarisk, och de hoppades nu att vittnet KG Matzon skulle bringa klarhet i händelseförloppet.

Men när de såg honom komma emot dem längs strandkanten blev de alltmer osäkra på saken. KG Matzon bar inget mindre än en tyrolerhatt. Han hade grönrutiga byxor, en snirklig mustasch och en röd Canada Goose-jacka. Han såg ut som om han ville skämta.

"KG Matzon?" frågade Sonja Modig.

"I egen hög person", sa han och berättade opåkallat – kanske för att han förstod att han behövde bättra på sin trovärdighet – att han drev bokförlaget True Crimes som gav ut sanna berättelser om uppmärksammade brott.

"Utmärkt. Men den här gången vill vi ha ett sakligt vittnesmål – inte någon marknadsföring för en kommande bok", sa Sonja Modig för säkerhets skull, och det sa sig KG Matzon begripa förstås.

Han var ju en "seriös person". Han hade vaknat löjligt tidigt, sa han, och legat och lyssnat på "tystnaden och lugnet". Men strax före halv fem hörde han något som han omedelbart insåg var ett pistolskott, och då hade han hastigt klätt på sig, och gått ut på sin altan som hade utsikt mot stranden och berget och parkeringsplatsen där de nu stod.

"Och vad såg du?"

"Ingenting. Det var kusligt stilla. Sedan exploderade luften. Det lät som om kriget kommit."

"Du hörde skottlossning?"

"Det smattrade från berget på andra sidan viken, och jag stirrade helt perplex ditåt, och då… sa jag att jag är fågelskådare?"

"Det sa du inte."

"Men det har tränat upp min syn, förstår ni. Jag har rena falkögonen. Jag är van att fixera små detaljer på långt håll, och det var säkert därför jag lade märke till en liten prick på klippavsatsen däruppe, ser ni den? Avsatsen går liksom in i berget som en ficka."

Sonja tittade upp mot sluttningen och nickade.

"Först begrep jag mig inte på vad det var", fortsatte KG Matzon. "Men sedan insåg jag att det var ett barn, en pojke, tror jag. Han satt på huk där uppe och skakade, åtminstone föreställde jag mig det, och så plötsligt... herregud, jag kommer aldrig att glömma det."

"Vadå?"

"Kom någon rusande däruppifrån, en ung kvinna, och kastade sig rakt ut och landade på klippavsatsen så våldsamt att hon höll på att falla ner, och därefter satt de där tillsammans, hon och pojken, och bara väntade, väntade på det oundvikliga, och sedan..."

"Ja?"

"Dök det upp två män med automatgevär i handen som sköt och sköt, och ni kan ju fatta själva, jag bara kastade mig ner. Jag var rädd att bli träffad. Men jag kunde inte låta bli att kika upp ändå. Ni vet, från mitt håll var pojken och kvinnan hur synliga som helst. Men för männen däruppe var de gömda, åtminstone tillfälligt. Ändå insåg jag att det bara var en tidsfråga innan de blev upptäckta och jag förstod att de inte hade någonstans att ta vägen. I samma ögonblick som de lämnade klippavsatsen skulle männen se dem och döda dem. Det var en hopplös situation."

"Ändå har vi varken hittat pojken eller kvinnan där uppe", sa Sonja.

"Nej, det är just det! Männen kom allt närmare, och till slut måste deras andhämtning ha hörts till och med. Männen stod så nära att det hade räckt med att de lutade sig fram för att de skulle ha upptäckt kvinnan och barnet. Men då..."

"Ja?"

"Ni kommer inte att tro mig. Den där killen från insatsstyrkan trodde mig definitivt inte."

"Berätta i stället, så tittar vi på trovärdigheten sedan."

"När männen stannat för att lyssna, eller bara för att de anade att de var nära, just då reste sig kvinnan upp med ett ryck och sköt dem. Pang, pang! Sedan rusade hon fram och slängde deras vapen ner för berget. Det var en helt sanslös effektivitet, som i en actionfilm, och efter det sprang hon, eller rättare sagt, hon sprang, rullade, ramlade ner med pojken till en BMW som stod här på parkeringsplatsen. Precis innan de gick in i bilen såg jag att kvinnan hade något i handen, en väska, eller en dator."

"Försvann de i BMW:n?"

"I en fruktansvärd fart. Jag vet inte vart."

"Okej."

"Men det är inte slut än."

"Vad menar du?"

"Det stod en annan bil där, en Range Rover tror jag, en hög bil, svart, av ny modell."

"Vad hände med den?"

"Jag hade inte tänkt på den egentligen, och efteråt var jag ju fullt upptagen med att ringa larmcentralen. Men när jag precis skulle lägga på såg jag två personer komma ner från trätrappan där borta, en mager, lång man och en kvinna, och givetvis såg jag dem inte särskilt bra. De var för långt borta. Ändå kan jag säga två saker om den där kvinnan."

"Och vad är det?"

"Hon var en tolvtaggare, och hon var arg."

"Tolvtaggare i betydelsen vacker?"

"Eller i alla fall glassig, exklusiv. Det syntes på långt håll. Men hon var också rasande. Precis innan hon steg in i Range Rovern gav hon mannen en örfil, och det märkliga är: killen reagerade knappt. Han bara nickade som om han tyckte att han förtjänade det. Sedan stack de från platsen. Det var mannen som körde."

Sonja Modig antecknade och insåg att hon måste få ut ett rikslarm på både Range Rovern och BMW:n så fort som möjligt.

GABRIELLA GRANE DRACK en cappuccino hemma i köket på Villagatan, och tyckte att hon var rätt samlad ändå. Men förmodligen befann hon sig i chock.

Helena Kraft ville träffa henne klockan åtta på sitt arbetsrum på Säkerhetspolisen. Gabriella gissade att hon inte bara skulle få sparken. Det skulle bli rättsliga efterspel också, och därmed var väl hennes möjligheter att få andra jobb i stort sett försvunna. Hennes karriär var över vid trettiotre års ålder.

Ändå var det långt ifrån det värsta. Hon hade vetat att hon trotsat lagrum, och medvetet tagit en risk. Men hon hade gjort det för att hon trodde att det var bästa sättet att skydda Frans Balders son. Nu hade det varit våldsam skottlossning på hennes lantställe, och ingen verkade veta var pojken befann sig. Kanske var han svårt skadad eller död. Gabriella kände det som om hon skulle slitas sönder av skuldkänslor – först pappan och sedan sonen.

Hon reste sig upp och tittade på klockan. Den var kvart över sju, och hon borde komma iväg och hinna städa ur sitt skrivbord lite grann innan mötet med Helena. Hon beslöt att uppträda värdigt, och inte ursäkta sig eller vädja om att få stanna. Hon tänkte vara stark, eller åtminstone se stark ut. Hennes Blackphone ringde. Hon orkade inte svara. Hon satte på sig sina stövlar i stället och sin Pradarock och en extravagant röd halsduk. Hon kunde lika gärna gå under med lite stil, och därför ställde hon sig framför hallspegeln och bättrade på sin makeup. I en galghumoristisk gest gjorde hon V-tecknet, precis som Nixon gjort vid sin avgång. Då ringde hennes Blackphone igen och den här gången svarade hon motvilligt. Det var Alona Casales på NSA.

"Jag har hört", sa hon.

Givetvis hade hon det.

"Och hur mår du?" fortsatte hon.

"Hur tror du?"

"Du känner dig som världens sämsta människa."

"Ungefär så."

"Som aldrig kommer att få ett jobb igen."

"På pricken, Alona."

"Då kan jag meddela dig att du inte har något att skämmas för. Du handlade helt rätt."

"Driver du med mig?"

"Känns inte som rätt tillfälle att skämta, hjärtat. Ni hade en mullvad mitt ibland er."

Gabriella tog ett djupt andetag.

"Vem är det?"

"Mårten Nielsen."

Gabriella frös till.

"Har ni bevis på det?"

"O ja, jag skickar över alltihop till dig om några minuter."

"Varför skulle Mårten förråda oss?"

"Jag gissar att han inte såg det som förräderi."

"Vad såg han det som då?"

"Som samarbete med Storebror kanske, en plikt mot de fria ländernas ledande nation, vad vet jag."

"Så han gav er information."

"Han såg snarare till att vi kunde förse oss själva. Han gav oss uppgifter om er server och er kryptering, och normalt hade det inte varit värre än all annan skit vi håller på med. Vi avlyssnar ju allt från grannens skvaller till premiärministrarnas telefonsamtal."

"Men nu läckte det vidare."

"Nu sipprade det ut som om vi vore en tratt – och jag vet, Gabriella, att du inte precis handlade enligt regelboken. Men moraliskt gjorde du rätt, det är jag helt övertygad om, och det ska jag se till att dina överordnade får veta. Du förstod att något var ruttet i er organisation, så du kunde inte agera inom den, och ändå ville du inte fly undan ditt ansvar."

"Och ändå gick det fel."

"Ibland går det fel hur noggrann man än är."

"Tack Alona, det var snällt sagt. Men om något har hänt August Balder kommer jag aldrig att förlåta mig själv i alla fall."

"Gabriella, pojken är okej. Han är ute och åker bil på hemlig ort med unga fröken Salander om någon händelsevis skulle fortsätta att jaga dem."

Det var som om Gabriella inte förstod.

"Vad menar du?"

"Att han är oskadd, hjärtat, och tack vare honom är hans fars mördare gripen och identifierad."

"Så du menar att August Balder lever?"

"Det menar jag."

"Hur vet du det?"

"Jag har en källa väldigt strategiskt placerad, kan man säga."

"Alona..."

"Ja?"

"Om det är sant det du säger har du gett mig livet tillbaka."

Efter att ha avslutat samtalet ringde Gabriella Grane Helena Kraft, och insisterade på att Mårten Nielsen skulle vara med på mötet. Helena Kraft gick motvilligt med på det.

KLOCKAN VAR HALV åtta på morgonen då Ed Needham och Mikael Blomkvist tog trappan ner från Gabriella Granes hus till Audin på parkeringsplatsen vid stranden. Det låg snö över landskapet, och ingen av dem sa ett ord. Klockan halv sex hade Mikael fått ett sms från Lisbeth, lika korthugget som vanligt.

August oskadd. Håller oss undan ett tag till.

Lisbeth skrev återigen inget om sitt eget hälsotillstånd. Men det var ändå oerhört lugnande att höra om pojken. Efteråt satt Mikael i ett långt förhör med Sonja Modig och Jerker Holmberg, och berättade precis hur han och tidningen agerat under de senaste dagarna. Han möttes inte av någon överdriven välvilja. Ändå upplevde han att de i någon mån förstod honom. Nu en timme senare gick han längs båtbryggan och sluttningen. Längre bort försvann ett rådjur in i skogen. Mikael satte sig i förarsätet på Audin, och väntade in Ed som kom släntrande några meter bakom. Uppenbarligen hade amerikanen ont i ryggen.

På väg ut mot Brunn hamnade de oväntat i en bilkö. Under några minuter stod de helt stilla, och Mikael tänkte på Andrei. Han hade aldrig slutat tänka på Andrei. Ännu hade de inte fått ett enda livstecken från honom.

"Kan du sätta på någon skränig radiostation", sa Ed.

Mikael rattade in frekvensen 107.1, och hörde strax därpå James Brown vråla ut vilken sexmaskin han var.

"Får jag dina telefoner", fortsatte Ed.

Ed fick dem och lade dem precis vid högtalarna där bak. Uppenbarligen tänkte han berätta något känsligt, och Mikael hade givetvis ingenting emot det. Han skulle skriva sin story, och han behövde alla faktauppgifter han kunde få. Men han visste också bättre än de flesta att en undersökande journalist alltid riskerar att bli redskap för partsintressen.

Ingen läcker något utan att ha en egen agenda. Ibland är motivet något så ädelt som en känsla för rättvisa, en vilja att visa upp korruption eller övergrepp. Men för det mesta handlar det om maktspel – om att sänka motståndare och gynna den egna positionen. Därför får en reporter aldrig glömma frågan: Varför får jag höra det här?

Det är sant att det kan vara okej att bli en bricka i spelet, åtminstone i någon mån. Varje avslöjande försvagar oundvikligen någon och förstärker därmed andras inflytande. Varje makthavare som faller ersätts snabbt av en annan som inte nödvändigtvis är bättre. Men om journalisten ska vara en del av det måste han eller hon förstå förutsättningarna, och veta att det inte bara är en enskild aktör som går segrande ur striden.

Det fria ordet och demokratin måste också göra det. Även om uppgifterna läcks i ren illvilja – av girighet eller maktlystnad – kan det ändå leda till något gott: att oegentligheter dras fram i ljuset och rättas till. Journalisten måste bara förstå mekanismerna bakom och i varje rad, i varje fråga, i varje kontroll av fakta slåss för sin egen integritet, och även om Mikael kände en viss samhörighet med Ed Needham och till och med gillade hans buttra charm, litade han inte på honom en sekund.

"Låt höra", sa han.

"Man kan säga så här", började Ed. "Det finns en sorts kunskap som lättare än andra leder till handling."

"Den som ger pengar?"

"Precis. I näringslivet vet vi att insiderinformation i stort sett alltid utnyttjas. Även om få åker fast stiger kurserna alltid före ett offentliggörande av positiva företagsnyheter. Någon passar alltid på och köper."

"Sant."

"I underrättelsevärlden var vi länge hyggligt förskonade från det av det enkla skälet att de hemligheter vi förvaltade var av en annan natur. Sprängstoffet låg på ett annat plan. Men sedan kalla krigets slut har mycket av det förändrats. Företagsspionaget har flyttat fram sina positioner. Spionage och övervakning av människor och företag har överhuvudtaget flyttat fram sina positioner, och i dag sitter vi oundvikligen på stora mängder stoff som det går att bli rik på, ibland snabbt."

"Och det utnyttjas, menar du."

"Själva grundtanken är att det ska utnyttjas. Vi ägnar oss åt företagsspionage för att hjälpa den egna industrin – ge våra stora koncerner fördelar, informera om konkurrenternas styrkor och svagheter. Företagsspionaget är en del av det patriotiska uppdraget. Men precis som all underrättelseverksamhet lever det i en gråzon. När övergår hjälpen till något rent brottsligt?"

"Ja, när?"

"Det är just det, och här har det utan tvivel skett en normalisering. Det som för några decennier sedan sågs som brottsligt eller omoraliskt är i dag comme il faut. Med hjälp av advokater legitimeras stölder och övergrepp, och på NSA har vi inte varit mycket bättre får jag nog säga, utan kanske till och med…"

"Sämre."

"Lugn, lugn, låt mig tala klart", fortsatte Ed. "Jag skulle nog säga att vi har en viss moral, trots allt. Men vi är en stor organisation med tiotusentals anställda, och oundvikligen har vi rötägg, till och med några högt uppsatta rötägg som jag faktiskt tänkte ge dig."

"Av ren välvilja då förstås", sa Mikael med mild sarkasm.

"Ha, ja, kanske inte riktigt. Men lyssna nu. När några högt uppsatta personer hos oss på alla sätt överträder gränsen för det brottsliga, vad tror du händer?"

"Inga trevliga saker."

"De blir allvarliga konkurrenter till den organiserade brottsligheten."

"Staten och maffian har alltid tävlat på samma arena", försökte Mikael.

"Visst, visst, båda skipar sin egen sorts rättvisa, säljer droger, ger människor beskydd, och till och med dödar som hos oss. Men det verkliga problemet är när de börjar göra gemensam sak på något område."

"Och det har hänt här?"

"Ja, tyvärr. På Solifon finns som du vet en kvalificerad avdelning, ledd av Zigmund Eckerwald, som ägnar sig åt att ta reda på vad högteknologiska konkurrenter har på gång."

"Inte bara det."

"Nej, de stjäl också och säljer det de stjäl, och det är förstås väldigt illa för Solifon, och kanske till och med för hela Nasdaq-börsen."

"Men även för er."

"Precis, för det har visat sig att våra skumma killar – det är först och främst två höga chefer på industrispionaget, Joacim Barclay och Brian Abbot heter de för övrigt. Jag ska ge dig alla detaljer efteråt. De här grabbarna och deras underhuggare tar hjälp av Eckerwald och hans gäng, och hjälper i sin tur dem med storskalig avlyssning. Solifon pekar ut var de stora innovationerna finns, och våra förbannade idioter tar fram ritningarna och de tekniska detaljerna."

"Och pengarna som inkasseras hamnar inte alltid i statskassan."

"Det är värre än så, kompis. Håller du på så här som statsanställd gör du dig väldigt sårbar, särskilt som Eckerwald och hans gäng också hjälper grovt kriminella, eller rättare sagt, till en början visste de nog inte att de var grovt kriminella."

"Men det var de?"

"O ja, och de var inga idioter heller. De hade hackers på en nivå som jag skulle drömma om att rekrytera, och själva deras profession var att utnyttja information, så du kanske kan förstå vad som hände: när de insåg vad våra killar på NSA sysslade med satt de i ett guldläge."

"I en utpressningssituation."

"Snacka om övertag, och det utnyttjar de förstås till max. Våra grabbar har ju inte bara stulit från stora koncerner. De har också plundrat små familjeföretag och ensamma innovatörer som kämpar för att överleva. Skulle inte se snyggt ut alls om det kom ut, och därför uppstår den ytterst beklagliga situationen att våra killar ser sig tvungna att hjälpa inte bara Eckerwald och hans gäng utan också de kriminella."

"Du menar Spiders?"

"Precis, och kanske är alla parter trots allt glada en tid. Det är big business, och alla blir rika som troll. Men så dyker ett litet geni upp i handlingen, en viss professor Balder, och han snokar runt lika skickligt som han företar sig allt annat, och därför får han kännedom om verksamheten, eller åtminstone en del av den, och då blir alla livrädda förstås och inser att något måste göras. Här har jag inte helt koll på beslutsgången. Men jag gissar att våra killar hoppas att det ska räcka med juridik, med advokaternas muller och hot. Men det har de inget för, inte när de sitter i samma båt som banditer. Spidersfolket föredrar våld, och i ett sent skede drar de in våra killar i planerna för att binda dem ännu tajtare till sig."

"Jösses!"

"Exakt, men det är bara en liten varböld i vår organisation. Vi har tittat på den övriga verksamheten, och den…"

"Är säkert ett under av hög moral", sa Mikael skarpt. "Men det skiter jag i. Här snackar vi om människor som inte drar sig för någonting."

"Våldet har sin egen logik. Man måste fullfölja det som påbörjats. Men vet du vad det lustiga i sammanhanget är?"

"Jag ser ingenting lustigt."

"Det paradoxala då; det är att jag inte skulle ha känt till det här om vi inte haft ett hackerintrång på vårt intranät."

"Ännu ett skäl att lämna hackern i fred."

"Det ska jag också, bara hon berättar hur hon gjort."

"Varför är det så viktigt?"

"Ingen jävel ska göra intrång i mitt system igen. Jag vill veta precis hur hon gjorde, och kunna vidta åtgärder. Sedan ska jag lämna henne i fred."

"Vet inte hur mycket dina löften är värda. Men det är en annan sak jag undrar", fortsatte Mikael.

"Shoot!"

"Du nämnde två killar, Barclay och Abbot, var det inte så? Är du så säker på att det stannar vid dem? Vem är chef för industrispionaget? Det måste vara en av era höjdare, eller hur?"

"Jag kan inte berätta hans namn dessvärre. Det är hemligstämplat."

"Då får jag acceptera det."

"Det får du göra", sa Ed orubbligt, och i den stunden märkte Mikael att trafiken släppte.

KAPITEL 28
EFTERMIDDAGEN DEN 24 NOVEMBER

PROFESSOR CHARLES EDELMAN stod på Karolinska Institutets parkeringsplats och undrade vad i helsicke han gått med på. Han fattade det knappt, och ingen kunde påstå att han hade tid med det heller. Men nu hade han sagt ja till ett arrangemang som skulle tvinga honom att avboka en hel rad möten, föreläsningar och konferenser.

Ändå kände han sig egendomligt upprymd. Han hade blivit förhäxad inte bara av pojken utan också av den unga kvinnan som sett ut som om hon kom direkt från ett slagsmål i en gränd, men som körde en ny BMW och talade med en iskall auktoritet. Utan att han knappt var medveten om det hade han svarat "ja, okej, varför inte?" på hennes frågor, trots att det uppenbart var både oklokt och förhastat, och det enda uns av självständighet han visat var när han avfärdade alla erbjudanden om ersättning.

Han skulle även betala sin resa och sitt hotellrum själv, sa han. Förmodligen kände han skuld. Helt säkert fylldes han av en välvilja mot pojken, och ännu säkrare väcktes han vetenskapliga nyfikenhet. En savant som både tecknade med fotografisk skärpa och primtalsfaktoriserade, det fascinerade honom djupt, och till sin egen förvåning beslöt han till och med att strunta i Nobelmiddagen. Den unga kvinnan hade satt hans förnuft ur spel.

HANNA BALDER SATT i köket på Torsgatan och rökte. Det kändes som om hon inte gjort mycket annat än suttit där och bolmat med en klump i magen, och visserligen hade hon fått ovanligt mycket stöd och hjälp. Men det spelade mindre roll när hon också fått ovanligt mycket stryk. Lasse Westman klarade inte av hennes oro. Troligen stal det utrymme från hans eget martyrskap.

Han brusade ständigt upp och skrek: "Kan du inte ens hålla reda på din unge?" och ofta vevade han med sina labbar eller slängde iväg henne över lägenheten som en trasdocka. Han skulle säkert bli tokig nu också. I en oförsiktig rörelse hade hon spillt kaffe över DN:s kulturdel där Lasse just ondgjort sig över en teaterrecension som han ansåg för välvillig mot några kollegor han inte tyckte om.

"Vad fan har du gjort?" fräste han.

"Förlåt", sa hon snabbt. "Jag torkar upp det."

Hon såg på hans mungipor att det inte skulle räcka. Hon förstod att han skulle slå innan han ens visste det själv, och därför var hon så väl förberedd på hans örfil att hon inte sa ett ord eller ens rörde på huvudet. Hon bara kände hur ögonen tårades och hjärtat bultade. Men det handlade egentligen inte om slaget. Örfilen var bara en utlösande faktor. I morse hade hon fått ett samtal som var så förvirrande att hon knappt förstått det: August hade hittats och försvunnit igen och "troligen" var han oskadd, "troligen". Hanna förstod inte ens om hon skulle bli mindre eller mer orolig av beskedet.

Hon hade knappt orkat lyssna, och nu hade timmarna gått, och inget hade hänt och ingen verkade veta något mer, och plötsligt reste hon sig upp utan att bry sig om ifall hon skulle få mer stryk eller inte. Hon gick ut i vardagsrummet och hörde Lasse flåsa bakom henne. På golvet låg ännu Augusts ritpapper, och utanför tjöt någon ambulans. Det hördes steg i trapphuset. Var någon på väg hit? Det ringde på dörren.

"Öppna inte. Det är bara någon jävla journalist", fräste Lasse.

Hanna ville inte öppna heller. Hon kände sig obehaglig till mods inför alla former av möten. Ändå kunde hon inte ignorera det, eller hur? Kanske ville polisen förhöra henne ännu en gång, eller kanske, kanske visste de mer nu, något bra eller dåligt. Hon gick mot dörren och mindes i den stunden Frans.

Hon mindes när han stått därute och velat hämta August. Hon erinrade sig hans ögon och frånvaron av skägget, och hennes egen längtan bort till det gamla livet före Lasse Westman när telefonerna ringde, när erbjudandena flöt in och rädslan ännu inte slagit sina klor i henne. Därefter sköt hon upp dörren med säkerhetskedjan på, och först såg hon ingenting; bara hissen därute, och de rödbruna väggarna. Sedan gick det som en stöt genom henne, och ett ögonblick ville hon knappt tro det. Men det var verkligen August! Håret var en enda tovig röra och kläderna var smutsiga, och på fötterna hade han ett par alldeles för stora gymnastikskor, och ändå: han såg på henne med samma allvarliga, outgrundliga uppsyn som vanligt, och då slet hon av säkerhetskedjan och öppnade, och hon hade väl inte precis förväntat sig att August skulle dyka upp ensam. Ändå ryckte hon till. Intill August stod en ung tuff kvinna i läderjacka, med skrapsår i ansiktet och jord i håret, och blängde ner i golvet. I handen höll hon en stor resväska.

"Jag är här för att lämna tillbaks din son", sa hon utan att titta upp.

"Herregud", sa Hanna. "Herregud!"

Hon fick inte ur sig något annat, och ett par sekunder stod hon helt valhänt i dörröppningen. Sedan började axlarna skaka. Hon sjönk ner på knä och struntade helt i att August hatade kramar. Hon slog armarna om honom, och mumlade "min pojke, min pojke" tills tårarna kom, och det egendomliga var: August lät henne inte bara hålla på. Han tycktes på väg att säga något också – som om han lärt sig tala till råga på allt. Men han hann inte med det. Lasse Westman dök upp i dörröppningen.

"Va fan… här är han ju?" fräste han, och såg ut som om han ville fortsätta att slåss.

Men så gaskade han upp sig. Det var en lysande skådespelarinsats på sätt och vis. På en sekund började han skina med den där grandiosa hållningen som brukade göra ett sådant intryck på kvinnor.

"Och så får vi grabben levererad till dörren dessutom", fortsatte han. "Flott värre! Mår han bra?"

"Han är okej", sa kvinnan i dörröppningen med en egendomligt entonig röst, och utan att fråga steg hon in i lägenheten med sin stora resväska och sina leriga svarta stövlar.

"Visst, kom in", sa Lasse syrligt. "Klampa på bara."

"Jag är här för att hjälpa dig att packa, Lasse", sa kvinnan med samma iskalla röst.

Men den repliken var så underlig att Hanna var övertygad om att hon hört fel, och det märktes att Lasse inte heller förstod. Han bara gapade med enfaldig min.

"Vad säger du?" sa han.

"Du ska flytta."

"Försöker du vara lustig?"

"Inte alls. Du ska ut ur huset nu på en gång, och aldrig någonsin komma i närheten av August igen. Du har sett honom för sista gången."

"Så du är verkligen helt rubbad!"

"Jag är tvärtom ovanligt generös. Jag hade tankar på att bara slänga ner dig för trappan härute, och göra dig väldigt illa. Men nu har jag med mig en resväska. Tänkte att du skulle få packa lite skjortor och kalsonger."

"Vad är du för missfoster?" fräste Lasse på en gång förbryllad och rasande, och gick emot kvinnan med hela sin hotfulla uppenbarelse, och en sekund eller två undrade Hanna om han skulle lappa till henne också.

Men något fick honom ett tveka. Kanske var det kvinnans ögon eller möjligtvis det enkla faktum att hon inte reagerade som andra. I stället för att backa och se skrämd ut log hon bara kyligt, och plockade fram några skrynkliga papper ur innerfickan och räckte dem till Lasse.

"Om du och din kompis Roger skulle börja sakna August kan ni alltid titta på det här och minnas", sa hon.

Lasse blev uppenbart ställd av gesten. Han bläddrade förvirrat i papperen. Därefter grimaserade han illa, och då kunde Hanna inte låta bli att kika hon också. Det var teckningar, och den översta föreställde… Lasse, Lasse som vevade med sina nävar och såg sinnessjukt elak ut, och efteråt skulle hon knappt kunna förklara det. Det var inte bara det att hon förstod vad som hänt då August varit ensam hemma med Lasse och Roger. Hon såg också sitt eget liv. Hon såg det klarare och nyktrare än på många år.

Precis så, med samma förvridna rasande ansikte, hade Lasse Westman sett på henne hundratals gånger, senast för någon minut sedan, och hon insåg att det var något som ingen skulle behöva stå ut med, vare sig hon eller August, och hon ryggade tillbaka. Hon trodde åtminstone att hon ryggade tillbaka, för kvinnan tittade på henne med en ny uppmärksamhet, och då sneglade Hanna tillbaka, och det vore säkert överdrivet att tala om någon närmare kontakt. Men på ett plan måste de ha förstått varandra. Kvinnan frågade:

"Eller hur, Hanna, visst ska han ut?"

Det var en livsfarlig fråga, och Hanna såg ner på Augusts stora gymnastikskor.

"Vad är det för skor han har?"

"Mina."

"Varför det?"

"Vi kom iväg hastigt i morse."

"Och vad har ni gjort?"

"Gömt oss."

"Jag begriper inte…", började hon, men hann inte längre.
Lasse slet tag i henne med ett våldsamt ryck.

"Ska du inte förklara för den här psykopaten att den enda
som ska ut är hon!" röt han.

"Jo, ja", sa Hanna.

"Gör det då!"

Men sedan… Hon kunde inte förklara det helt. Det kunde
ha med Lasses uttryck att göra, eller så var det känslan av nå-
got orubbligt i den unga kvinnans kropp och iskalla ögon.
Plötsligt hörde Hanna sig själv säga:

"Du ska ut, Lasse! Och aldrig mer komma tillbaka!"

Hon trodde knappt det var sant. Det var som om någon an-
nan talade i henne, och efter det gick det snabbt. Lasse höjde
sin hand för att slå. Men det kom inget slag, inte från honom.
Den unga kvinnan reagerade blixtsnabbt, och slog honom i
ansiktet två, tre gånger som en tränad boxare och fällde ho-
nom sedan med en spark mot benen.

"Vad i helvete!" fick han ur sig, inget mer.

Han törnade i golvet, och den unga kvinnan ställde sig över
honom, och efteråt skulle Hanna gång på gång erinra sig vad
Lisbeth Salander sa i den stunden. Det var som om hon fick
tillbaka något av sig själv med de orden, och hon förstod hur
intensivt och länge hon önskat Lasse Westman långt bort från
sitt liv.

BUBLANSKI LÄNGTADE EFTER rabbi Goldman.

Han längtade efter Sonja Modigs apelsinchoklad, efter sin
nya Duxsäng och efter en annan årstid. Men nu var han satt
att få ordning på den här utredningen och det var det han
skulle göra. Det var sant att han på ett plan var nöjd. August
Balder uppgavs vara oskadd och på väg hem till sin mor.

Hans fars mördare var gripen, tack vare pojken just och Lisbeth Salander, även om det nu inte var säkert att mördaren skulle överleva. Han var svårt skadad och vårdades på intensiven på Danderyds sjukhus. Han hette Boris Lebedev, men hade sedan länge levt med identiteten Jan Holtser och varit bosatt i Helsingfors. Han var major och gammal elitsoldat från sovjetiska armén, och hade tidigare förekommit i flera mordutredningar men utan att kunna fällas. Han var officiellt egen företagare i säkerhetsbranschen, och var både finsk och rysk medborgare; sannolikt hade någon varit inne och redigerat i hans dataregister.

Även de två andra personerna som påträffats vid stugan på Ingarö var identifierade via fingeravtryck; det var Dennis Wilton, en gammal gangster från Svavelsjö MC som suttit inne både för grovt rån och grov misshandel, och så Vladimir Orlov, en ryss dömd i Tyskland för grovt koppleri och vars två hustrur hade dött under olyckliga och misstänkta omständigheter. Ingen av männen hade ännu sagt ett ord om vad som hänt, eller överhuvudtaget ett ord om något, och Bublanski hade inga överdrivna förhoppningar om att de skulle göra det senare heller. Sådana killar brukar inte vara så pratglada i polisförhör. Men det hörde å andra sidan till spelets regler.

Det Bublanski verkligen inte gillade var känslan av att männen bara var fotsoldater och att det fanns ett kommando över dem, och uppenbarligen också kopplingar till samhällets toppskikt, både i Ryssland och USA. Bublanski hade inga problem med att en journalist visste mer om hans utredning än han själv. På det viset var han prestigelös. Han ville bara komma vidare, och tog tacksamt emot information från vem den än kom. Men Mikael Blomkvists djupa insikter i fallet påminde ändå Bublanski om deras egna tillkortakommanden, om läckan i utredningen och om faran de utsatt pojken för. Han skulle aldrig sluta att vara rasande för det, och kanske blev han också därför så störd av att Säpochefen Helena Kraft så ivrigt ville få tag på honom, och inte bara Helena Kraft för all del. Rikskri-minalens IT-killar ville det också, och chefsåklagare Richard Ekström, och en Stanfordprofessor vid namn Steven Warbur-ton från Machine Intelligence Research Institute, MIRI kallat, som enligt Amanda Flod ville tala om "en betydande fara".

Bublanski var störd över det och över tusen andra saker. Dessutom knackade det på hans dörr. Det var Sonja Modig, som såg trött ut och var helt osminkad. Det fanns något nytt och naket över hennes ansikte.

"Alla våra tre anhållna opereras", sa hon. "Det kommer att dröja ett tag innan vi kan förhöra dem igen."

"Försöka förhöra dem menar du."

"Jo, kanske. Men jag hann faktiskt få ett kort snack med Le-bedev. Han var vid medvetande en stund före operation."

"Och vad sa han?"

"Att han ville tala med en präst."

"Varför är alla galningar och mördare religiösa nu för ti-den?"

"Medan alla förnuftiga gamla kommissarier tvivlar på sin Gud, menar du."

"Nåja!"

"Men Lebedev verkade också uppgiven, och det bådar gott, tycker jag", fortsatte Sonja. "När jag visade honom teckningen viftade han bara sorgset bort den."

"Så han försökte inte påstå att den var ett påhitt?"

"Han bara slöt ögonen, och började prata om sin präst."

"Har du fattat vad den här amerikanska professorn vill som ringer hela tiden?"

"Va... nej... han insisterar på att få tala med dig. Jag tror det handlar om Balders forskning."

"Och den unga journalisten, Zander?"

"Det var om honom jag ville prata. Känns illavarslande."

"Vad vet vi?"

"Att han jobbade sent och försvann ner förbi Katarinahissen sent på kvällen med en vacker kvinna i rödblont eller mörkblont hår och dyra, exklusiva kläder."

"Det har jag inte hört. "

"Det var en kille som såg dem, en bagare från Skansen som heter Ken Eklund och bor i samma hus som *Millenniums* redaktion. Han tyckte att de såg förälskade ut, eller åtminstone att Zander gjorde det."

"Så du menar att det kan ha varit någon form av honungsfälla?"

"Det är tänkbart."

"Och den här kvinnan, är det möjligen samma person som sågs ute på Ingarö?"

"Vi håller på att titta på det. Men det oroar mig att de verkade vara på väg mot Gamla stan."

"Förstår det."

"Men inte bara för att vi uppsnappade Zanders mobilsignaler i Gamla stan. Orlov, det där kräket som bara spottar på mig när jag försöker förhöra honom, har en lägenhet på Mårten Trotzigs gränd."

"Har vi varit där?"

"Inte än, vi är på väg. Vi fick precis reda på det. Lägenheten var skriven på ett av hans företag."

"Då får vi hoppas att vi inte möts av något otrevligt där."

"Det får vi."

LASSE WESTMAN LÅG på golvet i farstun på Torsgatan utan att fatta varför han blivit så rädd. Det var ju bara en brud, en piercad punkbrud som knappt räckte honom till bröstet. Han borde kunna slänga ut henne som en liten råtta. Ändå var han som förlamad och han trodde egentligen inte att det hade med tjejens sätt att slåss att göra, eller än mindre med hennes fot på hans mage. Det var något annat, något mer ogripbart i hennes blick eller i hela hennes uppenbarelse. Under några minuter låg han bara stilla som en idiot, och lyssnade:

"Jag har just blivit påmind om", sa hon, "att det finns något fruktansvärt fel i min familj. Vi tyckts kapabla till vad som helst. Till de mest ofattbara grymheter. Kanske är det någon form av genetisk störning. Personligen har jag den här grejen mot män som gör barn och kvinnor illa, jag blir totalt livsfarlig, och när jag såg Augusts teckningar på dig och Roger, då ville jag göra er riktigt illa. Jag skulle kunna prata länge om det. Men nu tycker jag att August fått vara med om nog, och därför finns det en liten möjlighet att du och din vän kommer något lindrigare undan."

"Jag är…", började Lasse.

"Tyst", fortsatte hon. "Det här är ingen förhandling, inget samtal heller. Jag drar villkoren bara, det är allt. Juridiskt är det inga problem. Frans var klok nog att skriva lägenheten på August. Men i övrigt gäller följande: du packar dina grejer på exakt fyra minuter, och sticker härifrån. Om du eller Roger återvänder hit eller på något sätt tar kontakt med August kommer jag att plåga er så svårt att ni blir oförmögna att göra något trevligt under resten av era liv. Under tiden förbereder jag en polisanmälan för den misshandel ni utsatt August för, och här har vi ju inte bara teckningarna som du vet. Det finns också vittnesmål från psykologer och sakkunniga. Jag tar även en första kontakt med kvällstidningarna, och berättar att jag har material som bekräftar och fördjupar den bild av dig som kom fram i samband med misshandeln av Renata Kapusinski. Vad var det nu du gjorde, Lasse? Bet du inte sönder hennes kind och sparkade henne i huvudet?"

"Så du kommer att gå till pressen."

"Jag kommer att gå till pressen. Jag kommer att åsamka dig och din vän all tänkbar skada. Men kanske – jag säger kanske – klarar ni er från den värsta förnedringen om ni aldrig ses i närheten av Hanna och August igen, och aldrig mer gör en kvinna illa. Egentligen skiter jag i er. Jag vill bara att August och alla vi andra ska få slippa se er igen. Därför ska du bort, och är du skötsam som en blyg liten rädd munk så kanske det räcker. Jag tvivlar på det, det är hög återfallsfrekvens på kvinnomisshandel, det vet du, och du är i grunden en skitstövel, ett äckel, men med lite tur – så kanske... Har du förstått?"

"Jag har förstått", sa han och hatade sig själv för det.

Men han såg ingen annan möjlighet än att hålla med och lyda, och därför reste han sig upp och gick in i sovrummet och packade hastigt ner lite kläder. Därefter tog han sin rock och sin telefon och gick ut genom dörren. Han hade ingen aning om vart han skulle ta vägen.

Han kände sig ynkligare än i hela sitt tidigare liv, och ute föll ett snöblandat obehagligt regn som slog emot honom från sidan.

LISBETH HÖRDE YTTERDÖRREN slå igen och stegen försvinna nerför stentrappan. Hon såg på August. August stod stilla med armarna raka intill kroppen, och tittade på henne med intensiv blick, och det gjorde henne besvärad. Om hon nyss hade haft kontroll blev hon plötsligt osäker, och vad i hela världen var det med Hanna Balder?

Hanna tycktes på väg att brista i gråt, och August... han började till råga på allt att skaka på huvudet och muttra ohörbart, och det var inga primtalssiffror den här gången utan något helt annat. Lisbeth ville inget hellre än att dra därifrån. Men hon blev kvar. Hennes uppdrag var inte slutfört än, och hon tog därför upp två flygbiljetter ur fickan, och en hotellvoucher och en tjock bunt sedlar, både i kronor och euro.

"Jag vill bara från djupet av mitt hjärta...", började Hanna.

"Tyst", avbröt Lisbeth. "Här är flygbiljetter till München. Ni lyfter kvart över sju i kväll så det är bråttom. En transport tar er direkt till Schloss Elmau. Det är ett flott hotell inte långt från Garmisch-Partenkirchen. Ni kommer att bo i ett stort rum högst upp, under namnet Müller, och ni blir borta i tre månader till att börja med. Jag har varit i kontakt med professor Charles Edelman och förklarat för honom vikten av absolut sekretess. Han kommer att besöka er regelbundet och se till att August får vård och hjälp. Edelman ordnar också en lämplig och kvalificerad skolundervisning."

"Skojar du?"

"Tyst, sa jag. Det här är blodigt allvar. Polisen har visserligen Augusts teckning nu och mördaren är gripen. Men hans uppdragsgivare är fria, och det är omöjligt att förutse vad de planerar. Ni måste lämna lägenheten ögonblickligen. Själv har jag annat att göra. Men jag har ordnat en chaufför som kör er till Arlanda. Han ser lite mysko ut kanske. Men han är okej. Ni kan kalla honom Plague. Har ni förstått?"

"Jo, men…"

"Inga men överhuvudtaget. Lyssna i stället: under hela er vistelse där får ni inte använda kreditkort eller ringa på din telefon, Hanna. Jag har ordnat en krypterad mobil till dig, en Blackphone, om ni skulle behöva slå larm. Mitt nummer är inprogrammerat där redan. Alla kostnader på hotellet står på mig. Ni kommer att få hundratusen kronor i kontanter för oförutsedda utgifter. Några frågor på det?"

"Det låter vansinnigt."

"Nej."

"Men hur har du råd?"

"Jag har råd."

"Hur ska vi…"

Hanna kom inte längre. Hon såg helt förvirrad ut och tycktes inte veta vad hon skulle tro. Men så plötsligt började hon gråta.

"Har ska vi kunna tacka?" fick hon fram.

"Tacka?"

Lisbeth upprepade ordet som om det var något helt obegripligt, och när Hanna kom emot henne med utsträckta armar retirerade hon bakåt, och sa med blicken riktad ner mot hallgolvet:

"Skärp dig! Du ska skärpa dig och sluta med vad fan du nu håller på med, tabletter eller vad det är. Du kan tacka mig på det viset."

"Visst, absolut…"

"Och om någon får för sig att August ska in på ett hem eller en institution, då ska du slå tillbaka hårt och skoningslöst. Du ska sikta på deras svagaste punkt. Du ska bli som en krigare."

"Som en krigare?"

"Precis. Ingen ska få…"

Lisbeth avbröt sig och tänkte att det inte direkt var några lysande avskedsord. Men de fick duga, och därför vände hon sig om och gick mot ytterdörren. Hon kom inte många steg. August började muttra igen, och nu hördes det vad pojken sa.

"Inte gå, inte gå…", mumlade han.

Lisbeth hade inget bra svar på det heller. Hon sa bara kort: "Du klarar dig", och därefter lade hon till som om hon pratade för sig själv: "Tack för skriket i morse", och då blev det tyst ett ögonblick, och Lisbeth funderade på om hon borde säga något ytterligare. Men hon struntade i det och vände sig om och slank ut genom dörren. Bakom henne ropade Hanna:

"Jag kan inte beskriva vad det här betyder för mig!"

Men Lisbeth hörde inte ett ord av det. Hon var redan på språng nerför trappan på väg till sin bil på Torsgatan. När hon kom ut på Västerbron ringde Mikael Blomkvist på hennes Redphoneapp, och berättade att NSA kommit henne på spåren.

"Hälsa dem att jag kommit dem på spåren också", muttrade hon tillbaka.

Sedan åkte hon hem till Roger Winter, och skrämde honom från vettet. Efteråt körde hon hem och satte sig med den krypterade NSA-filen utan att komma ett enda steg närmare en lösning.

ED OCH MIKAEL hade arbetat hårt hela dagen på hotellrummet på Grand. Ed hade en fantastisk historia åt honom, och Mikael kunde skriva det scoop som han, Erika och *Millennium* så väl behövde, och det var gott och väl. Ändå försvann inte hans obehag och det berodde inte bara på att Andrei var försvunnen. Det var något med Ed som inte gick ihop. Varför hade han överhuvudtaget dykt upp, och varför lade han ner så mycket energi på att hjälpa en liten svensk tidning, långt borta från alla maktcentra i USA?

Det var sant att upplägget gick att betrakta som ett utbyte av tjänster. Mikael hade lovat att inte avslöja hackerintrånget, och åtminstone gett ett halvt löfte om att han skulle försöka få Lisbeth att tala med Ed. Men det räckte knappast som förklaring, och Mikael ägnade därför lika mycket tid åt att lyssna på Ed som att läsa mellan raderna.

Ed betedde sig som om han tog avsevärda risker. Gardinerna var fördragna, och telefonerna låg på betryggande avstånd. Det fanns en känsla av paranoia i rummet. På hotellsängen låg hemliga dokument som Mikael fick läsa, men inte citera ur eller kopiera, och då och då avbröt Ed sin redogörelse för att diskutera källskyddstekniska aspekter. Han tycktes maniskt noga med att läckan inte skulle kunna spåras till honom, och ibland lyssnade han nervöst till steg i korridoren, och ett par gånger tittade han ut genom en glipa i gardinerna för att se att inte någon bevakade dem därute, men ändå… Mikael kunde inte skaka av sig misstanken att det mesta var teater.

Det kändes alltmer som om Ed i själva verket hade full koll på situationen och visste precis vad han höll på med, och egentligen inte ens var överdrivet rädd för att bli avlyssnad. Förmodligen var hans agerande förankrat högre upp, slog det Mikael, ja, kanske hade han rentav själv tilldelats en roll han ännu inte förstod i skådespelet.

Därför var det intressanta inte bara vad Ed sa utan också vad han inte berättade och vad han trodde sig vilja uppnå med

publiceringen. Det fanns helt klart ett visst mått av ilska där.
"Några förbannade idioter" på avdelningen för *Övervakning
av strategiska teknologier* hade hindrat Ed ifrån att nagla hack-
ern som gjort intrång i hans system bara för att de själva inte
ville avslöjas med byxorna nere, och det gjorde honom galen,
sa han, och Mikael hade ingen anledning att misstro honom
på den punkten eller än mindre tvivla på att Ed uppriktigt
ville tillintetgöra de här personerna, "krossa dem, smula sön-
der dem under mina stövlar".

Samtidigt tycktes det finnas annat i hans berättelse som han
inte var fullt lika bekväm med. Ibland kändes det som Ed brot-
tades med någon sorts självcensur, och då och då bröt Mikael
upp och gick ner till receptionen bara för att tänka eller för
att ringa Erika och Lisbeth. Erika svarade alltid på en signal,
och även om de båda var entusiastiska över storyn fanns det
något tungt och dystert i deras samtal. Andrei var fortfarande
försvunnen.

Lisbeth svarade överhuvudtaget inte. Först klockan 17.20
fick han äntligen tag i henne, och då lät hon koncentrerad
och fjär, och meddelade kort att pojken nu var i säkerhet hos
sin mor.

"Hur mår du?" sa han.

"Okej."

"Oskadd?"

"På det stora hela."

Mikael tog ett djupt andetag.

"Har du hackat dig in på NSA:s intranät, Lisbeth?"

"Har du snackat med Ed the Ned?"

"Det kan jag inte kommentera."

Han kunde inte kommentera det ens inför Lisbeth. Käll-
skyddet var heligt för honom.

"Så Ed är inte så dum ändå", sa hon, precis som om han sagt
något helt annat.

"Du har alltså gjort det."

"Möjligen."

Mikael kände att han ville skälla ut henne och fråga vad i helvete hon höll på med. Ändå sa han bara så samlat han kunde:

"De är beredda att låta dig löpa om du bara träffar dem och berättar precis hur du gjorde."

"Hälsa dem att jag har kommit dem på spåren också."

"Vad menar du med det?"

"Att jag har mer än de tror."

"Okej", sa Mikael tankfullt. "Men skulle du kunna tänka dig att träffa…"

"Ed?"

Vad tusan, tänkte Mikael. Ed ville ju själv röja sig för henne.

"Ed", upprepade han.

"En kaxig jäkel."

"Rätt kaxig. Men kan du tänka dig att träffa honom om vi ordnar garantier för att du inte grips?"

"Det finns inga sådana garantier."

"Är det okej om jag kontaktar min syster Annika och ber henne företräda dig?"

"Jag har annat att göra", sa hon som om hon inte ville tala mer om det, och då kunde han inte låta bli att säga:

"Den här storyn vi håller på med…"

"Vad är det med den?"

"Jag vet inte om jag fattar den helt."

"Vad är problemet?" sa Lisbeth.

"Till att börja med förstår jag inte varför Camilla plötsligt dykt upp efter alla år."

"Jag antar att hon bidat sin tid."

"Hur menar du då?"

"Att hon nog alltid vetat att hon skulle komma tillbaka och hämnas för det jag gjorde mot henne och Zala. Men hon ville vänta tills hon var stark på alla nivåer. Ingenting är viktigare för Camilla än att vara stark, och nu såg hon väl plötslig en möjlighet, ett tillfälle att slå två flugor i en smäll, åtminstone gissar jag det. Du får väl fråga henne nästa gång ni tar ett glas ihop."

"Har du pratat med Holger?"

"Jag har varit upptagen."

"Men ändå lyckades hon inte. Du klarade dig, tack och lov", fortsatte Mikael.

"Jag klarade mig."

"Men är du inte orolig att hon återvänder när som helst?"

"Jag har tänkt tanken."

"Okej, bra. Och du vet att Camilla och jag aldrig gjorde mer än att promenera en liten sträcka på Hornsgatan?"

Lisbeth svarade inte på frågan.

"Jag känner dig, Mikael", sa hon bara. "Och nu har du träffat Ed också. Jag gissar att jag får skydda mig från honom med."

Mikael log lite för sig själv.

"Ja", svarade han. "Och du har nog rätt. Vi ska inte lita på honom i onödan. Jag är till och med rädd för att bli hans nyttiga idiot."

"Låter inte som en roll för dig, Mikael."

"Nej, och därför skulle jag gärna vilja veta vad du fick fram när du gjorde ditt intrång."

"En massa besvärande skit."

"Om Eckerwalds och Spiders förhållande med NSA."

"Det och lite till."

"Som du hade tänkt berätta för mig om."

"Om du skötte dig, hade jag väl det", sa hon med en spefull röst som han inte kunde låta bli att glädjas åt lite grann.

Därefter fnissade han till, för i den stunden förstod han precis vad Ed Needham höll på med.

Han förstod det med en sådan kraft att han hade svårt att hålla masken när han efteråt återvände till hotellrummet och fortsatte att arbeta med amerikanen fram till tio den kvällen.

KAPITEL 29
MORGONEN DEN 25 NOVEMBER

DE MÖTTE INGET otrevligt i Vladimir Orlovs lägenhet på Mårten Trotzigs gränd. Lägenheten var städad och prydlig, sängen var nybäddad och lakanen bytta. Tvättkorgen i badrummet var tom. Ändå fanns det tecken på att något inte stod rätt till. Grannarna rapporterade om att flyttkarlar varit där på morgonen, och vid en närmare undersökning påträffades blodfläckar på golvet och på väggen ovanför sängens kortsida. Blodet som jämfördes med salivspår i Andreis lägenhet visade sig tillhöra den unge journalisten.

Ingen av de anhållna – de två som ännu kunde kommunicera – låtsades emellertid förstå något om fläckarna eller om något som hade med Zander att göra, och därför koncentrerade sig Bublanski och hans grupp på att få fram mer information om den kvinna som setts med Andrei Zander. Medierna hade då inte bara skrivit spaltmeter om dramat på Ingarö utan också om Andrei Zanders försvinnande. Båda kvällstidningarna samt *Svenska Morgonposten* och *Metro* hade haft stora bilder på journalisten. Ingen av reportrarna hade ännu förstått hela sammanhanget. Men det förekom redan spekulationer om att Andrei kunde ha mördats, och normalt borde det ha skärpt folks minne, eller åtminstone fått dem att erinra sig sådant som sett misstänkt ut. Nu var det närmast tvärtom.

De vittnesuppgifter som kom in och som bedömdes som trovärdiga var märkligt vaga, och alla som uttalade sig – förutom Mikael Blomkvist och bagaren från Skansen – såg sig föranledda att påpeka att de inte trodde att kvinnan var skyldig till något brott. Alla som stött på henne hade fått ett överväldigande gott intryck. En bartender – en äldre man vid namn Sören Karlsten – som serverat kvinnan och Andrei Zander på restaurang Papagallo på Götgatan skröt till och med länge om sin människokännedom, och hävdade med säkerhet att den kvinnan "inte ville en människa ont".

"Hon var ett under av klass."

Hon var ett under av allt möjligt, om man skulle tro vittnena, och vad Bublanski förstod skulle det vara ytterst knepigt att få fram en fantombild. Alla som sett henne skildrade henne på olika sätt, precis som om de i stället för att beskriva henne projicerade sina drömbilder av en kvinna på henne. Det var närmast löjligt, och än så länge hade de inga fotografier från några övervakningskameror. Mikael Blomkvist sa att kvinnan med all säkerhet var Camilla Salander, tvillingsyster till Lisbeth, och det visade sig verkligen ha funnits en sådan person en gång i tiden. Men sedan många år fanns inte ett spår av henne i något register, precis som om hon upphört att existera. Levde Camilla Salander vidare var det under en ny identitet, och Bublanski gillade det inte, framför allt inte sedan den fosterfamilj hon lämnat bakom sig i Sverige hade två ouppklarade dödsfall, och de polisutredningar som gjorts var undermåliga och fulla av trådar och frågetecken som aldrig följts upp.

Bublanski hade läst dem, generad över sina kollegor som i någon sorts respekt för familjetragedin inte ens förmått att gå till botten med det uppenbara problemet att både fadern och dottern i familjen hade tömt sina bankkonton strax före sin död, eller att pappan samma vecka som han hittades hängd hade påbörjat ett brev med de inledande orden:

"Camilla, varför är det så viktigt för dig att förstöra mitt liv?"

Det fanns ett oroande mörker kring den person som alla vittnen verkade trollbindas av.

KLOCKAN VAR NU åtta på morgonen, och Bublanski satt på sitt rum i polishuset, återigen försjunken i gamla utredningar som han hoppades kunde kasta ljus över händelseförloppet. Han visste därför mycket väl att det fanns hundra andra saker han ännu inte hunnit ta itu med, och han ryckte till både irriterat och skuldmedvetet när han hörde att han hade besök.

Det var en kvinna som Sonja Modig förhört men som nu propsade på att få träffa honom, och efteråt undrade han om han i den stunden var speciellt mottaglig, kanske just för att han inte förväntade sig något annat än nya problem och svårigheter. Kvinnan i dörren var inte lång, men hade en drottninglik resning, och mörka intensiva ögon som såg lite vemodigt på honom. Hon var kanske tio år yngre än han själv, klädd i grå rock och en sariliknande röd klänning.

"Mitt namn är Farah Sharif", sa hon. "Jag är professor i datavetenskap och var en nära vän till Frans Balder."

"Just det, just det", sa Bublanski plötsligt generat. "Slå dig ner, kära du. Ursäkta röran."

"Jag har sett betydligt värre."

"Jaså, verkligen. Du är inte händelsevis judisk?"

Det var idiotiskt. Farah Sharif var naturligtvis inte judisk, och vad spelade det för roll överhuvudtaget vad hon var eller inte var. Men det bara slapp ur honom. Det var fruktansvärt pinsamt.

"Va... nej... jag är iranska och muslim om jag ens är något längre. Jag kom hit 1979."

"Förstår. Jag pratar dumheter. Vad förskaffar mig den äran?"

"Jag var alltför naiv när jag talade med din kollega Sonja Modig."

"Varför säger du så?"

"För att jag har mer information nu. Jag har haft ett långt samtal med professor Steven Warburton."

"Just det. Han har sökt mig också. Men det har varit så kaotiskt. Jag har inte haft tid att ringa tillbaka."

"Steven är professor i cybernetik i Stanford och en ledande forskare på teknologisk singularitet. Han arbetar i dag på Machine Intelligence Research Institute, en institution som verkar för att artificiell intelligens ska hjälpa oss och inte tvärtom."

"Låter ju bra", sa Bublanski, som blev obehaglig till mods varje gång ämnet kom upp.

"Steven lever lite i sin egen värld. Han fick först i går veta vad som hänt Frans, och det är därför han inte ringt tidigare. Men han berättade att han talade med Frans så sent som i måndags."

"Vad gällde saken?"

"Hans forskning. Du vet, ända sedan Frans stack iväg till USA hade han varit så hemlighetsfull. Inte ens jag som stod honom nära visste något om vad han höll på med, även om jag var högmodig nog att tro att jag förstod lite av det ändå. Men nu visade det sig att jag hade fel."

"På vilket sätt?"

"Jag ska försöka att inte vara för teknisk, men det verkar som om Frans inte bara vidareutvecklat sitt gamla AI-program utan också tagit fram nya algoritmer och nytt topologiskt material för kvantdatorer."

"Nu blev du ändå för teknisk för mig."

"Kvantdatorer är datamaskiner som baserar sig på kvantmekanik. Ännu så länge är det något ganska nytt. Google och NSA har investerat stora summor i en maskin som redan på vissa områden är mer än trettiofemtusen gånger så snabb som vilken annan vanlig dator som helst. Även Solifon, där ju Frans var anställd, har ett liknande projekt på gång, men har ironiskt nog – framför allt om de här uppgifterna stämmer – inte kommit lika långt."

"Okej", inflikade Bublanski osäkert.

"Den stora fördelen med kvantdatorer är att de grundläggande enheterna kvantbitarna, qubit, kan superpositionera sig."

"Vad?"

"De kan inte bara anta lägena ett eller noll som traditionella datorer utan också vara både noll och ett samtidigt. Problemet är att det krävs särskilda beräkningsmetoder och djupa insikter i fysik, framför allt i det vi kallar kvantdekoherens, för att sådana maskiner ska fungera hyggligt, och här har vi inte kommit särskilt långt. Kvantdatorerna är än så länge alltför specialiserade och tungrodda. Men Frans – hur ska jag bäst förklara det här? – hade av allt att döma hittat metoder som kunde göra dem smidigare, rörligare och självlärande, och här stod han tydligen i kontakt med en rad experimentalister, alltså personer som kunde testa och verifiera hans resultat. Det han åstadkommit var stort – åtminstone kunde det vara det. Ändå kände han sig inte enbart stolt, och det var förstås därför han ringde Steven Warburton. Han var också djupt olustig till mods."

"Varför det?"

"På lång sikt för att han misstänkte att hans skapelse kunde bli farlig för världen, antar jag. Men mest akut för att han visste saker om NSA."

"Vad då för saker?"

"På ett plan har jag ingen aning. Det var inblickar i den smutsigaste delen av deras industrispionage. Men på en annan nivå vet jag mycket väl. Det är i dag känt att organisationen arbetar hårt för att utveckla just kvantdatorer. För NSA skulle det vara rena himmelriket. Med en effektiv kvantmaskin skulle man på sikt kunna knäcka alla krypton, alla digitala säkerhetssystem. Ingen skulle i en sådan situation kunna skydda sig mot organisationens vakande öga."

"Förfärligt otäckt", sa Bublanski med ett eftertryck som till och med förvånade honom själv.

"Men det finns faktiskt ett scenario som är ännu värre. Det

är om en sådan sak hamnar i händerna på grovt kriminella", fortsatte Farah Sharif.

"Jag förstår vart du vill komma."

"Och därför undrar jag förstås vad ni lagt beslag på hos de män som gripits."

"Inget sådant är jag rädd för", sa han. "Men de här killarna är inte precis några intellektuella undantag. Jag tvivlar på att de ens skulle klara mellanstadiets mattekurser."

"Kom alltså det verkliga datasnillet undan?"

"Tyvärr är det så. Han och en misstänkt kvinna är spårlöst försvunna. Förmodligen har de flera identiteter."

"Oroande."

Bublanski nickade och såg in i Farahs mörka ögon som tittade vädjande på honom, och kanske var det därför han i stället för att sjunka ner i ny förtvivlan fick en hoppfull tanke.

"Jag vet inte vad det betyder", sa han.

"Vad?"

"Vi har haft datakillar som gått igenom Balders datorer. Det var inte lätt som du förstår med tanke på hans säkerhetstänkande. Men det gick ändå. Vi hade lite tur, kan man nog säga, och det vi snabbt kunde konstatera är att det sannolikt stulits en dator."

"Jag anade det", sa hon. "Fan också!"

"Lugn, lugn, jag är inte färdig än. Vi förstod också att flera maskiner varit sammankopplade, och att dessa i sin tur då och då varit anslutna till en superdator i Tokyo."

"Låter rimligt."

"Precis, och därför kunde vi se att en stor fil, eller åtminstone något stort, nyligen hade raderats. Vi har inte kunnat återskapa det, men vi har konstaterat att det skett."

"Du menar att Frans skulle ha förstört sitt eget forskningsarbete?"

"Jag drar inga slutsatser egentligen. Men jag kom att tänka på det nu när du berättade det här."

"Skulle det inte kunna vara gärningsmannen som raderat det?"

"Som först kopierat det, menar du, och sedan tagit bort det från hans datorer?"

"Ja."

"Det har jag väldigt svårt att tro. Mördaren var inne i huset bara ytterst hastigt, han skulle aldrig hunnit med något sådant, och än mindre ha kunskaper om det."

"Okej, det låter ju lovande, trots allt", fortsatte Farah Sharif tvekande. "Det är bara det…"

"Ja?"

"Att jag inte får ihop det med Frans karaktär. Skulle han verkligen vara en person som raderar det största han gjort. Det skulle vara som… jag vet inte… som om han högg av sin arm, eller ännu värre; som om han dödade en vän, ett potentiellt liv."

"Ibland måste man göra ett stort offer", sa Bublanski tankfullt. "Förstöra det man älskat och levt med."

"Eller också finns det en kopia någonstans."

"Eller också finns det en kopia någonstans", upprepade han, och gjorde plötsligt något så egendomligt som att sträcka fram sin hand.

Farah Sharif förstod uppenbarligen inte. Hon bara tittade på handen som om hon förväntade sig att han skulle ge henne något. Men Bublanski beslöt att inte låta sig nedslås.

"Vet du vad min rabbin säger?"

"Nej", svarade hon.

"Att det som kännetecknar en människa är hennes motsägelser. Vi längtar bort och hem på en och samma gång. Jag kände aldrig Frans Balder, och kanske skulle han ha tyckt att jag var en gammal stolle bara. Men jag vet i alla fall en sak: vi kan både älska och frukta vårt arbete, precis som Frans Balder både tycks ha älskat och flytt från sin son. Att vara levande, professor Sharif, är att inte helt gå ihop. Det är att spreta åt många håll, och jag undrar om inte din vän just befann sig i ett brytningsskede. Kanske förstörde han verkligen sitt livsverk. Kanske visade han upp sig i all sin motsägelsefullhet mot slutet, och blev en sann människa i ordets bästa bemärkelse."

"Tror du det?"

"Jag vet inte. Men han hade förändrats, var det inte så? Han var dömd för att inte kunna ta hand om sin son. Ändå gjorde han just det, och fick till och med pojken att blomma upp och börja teckna."

"Det är sant, kommissarien."

"Säg Jan."

"Okej."

"Vet du att folk kallar mig Bubbla ibland."

"Är det för att du bubblar så fint?"

"Ha, nej, det tror jag verkligen inte. Men en sak vet jag alldeles säkert."

"Och vad är det?"

"Det är att du är…"

Längre kom han inte, men mer behövdes inte heller. Farah Sharif gav honom ett leende som i all sin enkelhet fick Bublanski att börja tro på livet och Gud igen.

KLOCKAN ÅTTA PÅ morgonen steg Lisbeth Salander upp ur sin stora säng på Fiskargatan. Hon hade återigen inte sovit många timmar, inte bara för att hon slitit med den krypterade NSA-filen till absolut ingen nytta alls. Hon hade också lyssnat efter steg i trappan och då och då kontrollerat sitt larm och sin kameraövervakning i trapphuset. Lika lite som någon annan visste hon om systern lämnat landet.

Efter förnedringen ute på Ingarö var det ingalunda omöjligt att Camilla förberedde en ny attack, med ännu större kraft, eller för den delen att NSA skulle trampa in i lägenheten. Lisbeth gjorde sig inga som helst illusioner på den punkten. Men nu på morgonen sköt hon det ifrån sig och gick in i badrummet med beslutsamma steg och tog av sig på över-kroppen och kontrollerade sitt skottsår.

Hon tyckte att det såg bättre ut, och det var rimligtvis en sanning med modifikation. Ändå beslöt hon i ett vansinnigt infall att dra iväg till boxningsklubben på Hornsgatan och köra ett pass.

Ont skulle med ont fördrivas.

EFTERÅT SATT HON slutkörd i omklädningsrummet och orka-de knappt tänka. Hennes mobil surrade. Hon brydde sig inte om det. Hon gick in i duschen och lät det varma vattnet strila över henne, och först långsamt klarnade tankarna, och då dök Augusts teckning upp i hennes medvetande igen. Men den här gången var det inget i själva bilden av mördaren som fångade henne utan något som stått längst ner på papperet.

Lisbeth hade bara sett det färdiga verket under några korta ögonblick där uppe i stugan på Ingarö, och då varit helt kon-centrerad på att skanna iväg det till Bublanski och Modig, och om hon ens reflekterat över det hade hon som alla andra fa-scinerats av detaljerna i återgivningen. Men när hon nu åter-kallade det i minnet med sin fotografiska blick var hon långt mer intresserad av ekvationen som stått skriven under själva teckningen, och djupt försjunken i koncentration gick hon ut ur duschen. Det var bara det, hon hörde knappt sina egna tankar. Obinze levde rövare utanför omklädningsrummet.

”Håll käften”, skrek hon tillbaka. ”Jag tänker!”

Men det hjälpte inte mycket. Obinze var helt galen, och en annan person än Lisbeth skulle kanske ha förstått det. Obinze hade förvånats över hur trött och halvdant hon slagit mot sand-säcken, och kort därefter blivit orolig när hon börjat hänga med huvudet och grimasera av smärta, och till slut hade han i en överraskningsmanöver rusat fram och kavlat upp ärmen på hennes T-shirt och upptäckt skottsåret och blivit fullständigt tokig, och uppenbarligen hade det inte gått över än.

"Du är en idiot, vet du det. En galning!" skrek han.

Hon orkade inte svara. Kraften rann ur henne helt, och det hon sett på teckningen bleknade bort i tankarna, och fullständigt slut slog hon sig ner på bänken i omklädningsrummet. Intill henne satt Jamila Achebe, en tuff tjej som hon både brukade boxas och ligga med, som regel i den ordningen, för när de fightades som värst kändes det ofta som ett enda vilt förspel. Några gånger hade de uppträtt inte helt anständigt i duschen. Ingen av dem var mycket för etikettsregler.

"Håller faktiskt med gaphalsen därute. Du är sjuk i huvudet", sa Jamila.

"Kanske det", svarade Lisbeth.

"Det ser otäckt ut det där såret."

"Det läker."

"Men du behövde boxas."

"Tydligen."

"Ska vi gå hem till mig?"

Lisbeth svarade inte. Hennes telefon surrade på nytt, och då plockade hon upp den ur sin svarta väska och tittade efter. Det var tre sms med samma innehåll från ett hemligt nummer, och när hon läste dem knöt hon nävarna och såg helt livsfarlig ut, och då kände Jamila att det var lika bra att ligga med Lisbeth Salander en annan dag i stället.

REDAN KLOCKAN SEX på morgonen hade Mikael vaknat med ett par lysande formuleringar i huvudet, och på väg till redaktionen växte artikeln fram av sig själv i hans tankar. På tidningen arbetade han under djup koncentration, och han noterade knappt vad som hände omkring honom, även om han ibland svävade ut och påmindes om Andrei.

Trots att han ännu hoppades anade han att Andrei fått offra sitt liv för storyn, och han försökte hedra kollegan med varje mening han skrev. Reportaget var tänkt att på ett plan bli en mordhistoria om Frans och August Balder, en berättelse om en åttaårig autistisk pojke som ser sin far skjutas, och som trots sitt handikapp finner ett sätt att slå tillbaka. Men på en annan nivå ville Mikael att det skulle vara en folkbildande historia om en ny värld av övervakning och spionage, där gränserna mellan det legala och det brottsliga suddats ut, och det var verkligen sant att det gick lätt att skriva. Ofta vällde orden bara fram. Men det var inte helt oproblematiskt för det.

Av en gammal poliskontakt hade han fått loss utredningen av det ouppklarade mordet på Kajsa Falk i Bromma, den unga kvinna som varit flickvän till en av ledargestalterna i Svavelsjö MC. Även om ingen gärningsman hittats och ingen av de hörda i utredningen var särskilt talför, kunde Mikael ändå utläsa att motorcykelklubben slitits sönder av en våldsam splittring, och att det fanns en ny osäkerhet bland gängmedlemmarna, en krypande rädsla som härstammade från vad ett av vittnena kallade "Lady Zala".

Trots betydande ansträngningar hade poliserna inte förstått vad namnet syftade på. Men för Mikael rådde det inget tvivel om att "Lady Zala" var Camilla, och att hon låg bakom en rad nya brott, både i Sverige och utomlands. Han hade emellertid svårt att få fram bevis, och det irriterade honom. Han lät henne tills vidare gå under kodnamnet Thanos i artikeln.

Ändå var inte Camilla, eller ens hennes oklara förbindelser med ryska duman, det största problemet. Det som främst oroade Mikael var insikten att Ed Needham aldrig skulle ha åkt till Sverige och läckt topphemlig information om han inte ville dölja något ännu större. Ed var inte dum, och han visste att Mikael inte var så korkad han heller. Därför var hans redogörelse inte på någon punkt särskilt friserad.

Tvärtom målade han upp en ganska hemsk bild av NSA. Men ändå… när Mikael tittade närmare på uppgifterna såg han att Ed trots allt skildrade en spionorganisation som fungerade väl och uppträdde hyggligt anständigt, om vi nu bortsåg från varbölden av grovt kriminella på avdelningen för *Övervakning av strategiska teknologier* – händelsevis samma avdelning som hindrat Ed från att nagla sin hacker.

Amerikanen ville helt säkert skada några enskilda medarbetare allvarligt, men snarare än att sänka hela sin organisation ville han få den att falla lite mjukare i en redan oundviklig krasch, och därför blev Mikael inte heller överdrivet förvånad eller ens förbannad när Erika dök upp bakom honom och med bekymrad min överräckte ett TT-telegram:

"Är vi blåsta på storyn nu?" sa hon.

Telegrammet som var översatt från AP började:

Två höga chefer på NSA, Joacim Barclay och Brian Abbot, har anhållits misstänkta för grov ekonomisk brottslighet, och avskedats med omedelbar verkan i väntan på rättegång.

"Det är en skamfläck för vår organisation och vi har inte sparat några krafter på att komma till rätta med problemen och ställa de skyldiga till svars. Den som arbetar för NSA måste ha hög moralisk hållning, och vi lovar att under rättsprocessen visa så stor transparens som hänsynen till våra nationella säkerhetsintressen tillåter", säger NSA-chefen amiral Charles O'Connor till AP.

Telegrammet var bortsett från det längre citatet av amiral O'Connor inte särskilt innehållsrikt och nämnde inget om mordet på Balder eller något som kunde kopplas till händelseutvecklingen i Stockholm. Men Mikael förstod givetvis ändå vad Erika menade. Nu när nyheten var ute skulle *Washington Post* och *New York Times* och hela drevet av tunga amerikanska journalister kasta sig över storyn, och då gick det omöjligt att veta vad de skulle få fram.

"Inte bra", sa han samlat. "Men det var väntat."

"Var det?"

"Det är en del i samma strategi som fick dem att söka upp mig. Det är damage control. De vill återta initiativet."

"Hur menar du?"

"Det fanns en anledning till att de läckte allt det här till mig. Jag fattade ju på en gång att något var konstigt. Varför skulle Ed prompt vilja tala med mig här i Stockholm, och det klockan fem på morgonen till råga på allt?"

Erika hade som vanligt under största sekretess informerats om Mikaels källor och faktauppgifter.

"Så du tror att hans agerande var sanktionerat uppifrån."

"Det misstänkte jag från första stund. Ändå förstod jag inte vad han höll på med först. Jag bara kände att något var fel. Men så talade jag med Lisbeth."

"Och då fattade du?"

"Jag insåg att Ed visste precis vad hon grävt fram under sitt hackerintrång, och att han hade alla skäl att befara att jag skulle få veta vartenda ord om det. Han ville efter bästa förmåga mildra den skadan."

"Ändå var det inte precis någon solskenshistoria han gav dig."

"Han förstod att jag inte skulle nöja mig med något alltför förskönande. Han gav mig precis så mycket, gissar jag, att jag skulle bli nöjd och få mitt scoop, och inte forska vidare."

"Men där lär han få tji."

"Vi kan åtminstone hoppas det. Men jag fattar inte hur jag ska komma vidare. NSA är en stängd dörr."

"Till och med för en gammal blodhund som Blomkvist?"

"Till och med för honom."

KAPITEL 30
DEN 25 NOVEMBER

PÅ TELEFONEN HADE det stått: **Nästa gång, syster, nästa gång!** Meddelandet var skickat tre gånger, men om det var ett tekniskt misstag eller en löjlig övertydlighet kunde hon inte avgöra. Det spelade nu ingen roll.

Meddelandet var uppenbart från Camilla, men det stod ingenting i det som inte Lisbeth redan förstått. Inget kunde ju vara klarare än att händelserna på Ingarö bara förstärkt och fördjupat det gamla hatet. Så ja, det skulle definitivt bli en "nästa gång". Camilla skulle inte ge upp när hon varit så nära, inte en chans på jorden.

Därför var det inte innehållet i sig som hade fått Lisbeth att knyta nävarna på boxningsklubben. Det var tankarna det födde, och minnet av det hon sett på bergssluttningen i den tidiga morgonen då August och hon suttit på huk på den smala klippavsatsen medan snön föll och kulsprutorna smattrade ovanför dem. August hade inte haft någon jacka eller några skor på fötterna, och han hade skakat våldsamt och Lisbeth insåg i varje sekund hur förkrossande deras underläge var.

Hon hade ett barn att ta hand om och en ynklig pistol till vapen medan fanskapen däruppe var flera stycken och hade maskingevär, och därför måste hon ta dem med överraskning. Annars skulle hon och August slaktas som lamm. Hon hade lyssnat på männens steg och riktningen på deras skottsalvor, och till slut även på deras andning och prasslet av deras kläder.

Men det märkliga var: när hon till slut såg en chans tvekade hon ändå, och lät viktiga ögonblick försvinna medan hon bröt sönder en liten kvist på klippavsatsen framför dem. Först därefter reste hon sig hastigt upp och stod plötsligt rakt framför männen, och då gick det inte att vela längre. Hon måste utnyttja den korta millisekunden av överraskning, och därför sköt hon direkt, två, tre gånger, och sedan gammalt visste hon att sådana ögonblick etsar sig fast med en särskild glöd, precis som om inte bara kroppen och musklerna skärps utan också iakttagelseförmågan.

Varenda detalj sken med en egendomlig skärpa, och hon såg varje skiftning i landskapet framför henne, som genom en zoomande kameralins. Hon noterade förvåningen och skräcken i männens ögon, rynkorna och oregelbundenheterna i deras ansikten och kläder, och så förstås vapnen som viftade och sköt på måfå, och precis missade.

Ändå var det ingenting av det som gjorde starkast intryck på henne. Det var i stället en kontur längre upp på berget som hon bara uppfattade i ögonvrån och som i sig inte utgjorde något hot, men som likväl påverkade henne mer än männen hon skjutit. Konturen tillhörde systern. Lisbeth skulle ha känt igen henne på en kilometers håll, även om de inte setts på åratal. Det var som om själva luften förgiftades av närvaron och efteråt undrade hon om hon inte skulle ha kunnat skjuta henne också.

Systern stod kvar lite för länge, och rimligtvis var det oförsiktigt av henne att överhuvudtaget vara ute på sluttningen. Men förmodligen kunde hon inte motstå frestelsen att få se sin syster avrättas, och Lisbeth mindes hur hon kramade avtryckaren och kände en helig gammal vrede bulta i sitt bröst. Ändå tvekade hon en halv sekund, och mer behövdes inte. Camilla kastade sig ner bakom en sten, och en mager gestalt dök upp från verandan och började skjuta, och då hoppade Lisbeth tillbaka till klippavsatsen, och störtade eller närmast ramlade ner med August till bilen.

När hon nu var på väg från boxningsklubben och mindes alltihop spändes Lisbeths kropp som inför en ny strid, och det slog henne att hon kanske inte borde gå hem, utan rentav lämna landet en tid. Men något annat drev henne likafullt till datorn och skrivbordet; det var det hon hade sett framför sig i duschen innan hon läst Camillas sms, och som trots minnena från Ingarö nu mer och mer fyllde hennes tankar.

Det var en ekvation – en elliptisk kurva – som August skrivit ner på samma papper där han tecknat mördaren, och som redan vid första anblicken haft en särskild lyster för henne, men som nu när hon fixerade den igen fick henne att öka takten på stegen, och mer eller mindre glömma Camilla. Ekvationen löd:

$$N = 3034267$$
$$E: y^2 = x^3 - x - 20; P = (3,2)$$

Det var inget matematisk unikt eller enastående med den. Men det var inte heller det som var det märkvärdiga. Det fantastiska var att August hade utgått från talet hon valt på måfå där ute på Ingarö, och därefter tänkt vidare och skrivit en avsevärt mycket bättre elliptisk kurva än den hon själv präntat ner på nattduksbordet när pojken inte velat somna. Hon hade inte fått något svar då, eller ens minsta reaktion, och hon hade gått och lagt sig övertygad om att August, precis som de där primtalstvillingarna hon läst om, inte begrep något om matematiska abstraktioner utan mera var en sorts primtalsfaktoriserande räknemaskin.

Men helvete… hon hade haft fel. Efteråt när August suttit uppe i natten och tecknat hade han tydligen inte bara förstått. Han hade också slagit henne på fingrarna och förfinat hennes egen matematik, och därför tog hon inte ens av sig sina boots

479

eller sin läderjacka. Hon bara klampade rakt in i sin lägenhet och plockade upp den krypterade NSA-filen på datorn och sitt program med de elliptiska kurvorna.

Därefter ringde hon Hanna Balder.

HANNA HADE KNAPPT sovit alls eftersom hon inte tagit med sina tabletter. Ändå kände hon sig upplivad av hotellet och omgivningen. Det svindlande bergslandskapet påminde henne om hur instängt hon levt, och hon tyckte att hon långsamt började gå ner i varv, och att till och med den inrotade rädslan i kroppen släppte något. Men det kunde å andra sidan vara rent önsketänkande, och otvivelaktigt kände hon sig också något bortkommen i den tjusiga omgivningen.

En gång i tiden hade hon glidit in i den här sortens salar med en självklar värdighet: *Se på mig, här kommer jag.* Nu var hon skygg och skakig och hade svårt att få i sig något, trots att frukosten var överdådig. August satt bredvid henne och skrev tvångsmässigt ner sina sifferserier, och åt inget han heller, men han drack åtminstone sanslösa mängder nypressad apelsinjuice.

Hennes nya krypterade telefon ringde, och det skrämde henne först. Men det var givetvis kvinnan som skickat hit dem. Ingen annan hade ju numret vad hon visste, och säkert ville kvinnan bara veta att de kommit fram ordentligt. Därför inledde Hanna med en översvallande skildring av hur fantastiskt och underbart allting var. Men till sin förvåning blev hon bryskt avbruten:

"Var är ni?"

"Vi äter frukost."

"Då får ni sluta med det nu och gå upp på rummet. August och jag måste arbeta."

"Arbeta?"

"Jag kommer att skicka över några ekvationer som jag vill att han tittar på. Är det uppfattat?"

"Jag förstår inte."

"Visa dem för August bara, och ring upp mig sedan och berätta vad han skrivit."

"Okej", sa Hanna förbryllat.

Därefter ryckte hon åt sig ett par croissanter och en kanelbulle och gick med August mot hissarna.

EGENTLIGEN VAR DET bara inledningsvis som August hjälpte henne. Men det räckte. Efteråt såg hon tydligare sina egna misstag och kunde göra nya förbättringar i sitt program, och under djup koncentration arbetade hon timme efter timme ända tills himlen mörknade därute och snön började falla igen. Men så plötsligt – det var ett av de där ögonblicken hon alltid skulle bära med sig – hände något märkligt med filen framför henne. Den föll sönder och ändrade form, och då gick det som en stöt genom henne, och hon höjde en knytnäve i luften.

Hon hade hittat de privata nycklarna och knäckt dokumentet, och en liten stund var hon så uppfylld av det att hon knappt förmådde läsa. Sedan började hon studera innehållet, för varje ögonblick alltmer häpen. Kunde det ens vara möjligt? Det var sprängstoff bortom allt hon föreställt sig, och att det ändå var nedskrivet och protokollfört kunde bara bero på en övertro på RSA-algoritmen. Men här hade hon, svart på vitt, hela den smutsiga byken. Texten var visserligen inte lätt att tolka och full av intern jargong och egendomliga förkortningar och kryptiska hänvisningar. Men hon som kunde ämnet förstod ändå, och hon hade hunnit läsa ungefär fyra femtedelar av texten när det ringde på dörren. Hon struntade blankt i det.

Det var säkert bara brevbäraren som inte fick in någon bok i brevinkastet eller något annat oviktigt. Men så tänkte hon på Camillas sms igen, och tittade på sin dator vad kameran där ute i trapphuset visade, och då stelnade hon till.

Det var inte Camilla, utan hennes andra farhåga som hon mitt i allt annat nästintill glömt bort. Det var Ed förbannade Ned som på något sätt lyckats spåra henne. Inte för att han var det minsta lik bilderna av honom på nätet. Men han var ändå omisskännlig, och han såg butter och beslutsam ut, och Lisbeths hjärna tickade igång. Vad skulle hon göra? Hon kom inte på något bättre än att skicka iväg NSA-filen till Mikael på deras PGP-länk.

Därefter stängde hon ner datorn och hasade sig upp för att öppna.

VAD HADE HÄNT med Bublanski? Sonja Modig begrep det inte. Hela den plågade min hon sett i hans ansikte de senaste veckorna var som bortblåst. Nu log han och gnolade för sig själv, och visserligen fanns det saker att glädja sig åt. Mördaren var gripen. August Balder hade överlevt, trots två mordförsök, och själva hade de förstått en hel del av motiven och förgreningarna till forskningsföretaget Solifon.

Men samtidigt återstod många frågor, och den Bublanski hon kände jublade inte i onödan. Snarare brukade han ägna sig åt självtvivel även i stunder av triumf, och därför förstod hon inte vad som tagit åt honom. Han gick omkring och sken i korridoren. Till och med nu, när han satt på sitt rum och läste det intetsägande förhör som San Francisco-polisen hållit med Zigmund Eckerwald, fanns ett leende på hans läppar.

"Sonja, min kära kollega, där är du ju!"

Hon beslöt att inte kommentera den överdrivna entusiasmen i hälsningen. Hon gick direkt på sak.

"Jan Holtser är död."

"Oj då."

"Så där försvann vårt sista hopp om att få insyn i Spiders", fortsatte Sonja.

"Så du trodde att han var på väg att öppna sig."

"Det var i vart fall inte omöjligt."

"Varför säger du så?"

"Han bröt ihop helt när hans dotter dök upp."

"Det visste jag inte. Vad hände?"

"Dottern heter Olga", sa Sonja. "Hon reste hit från Helsingfors när hon hörde att pappan var skadad. Men när jag förhörde henne, och hon förstod att Holtser hade försökt döda ett barn, blev hon helt galen."

"På vilket sätt?"

"Hon störtade in till honom och sa något oerhört aggressivt på ryska."

"Fattade du vad det handlade om?"

"Tydligen att gubben kunde dö ensam och att hon hatade honom."

"Det var ord och inga visor."

"Ja, och efteråt förklarade hon att hon skulle göra allt som stod i hennes makt för att hjälpa oss med utredningen."

"Och Holtser, hur reagerade han?"

"Det var det jag menade. Ett ögonblick trodde jag att vi hade honom. Han var helt förstörd, och hade tårar i ögonen. Jag kanske inte ger så mycket för den där katolska tanken om att vårt moraliska värde avgörs inför döden. Men det var ändå nästan rörande att se. Han som gjort så mycket ont var helt förkrossad."

"Min rabbin…", började Bublanski.

"Nej, Jan, kom inte med din rabbin nu. Låt mig fortsätta. Holtser började tala om vilken hemsk människa han varit, och då sa jag åt honom att han som kristen borde passa på att bekänna, och berätta vem han arbetade för, och i den stunden, jag lovar, då var det nära. Han tvekade och flackade med blicken. Men i stället för att erkänna började han prata om Stalin."

"Om Stalin?"

"Om att Stalin inte nöjde sig med de skyldiga utan också gav sig på barnen och barnbarnen och hela släkten. Jag tror han ville säga att hans ledare var likadan."

"Så han var orolig för sin dotter."

"Hur mycket hon än hatade honom så var han det, och då försökte jag säga att vi kunde ordna ett vittnesprogram för flickan. Men då började Holtser bli allt mindre kontaktbar. Han föll in i medvetslöshet och apati. Han dog bara en dryg timme senare."

"Inget annat?"

"Inte mer än att en misstänkt superintelligens är försvunnen, och att vi fortfarande inte har några spår efter Andrei Zander."

"Jag vet, jag vet."

"Och att alla som har möjlighet till det tiger som muren."

"Jag märker det. Vi får ingenting gratis."

"Nej, eller jo, en sak har vi fått i alla fall", fortsatte Sonja. "Du vet, mannen som Amanda Flod kände igen på August Balders teckning av trafikljuset."

"Den gamla skådisen."

"Just det, Roger Winter heter han. Amanda hörde honom bara upplysningsvis för att ta reda på om han hade någon relation till pojken eller Balder, och jag tror inte hon förväntade sig mycket av det. Men Roger Winter verkade helt skakig, och innan Amanda ens börjat pressa honom kom han med hela sitt syndaregister."

"Jaså?"

"Ja, och det var inga oskyldiga historier precis. Du vet, Lasse Westman och Roger är gamla vänner sedan ungdomstiden på Revolutionsteatern, och brukade ofta ses på eftermiddagarna hemma på Torsgatan när Hanna var ute, och snacka skit och supa. Ofta satt August i rummet intill och höll på med sina pussel, och varken Lasse eller Roger brydde sig särskilt. Men en av de här dagarna hade pojken fått en stor tjock mattebok av sin mamma som helt uppenbart var långt över hans nivå. Ändå bläddrade han i den helt maniskt, och utstötte olika läten, som om han var upphetsad. Lasse blev irriterad och ryckte boken från pojken och slängde den i soporna. Det gjorde August helt galen tydligen. Han fick någon sorts sammanbrott, och då sparkade Lasse till honom tre, fyra gånger."

"Illa."

"Ändå var det bara början. Efter det blev August helt skum, sa Roger. Pojken började blänga på dem med en mysko blick, och en dag hittade Roger sin jeansjacka sönderklippt i små, små bitar, och en annan dag hade någon hällt ut varenda öl i kylskåpet och slagit sönder spritflaskorna, och jag vet inte…"

Sonja hejdade sig.

"Vadå?"

"Det blev som ett ställningskrig, och jag misstänker att Roger och Lasse i sina fyllenojor började tro alla möjliga konstiga saker om pojken, och till och med blev rädda för honom. Men det är inte lätt att förstå psykologin bakom. Kanske började de hata August på allvar, och ibland gav de sig på honom tillsammans. Roger sa att han mådde skit av det, och att han aldrig talade med Lasse om det efteråt. Han ville inte slå. Men han kunde inte låta bli. Det var som om han fick tillbaka sin barndom, sa han."

"Och vad menade han med det?"

"Inte lätt att begripa. Men tydligen har Roger Winter en handikappad lillebror som under hela hans uppväxt var den duktiga, begåvade sonen. Medan Roger ständigt var en besvikelse fick brodern beröm och utmärkelser, och all möjlig uppskattning, och jag gissar att det födde en del bitterhet. Kanske hämnades Roger undermedvetet på brodern också. Jag vet inte, eller också…"

"Ja?"

"Han hade en underlig formulering. Han sa att det kändes som om han försökte slå sig fri från skammen."

"Sjukt!"

"Ja, och ändå är det konstigaste av allt att han plötsligt erkände alltsammans. Amanda sa att han verkade vettskrämd. Han haltade när han gick och hade två blåtiror. Det var nästan som om han ville bli anhållen."

"Märkligt."

"Eller hur, men det är en annan sak som faktiskt förvånar mig ännu mer", fortsatte Sonja Modig.

"Och vad är det?"

"Det är att min chef, den grubblande dysterkvisten, plötsligt skiner som en sol."

Bublanski såg generad ut.

"Så det märks."

"Det märks."

"Jo, ja", stammade han. "Det är inte märkvärdigare än att en kvinna tackat ja till att äta middag med mig."

"Du har väl inte gått och blivit kär?"

"Det är bara en middag, som jag sa", förklarade Bublanski, och rodnade.

ED GILLADE DET inte. Men han kunde spelet. Det var lite som att vara tillbaka i Dorchester. Vad som helst, men du fick inte vika ner dig. Du skulle slå till hårt eller psyka din motståndare med ett tyst hårt maktspel, och han tänkte, varför inte?

Ville Lisbeth Salander spela tuff spelade han gärna tuff tillbaka, och därför blängde han på henne som en tungviktsboxare i ringen. Men han hade inte mycket för det.

Hon blängde tillbaka med en stålgrå kall blick och sa inte ett ord. Som en duell kändes det, en tyst, sammanbiten duell, och till slut ledsnade Ed. Han tyckte att hela grejen var löjlig. Bruden var ju avslöjad och krossad. Han hade knäckt hennes hemliga identitet och spårat henne, och hon borde vara glad att han inte trampade in med trettio marinsoldater och grep henne.

"Du tror att du är tuff, va?" sa han.

"Jag gillar inte oanmälda besök."

"Jag gillar inte folk som gör intrång i mitt system, så det går på ett ut. Men du kanske vill veta hur jag hittade dig?"

"Jag bryr mig inte."

"Jag fann dig via ditt bolag på Gibraltar. Var det så smart att kalla det Wasp Enterprises."

"Tydligen inte."

"För att vara en smart flicka har du gjort ovanligt många misstag."

"För att vara en smart pojke har du tagit anställning på ett rätt ruttet ställe."

"Möjligen rätt ruttet. Men vi behövs. Det är en otäck värld därute."

"Särskilt med sådana killar som Jonny Ingram."

Det hade han inte väntat sig. Det hade han verkligen inte väntat sig. Men han höll masken – han var bra på det också.

"Du är rolig du", sa han.

"Skitkul. Att beordra mord och samarbeta med skurkar i ryska duman för att tjäna storkovan och rädda sitt eget skinn, det är verkligen komiskt, är det inte?" sa hon, och då kunde han inte hålla masken, trots allt, inte ens det minsta, och ett ögonblick förmådde han knappt tänka.

Var i helvete hade hon fått det ifrån? Det svindlade för honom. Men så insåg han – och då gick pulsen ner åtminstone något – att hon rimligtvis måste bluffa, och om han ens för en sekund hade trott på henne berodde det bara på att han själv i sina värsta stunder föreställt sig att Jonny Ingram gjort sig skyldig till något liknande. Men efter att ha jobbat häcken av sig visste ju Ed bättre än någon annan att det inte fanns några som helst bevis i den riktningen.

"Försök inte slå i mig några dumheter", sa han. "Jag sitter på samma material som du och en hel del till."

"Jag är inte så säker på det, Ed, såvida inte du också fått de privata nycklarna till Ingrams RSA-algoritm?"

Ed Needham tittade på henne, och greps av en känsla av overklighet. Inte kunde hon väl ha knäckt krypteringen? Det var omöjligt. Inte ens han med alla de resurser och experter som stod till hans förfogande hade ansett det vara värt ett försök ens.

Men nu påstod hon… han vägrade tro det. Det måste ha gått till på något annat sätt, kanske hade hon i själva verket en läcka i Ingrams innersta krets? Nej, det vore lika orimligt. Men mer hann han inte tänka på det.

"Så här är läget, Ed", sa hon med en ny auktoritativ ton. "Du har sagt till Mikael Blomkvist att du tänker lämna mig ifred om jag berättar hur jag gjorde mitt intrång. Det är möjligt att du talar sanning där. Det är också möjligt att du bluffar, eller inte får ett dugg att säga till om ifall läget förändras. Du kan få sparken. Jag ser ingen anledning till att lita på dig eller dem du arbetar för."

Ed tog ett djupt andetag och försökte slå tillbaka.

"Jag respekterar din inställning", svarade han. "Men hur egendomligt det än låter håller jag alltid mitt ord, inte för att jag är en särskilt hygglig person, tvärtom. Jag är en hämndlysten galning, precis som du, flicka lilla. Men jag skulle inte ha överlevt om jag svikit folk i allvarliga situationer, och på det kan du tro eller inte. Men det du inte ska tvivla på är att jag tänker göra ditt liv till ett helvete om du tiger. I en sådan situation kommer du att ångra att du ens var född, tro mig."

"Bra", sa hon. "Du är en tuff kille. Men du är också en stolt jävel, eller hur? Du vill till varje pris se till att mitt hackerjobb inte ska komma ut. Men på den punkten måste jag dessvärre meddela att jag är löjligt förberedd. Vartenda ord om det kommer att publiceras innan du ens hinner gripa om min hand, och även om det egentligen bjuder mig emot kommer jag att förnedra dig. Försök bara att föreställa dig skadeglädjen därute på nätet."

"Du snackar skit."

"Jag skulle inte ha överlevt om jag snackade skit", fortsatte hon. "Jag hatar det här övervakningssamhället. Jag har haft nog av Storebror och myndigheter i mitt liv. Men jag är ändå beredd att göra en grej för dig, Ed. Om du håller käften utåt, tänker jag ge dig information som stärker din ställning och hjälper dig att rensa ut rötäggen i Fort Meade. Jag kommer inte att säga ett skit om min hackerattack. Det är en principsak för mig. Men jag kan ge dig en chans att hämnas på den jävel som hindrade dig från att gripa mig."

Ed bara stirrade på den märkliga kvinnan. Sedan gjorde han något som skulle förvåna honom länge.

Han började skratta.

KAPITEL 31
DEN 2 OCH 3 DECEMBER

OVE LEVIN VAKNADE på gott humör på Häringe slott efter en lång konferens om digitaliseringen av medierna som avslutades med en stor fest där champagnen och spriten flödade. En sur, misslyckad fackrepresentant på norska *Kveldsbladet* hade visserligen slängt ur sig att Serners fester "bara blir dyrare och lyxigare ju fler ni sparkar", och ställt till med en liten scen som lett till att Ove fått rödvin på sin skräddarsydda kavaj.

Men det bjöd han gärna på, särskilt som han på nattkröken fick med sig Natalie Foss till hotellrummet. Natalie var controller och tjugosju och sexig som fan, och trots sin berusning hade Ove lyckats sätta på henne både i natt och i morse. Nu var klockan nio redan och mobilen plingade och väsnades, och han var mer än lovligt bakfull, framför allt med tanke på allt han hade att göra. Å andra sidan var han en fighter i den disciplinen. "Work hard, play hard" var hans ordspråk, och Natalie, jösses!

Hur många femtioåringar fäller en sådan brud? Inte många. Men nu måste han upp. Han var yr och illamående och gick svajig in i badrummet för att kissa. Efteråt kollade han sin aktieportfölj. Det brukade vara en bra start på bakfulla morgnar, och därför tog han fram sin mobil och gick via sitt bankID in på internetbanken, och först förstod han inte. Det måste ha blivit något fel, ett tekniskt missöde.

Hans portfölj hade rasat ihop, och när han darrande ögnade igenom sina innehav såg han något extremt konstigt. Hans stora innehav i Solifon var så gott som bortblåst. Han fattade ingenting, och helt ifrån sig gick han in på börssajterna, och överallt stod samma sak:

NSA och Solifon beordrade mordet på professor Frans Balder. Tidningen *Millenniums* avslöjande skakar världen.

Exakt vad han gjorde sedan är oklart. Troligen skrek han och svor och bankade näven i bordet. Han hade ett svagt minne av att Natalie vaknade och undrade vad som stod på. Men det enda han visste med säkerhet var att han länge stod böjd över toalettstolen och kräktes som om det inte fanns någon botten i honom.

GABRIELLA GRANES SKRIVBORD på Säkerhetspolisen var omsorgsfullt städat. Hon skulle aldrig komma tillbaka. Nu satt hon ändå en liten stund tillbakalutad i sin stol och läste *Millennium*. Förstasidan såg inte ut som hon förväntade sig av en tidning som levererade århundradets scoop. Sidan var snygg i och för sig, svart, oroande. Men den saknade bilder, och högst upp stod:

Till minne av Andrei Zander.

Längre ner var skrivet:

Mordet på Frans Balder och berättelsen om hur den ryska maffian gick samman med NSA och det stora amerikanska datorföretaget.

Sidan två bestod av en närbild av Andrei, och även om Gabriella aldrig träffat honom blev hon djupt gripen. Andrei såg vacker och lite skör ut. Leendet var vilset, prövande. Det fanns något på en gång intensivt och osäkert i hans gestalt. I en text intill, signerad Erika Berger, stod att Andreis föräldrar hade dödats av en bomb i Sarajevo. Det stod att han älskade tidningen *Millennium*, poeten Leonard Cohen och Antonio Tabucchis roman *Påstår Pereira*. Han drömde om den stora kärleken och det stora scoopet. Hans favoritfilmer var *Svarta ögon* av Nikita Michalkov och *Love Actually* av Richard Curtis, och även om Andrei hatade människor som kränkte andra hade han svårt för att tala illa om någon. Hans reportage om de hemlösa i Stockholm betraktade Erika som en journalistisk klassiker. Hon skrev:

> När jag skriver detta darrar min händer. I går hittades vår vän och medarbetare Andrei Zander död på en fraktbåt i Hammarbyhamnen. Han hade torterats. Han hade lidit svårt. Jag kommer att leva med den smärtan i hela mitt liv. Men jag är också stolt.
>
> Jag är stolt över att jag fått förmånen att arbeta med honom. Jag har aldrig träffat en så hängiven journalist och en så genuint snäll människa. Andrei blev tjugosex år gammal. Han älskade livet och journalistiken. Han ville avslöja orättvisor och hjälpa de utsatta och fördrivna. Han mördades för att han ville skydda en liten pojke som heter August Balder, och när vi i detta nummer avslöjar en av de största skandalerna i modern tid hedrar vi Andrei i varje mening. Mikael Blomkvist skriver i sitt långa reportage:
>
> "Andrei trodde på kärleken. Han trodde på en bättre värld och ett rättvisare samhälle. Han var den bästa av oss!"

Reportaget som sträckte sig över trettio sidor i tidningen var kanske det bästa stycke journalistisk prosa Gabriella Grane läst, och även om hon glömde både tid och rum och ibland hade tårar i ögonen, log hon ändå när hon kom till orden:

Säpos stjärnanalytiker Gabriella Grane visade prov på ett enastående civilkurage.

Grundstoryn var ganska enkel. En grupp som leddes av commander Jonny Ingram – placerad strax under NSA-chefen Charles O'Connor och med nära kontakter till Vita huset och kongressen – hade för egen räkning börjat utnyttja den stora mängd företagshemligheter organisationen satt på, och till sin hjälp haft ett gäng omvärldsanalytiker på Solifons forskningsavdelning Y. Om historien stannat där, skulle det vara en skandal som i någon mening gick att förstå.

Men händelseutvecklingen fick sin egen onda logik när den kriminella grupperingen Spiders trädde in i dramat. Mikael Blomkvist kunde föra i bevis hur Jonny Ingram inlett samarbete med den ökända ledamoten i ryska duman Ivan Gribanov och den mystiska ledargestalten Thanos i Spiders, och hur de tillsammans plundrat hightechföretag på idéer och ny teknik för svindlande belopp och sålt det vidare. Ändå störtade parterna på allvar ner i den moraliska avgrunden när professor Frans Balder kom dem på spåren och det beslöts att han måste röjas ur vägen, och det var förstås det mest ofattbara i hela historien. En av de högsta cheferna på NSA hade haft kännedom om att en svensk toppforskare skulle mördas utan att ens lyfta ett finger för att förhindra det.

Samtidigt – och där visade Mikael Blomkvist sin storhet – greps Gabriella inte mest av skildringen av den politiska byken utan av det mänskliga dramat och den krypande insikten om att vi lever i en ny sjuk värld där allt övervakas, både stort och smått, och där det som kan ge intäkter ständigt utnyttjas.

När Gabriella precis avslutat läsningen märkte hon att någon stod i dörren. Det var Helena Kraft, lika tjusigt klädd som alltid.

"Hej", sa hon.

Gabriella kunde inte låta bli att tänka på hur hon misstänkt

Helena för att vara läckan i utredningen. Men det hade bara varit hennes egna demoner. Det hon misstagit för den skyldiges skam hade inte varit något annat än Helenas skuldkänslor för att utredningen inte sköttes professionellt – åtminstone hade Helena sagt så under deras långa samtal efter det att Mårten Nielsen erkänt och anhållits.

"Hallå", svarade Gabriella.

"Jag kan inte nog säga hur ledsen jag är att du slutar", fortsatte Helena.

"Allt har sin tid."

"Har du någon aning om vad du ska göra?"

"Jag flyttar till New York. Jag vill arbeta med mänskliga rättigheter, och som du vet har jag sedan länge haft ett erbjudande från FN."

"Det är väldigt tråkigt för oss, Gabriella. Men det är dig väl unt."

"Så mitt förräderi är glömt?"

"Inte av oss alla, var så säker. Men jag ser det inte som något annat än ett tecken på din goda karaktär."

"Tack, Helena."

"Tänker du göra något vettigt på byrån innan du slutar?"

"Inte i dag. Jag ska gå på pressklubbens minnesstund för Andrei Zander."

"Det låter fint. Jag ska ha en dragning för regeringen om den här soppan. Men i kväll höjer jag ett glas för unge Zander, och för dig, Gabriella."

ALONA CASALES SATT på avstånd och betraktade paniken med ett hemligt leende. Framför allt betraktade hon amiral Charles O'Connor som skred över golvet som om han inte alls var chef för världens mäktigaste underrättelseorganisation utan snarare en hunsad skolpojke. Å andra sidan var alla i maktposition på NSA hunsade och ynkliga i dag, alla utom Ed förstås.

Ed var i och för sig inte glad han heller. Han vevade med

armarna och var svettig och gallsprängd. Men han sken med all sin vanliga auktoritet, och det märktes att även O'Connor var rädd för honom. Men det var egentligen inte så konstigt. Ed hade kommit hem från sin Stockholmsresa med verkligt sprängstoff, och ställt till ett helvete och krävt bot och bättring på alla nivåer, och NSA-chefen var förstås inte särskilt tacksam för det. Helst skulle han nog vilja skicka Ed till Sibirien på en gång.

Ändå kunde han ingenting göra. Han bara krympte ihop när han närmade sig Ed, som typiskt nog inte ens brydde sig om att titta upp. Ed ignorerade NSA-chefen precis som han brukade ignorera alla stackars satar han inte hade tid med, och ingen kunde påstå att något utvecklade sig till det bättre för O'Connor när samtalet väl kom igång.

Ed verkade mest fnysa, och även om Alona inte hörde ett ord anade hon ganska väl vad som sades, eller rättare sagt, vad som inte sades. Hon hade haft långa samtal med Ed och visste att han vägrade säga ett enda ord om hur han fått fram sin information, och att han överhuvudtaget inte tänkte ge med sig på någon punkt, och hon kände att hon gillade det.

Ed fortsatte att spela högt, och Alona svor dyrt och heligt att slåss för det anständiga på byrån och ge Ed allt stöd hon kunde om han skulle få problem. Hon svor att ringa Gabriella Grane också, och göra ett sista försök att bjuda ut henne, om det nu verkligen var sant att Gabriella var på väg hit.

ED IGNORERADE VÄL egentligen inte medvetet NSA-chefen. Men han avbröt inte vad han höll på med – att skälla ut två av sina underhuggare – bara för att amiralen stod framför honom, och först efter någon minut vände han sig om och sa då faktiskt något ganska vänligt, inte för att smöra eller kompensera för sin nonchalans utan för att han faktiskt menade det.

"Du skötte dig bra på presskonferensen."

"Jaså", svarade amiralen. "Men det var ett helvete."

"Var då glad att jag gav dig tid att förbereda dig."

"Glad! Är du inte klok? Har du sett tidningarna på nätet? Publicerar alla bilder som finns på mig och Ingram tillsammans. Jag känner mig fullständigt nedsmutsad."

"Se då för helvete till att hålla mer ordning på dina närmaste i fortsättningen."

"Hur vågar du tala till mig på det viset?"

"Jag talar hur fan jag vill. Det är kris på firman och jag är säkerhetsansvarig, och jag har varken tid eller betalt för att vara artig och snäll."

"Du ska passa din tunga…", började NSA-chefen.

Men han kom av sig helt när Ed plötsligt reste sig upp med hela sin björnlika gestalt – antingen det nu var för att sträcka på ryggen eller för att visa sin auktoritet.

"Jag skickade dig till Sverige för att du skulle reda upp det här", fortsatte amiralen. "Men när du kom hem var allt totalt åt helvete. En ren katastrof."

"Katastrofen hade redan skett", fräste Ed. "Det vet du lika bra som jag, och om jag inte åkt till Stockholm och jobbat häcken av mig hade vi inte fått tid att lägga upp en vettig strategi, och uppriktigt sagt, kanske är det just därför du får behålla ditt jobb, trots allt."

"Så jag ska tacka dig, menar du?"

"Faktiskt! Du hann sparka dina skitstövlar före publiceringen."

"Men hur hamnade skiten i den svenska tidningen?"

"Det har jag förklarat för dig tusen gånger."

"Du har snackat om din hacker. Men allt jag hört är gissningar och pladder."

Ed hade lovat att hålla Wasp utanför den här cirkusen och det löftet tänkte han hålla.

"Förbannat kvalificerat pladder i så fall", svarade han. "Hackern, vem fan han nu är, måste ha knäckt Ingrams filer och läckt dem till *Millennium*, och det är illa, det håller jag med om. Men vet du vad det värsta är?"

"Nej."

"Det värsta är att vi hade chansen att gripa hackern och skära ballarna av honom, och stoppa hela läckaget. Men sedan blev vi beordrade att sluta med vår undersökning, och ingen kan påstå att du stod upp för mig särskilt där."

"Jag skickade dig till Stockholm."

"Men mina egna killar gav du ledigt och hela vår jakt tvärdog. Nu är spåren igensopade, och givetvis kan vi ta upp sökandet igen. Men skulle det gynna oss i det här läget om det kom fram att någon liten sketen hacker lurat skjortan av oss?"

"Kanske inte. Men jag tänker slå till hårt mot *Millennium* och den här reportern Blomström, det kan du vara säker på."

"Blomkvist faktiskt. Mikael Blomkvist, och absolut, gör det. Lycka till, säger jag bara. Det skulle verkligen stärka dina popularitetsaktier om du dundrar in på svensk mark och griper den största hjälten i journalistkåren just nu", sa Ed, och då muttrade NSA-chefen något obegripligt och försvann därifrån.

Ed visste lika bra som någon att amiralen inte skulle gripa någon svensk reporter. Charles O'Connor slogs för sin politiska överlevnad och hade inte råd med några våghalsiga utspel, och Ed beslöt att gå bort till Alona och småprata i stället. Han var trött på att slita livet ur sig. Han behövde göra något ansvarslöst och bestämde sig för att föreslå en krogrunda.

"Låt oss gå ut och skåla för hela helvetet", sa han och log.

HANNA BALDER STOD uppe i den lilla backen utanför hotell Schloss Elmau och gav August en putt i ryggen, och såg honom susa nerför sluttningen på den gammaldags träkälken hon fått låna på hotellet. Sedan, när sonen stannat vid en brun lada där nere, började hon gå ner mot honom i sina snörkängor. Även om solen skymtade fram föll ett lätt snötäcke. Men det var nästan vindstilla. Längre bort sköt alptopparna upp mot himlen, och framför henne bredde de vidsträckta vidderna ut sig.

Hanna hade aldrig bott så fint i hela sitt liv, och August återhämtade sig hyggligt, inte minst tack vare Charles Edelmans insatser. Men ingenting var lätt för det. Hon mådde skit. Även nu i backen stannade hon två gånger och tog sig för bröstet. Avgiftningen från tabletterna – som allihop hörde till familjen bensodiazepiner – var värre än hon kunnat föreställa sig, och om nätterna låg hon hopkrupen som en räka och såg sitt liv i det mest skoningslösa ljus. Ibland gick hon upp och bankade näven mot väggen och grät. Tusen och en gånger förbannade hon Lasse Westman, och sig själv.

Men ändå... det fanns stunder då hon kände sig egendomligt renad och upplevde korta skov som åtminstone var besläktade med lycka. Det fanns ögonblick då August satt med sina ekvationer och sifferserier, och ibland svarade på hennes frågor, om än enstavigt och udda, när hon anade att något verkligen var på väg att förändras.

Hon förstod väl inte pojken precis. Han var fortfarande en gåta för henne, och ibland pratade han i siffror, i höga tal upphöjt till lika höga tal, och verkade tro att hon skulle begripa. Men något hade otvivelaktigt hänt, och hon skulle aldrig glömma hur hon sett August sitta vid skrivbordet i deras rum den första dagen och som ett rinnande vatten skriva ner långa vindlande ekvationer som hon fotograferade och skickade vidare till kvinnan i Stockholm. Sent på kvällen den dagen kom ett sms på Hannas Blackphone:

Hälsa August att vi knäckte koden!

Hon hade aldrig sett sonen så lycklig och stolt som då, och även om hon aldrig förstått vad det handlade om, och aldrig sa ett ord om händelsen ens till Charles Edelman, betydde den något väsentligt för henne. Hon började känna sig stolt hon med, omåttligt stolt till och med.

Hon blev också lidelsefullt intresserad av savantsyndromet, och medan Charles Edelman var kvar på hotellet satt de ofta uppe efter att August somnat och talade fram till småtimmarna om sonens förmågor, och om allt annat också för den de-

len. Däremot var hon inte så säker på att det hade varit en bra
idé att hoppa i säng med Charles.

Hon var å andra sidan inte särskilt säker på att det varit en
dålig idé heller. Charles påminde henne om Frans, och hon
tänkte att de allihop höll på att lära känna varandra som en
liten familj; hon, Charles och August, den lite stränga men
ändå rara lärarinnan Charlotte Greber, och så den danske ma-
tematikern Jens Nyrup som besökt dem och konstaterat att
August av någon anledning var fixerad vid elliptiska kurvor
och primtalsfaktorisering.

På något vis höll hela vistelsen här på att bli en upptäckts-
resa in i hennes sons märkliga universum, och när hon nu i
det lätta snöfallet släntrade nerför backen och August reste
sig från kälken kände hon för första gången på evigheter:

Hon skulle bli en bättre mamma, och hon skulle få rätsida
på sitt liv.

MIKAEL BEGREP INTE varför kroppen kändes så tung. Det var
som om han rörde sig i vatten. Ändå pågick en vild kalabalik
där ute, ett segerrus på sätt och vis. Nästan varenda tidning,
sajt, radiostation och tevekanal ville intervjua honom. Han
ställde inte upp på något, och det behövdes inte heller. När
Millennium tidigare publicerat stora nyheter hade det funnits
tidpunkter då han och Erika inte varit säkra på att de andra
mediebolagen skulle haka på, och då hade de fått tänka stra-
tegiskt och ställa upp i rätt forum, och ibland dela med sig lite
av sina scoop. Nu var ingenting av det nödvändigt.

Nyheten exploderade helt av sig själv, och när NSA-chefen
Charles O'Connor och USA:s handelsminister Stella Parker
på en gemensam presskonferens med emfas bad om ursäkt
för vad som hänt försvann de sista tvivlen på att historien var
överdriven eller felaktig, och för närvarande pågick en inten-
siv diskussion om avslöjandets följder och implikationer på
världens ledarsidor.

Men trots ståhejet och telefonerna som ständigt ringde hade Erika bestämt sig för att anordna en hastigt påkallad fest eller mottagning på redaktionen. Hon ansåg att de alla var förtjänta att fly hela kalabaliken en liten tid, och höja ett glas eller två. En förstaupplaga på femtiotusen exemplar hade sålt slut redan under gårdagsförmiddagen, och antalet besökare på hemsidan, som också hade en engelsk version, var redan flera miljoner. Anbud om bokkontrakt strömmade in, prenumerantstocken växte för varje minut och annonsörerna stod i kö för att få vara med.

Dessutom var Serner Media utköpta. Trots sin orimliga arbetsbörda hade Erika fått igenom affären några dagar tidigare. Men det hade inte varit någon lek. Serners representanter hade känt hennes desperation och utnyttjade den maximalt, och en tid hade hon och Mikael trott att det omöjligen skulle gå. Först i sista stund, då ett ansenligt bidrag kom från ett obskyrt bolag på Gibraltar, som fått Mikael att le, hade de kunnat köpa ut norrmännen. Priset blev visserligen oförskämt högt med tanke på läget då. Men det kunde nog ändå betraktas som ett smärre kap ett dygn senare, när tidningens scoop publicerades och Millenniums varumärke sköt i höjden. Nu var de därför fria och oberoende igen, även om de knappt hunnit känna efter.

Till och med under minnesstunden för Andrei på Pressklubben hade journalister och fotografer slitit i dem, och även om de alla utan undantag också ville gratulera kände sig Mikael kvävd och inringad, och han var inte alls lika generös tillbaka som han skulle ha velat, och han fortsatte att sova uruselt och plågas av huvudvärk.

Nu på sena eftermiddagen dagen efter hade redaktionen hastigt möblerats om. På de sammanslagna skrivborden ställdes champagne, vin och öl och japansk catering fram. Folk började också strömma in, först och främst medarbetarna och frilansarna förstås, men även en del vänner till tidningen, inte minst Holger Palmgren som Mikael hjälpte in i och ut ur hissen, och omfamnade två eller tre gånger.

"Vår flicka klarade det", sa Holger med tårar i ögonen.

"Hon brukar göra det", svarade Mikael och log, och placerade Holger på en hedersplats i redaktionssoffan och gav order om att hans glas skulle fyllas på så fort det såg det minsta tomt ut.

Det var fint att se honom där. Det var fint att se alla möjliga gamla och nya vänner, Gabriella Grane till exempel, och kommissarie Bublanski – som möjligen inte borde vara bjuden med tanke på deras yrkesmässiga relation och Millenniums ställning som oberoende granskare av polismakten – men som Mikael propsat på att få hit, och som förvånande nog under hela festen stod och pratade med professor Farah Sharif.

Mikael skålade med dem och med alla andra. Han var klädd i jeans och sin finaste kavaj, och för ovanlighetens skull drack han ganska mycket. Men det hjälpte inte särskilt. Han blev inte av med sin känsla av tomhet och tyngd, och det handlade naturligtvis om Andrei. Andrei fanns varje sekund i hans tankar. Scenen när kollegan suttit på redaktionen och så när hängt med ut på en öl hade etsat sig fast i honom, som ett på en gång vardagligt och livsavgörande ögonblick. Minnen av Andrei dök hela tiden upp, och Mikael hade svårt att koncentrera sig på samtalen.

Han blev less på alla berömmande och insmickrande ord – bara Pernillas sms **"du skriver visst på riktigt pappa"** berörde honom egentligen – och ibland kastade han en blick mot dörren. Lisbeth var givetvis bjuden, och skulle självklart ha blivit hedersgäst om hon dykt upp. Ändå syntes hon inte till, och det var förstås inget att förvånas över. Men Mikael skulle åtminstone ha velat tacka henne för det storsinta bidraget i Sernerkonflikten. Å andra sidan, vad kunde han begära?

Hennes sensationella dokument om Ingram, Solifon och Gribanov hade gjort att han kunnat nysta upp hela historien, och till och med fått Ed the Ned, och självaste Nicolas Grant på Solifon att ge honom flera detaljer. Men Lisbeth hade han bara hört av en enda gång sedan dess, och det var när han så gott det nu gick intervjuat henne över Redphoneappen om vad som hänt ute i stugan på Ingarö.

Det var en vecka sedan redan, och Mikael hade ingen aning om vad hon tyckte om hans reportage. Kanske var hon arg för att han dramatiserat för mycket – vad han nu annars skulle ha kunnat göra med hennes knapphändiga svar. Eller så var hon förbannad för att han inte pekat ut Camilla med namn utan enbart talat om en svensk-ryska med benämningen Thanos eller Alkhema, eller så var hon överhuvudtaget besviken på att han inte dragit på hårdare och tvålat till allihop ännu mer.

Det var inte lätt att veta, och ingenting blev förstås bättre av att chefsåklagare Richard Ekström verkligen tycktes överväga att åtala Lisbeth för olaga frihetsberövande och egenmäktigt förfarande. Men det var nu som det var, och till slut gav Mikael tusan i alltsammans och lämnade festen utan att ens säga adjö, och gick ut på Götgatan.

Det var givetvis ett hopplöst väder, och i brist på annat gick han igenom alla nya sms på sin telefon. Det var helt omöjligt att få någon överblick. Det var gratulationer och intervjuförfrågningar och ett par skamliga förslag. Men självklart ingenting från Lisbeth, och åt det muttrade han lite. Därefter stängde han mobilen och gick hemåt med förvånansvärt tunga steg, framför allt för en man som just levererat årtiondets scoop.

LISBETH SATT I sin röda soffa på Fiskargatan och tittade tomt ut mot Gamla stan och Riddarfjärden. Det var ett drygt år sedan hon inlett sin jakt på systern och det kriminella arvet efter fadern, och hon hade tveklöst haft framgång på flera punkter.

Hon hade spårat Camilla och tilldelat Spiders ett allvarligt slag. Förbindelserna med Solifon och NSA var upplösta.

Dumaledamoten Ivan Gribanov var i Ryssland utsatt för stort tryck, Camillas torped var död och hennes närmaste man Jurij Bogdanov och flera andra dataingenjörer var efterlysta och hade tvingats gå under jorden. Men ändå, Camilla levde – förmodligen hade hon flytt landet, och kunde sondera terrängen och bygga upp något nytt.

Ingenting var över. Lisbeth hade bara skadeskjutit villebrådet, och det var inte tillräckligt, inte alls, och sammanbitet vände hon blicken mot soffbordet framför sig. På bordet låg ett paket cigg och det olästa numret av *Millennium*. Hon tog upp tidningen. Hon lade ner den igen. Sedan plockade hon upp den på nytt och läste Mikaels långa reportage. När hon hunnit till sista meningen tittade hon en stund på hans nytagna bylinebild. Därefter reste hon sig häftigt och gick in i badrummet och sminkade sig. Hon drog på sig en tajt svart T-shirt och en läderjacka och gick ut i decemberkvällen.

Hon frös. Hon var helt sinnessjukt tunt klädd. Men hon brydde sig inte särskilt, utan sneddade med hastiga steg ner mot Mariatorget. Hon tog vänster in på Swedenborgsgatan och klev in på restaurang Süd, där hon satte sig i baren och drack whisky och öl om vartannat. Eftersom flera av gästerna var kulturfolk och journalister var det inte förvånande att många kände igen henne, och det var lika lite överraskande att hon blev föremål för en rad diskussioner och iakttagelser. Gitarristen Johan Norberg, som i sina krönikor i tidningen *Vi* blivit känd för att lägga märke till små, men ändå betydelsebärande detaljer, tänkte att Lisbeth inte drack som om hon njöt av det utan snarare som om drickandet var ett arbete hon ville ha utfört.

Det fanns något oerhört målmedvetet i hennes rörelsemönster, och ingen verkade heller våga gå fram till henne. En kvinna vid namn Regine Richter, som till vardags arbetade med kognitiv beteendeterapi, och som satt vid ett bord längre in, frågade sig till och med om Lisbeth Salander ens noterat ett enda ansikte på restaurangen. Åtminstone kunde inte Regine påminna sig att Lisbeth överhuvudtaget kastat en blick ut över rummet eller visat minsta intresse för något därinne. Bartendern Steffe Mild trodde att Lisbeth förberedde sig inför någon sorts operation eller tillslag.

Klockan 21.15 betalade hon kontant och gick ut i kvällen utan ett ord eller en nick. En medelålders man i keps vid namn Kenneth Höök, som i och för sig inte var särskilt nykter eller ens särskilt pålitlig om man ska tro hans exfruar och i stort sett alla hans vänner, såg henne korsa Mariatorget som om hon var "på väg mot en duell".

TROTS KYLAN GICK Mikael Blomkvist bara långsamt hemåt, försjunken i dystra tankar, även om han drog på munnen lite grann när han mötte de gamla stammisarna utanför Bishops Arms:

"Så du var inte slut ändå!" skrålade Arne eller vad han nu hette.

"Kanske inte riktigt än", svarade Mikael och övervägde en sekund att ta en avslutande öl på krogen och prata lite skit med Amir.

Men han kände sig för eländig för det. Han ville vara ensam, och han fortsatte därför mot sin port. På väg uppför trapporna greps han av ett obestämt obehag, kanske en följd av allt han varit med om, och han försökte avfärda känslan. Ändå försvann inte obehaget, särskilt inte när han förstod att en lampa gått på övervåningen.

Det var kompakt mörkt däruppe, och han saktade ner sina steg och uppfattade plötsligt något, en rörelse trodde han. I nästa ögonblick glimtade något till, en svag ljusstrimma som från en telefon, och vagt, som en vålnad, anades en mager gestalt i trappuppgången med en mörk, gnistrande blick.

"Vem där?" sa han, och blev rädd.

Men så såg han; det var Lisbeth, och även om han först lyste upp och slog ut med armarna blev han inte lika lättad som han förväntat sig.

Lisbeth såg ilsken ut. Ögonen var svartmålade, och kroppen tycktes spänd som inför ett anfall.

"Är du arg?" sa han.

"Rätt så."

"Varför då, min vän?"

Lisbeth tog ett steg fram i korridoren med ett skinande blekt ansikte, och han tänkte en kort sekund på hennes skottsår.

"För här kommer jag på besök, och så är ingen ens hemma", sa hon, och då gick han emot henne.

"Det är lite av en skandal, eller hur?" svarade han.

"Jag tycker det."

"Men om jag bjuder in dig nu då?"

"Då är jag väl så illa tvungen att tacka ja."

"Då får jag säga välkommen", sa han, och för första gången på länge spreds ett stort leende över hans ansikte. Utanför på natthimlen föll en stjärna.

FÖRFATTARENS TACK

ETT STORT TACK till min agent Magdalena Hedlund, Stieg Larssons far och bror, Erland och Joakim Larsson, mina förläggare Eva Gedin och Susanna Romanus, redaktören Ingemar Karlsson, och Linda Altrov Berg och Catherine Mörk på Norstedts Agency.

Tack också till David Jacoby, säkerhetsforskare på Kaspersky Lab, och Andreas Strömbergsson, professor i matematik vid Uppsala universitet, samt till Fredrik Laurin, grävchef på Ekot, Mikael Lagström, VP services på Outpost24, Martin Jartelius, säkerhetschef på Outpost24, författarna Daniel Goldberg och Linus Larsson, och till Menachem Harari.

Och så förstås till min Anne.